RODMOOR

JOHN COWPER POWYS

RODMOOR

ROMAN

traduit de l'anglais
par Patrick Reumaux

préface d'Amaury Nauroy

LE BRUIT DU TEMPS

LEÇON D'EXORCISME

« MÉPHISTOPHÉLÈS. — Je te découvre à regret un des plus grands mystères. Il est des déesses puissantes, qui trônent dans la solitude. Autour d'elles n'existent ni le lieu, ni moins encore le temps. L'on se sent *ému* rien que de parler d'elles. Ce sont les MÈRES. [...] Il faut chercher leur demeure dans les profondeurs du vide. C'est par ta faute que nous avons besoin d'elles. »

GOETHE, *Second Faust* (trad. GÉRARD DE NERVAL)

Ne sous-estimons pas le « pouvoir des morts sur les vivants ». Quand, le 25 octobre 1915, John Cowper Powys annonce d'Amérique à son petit frère Llewelyn qu'il commence un nouveau roman, il en situe d'emblée la scène d'ouverture dans le sud de Londres, comme il l'avait déjà fait dans un manuscrit rédigé des années auparavant et que la bibliothèque de l'Université de Syracuse a enregistré sous le titre « La vie d'une fille de la rue ». Le choix de Londres s'est tout de suite imposé : exilé depuis dix ans dans un pays qu'il exècre, il lui tarde de rejoindre par la pensée sa chère Angleterre. C'est une époque où il cherche à donner à sa vie une sorte d'aplomb, ayant été déstabilisé par la perte de sa mère, un an et demi plus tôt. Cette perte a remis en cause l'« illusion vitale » sur quoi reposait son existence ; et il en a été d'autant plus meurtri que les obsèques, célébrées par son propre père dans le petit cimetière de Montacute, ont eu lieu le jour même de la déclaration de guerre de l'empire britannique, le 4 août 1914. Le pays de son enfance sera bientôt bombardé. En décembre, las des conférences alimentaires qu'il donne sur les poètes et les prosateurs qu'il admire (de Montaigne à Remy de Gourmont, de Shakespeare à Dickens), il évoque à Llewelyn la nécessité pour lui de reconquérir par une entreprise romanesque la terre de ses morts : « Je veux écrire à Mère. Il devrait exister une poste pour ce genre de lettre. » Aussi, dans les mois qui précèdent la rédaction de son roman, des souvenirs d'enfance le submergent. Il se revoit marcher dans les herbes plumeuses du Somerset ; il se rappelle la façon quasi liturgique que sa mère avait de nommer les fleurs du pays qu'elle collait dans des herbiers — des noms si beaux qu'il tiendra à les égrener dans son propre livre : herbe au lait, mouron d'eau, aubépinier, eupatoire, salicaires, sycomores, liserons, fumeterre, pavot cornu sans parler des « holocaustes de coquelicots écarlates ». Mais jusqu'en février 1916, dès qu'il se met à écrire, son irritabilité s'accroît, et cette tension le ramène bien souvent à la dyspepsie. D'atroces maux d'estomac, des nausées et des crampes l'obligent à ingérer des quantités astronomiques de bicarbonate de soude. Il ne peut s'empêcher de repenser par ailleurs aux épreuves subies par sa sœur Philippa, qu'il a dû faire interner, en septembre 1912, dans l'asile de Brislington, près de Bristol. Il redoute de sombrer à son tour dans la folie, qu'il a déjà frôlée de près, entre ses vingt et vingt-cinq ans. Néanmoins, il continue à réfléchir à son roman. En février, il fixe le lieu de l'intrigue. Il s'est même décidé à en confiner tous les personnages dans les environs immédiats d'un port de la mer du Nord, et peu importe la désinvolture avec laquelle il les fera quitter Londres en direction de l'East Anglia. Il écrit à son frère : « Je pense que ce sera à propos du Norfolk ou du Suffolk […] » Il précise : « Quand j'en aurai fini avec les conférences, en avril, j'ose dire que je serai vraiment heureux d'écrire à New York mon prochain roman, ou disons plutôt *romance* (je préfère ce mot). » Powys a sans doute à l'esprit les grands romans psychologiques de Richardson ou d'Austen, sans pour autant chercher à donner à son propre livre une fin heureuse. Pour décrire la « manie » pathologique dont souffre le protagoniste, il prend parfois conseil auprès du docteur Philip Thomas chez qui il loge à la fin du mois d'août : « Ne pense pas, écrit-il à Llewelyn, que je sois en colère ou malade parce que je loge chez un médecin. Je ne suis ni l'un ni l'autre. » Seulement, « par dégoût névrotique de la vie estivale », il a erré de gauche à droite dans l'espoir de travailler, fuyant les vacanciers jusque dans les collines d'Otsego où il s'était fait un petit bureau de fortune dans une cabane au milieu d'un champ : une chaise, de l'encre, un manteau. « Je préfère avoir chaud à New York que d'être au frais parmi les campeurs et les hédonistes. Ici, je crois vraiment que je suis bien installé pour le reste de l'été. Il me faut travailler à présent comme un diable pour faire ces livres, et cet endroit devrait convenir… La chaleur ne me gêne pas. Il doit faire près de cent degrés aujourd'hui, mais je m'en fiche… » Tout ce qu'il demande, c'est de « l'énergie pour écrire ». Le 14 septembre, les 460 pages d'épreuves lui sont livrées. Une petite amie les relit à sa place, tandis qu'il commence déjà un recueil d'essais sur les littératures française et anglaise. Manque le titre. À ma connaissance, il l'aura fabriqué à partir du nom du camp de vacances où, le premier juillet, il s'était installé avec sa sœur Marian : camp dit de « Rodmore » au bord du lac Otsego dans l'État de New York. Puis, au cours de l'été — mais on ne saurait dire s'il en a eu l'idée tout de suite, ou si elle lui est venue sur le tard, alors qu'il était déjà retourné à New York vivre chez le docteur Philip Thomas. Il lui importait en tout cas de lui donner une sonorité plus *british*, d'autant plus indiquée pour son roman qu'elle en évoque un des paysages d'arrière-plan : *moor*, en anglais, signifie la *lande*. Peut-être voulait-il faire entendre dans « Rodmoor » quelque chose du titre d'un roman de Walter Scott où il est question de folie : *La Fiancée de Lamermoor*, à moins qu'il n'ait pensé d'abord au nom d'une étendue d'eau salée du Dorset, dite le Lodmoor — vers quoi le ramène de longue date un « curieux et indéracinable sentiment » : c'est là-bas qu'il passait ses vacances d'été avec ses frères. Ce titre pourrait bien éclairer, me semble-t-il, sa volonté de résoudre une polarisation croissante entre, d'un côté, une Amérique qu'il abhorre (il décrit ses habitants comme des « animaux sans cervelle » ; lui sont insupportables leurs « visages replets » de « joviaux fumeurs de cigares » !), de l'autre le monde affectif et désœuvré de l'enfance, d'où lui reviennent par bouffées des odeurs de tourbe et de vase des marais, et la cinglante gifle de vent salé des bords de mer : le Lodmoor, à quelques encablures du port de Weymouth l'obsède. Rompons là. Fin septembre, *Rodmoor* est sous presse.

Publié à New York à la mi-octobre 1916, ce grand roman psychologique, que Powys a donc écrit en partie pour exorciser une forme de folie qui le hante depuis sa jeunesse, explore magistralement les différents états de conscience d'un certain Adrian Sorio, à qui semble avoir été accordé un précaire répit avant l'inéluctable débâcle de son esprit : « Je sais que j'ai en moi quelque chose dont la vérité est démente… et qui mord les choses jusqu'à l'os. » Cet horizon tragique se dessine dès l'incipit lorsque, de retour d'Amérique sans son fils, Sorio se laisse convaincre par sa jeune amante, l'élégante et quelque peu victorienne Nance Herrick, de l'accompagner dans l'East Anglia, à Rodmoor. Cette côte de la mer du Nord, dont le nom frappe immédiatement l'imagination maniaque de Sorio, fait planer sur les premières heures du séjour une sourde menace.

La petite ville portuaire, bordée de marais aux fleurs sous-ma-
rines phosphorescentes, semble « sous le charme d'une influence
occulte ». Le processus de l'ordre naturel des saisons en est
« perversement contrarié » : les arbres sont « rabougris », leurs
feuilles ressemblent à « des centaines de petites mains mortes »,
des « menottes de bambins spectraux suppli[ent] toutes les
puissances auxquelles ils peuvent faire appel de leur donner
davantage de vie ». Rodmoor est habité par une petite communauté de solitaires, comme il y en a dans les contes fantastiques :
corrompus par leur misérable vie provinciale, « trempés jusqu'aux
os dans la matière », ils sont déjà plus proches des bêtes que
des hommes : un tel est surnommé « le Blaireau », tel autre a
« le nez d'un rongeur ». L'ancienne amante du père de Nance,
Rachel Doorm ressemble à « une prêtresse en robe noire d'un
rite ancien » ; l'« efféminé » et égoïste Balthazar Storck se
montre dans la conversation aussi maladivement rationnel
que son camarade Sorio est confus, distrait, à la merci des
éléments ; quant aux deux enfants de Mme Rensham, brasseurs à Mundham, ils « hypnotisent » les nouveaux venus dans
la contrée : le fils Brand séduit la jeune demi-sœur de Nance,
et sa fille Philippa, « prêtresse d'Artémis » à l'instinct destruc-
teur, tombe amoureuse (le mot est faible) d'Adrian. Reste un
docteur désabusé qui observe le gentil petit délire des uns et
des autres tandis qu'un prêtre, qui ne se promène jamais sans
un rat sur l'épaule, cherche par empathie à apaiser des fidèles
qu'il redoute d'approcher comme le diable. Cependant, le
seul véritable héros de cette « romance » tumultueuse dédiée
aux « mânes d'Emily Brontë » est non pas un homme ni une
femme, quand même nous retient le va-et-vient tourmenté
d'Adrian entre les deux pôles (mondain et asocial) de sa vie
sentimentale, mais bien plutôt l'envoûtante étendue des marais
qui s'étendent aux alentours de la ville et qui jouent, dans le

roman, le même rôle que la lande dans les *Hauts de Hurlevent*. Si complexes que soient en effet les protagonistes de cette histoire, ils sont soumis, au-delà de leur caractère individuel, à la grande loi des « flux et reflux » qui régit l'univers (« le bruit de la marée sur la plage de Rodmoor était l'arrière-fond de toutes choses ») ; c'est cette loi mystérieuse qui détermine leurs mouvements intérieurs, contradictoires et incessants, dont la cause leur échappe ; mais ils reconnaissent en eux l'emprise magnétique de ce paysage terraqué, fortement érotisé, et qui reflète le désir fou que chacun ou presque éprouve, à Rodmoor, de saccager sa propre vie : « On s'y désintègre, vous savez, on y perd son identité et on oublie les règles [...] Ce que nous cherchons, c'est *la ligne de fuite*… c'est la phrase même de mon livre. » Et il semble qu'en effet pour Powys, qui d'évidence a pensé ce roman comme une infusion de sa propre existence, la seule façon de rompre avec les attaches familiales soit d'émigrer vers d'autres sphères subhumaines ou surhumaines en se fondant dans la nature.

J'avoue pour ma part avoir été stupéfié par le récit de cet arrachement à soi poussé jusqu'à une forme d'*extase*. Avant *Rodmoor*, Powys n'avait pas trouvé sa voix. Si on excepte un pamphlet contre la guerre, il n'avait publié que deux recueils de poèmes recommençant Keats à travers Tennyson, et un premier roman inabouti : malgré de belles pages et un somptueux finale sous la pluie, *Bois et Pierre* reste un livre au charme inégal, un brouet de Georges Eliot et des œuvres panoramiques de Thomas Hardy. Avec *Rodmoor*, en revanche, ses références, sa voix, son art romanesque se sont approfondis, décantés. Ce qui pour les jeunes gens aspirant à faire carrière dans les lettres est plutôt réconfortant, car Powys avait passé la quarantaine. Depuis ma découverte du *Château d'Argol*, à l'âge de vingt ans, ayant déjà lu Maupassant, Ramuz, Giono et tout ce que notre littérature compte de poètes en prose, aucun romancier n'avait plus témoigné, à mes yeux, d'une telle puissance dans la saisie d'un paysage, d'une telle justesse pour dire ce qu'on appelle parfois, au risque de la grandiloquence, l'« émotion cosmique ». Mais ici cette expression ne me paraît pas galvaudée, tant une même respiration s'établit entre le narrateur, ses personnages et leur proche environnement, comme cela se produit au théâtre, les soirs d'exception, entre la scène et la salle. Il y a chez cet « Anglais dégénéré » (c'est ainsi que le qualifia le procureur américain lors de son témoignage au procès de l'*Ulysse* de Joyce), comme déjà chez Emily Brontë dont nous sentons tout au long du livre la présence complice, une porosité entre le monde visible, accessible, palpable, et tout un pan de ce réel, moins cadastré, auquel nous accédons parfois à la faveur d'un événement rare et authentique comme l'amour, la folie ou la mort. Trois catastrophes auxquelles sont en proie les personnages du roman, et qui leur sont nécessaires, en quelque façon, pour s'affranchir de ce qui, dans la vie sociale, fait si douloureusement obstacle à la communication universelle entre soi, les autres, et la nature. Ce qui peut nous attacher également à ce romancier à l'imagination morbide, outre le fait qu'il se réapproprie la tradition du roman gothique, c'est qu'il ne s'en tient jamais à la narration froide d'une tragédie contre laquelle il n'y aurait par avance aucun recours ; à chaque personnage blessé par la vie, au contraire, il accorde non pas tout à fait un remède (il n'y en a pas) mais un baume, un accès épiphanique à une joie supérieure ; cette « sensation d'indestructible joie » née du « plaisir de l'instant idéal ». Le vicaire de Rodmoor ne cherche pas à vanter artificiellement une paix de l'âme apprise dans la Bible, il en est saisi par surprise, alors qu'il traverse son jardin, un matin, de bonne heure ; Nance Herrick aussi, étrangement détachée de son propre destin, perçoit au cours d'une longue sortie nocturne, avec une vivacité qu'elle n'avait encore jamais ressentie, « le sens profond du haut mystère platonique », et partant nous suggère que, sous réserve d'une certaine harmonie entre notre vie intime et la climatologie secrète des saisons, nous pourrions, nous aussi, être soudain traversés par « un inexprimable courant de bonheur ». Que ce courant soit passager est secondaire, l'important est que *le mystère a eu lieu*, et qu'il est là, « enfoui quelque part dans les profondeurs ». Sans avoir l'illusion que la grande littérature puisse, à elle seule, nous sauver des jours de marasme, en revanche, au sortir de ces jours, lorsque nous reprenons timidement contact avec le monde et quelque appétence pour les livres, nous savons désormais pouvoir compter sur Powys pour nous rappeler que la vraie vie commence aux lisières de la conscience, là où toutes les questions d'ordre politique, sociologique, moral se fondent dans les pulsions primaires, où pour contrer les assauts répétés de l'angoisse chacun se tient prêt à vivre intensément ses sentiments dans des temples de paille, quitte à devoir les rebâtir chaque jour avec le peu de force qui lui reste.

AMAURY NAUROY

RODMOOR

dédié aux mânes d'Emily Brontë

Ô, loin, toujours plus loin, ils s'en allèrent
Et franchirent à gué des rivières.
Et ils ne virent ni soleil ni lune
Mais entendirent rugir la mer.

I

LE BOROUGH

Ce n'était pas qu'il lui avait caché quelque chose. Dans la première vraie conversation qu'ils avaient eue ensemble, sur le petit banc isolé dans South London Park, il lui avait parlé en toute franchise des souffrances morbides de ses années en Amérique et de la débâcle finale de son esprit.

Il lui avait même indiqué, tandis que le bruit d'une tondeuse à gazon leur parvenait au-dessus des tulipes humides de pluie, quelques-unes des causes les plus secrètes de cet événement : par exemple sa réaction sauvage pour sortir du cercle dans lequel il était enfermé là-bas, sa malheureuse et implacable manie de l'introspection, la nostalgie brûlante qu'il avait de choses moins brutales, moins meurtrièrement nouvelles.

Il expliqua que sa maladie mentale avait pris une forme dangereuse, imprévue, et que seul un petit miracle lui avait permis d'échapper à un long internement.

Non. Ce n'était pas qu'il lui avait caché quelque chose. C'était la vague et désagréable impression que, bien qu'il s'ouvrît — en un certain sens il en disait plutôt trop que trop peu —, elle ne le comprenait pas vraiment.

Son instinct de femme l'incitait à le persuader qu'elle comprenait, à le rassurer et à le consoler. Mais elle avait au fond du cœur un doute lancinant, que seule faisait taire la rare douceur de ces jours d'un premier amour. Ce doute à propos des confessions de son soupirant n'était pas le seul petit nuage qui obscurcissait l'horizon de Nance Herrick au cours de ces semaines mémorables — des semaines qu'elle était destinée à considérer, plus tard, comme étrangement heureuses.

Dans les rares moments où sa passion lui permettait de penser à de telles choses, elle découvrait avec angoisse l'ambiguïté des relations entre les deux êtres dont elle avait la charge. Depuis la mort de son père — ce marin prodigue — trois ans plus tôt, quand elle avait résolu de les faire vivre en travaillant chez la modiste, elle avait compris que tout n'allait pas si bien entre eux. Rachel Doorm n'avait jamais pardonné au capitaine Herrick de s'être remarié. Elle le sentait d'instinct, mais ce n'était que tout récemment qu'elle avait été troublée par l'attitude de cette femme extravagante envers sa jeune demi-sœur.

Au cours de sa longue maladie nerveuse, la mère de Linda s'était littéralement accrochée à la sinistre amie de la première épouse. Mais la mère de Linda avait toujours été différente des autres femmes, et Nance se rappelait qu'autrefois elle n'intervenait jamais lorsque Miss Doorm emmenait l'enfant pour la punir.

Rachel avait toujours été un sujet d'angoisse pour Nance. Maintes fois prouvée, sa dévotion féroce était devenue davantage un fardeau qu'un plaisir, et, à présent qu'il y avait cette tension accrue entre elle et Linda, c'était devenu une chose odieuse, griffue et menaçante.

Face à cette situation, Nance était déchirée. Sa propre mère lui avait autrefois fait jurer — et c'était là l'un des rares souvenirs précis qu'elle avait d'elle — de ne jamais abandonner cette amie des jours anciens. Le serment qu'elle avait alors fait de tenir cette promesse était devenu une sorte de rite religieux. Le seul rite en fait, après toutes ces années, qu'elle était capable d'accomplir en souvenir de la morte.

Cependant, si par fidélité à sa mère elle se montrait indulgente envers les extravagances de Rachel, le sentiment plus vif qu'elle éprouvait pour sa demi-sœur se muait en indignation à la pensée que l'on pût lui faire du mal.

Or, il était clair que Linda n'était pas heureuse en ce moment. La jeune fille semblait perdre sa vivacité et devenir de plus en plus silencieuse et réservée.

Bien qu'elle approchât de ses dix-huit ans, Nance l'avait une ou deux fois surprise en train de regarder Rachel avec ce visage suppliant et effrayé qu'elle avait étant enfant, lorsqu'elle était obligée de quitter le giron de sa mère à cause d'une quelconque peccadille.

Le père de Rachel, vieillard aussi taciturne qu'insensible, venait de mourir en léguant à sa fille, qu'il avait pratiquement reniée, une modeste rente annuelle et une petite maison sur la côte est.

Aussi Rachel Doorm était-elle impatiente d'emmener les deux sœurs dans la demeure de ses ancêtres, au village de Rodmoor, partie pour témoigner de sa reconnaissance envers ce que la mère de Nance — et Nance elle-même par la suite — avait fait pour elle, partie par dévotion fanatique envers Nance.

La jeune fille ne pouvait s'empêcher de ressentir un soulagement infini à l'idée d'être délivrée de son travail ingrat chez la modiste. Cependant, ces derniers jours, son plaisir avait été considérablement gâté par la réaction de sa sœur à ce projet.

À présent que cette nouvelle passion la dévorait, son départ prochain de Londres lui apparaissait sous un jour différent.

Mais, cet après-midi-là, aucune de ces questions n'interrompit le cours de la rêveuse et profonde félicité de la jeune fille.

Dans les longs silences délicieux qui tombaient entre elle et son amant sur ce banc de Kensington Park, avec un parfum plus doux que celui de la pluie en suspens, elle laissa son esprit errer avec langueur sur chacun des événements merveilleux qui l'avaient amenée là.

Elle se souvint que, lorsqu'elle avait vu Adrian pour la première fois, elle avait eu comme le pressentiment, issu de quelque haute sphère de l'être, que son sort allait être remis entre les mains de cet homme pour le bien comme pour le mal.

Elle l'avait aperçu pour la première fois au début du mois d'avril. Assise près de lui, elle se rappelait que, à mesure que les jours s'adoucissaient et que les premiers signes exquis du printemps — ici un panier de jonquilles, là un rameau d'amandier en fleur — entraient un par un dans la rue qu'elle traversait pour se rendre à son travail, elle se sentait de moins en moins encline à lutter contre le frisson profondément délicieux qui l'envahissait, telle une chaude vague montante, à chaque palpitation de son corps. Qu'une pareille chose ne lui fût jamais arrivée, qu'elle eût vécu jusqu'à l'approche de son vingt-troisième anniversaire en ayant le cœur absolument libre, ne faisait que rendre plus doux et plus total l'abandon qu'elle ressentait.

« C'est l'amour... C'est l'amour, pensa-t-elle. Et je vais m'y abandonner ! » Elle s'y était abandonnée. Il l'avait pénétrée avec un jaillissement triomphant de joie intérieure. Elle s'était immergée dans l'amour. Elle avait accompli la corvée de son travail comme si elle flottait languidement, portée par une houle qui la berçait avec douceur. Elle avait entièrement vécu au présent. Sans faire le moindre mouvement, même pour connaître le nom de l'homme dont la présence silencieuse avait ému ses sens jusqu'à l'exultation.

Elle avait éprouvé le désir indescriptible de prolonger ces heures, celles de son premier amour, si uniques, si nouvelles, et si douces. Un désir — elle se le rappelait à présent — qui contenait l'ombre d'une peur informulée, comme si le simple fait de nommer, fût-ce à elle-même, ce qu'elle éprouvait risquait d'attirer la jalousie des puissances invisibles.

Aussi avait-elle pris soin, lorsqu'elle se hâtait le matin en direction du pont chargé d'histoire, de ne jamais flâner ni s'arrêter après être passée devant lui et avoir croisé son regard, et de ne jamais se risquer à tourner la tête pour voir s'il la suivait.

Et pourtant elle savait — elle l'avait su dès les premiers jours — qu'il était là matin et soir, quel que fût le temps, pour la voir passer.

Elle savait également — comment aurait-il pu en être autrement ? — que cette connivence muette entre deux âmes aurait une fin, qu'elle changerait et deviendrait quelque chose d'autre, qu'elle serait plus proche ou plus lointaine avec le temps.

Mais, jour après jour, elle repoussait cet événement, trop pénétrée par le doux rêve dans lequel elle se mouvait pour souhaiter le détruire, que ce fût pour le meilleur ou pour le pire.

Si elle avait douté de lui, douté de son intérêt pour elle, tout aurait été différent.

Elle en eût été réduite à une démarche désespérée, qui l'aurait obligée à se reconnaître pour ce qu'elle était, la seule élue, prête comme personne d'autre ne pouvait l'être à crier avec force : « Seigneur, regarde ta servante. Fais d'elle ce que Tu voudras ! » Mais elle avait perçu son intérêt, et senti le courant magnétique de son désir comme une main posée sur sa poitrine.

En réponse, elle s'était donnée à lui ; dans un abandon non moins total, pensait-elle tandis qu'elle entendait sa voix à travers une brume délicate d'exquise rêverie, que celui dans lequel elle se donnait à présent.

Avec un joyeux orgueil, elle se rappelait que pendant tous ces jours elle n'avait pas pensé, pas une seule seconde, à la question d'un avenir possible avec lui. Dans les heures de transe, où elle avait si tendrement couvé l'aspect et le visage de son anonyme amant, elle le voyait toujours qui l'attendait sur le trottoir, haute silhouette voûtée d'allure étrangère, vêtu d'un long Inverness maculé par les intempéries — il lui semblait en connaître l'étoffe comme si elle l'avait touchée —, au coin de la rue devant le fleuriste.

Elle sentait qu'elle pourrait le retrouver là, dans cette même attitude et avec ce même air d'ardent espoir, pendant des jours d'enchantement innombrables, elle passant en silence avec le même frisson d'attente.

Un tel philtre d'amour, non pas fiévreusement bu jusqu'à la dernière goutte, mais versé avec douceur dans sa bouche avec le goût d'une consécration mystique, lui semblait contenir, même à présent qu'elle l'avait près d'elle dans le souffle tiède des premiers lilas de Londres, le secret d'un Présent triomphant, où s'abolissaient Passé et Avenir.

Tandis que les heures emplies du murmure monotone de la ville passaient en se glissant à la sauvette, que les jardiniers plantaient des pensées et ratissaient léthargiquement l'odorant humus, la jeune fille, heureuse en cet après-midi d'avril unique, avait l'impression que rien de ce qui pourrait lui arriver plus tard ne surpasserait ce qu'elle éprouvait alors, ou n'aurait une plus grande importance finalement. À chaque vibration de son jeune corps, elle prononçait une litanie de gratitude. « *Ite, missa est*, criait son cœur. C'est assez. »

En rentrant main dans la main à travers la pénombre du parc complice, elle lui fit raconter sans omettre aucun détail tous les menus incidents des premiers jours de leur rencontre. Adrian Sorio, comprenant l'esprit dans lequel était proférée cette exquise prière, devint plus volubile qu'il ne l'aurait souhaité.

Il lui raconta comment, dans la confusion de son esprit, lorsqu'il eut la révélation que le mal dont il souffrait ne lui interdisait pas d'éprouver le doux aiguillon de « ce que les hommes appellent l'*amour* », il lui avait été impossible de faire face avec une ferme résolution au problème de son avenir incertain. Il avait reconnu que, dans une semaine ou à peu près, il n'aurait plus en sa possession le moindre penny. Il lui était pourtant impossible — et, confessa-t-il, l'émotion nouvelle qu'il éprouvait n'altérait en rien cet état de choses — de faire la moindre démarche pour s'assurer d'un emploi.

Une sorte de timidité misanthropique, lui expliqua-t-il, lui rendait odieuse l'idée de chercher ce qu'on appelle vulgairement du « travail ». Il était pourtant évident qu'il devait en trouver s'il ne voulait pas purement et simplement mourir de faim.

Et cela, lui dit-il en lui pressant la main à l'instant où ils émergeaient dans la lumière des rues, il n'en n'avait plus guère le désir, quoiqu'il eût plus d'une fois songé — aux premiers jours de son retour d'Amérique — à une agréable sortie en douceur. Tandis qu'ils rentraient côte à côte, parcourant discrètement les rues passantes du long chemin qui les séparait du logis, Nance, de nouveau coiffée du chapeau qu'elle avait languidement tenu dans sa main dégantée, sursauta en entendant le nom de « Rodmoor » dans la bouche de son amant. Quelle extraordinaire coïncidence ! Quel don des dieux miraculeux !

Le destin l'emportait vraiment sur son flot. Cela ressemblait à s'y méprendre à un vieux conte fantastique. Était-il possible que, avant même qu'elle pût se faire à l'idée de leur séparation, elle apprît soudain qu'il n'en serait rien !

Rachel Doorm était certes une sorcière, quelqu'un qui avait le pouvoir d'une magicienne pour sa préférée. Nance retint son cri de joie (« Mais c'est là où nous allons ») pour le laisser dérouler à sa manière le fil de son histoire, inconscient semblait-il de l'effet de ses paroles.

Au moment où les pensées de Nance, tel un vol de pigeons effarouchés, atterrirent de nouveau dans le discours de Sorio, il était question d'un certain Baltazar Stork. Ce vieil ami de Sorio lui avait écrit pour lui offrir une sorte d'hospitalité illimitée dans son village de la mer du Nord. Le nom de ce lieu — avait-elle jamais entendu parler de Rodmoor ? — s'était étrangement répété dans l'esprit de Sorio depuis qu'il l'avait lu pour la première fois en déchiffrant l'abominable écriture de son ami.

À cet instant, sous l'éclairage violent d'un magasin, elle devint soudain consciente qu'il l'observait avec une excitation joyeuse.

— Tu le sais ! s'écria-t-elle. Tu le sais !

Il eut toutes les peines du monde à la persuader de le laisser raconter, à sa manière complexe, comment il savait.

Ce refuge — offert en pleine tempête — lui offrait une belle excuse pour ne pas tenter de chercher du travail. Et, confessa-t-il avec une outrancière emphase, le nom du lieu avait immédiatement frappé étrangement son imagination.

Il le voyait parfois comme une image, mot brun sombre se détachant sur un ciel d'une lividité sans couleur, curieusement lié — avec l'incohérence trouble et obscure d'un langage mal appris — aux symboles les plus fous et les plus fertiles de sa vie.

Rodmoor ! Le vocable l'attirait et le troublait en même temps. Ce qu'il lui suggérait — il lui fit admettre qu'il avait sur la question des idées plus précises qu'elle — correspondait sans nul doute à ce qu'il recouvrait : des lieues et des lieues de solitude blanchie par la mer, des dunes et des marais, des saules épars et des peupliers aux feuilles pâles, des mares sombres et des roseaux au long murmure nocturne.

— Nous ferons de longues marches, là-bas ! s'exclama-t-il en s'interrompant soudain d'un geste possessif aussi ardent que brutal.

Si cette opportune invitation, poursuivit-il, avait émané de quelqu'un d'autre que de Baltazar Stork, il l'aurait refusée aussitôt, mais, venant de Baltazar, il acceptait tout sans aucune hésitation. Ils étaient amis de trop longue date pour qu'il en fût autrement. Non, ce n'était pas par orgueil qu'il avait hésité, comme il finit par reconnaître qu'il l'avait fait. C'était à cause de l'étrange et indéfinissable effet que ces syllabes, mi-romantiques, mi-menaçantes, avaient produit dans son cerveau, syllabes qui ne cessaient de retentir dans sa conscience.

Plus d'une fois par la suite, Nance se souvint de la violence avec laquelle il s'était tourné vers elle, alors qu'ils attendaient sur la place pleine de monde l'occasion de traverser, pour lui demander, d'une voix grave et solennelle, si elle n'avait pas quelque pressentiment de la manière dont les choses allaient tourner pour eux dans ce lieu.

— Il rôde au-dessus de moi, dit-il, il rôde au-dessus de nous deux. Je le vois comme un lourd soleil couchant, plombé de barres pourpres.

La jeune fille se contenta de faire non de la tête en souriant tendrement.

— Je t'avertis, poursuivit-il, tu risques gros… Je le sens… Je le sais. J'ai déjà eu cette sorte d'instinct qui m'avertissait.

Il frissonna légèrement et lui posa la main sur le bras comme s'il s'accrochait à elle pour se rassurer.

Beaucoup plus tard, Nance se souvint des sentiments qui lui avaient fait tourner la tête pour le regarder en face, comme pour défier ses prémonitions.

— Qu'est-ce qui pourrait nous blesser, murmura-t-elle fièrement, aussi longtemps que nous serons ensemble et que nous nous aimerons ?

Il demeura silencieux, apparemment satisfait, car il ne revint pas sur le sujet de Rodmoor. En ces premiers temps, disait-il, le mot lui donnait cette sensation curieuse que l'on éprouve lorsque l'on se dit soudain dans un lieu nouveau : « J'ai déjà été ici. J'ai déjà vu tout cela auparavant. »

S'il avait été moins pris par le trouble qu'elle suscitait en lui, lui dit-il, il aurait analysé à fond le vague augure mental (ou était-ce une réminiscence ?) que ce nom suscitait. Pour l'instant, il se contentait de classer le fait, comme quelque chose qui, quelle que fût sa signification occulte, lui avait au moins épargné la contrainte de se démener pour son avenir.

Nance, dont les pensées vagabondaient plus ou moins, l'écouta avec un vif intérêt lorsqu'il évoqua, parmi ses vagues souvenirs, la façon dont il était entré sous son toit. Il y avait exactement une semaine, lui rappela-t-il, qu'il s'était retrouvé, par un matin ensoleillé, établi chez elle comme nouveau locataire. Dans son impatience à obtenir la chambre qu'il désirait — dont il avait arpenté ce jour-là, lui avoua-t-il, l'étroit parquet à la manière d'un tigre affamé —, il en avait oublié de se demander de quel quartier du ciel de Londres lui viendraient l'air et la lumière qu'il allait respirer.

Seul un fil ténu de conscience l'avertit du beau rayon de soleil qui pénétrait dans la chambre par la fenêtre exposée au sud et se posait avec une tiédeur veloutée sur ses livres épars et sur sa malle salie par le voyage.

Chaque fois que sa déambulation l'amenait près de cette agréable fenêtre, il jetait machinalement un coup d'œil distrait sur la circulation et la foule pressée que baignait le soleil. London Bridge Road se mêlait à sa pensée, ou plutôt sa pensée prenait possession de London Bridge Road, la réduisant au simple écran sonore de son obsession.

Ce trouble — et Nance eut un plaisir exquis à l'entendre prononcer ces mots, quoiqu'elle détournât la tête pendant qu'il les prononçait —, à mesure qu'il arpentait la chambre, prit une forme ardente et passionnée. Il ne la reconstruisait pas tout entière, cette jeune beauté dont la douceur lui était entrée dans le sang. Il se concentrait mentalement sur la délicate inclination de sa tête et sur l'espace qu'il y avait entre ses seins, espace qui lui rappelait un peu une sculpture de Phidias.

Il n'avait pas prévu, au milieu du vacarme des rues de Londres, ce genre particulier de rêverie — bien que ce fût certainement ce genre-là qu'il eût cherché —, mais si elle lui procurait sa coupe de népenthès, le baume qu'il désirait, ne lui procurerait-elle pas beaucoup plus, maintenant que s'y ajoutait une expérience si palpitante ? Pourquoi ne devrait-il pas rêver que pour une fois les dieux étaient avec lui, et que la grâce généreuse de cette forme féminine symbolisait la fortifiante vertu de la Mère première ?

La force du retour, voilà ce qu'il désirait — et en lui rappelant, tandis qu'elle marchait près de lui, les pensées de cette première heure, il se surprit à les étendre sans le moindre scrupule à tout ce qu'il ressentait à présent —, retour par tous les moyens, à n'importe quel prix, sur les sentiers de la normalité, hors desquels il avait été brutalement jeté.

Il repoussa avec indignation, lui dit-il, en ce matin fertile en événements, la pensée importune que c'était seulement le printemps qui était à l'œuvre en lui. Il ne voulait pas que ce fût le printemps. Il voulait que ce fût la jeune fille. Le printemps passerait. La jeune fille, si le sentiment qu'il avait pour elle — il jeta un coup d'œil sur le chapeau aux larges rebords et le profil ombré près de lui — n'était pas illusoire, demeurerait. Et c'était de cette permanence qu'il avait le plus besoin sur le radeau qui était son refuge.

Arpentant sa chambre de long en large, ce matin-là, il marchait avec une conscience en éveil, dont il n'avait plus éprouvé l'acuité depuis maints mois cotonneux. Réagissant en imagination à ses souvenirs, il fut pris d'une éloquence si fiévreuse que Nance éprouva pour la première fois une profonde angoisse.

— Le printemps, que je me soucie de le reconnaître ou non, le printemps agitait vers moi des bras frémissants.

Il éleva si fort la voix que la jeune fille regarda d'un air gêné autour d'eux.

— Je le sentais dans la chaleur du soleil, sur les visages des vendeuses désenchantées, dans les feuilles bourgeonnantes qui se détachaient contre la fumée du borough. Il était de nouveau venu à moi, et c'est toi... toi qui l'avais amené ! Il était de nouveau venu à moi, l'Éternel Retour, le Renouveau antiphonal, l'antienne du monde profond. Il était venu, Nance, et tous les taudis de Rotherhithe et de Wapping, et toutes les cheminées, les boutiques, tous les quais et toutes les habitations sur les rives du fleuve ne pouvaient arrêter la montée de la sève.

Tout en parlant, il avait inconsciemment pressé le pas et, en dépit de la vigueur de ses longs membres juvéniles, elle arrivait à peine à le suivre.

— Ce matin-là, l'air venait à moi, ma fille, comme s'il apportait avec lui des lieues de champs verts ! Et il les apportait, Nance ! Il les apportait ! Et il me faisait palpiter, mon enfant, avec la douceur de ton âme.

Il s'arrêta un moment, et lorsqu'ils débouchèrent, plus directement vers l'est, dans une ruelle mal éclairée elle l'entendit murmurer des bribes de latin.

Il répondit à son regard rapide, empreint d'une imperceptible gêne, en répétant lentement le vers fameux, et Nance était encore à l'âge où une jeune fille frissonne d'orgueil d'avoir un amoureux capable de lui citer, un soir d'avril, à moins d'un jet de pierre d'Elephant and Castle, ce *cras amet qui numquam amavit* de la jeunesse des siècles !

Le riche et antique parfum des mots se mêlait parfaitement, du moins pour elle, aux maisons simples et aux tavernes de ce quartier délabré. La nuit était pleine d'un indescriptible baume, présent dans les bruits et les spectacles les plus familiers ; finalement, il y avait toujours quelque chose de patiné, de païen et de libre dans les rues de Londres. C'était la sécurité, l'amicale solidité de la ville immense qui, plus qu'autre chose, semblait en cet instant s'harmoniser avec l'humeur classique du merveilleux étranger de Nance ; elle souhaita l'entendre citer d'autres vers latins, tandis qu'ils passaient devant les éclairages des étals de fruits.

Aussi bien l'ombre menaçante des pressentiments d'Adrian à propos de Rodmoor que sa propre angoisse au sujet de Rachel Doorm et de Linda disparurent de l'esprit de Nance, elle s'abandonna au bonheur de cette heure privilégiée. Ce fut d'une voix douce qu'il acheva son histoire. Le son de l'une des horloges du borough sonnant dix heures, lui dit-il, interrompit ses fiévreuses déambulations.

Lorsqu'il entendit l'horloge, il s'étira, étendit complètement les bras en éprouvant ce délicieux frisson de l'accomplissement proche d'un espoir longtemps différé. Puis, en proie à une pure extase enfantine, il se mit à glousser et à faire des grimaces.

Tandis qu'il lui racontait tout cela, Nance ne put s'empêcher de remarquer l'étrange manie qu'il avait de reproduire, à sa manière exagérée, les gestes précis qu'il avait faits.

— *Per Bacco* ! s'écria-t-il, il ne me reste que trois livres…

Et tandis qu'il haussait les épaules puis tournait vers elle, sous un réverbère vacillant, sa lourde face aux yeux profondément enfoncés, elle aperçut soudain ce à quoi il l'avait tout le temps fait vaguement penser : à rien de moins, en vérité, qu'à l'un de ces bustes saturnins de la décadence romaine qu'elle avait contemplés étant enfant, mi-fascinée, mi-terrifiée, au grand Muséum.

Son premier geste, lui raconta-t-il, lorsqu'au son de l'horloge il reprit ses esprits, ce fut de vider ses poches sur la tablette de la commode, seul meuble de la chambre mis à part le lit et deux chaises branlantes. Un penny errant, quittant le tas de monnaie, s'en alla tinter contre le bord de la cuvette. « Pas même trois livres ! », murmura-t-il en jetant un regard narquois dans son miroir calamiteux. Ce fut à cet instant précis qu'il entendit le bruit des voix venant de la pièce voisine.

— J'ai passé la moitié de la nuit à écouter, dit-il à voix basse au moment où un couple de jeunes gens éméchés passait près d'eux en les bousculant. J'éprouvai une honte étrange, oui, de la honte, quand je compris que j'étais tout près de toi. Je ne savais rien de toi alors, absolument rien, hormis que tu allais travailler tous les jours et que tu vivais avec une personne plus âgée et une jeune sœur. C'était cette ignorance que j'avais de toi, mon enfant, qui rendait ma situation si excitante. J'attendais, le souffle coupé, littéralement pétrifié au milieu de la chambre.

À cet instant, Nance se sentit obligée de lancer un petit cri de protestation :

— Tu aurais dû faire un peu de bruit, lui dit-elle, pour que nous comprenions que tu écoutais.

Balayant d'un geste l'objection, il poursuivit :

— Je restai pétrifié au milieu de la chambre, avec la sensation que les personnes que j'écoutais pouvaient à n'importe quel moment cesser de parler pour écouter, à leur tour, les battements fous de mon cœur. J'ai entendu ta voix, à l'instant j'ai su que c'était la tienne, elle avait (il la tenait maintenant par le bras) la douceur pleine et ronde de ton adorable visage. Tu as crié : "Au revoir !", et j'ai entendu le bruit d'une porte qui s'ouvrait sur le couloir, "Au revoir ! Je sors. Rendez-vous ce soir si vous voulez. Oui, après six heures. Au revoir ! Prenez bien soin de vous". La porte s'est fermée et je t'ai entendue descendre les escaliers en courant. J'étais certain que ce "Rendez-vous ce soir" m'était destiné. Je suis allé à la fenêtre pour te regarder te faufiler à travers la foule en direction du pont de Londres. Je savais que tu étais en retard. J'espérais que tu ne serais pas tancée pour cela par quelque brute acariâtre de patron. J'ai souhaité avoir le courage de sortir sur le palier pour te voir t'en aller. Pourquoi est-on toujours aussi paralysé dès que se présente une occasion ? J'aurais facilement pu mettre en avant mon privilège de locataire pour te souhaiter le bonjour. Mais je me suis alors demandé si tu avais soupçonné que j'avais dormi si près de toi cette nuit-là. L'avais-tu deviné, ma chérie, ton instinct t'avait-il avertie ?

Nance secoua négativement la tête, mais il ne put voir l'expression de ses yeux sur la place obscure et silencieuse qu'ils traversaient à présent. Ils parvinrent à un banc de bois, sous des balustres de fer, et il la fit asseoir, tandis qu'il achevait son récit. À cette heure, l'endroit était désert et, comme ils s'adossaient sur le banc en soupirant d'aise et qu'il lui prenait la main, la branche d'un hêtre rabougri se balançait en silence au-dessus de leurs têtes, goûtant quelque rêve secret dans les senteurs embaumées de la nuit amoureuse.

— Puis-je continuer ? lui demanda-t-il en la regardant tendrement.

Dans son cœur, Nance eut envie de crier : « Non ! Non ! Plus de ces souvenirs lassants ! Fais-moi l'amour ! Fais-moi l'amour ! » Mais elle se contenta de lui presser doucement les doigts et demeura silencieuse.

— J'ai pris l'un des livres entassés sur le parquet et, tirant une chaise bancale vers la fenêtre, je l'ai ouvert au hasard. Je suis tombé sur l'une de ces jolies choses de Remy de Gourmont.

J'ai oublié si tu m'as dit que tu avais de la poésie française dans ce rayonnage que Miss Doorm regarde avec tant de suspicion. C'était le *Livre des litanies* — veux-tu que je te récite le passage que j'ai lu ? J'étais trop excité pour en saisir aussitôt le sens, c'est alors qu'il m'est arrivé quelque chose de curieux ! Mais je vais te dire ces vers, mon enfant, et tu comprendras mieux.

Nance ne put que de nouveau lui presser la main, mais elle eut le cœur serré par un inexplicable pressentiment.

— C'était la *Litanie de la rose.*

Sa voix flotta dans le silence embaumé, mais il y avait dans le ton — du moins l'imagina l'infortunée jeune fille — la même inquiétante perfidie que dans les mots ambigus qu'il déclamait :

— *Rose au regard saphique, plus pâle que les lys, rose au regard saphique, offre-nous le parfum de ton illusoire virginité, fleur hypocrite, fleur de silence.*

L'étrange invocation mourut dans les airs et une singulière oppression pesa sur eux, comme lourde d'une présence spirituelle inopportune. Sorio resta silencieux pendant quelques minutes ; lorsqu'il reprit la parole, il y avait une vibration de malaise dans sa voix.

— Juste après avoir lu ces vers, il m'est arrivé une des choses les plus curieuses de ma vie. J'ai cru voir — oui, tu peux sourire (Nance était loin de sourire), mais c'est la pure vérité —, j'ai cru voir les contours d'une forme humaine vivante sur le mur de ma chambre. Jusqu'à la fin de mes jours, je ne l'oublierai jamais ! C'était une forme humaine, Nance, mais différente de toutes les formes humaines que j'ai vues ; elle ressemblait un peu, si tu les connais, aux étranges dessins d'Aubrey Beardsley. Ce n'était ni la silhouette d'un garçon ni celle d'une fille, et pourtant elle avait la nature des deux. Elle me dévisageait d'un douloureux regard fixe, et j'eus l'impression — n'est-ce pas que c'était vraiment curieux ? — de la connaître, de l'avoir déjà rencontrée quelque part, très loin, il y a très longtemps. Elle était l'incarnation de la supplication tragique, mais il y avait pourtant dans le regard fixé sur moi une moquerie froide et impitoyable. C'était le genre de forme, Nance, que l'on imagine errant vainement à travers chacun des ans de l'histoire humaine, cherchant parmi les rêves des grands artistes pervers l'incarnation refusée par la volonté de Dieu.

Il s'arrêta de nouveau, un imperceptible souffle d'air chaud et chargé de senteurs passa sur les jeunes feuilles de la branche de hêtre au-dessus d'eux.

— Ah ! murmura-t-il, je sais à quoi j'ai pensé alors. J'ai pensé à la *Roseraie secrète* — tu vois le tableau auquel je fais allusion, Nance ? —, où la timide petite chose, à la fois garçon et fille, est attirée par quelque lubrique porteur de lampe entre les branches d'un rosier, moins douces que ses flancs sans défense.

Dans le nouveau silence qui suivit, le vent chaud, haussant légèrement le ton, murmura dans les feuilles au-dessus de leurs têtes.

— Mais ce qui m'a le plus frappé, Nance, plus encore que la silhouette qui n'est restée qu'un moment, c'est qu'à l'instant même où elle s'évanouissait j'ai entendu très distinctement, prononcé dans la chambre voisine, le nom *Rodmoor*.

« Rejetant le *Livre des litanies*, j'écoutai de nouveau en retenant mon souffle. Je saisis de nouveau le mot, prononcé sur un ton qui me frappa, car il était curieusement comminatoire. C'était ta Miss Doorm, Nance. Pas étonnant qu'elle et moi nous nous soyons instinctivement détestés lorsque nous nous sommes rencontrés. Elle a dû savoir que j'avais entendu cette édifiante conversation. La voix de ta sœur — et tu dois y penser, Nance, tu dois absolument y penser — ressemblait à la voix d'une petite fille punie… Oui, punie, soumise et apeurée.

« Miss Doorm lui parlait évidemment du projet de Rodmoor. Je l'ai entendue dire : "C'est ce que j'ai attendu depuis des années et des années. Au retour de chaque printemps, j'espérais qu'il mourrait, et il était toujours là. Il semblait qu'il le faisait exprès, par malveillance, pour me frustrer de mon bien. Mais il est mort à présent, le vieux est mort en emportant avec lui sa méchanceté, et la maison me revient : ma maison. Elle est à moi, je te le dis, à moi ! À moi ! À moi !" C'était extraordinaire, Nance, le ton sur lequel elle disait ces choses. Puis elle a continué en parlant de toi. "Je vais pouvoir la libérer maintenant, a-t-elle dit. Je vais enfin pouvoir la libérer. N'es-tu pas heureuse que je puisse la libérer ? N'es-tu pas heureuse ?"

« J'avoue que je me suis alors senti presque indigné que ta sœur eût besoin d'être questionnée de manière si pressante sur un tel sujet. Cependant, lorsqu'elle murmura une bribe de réponse, ce fut d'une voix empreinte, comme je te l'ai dit, d'une humilité presque obséquieuse.

« "Ô ma précieuse, ma précieuse ! s'écria de nouveau la femme en s'adressant évidemment à toi, tu as travaillé pour moi, économisé pour moi, et à présent je peux te le rendre… je peux te le rendre !"

« Il y eut alors quelques minutes de silence, poursuivit Sorio, durant lesquelles je m'approchai tout près du mur pour essayer de saisir ce que murmurait ta sœur.

« Miss Doorm reprit bientôt de plus belle sur un ton qui me plut encore moins : "Pourquoi ne dis-tu rien ? Pourquoi restes-tu silencieuse avec cet air maussade ? N'es-tu pas heureuse qu'elle soit libérée de ce fardeau ? De toutes ces misérables besognes ingrates ? N'es-tu pas heureuse pour elle ? Elle t'a entretenue ici comme une duchesse, avec tes leçons de musique ! Une fortune que tu ne gagneras jamais avec ta musique ! Et à présent, c'est mon tour. Elle sera une dame chez moi, une dame !"

Nance écoutait cela prostrée, la tête sur les genoux, et sa main, que son amant tenait toujours, devint de plus en plus froide.

— Je me rappelle particulièrement bien les mots qui suivirent, continua Sorio, parce qu'une bouffée de lilas, venant d'une voiture à bras dans la rue, pénétra soudain par la fenêtre, et je pensai que jusqu'à ma mort j'associerais cette senteur à ce premier matin sous ton toit.

« "Tu dis que tu n'aimes pas la mer, poursuivit Miss Doorm ; et tu crois vraiment que le fait que tu n'aimes pas la mer va m'empêcher de la libérer ! Non ! Non ! Tu auras la mer, ma beauté, à Rodmoor… La mer et le vent. Fini de papillonner devant les jolies vitrines des boutiques et les jeunes étudiants en musique. Le Vent et la Mer ! Voilà ce qui t'attend à Rodmoor… à Rodmoor, chez moi, où elle sera enfin une dame !"

«Tu vois, Nance, fit observer Adrian en lui lâchant la main pour allumer une cigarette, il me semble que, dans l'idée de Miss Doorm, l'installation à son précieux Rodmoor sera pour toi une véritable promotion sociale. Elle tient pour évident qu'une dame n'a jamais gagné sa vie de ses propres mains. Se propose-t-elle d'entretenir dans cette petite maison une horde de servantes, je me le demande, et de se pavaner au milieu d'elles, sinistre et majestueuse, en robe de soie noire ?

« Je dois t'avouer qu'à cet instant j'ai un peu compris la réticence de ta sœur à plonger dans ce "milieu". Je vois cette maison — oh, si clairement ! — entourée par un bras d'eau sombre et balayée par des vents horriblement froids. Je suis sûr que tu ignores, Nance, quel genre de voisins tu vas avoir au domaine Doorm. Peut-être que la moitié des vieilles sorcières de l'East Anglia va s'attrouper autour de toi, comme les descendantes des Walkyries. Et la mer du Nord ! Je suppose que tu comprends, ma chère, ce que signifie la mer du Nord ? Je ne blâme pas la petite Linda de frissonner en y pensant.

Pour la première fois depuis qu'elle le connaissait, la voix de Nance trahit de l'irritation :

— Ne te moque pas de moi, Adrian, je ne peux pas le supporter, ce soir. Tu ne sais pas tout ce que cela représente pour Rachel.

Adrian sourit.

— Ta chère Rachel, dit-il, semble vous avoir toutes les deux sous sa coupe.

— C'était la meilleure amie de ma mère, s'écria la jeune fille. Je ne me pardonnerai jamais de la rendre malheureuse !

— Si je comprends bien, observa Sorio, cela fait d'autant plus de raisons pour que Miss Doorm rende Linda malheureuse. Je crois qu'il ne serait pas faux de dire que la mère de Linda n'était pas dans ses petits papiers ? N'est-ce pas vrai, ma chère ?

— Nous devons rentrer, maintenant, fit remarquer la jeune fille en se levant du banc.

Mais Sorio resta assis à lancer tranquillement des ronds de fumée dans la nuit balsamique.

— Il n'y a pas la moindre raison pour que tu sois en colère contre moi, dit-il d'une voix douce, caressant de façon déprécatoire la manche du manteau de Nance. En fait, quand j'ai entendu cette femme morigéner Linda parce qu'elle te retenait, bizarrement et subtilement, j'ai eu curieusement envie de la morigéner à mon tour. J'ai eu le furieux désir de vaincre et de fouler aux pieds son absurde résistance. J'ai même éprouvé une étrange excitation à l'idée de marcher avec elle au bord de cette eau et en face de ce vent. Oh, je suis devenu le complice de Miss Doorm, Nance ! Tu peux te réjouir. C'est à cet instant que j'ai décidé d'écrire sur-le-champ à Baltazar pour lui dire que j'acceptais son invitation. Et c'est ce que j'ai fait ; je lui ai écrit dès que je n'ai plus entendu parler dans la pièce à côté. J'étais trop énervé pour lui écrire une longue lettre. J'ai simplement écrit : *Amico mio, je viendrai te voir très bientôt* ; sitôt la lettre écrite, je suis allé la poster. Je crois avoir entendu Linda pleurer en descendant l'escalier, mais, comme je te l'ai dit, Nance, j'étais devenu un vrai complice de Miss Doorm ! Il me semblait scandaleux que la sottise égoïste d'une enfant pût être un obstacle à ton émancipation. J'aimais en outre l'idée de marcher avec elle sur le rivage de cette mer et de calmer sa peur singulière.

Jetant sa cigarette, il se leva, prit la jeune fille par le bras et la mena chez elle. Comme soulagé par leur départ, le hêtre s'abandonna plus délicieusement que jamais aux étreintes de la chaude nuit du printemps.

Ils n'étaient plus très loin maintenant, et Nance ne parla qu'une fois avant qu'ils fussent devant leur porte, dans London Bridge Road.

— Est-ce que la forme que tu as vue, demanda-t-elle d'une voix basse et forcée, avait le même regard que celui de Linda… maintenant que tu sais à quoi elle ressemble ?

— Linda ? répondit-il. Oh non, ma chère, non, non non ! Elle n'avait rien à voir avec Linda.

Il fit une pause, puis ajouta :

— Mais, j'y pense, elle avait quelque chose à voir avec Rodmoor.

II

LA MAISON SUR LA DIGUE

Le lendemain de leur arrivée, Nance Herrick, à la fenêtre de sa chambre, dans la maison Doorm, était désespérée par ce qu'elle avait fait. La fenêtre, ouverte en haut, laissa entrer une bouffée de vent glacé au goût de sel, qui fit voler ses beaux cheveux épars sur son front et lui rafraîchit la gorge et les épaules. Au son de la voix de sa sœur, elle ferma la fenêtre, lança un rapide regard troublé sur le fleuve qui coulait, si formidablement proche, et vint aux côtés de Linda. Chaude et encore tout embrumée de sommeil, la cadette étendit ses longs bras juvéniles et les passa autour du cou de Nance.

— Es-tu heureuse, murmura-t-elle, es-tu finalement heureuse que je t'aie fait venir ? Je n'aurais pas pu supporter d'être égoïste, ma chérie. Je n'aurais pas pu trouver la paix…

Elle s'interrompit à une exclamation de Nance.

— Non ! cela n'a rien à voir avec Rachel. Rien à voir, Nancy chérie, absolument rien à voir ! Je vais aller parfaitement bien maintenant. Je vais être si sage que tu ne me reconnaîtras pas. Veux-tu que je te dise ce que je vais faire ? Je vais apprendre à jouer de l'orgue. Rachel dit qu'il y en a un beau à l'église et que M. Traherne en joue — c'est le pasteur, tu sais ? Je vais le persuader de me donner des leçons. Oh ! je serai parfaitement heureuse !

Nance se dégagea des bras de la jeune fille et, revenant au centre de la chambre, la contempla en silence. Le contraste des deux sœurs, dans la blanche et dure lumière du matin de ce pays de marécages, aurait charmé les sens subtils à l'extrême d'un peintre vénitien de la décadence. Nance elle-même, sans être vraiment capable de le définir, éprouvait que la simple différence physique entre elles symbolisait quelque chose qui rendait dangereusement fatale leur conjonction. Sa sœur n'était pas différemment typée. Elle était belle aussi… également grande et souple… et identiquement féminine à outrance… elle avait les mêmes yeux gris flou. Et pourtant, devant les joues rosies d'excitation, les boucles châtaines, l'attitude névrotiquement passionnée de Linda, Nance prit conscience de la froide pureté de ses propres membres, de sa peau blanche comme le marbre et de sa lourde chevelure brillante ; elle comprit qu'elles étaient si différentes dans leur ressemblance même que les âmes qui habitaient ces deux corps ne pourraient jamais se comprendre ni se trouver d'instinct.

Une pensée similaire devait avoir troublé Linda au même instant car, tandis qu'elles se regardaient les yeux dans les yeux, tomba entre elles ce genre de silence dévastateur qui signale la lutte de deux esprits cherchant en vain à briser cette éternelle barrière dans le pouvoir isolant de laquelle résident toute la tragédie et tout l'intérêt de la vie.

Nance se dirigea vers la fenêtre et l'ouvrit en grand.

— Écoute, dit-elle.

D'un geste rapide et craintif, la cadette se noua les mains. Ses yeux s'agrandirent, sa poitrine palpita.

— Écoute ! répéta Nance.

Un murmure bas, tiré des profondeurs, monotonement réitéré et d'une monotonie menaçante, emplit la pièce.

— La mer ! s'écrièrent ensemble les deux sœurs.

Nance ferma la fenêtre en frissonnant et se laissa tomber sur une chaise. Elle demeura quelques secondes les yeux baissés, perdue dans ses pensées. Quand elle releva la tête, elle vit que sa sœur la regardait avec une expression qu'elle ne lui connaissait pas. Un regard qu'elle ne devait jamais oublier, et qu'elle resterait aussi incapable de décrire qu'elle l'était à présent. Avec un effort de volonté qui mobilisa toute sa force d'âme, Nance se leva et articula ces mots avec gravité :

— Linda, jure-moi que rien de ce que j'aurais pu dire ou faire ne t'aurait décidée à rester à Londres. Je t'ai dit que j'étais prête à y rester, n'est-ce pas, la nuit où je suis rentrée avec Adrian et où je t'ai trouvée éveillée. Je t'ai suppliée et suppliée de me dire la vérité, de me dire si Rachel te forçait à venir.

« Je t'ai bien offert de la quitter pour de bon, n'est-ce pas, si elle était dure avec toi. Je ne veux que la vérité… rien que la vérité ! Nous repartirons… maintenant… demain… à l'instant où tu me diras que tu le souhaites. Mais, si tu ne le souhaites pas, fais-le-moi comprendre ! Fais-le-moi comprendre… ici… dans mon cœur !

L'émotion lui faisait presser sa main contre son flanc, elle se balançait inconsciemment de façon pathétique. Linda continuait à l'observer du même regard indescriptible.

— Veux-tu me jurer que rien de ce que j'aurais pu faire ne t'aurait décidée à rester ? Veux-tu me le jurer, Linda ?

En réponse à cette supplique, sa sœur cadette, bondissant du lit, s'élança vers elle et la serra dans ses bras fougueusement.

— Mon être chéri ! s'écria-t-elle, bien sûr que je vais te le jurer. Rien… rien… *rien* ne m'aurait décidée à rester. Oh, tu verras bientôt combien je peux être heureuse à Rodmoor, dans le cher et charmant Rodmoor !

Éclatant toutes les deux en sanglots, ce qui les délivra de la tension qui les habitait, elles s'embrassèrent passionnément dans leurs larmes ruisselantes.

Au milieu du silence qui suivit — soit que le vent eût changé, soit que leurs sens fussent devenus plus réceptifs — elles entendirent distinctement, par la fenêtre close, la voix de rogomme, le battement prolongé, réitératif, incessant et menaçant des vagues de la mer du Nord.

Au cours du petit-déjeuner et après, Nance fut à la fois surprise et enchantée des excellentes dispositions dont témoignèrent tant Miss Doorm que Linda. Elles allèrent même, avant que la moitié de la matinée fût écoulée, jusqu'à la laisser seule, pour sortir ensemble, apparemment en parfaite harmonie, se promener le long des rives du flot sujet à la marée.

Flânant dans le jardin désert, Nance éprouva une curieuse sensation de solitude et se demanda — sans que cela lui fût un sujet d'inquiétude, quoiqu'elle en ressentît une vague gêne — pourquoi Adrian n'était pas encore venu la chercher comme il l'avait promis. En proie à une impulsion soudaine, elle courut vers la maison prendre un chapeau et un manteau, et s'éloigna rapidement sur la route qui menait au village.

Le printemps n'était pas aussi avancé à Rodmoor qu'il l'était à Londres. Nance eut l'impression qu'une influence étrangère était à l'œuvre, contraignant à la stérilité les mouvements naturels de la croissance et de la vie. Les arbres étaient rabougris ; les populages, dans les fossés humides, pâles et flétris. Les feuilles des peupliers, dans les bourrasques de vent, lui parurent être des centaines et des centaines de petites mains mortes, des menottes de bambins spectraux suppliant toutes les puissances auxquelles ils pouvaient faire appel de leur donner davantage de vie ou de les replonger dans les ombres.

Oui, quelque influence étrangère était à l'œuvre, qui escamotait le printemps et le flétrissait dès les premiers bourgeons. Comme si par un décret éternel, promulgué lorsque cette partie de la côte prit forme pour la première fois, le processus de l'ordre naturel des saisons avait été perversement contrarié, et la terre abandonnée comme une chose grise, stérile, en friche, ni vraiment vivante ni vraiment morte, condamnée à une monotonie sans fin.

Encore à quelque distance du village, Nance ralentit le pas et se mit à flâner, dans l'espoir de voir Adrian surgir à tout moment. Elle ne savait que très vaguement où se trouvait la maison de M. Stork, d'après la description de Rachel, et elle craignait de manquer son ami en allant trop loin.

La route qu'elle suivait était séparée du fleuve par des champs inondés, et elle ne savait pas avec certitude si le village était à droite ou à gauche de l'embouchure. Miss Doorm avait parlé d'un pont, mais elle ne voyait rien de tel parmi les arbres et les toits qu'elle distinguait devant elle.

Ce qu'elle voyait, c'était une vaste étendue d'interminables marais courant sur des lieues et des lieues de chaque côté d'elle, brisée, contre la ligne d'horizon vers laquelle elle avançait, par des maisons grises et des peupliers gris, mais se perdant ailleurs dans des brumes qui paraissaient infinies dans leur éloignement. De chaque côté des petits bouquets d'arbres et de toits, et de ce que la jeune fille identifia comme des mâts de bateaux dans le port, une longue rangée basse de dunes irrégulières lui cachait la mer, mais le bruit des vagues, insistant et clair, maintenant qu'elle était plus près lui parut plus amical.

À travers les marais, sur la gauche, elle discerna ce qui était évidemment l'église du village, mais la bâtisse solitaire paraissait si désolée — seule au milieu des marécages — qu'elle s'imagina difficilement la velléitaire Linda en train de jouer de l'orgue dans un tel endroit. Elle se demanda si le bâtiment gris, qu'elle distinguait à peine contre le mur de l'église, était le logement de M. Traherne. Si tel était le cas, pensa-t-elle, il devait vraiment être un homme de Dieu pour supporter cette solitude.

Elle s'était aventurée dans l'herbe humide au bord de la route et s'amusait à cueillir un bouquet de pissenlits, seule fleur visible aux alentours, lorsqu'elle aperçut la silhouette d'un homme qui s'approchait d'elle, venant de la direction de Rodmoor. Croyant d'abord que c'était Adrian, elle fit quelques pas rapides à sa rencontre, mais quand elle se rendit compte de son erreur elle fut si déçue qu'elle jeta les fleurs au loin d'un geste de colère. Son irritation disparut cependant lorsque l'étranger, qu'elle put longuement détailler, s'approcha.

C'était un homme de taille moyenne, qui portait en arrière de la tête un feutre mou de couleur sombre et qui s'enveloppait d'un lourd manteau de couleur claire boutonné de la tête aux pieds. Son visage lisse et dodu, à l'ovale délicatement galbé, offrait une convaincante fraîcheur, rehaussée par le bienveillant défi de son sourire fantasque et la douceur de ses yeux noisette. Ce que l'on voyait de sa bouche, sous la lourde moustache, respirait la finesse et la sensualité, mais il y avait dans sa démarche — que Nance définit mentalement comme une sorte de roulis comique faisant tanguer la robuste silhouette — quelque chose qui donnait l'impression que dans ce corps, si soigneusement couvert pour se préserver du froid, battait un cœur énorme, et doux, et chaud. Ce ne fut qu'au bout d'une ou deux minutes, lorsqu'il eut voleté et rôdé autour d'elle comme un entomologiste autour d'un papillon nouveau, que la jeune fille repéra d'autres particularités intéressantes.

Elle découvrit, par exemple, que son nez était le trait le plus intéressant de son visage : extrêmement long et pointu comme le nez d'un rongeur, pourvu de larges narines frissonnantes, à ce moment légèrement rougies par le vent, qui s'inclinèrent vers l'avant lorsque l'homme vira de bord, comme pour renifler le parfum de cette bonne fortune jusqu'à en extraire l'essence.

À la pointe de cet étonnant appendice perlait une goutte de rhume. Outre le nez du bonhomme, ce qui frappa l'imagination de la jeune fille, et la désarma au point de lui pardonner ses excentricités entomologiques, fut la mèche de cheveux brun-noir tombant droit sur son front, qui lui donnait un air délicieusement ébouriffé — comme s'il venait d'être engagé dans une partie de colin-maillard. Le front lui-même, ou ce que l'on pouvait en voir, était puissant et pensif. Le front d'un érudit ou d'un philosophe.

De toute sa vie, Nance n'avait jamais été traitée par un étranger comme elle le fut par cet homme estimable, car non seulement il revint sur ses pas immédiatement après l'avoir croisée, mais il se permit, tant à l'aller qu'au retour, de l'inspecter de la tête aux pieds de ses yeux rieurs, exactement comme un connaisseur observe les détails d'un tableau célèbre dans une galerie.

Et cependant, la jeune fille, qui n'oubliait jamais de faire la distinction, fut incapable de ne pas sentir, fût-ce une seconde, que ce surprenant admirateur était un gentleman… Un gentleman, bien sûr, aux étranges manières. C'était plus qu'évident. Mais cela ne l'empêcha pas de l'aimer, de l'aimer avant qu'il eût prononcé un mot, de l'aimer en éprouvant pour lui cette attraction rapide, irrationnelle, magnétique, qui chez les femmes plus encore que chez les hommes est la chose essentielle.

Passant pour la troisième fois devant elle, avec un mouvement comiquement impétueux qui la fit sursauter mais ne parvint pas à la mettre en colère, il fonça comme un dard dans l'herbe, ramassa les fleurs qu'elle avait jetées et les lui présenta gravement.

— Peut-être serez-vous ennuyée de les avoir laissées derrière vous…, dit-il. Ou peut-être préférez-vous qu'elles aillent au diable ?

Nance prit les fleurs qu'il lui tendait et lui sourit franchement en le regardant en face.

— Je suppose que je n'aurais pas dû les cueillir, dit-elle. Les gens n'aiment pas les bouquets de pissenlits dans les maisons.

— Quel beau menton attique vous avez ! fit remarquer l'étranger.

Il y avait dans le ton de sa voix une telle absence de galanterie libertine ou conventionnelle que la jeune fille se sentit de nouveau incapable de le repousser.

— Vous demeurez ici… à Rodmoor ? demanda-t-il.

Nance expliqua qu'elle était venue y vivre avec Miss Doorm.

— Ah !

L'inconnu la regarda de façon bizarre, en lui souriant avec une exquise douceur.

— Vous êtes déjà venue ici, dit-il. Vous y êtes venue dans un carrosse tiré par six chevaux noirs. Vous connaissez tous les roseaux et toutes les mousses des marécages. Tous les coquillages de la plage et toutes les algues de la mer.

Nance fut moins abasourdie qu'on aurait pu le croire par cette fantasque adresse, car elle avait l'avantage de l'interpréter à la lumière du rassurant sourire plein d'humour qui l'accompagnait.

Elle le fit revenir sur terre par une question directe :

— Pouvez-vous, s'il vous plaît, me dire où habite M. Stork ? J'ai un ami qui vit chez lui et j'aimerais savoir quel chemin emprunterait une personne venant de là-bas pour nous rejoindre.

Elle hésita un instant, puis ajouta :

— Mon ami aurait déjà dû me rejoindre, mais peut-être que M. Stork est un lève-tard.

L'inconnu, qui avait intensément fixé du regard la haie d'en face pendant qu'elle le questionnait, fonça soudain vers les buissons. L'étrange manière qu'il avait de courir, le corps légèrement penché en avant, les bras comme désarticulés des épaules, apparut à Nance particulièrement fascinante. Quand il eut atteint la haie, il erra quelques instants devant les frondaisons, puis fondit sur sa proie.

— Raté ! s'écria-t-il d'une voix geignarde. Au diable la petite scélérate ! Une musaraigne ! Voilà ce que c'était ! Une musaraigne !

Il revint à peu près à la même vitesse qu'il était parti, comme si Nance elle-même avait été une sorte d'animal à fourrure ou à plumes qui risquait de disparaître s'il n'était pas capturé.

— Je vous demande pardon, Madame, dit-il le souffle court, mais ce n'est pas souvent qu'on en voit une si près de la ville. Hello !

Cette exclamation s'adressait à Adrian Sorio, qui, à quelques pas d'eux, sans chapeau et l'air excité, venait d'émerger d'un trou dans la haie.

— J'étais sur le chemin de halage et je t'ai aperçue, haleta-t-il. J'ai eu peur que tu ne sois partie. Baltazar m'a emmené avec lui à la gare.

Il s'arrêta pour fixer le compagnon de Nance, qui avait l'air de trouver extrêmement désagréable que la jeune fille s'empressât de lui venir en aide.

— Ce gentleman, dit-elle, allait juste m'indiquer le chemin de la maison de ton ami. Regarde, Adrian ! Ne sont-ils pas beaux ?

Elle lui tendit les pissenlits, mais il ne leur accorda pas un regard.

— Bon, remarqua-t-il d'un ton plutôt brusque, maintenant que je t'ai trouvée, je crois que nous ferions mieux de revenir sur nos pas. Je brûle de savoir comment se sent Linda. J'ai envie de l'emmener faire une promenade au bord de la mer cet après-midi. Sera-ce possible ? Ou peut-être ne pouvez-vous pas quitter Miss Doorm toutes les deux au même moment ?

Il lança à l'étranger un regard qui lui signifiait de s'en aller. Mais l'admirateur de musaraignes avait recouvré son équanimité.

— Je connais bien M. Stork, dit-il en s'adressant à Sorio. Lui et moi sommes de vieux amis. Je demandais juste à cette dame si elle s'était déjà promenée dans les marais, mais j'en déduis que c'est sa première visite.

Adrian était devenu si morose que Nance s'empressa d'intervenir.

— Nous devons nous présenter, dit-elle. Je m'appelle Miss Herrick. Voici M. Adrian Sorio.

Elle fit une pause et attendit. Un long cri aigu, suivi d'un gémissement des plus mélancoliques qui s'éteignit peu à peu dans le lointain, leur parvint des marais.

— Un courlis, fit remarquer l'intrus. Bel oiseau, et curieux… avec de très intéressantes mœurs nuptiales. Un oiseau rare, lui aussi.

— Viens, Nance, explosa Sorio.

Mais la jeune fille se tourna vers sa nouvelle connaissance et lui tendit la main.

— Vous ne nous avez pas encore dit *votre* nom, remarqua-t-elle. J'espère que nous nous reverrons.

L'étranger la gratifia d'un regard dont la douceur caressante ne pouvait être comparée qu'au doigt d'un virtuose sur une précieuse poterie égyptienne.

— Nous nous reverrons certainement, murmura-t-il. Bien sûr, très certainement. Je connais tout le monde ici. Je m'appelle Raughty… Docteur Fingal Raughty.

« J'étais avec le vieux Doorm quand il est mort. Une noble tête, bien que plutôt malformée derrière les oreilles. Il avait également une odeur particulière… pas désagréable… plutôt musquée, en fait. Au village, on l'appelait le Blaireau. Il pouvait boire en une seule séance plus de gin qu'aucun homme que j'ai connu. Il ressemblait aux portraits de Descartes. Au revoir, Miss… Nance !

Dès que les amants furent seuls, Sorio donna libre cours à sa rage :

— Quel sale type ! Qui lui a permis de parler ainsi de M. Doorm ? Qu'est-ce qui lui disait que tu n'étais pas sa parente ? Et pour couronner le tout, quelle impudence de t'appeler par ton prénom ! Damnation !... Il a pris le chemin que nous voulions suivre. Je crois qu'il le savait. Regarde : le voilà en train de folâtrer dans le fossé, attendant qu'on le rattrape !

Nance ne put s'empêcher de rire un peu à cette sortie.

— Pas du tout, mon cher. Il chasse les musaraignes.

— Quoi ? répondit teigneusement son compagnon. Sur la route ? Il est fou. Viens, nous allons le contourner. Passons par là pour rejoindre le chemin de halage.

Ils revinrent lentement, sans plus être dérangés, longeant la rive du fleuve. Nance était troublée par le caractère d'Adrian. Il paraissait brusque et irritable. Elle ne l'avait jamais vu comme ça, et une sourde appréhension, à laquelle elle ne put assigner aucune cause précise, lui envahit le cœur.

Un tel silence s'était abattu entre eux, et les nerfs de la jeune fille étaient si ébranlés par cette situation nouvelle, qu'elle sursauta vraiment lorsqu'il pointa soudain le doigt vers un bouquet de chênes, au-delà du fleuve — le seul, lui dit-il, que l'on pût trouver dans le voisinage.

— Il y a quelque chose derrière, remarqua-t-elle, une sorte de maison. Je n'aimerais pas vivre dans cet endroit. Qu'est-ce qu'ils doivent entendre le vent ! Il doit hurler et quelquefois gémir... n'est-ce pas ?

Elle lui sourit et frissonna.

— Je crois que London Bridge Road me manque un peu, et... Kensington Park. Pas toi, Adrian ?

— Oui, il y a une maison derrière, répéta Sorio sans relever ses dernières paroles et en fixant le bouquet de chênes. Il y a une maison derrière.

Il avait une attitude si étrange que la jeune fille le regarda avec une sérieuse inquiétude.

— Qu'est-ce que tu as, Adrian ? demanda-t-elle. Je ne t'ai jamais vu comme ça…

— C'est là où habitent les Renshaw, poursuivit son ami. Ils ont une sorte de parc dont le mur s'étend jusqu'aux abords du village. Certains arbres sont très vieux. J'y ai fait un tour ce matin avant le petit-déjeuner, sur le conseil de Baltazar.

Nance le regarda de plus en plus nerveusement, puis eut un petit rire forcé :

— C'est pour ça que tu étais si en retard à notre rendez-vous, j'imagine ! Tu m'as dit que les Renshaw habitaient ici. Puis-je te demander qui sont les Renshaw ?

Prenant la jeune fille par le bras, il l'entraîna en avant d'un pas rapide.

Elle remarqua qu'il ne répondit pas à la question posée avant que le bouquet de chênes disparût derrière un rideau de saules sur la rive éloignée du fleuve.

— Baltazar m'a tout raconté. Il est bien placé pour savoir, c'est l'un d'eux. Oui, l'un d'eux. Il est le fils du vieil Herman, le père de Brand. Un bâtard, bien entendu, et Brand n'est pas toujours chic envers lui. Mais c'est l'un d'eux.

À ce dernier mot, il s'arrêta sans crier gare, et Nance surprit le regard furtif qu'il lança au-dessus du courant.

— Qui sont-ils, Adrian ? Qui sont-ils ? répéta la jeune fille.

— Je vais te le dire, s'écria-t-il avec une étrange irritation. Je vais tout te dire ! Quand ne t'ai-je pas *tout* dit ? Ce sont des brasseurs. Ce n'est pas très romantique, n'est-ce pas ? Et je suppose que tu pourrais dire que ce sont aussi des proprié-taires terriens. Ils vivent ici depuis toujours, semble-t-il, et dans la même demeure.

Il éclata d'un rire embarrassé :

— Dans la même demeure depuis des siècles et des siècles !
Le cimetière est plein de leurs ossements. Ce n'est que dernièrement qu'ils sont devenus brasseurs… la terre, sans doute, ne
leur payait pas leurs vices.

Il partit d'un nouvel éclat de ce rire désagréablement
discordant.

— Brand emploie Baltazar, comme s'il n'était pas plus son
frère qu'autre chose, dans le bureau de Mundham. Tu te souviens
de Mundham ? Nous sommes passés devant en train. C'est par
là, ajouta-t-il en agitant la main devant lui, à environ dix kilomètres d'ici. Un endroit horrible, rien que des taudis et des
canaux. C'est là qu'ils font leur bière. Leur bière !

Nouveau rire discordant.

— Tu ne m'as toujours pas dit qui ils sont ; je veux dire :
qui d'autre…, observa Nance, dont le cœur, pour une raison
ou une autre, se mit à battre la chamade.

— N'ai-je pas dit que je raconterais tout ? riposta Sorio. Je
te dirai des choses que tu ne t'attends pas à entendre, si tu me
pousses à bout. Que le diable m'emporte, voilà Rachel et Linda !
Regarde, ont-elles l'air d'avoir passé un heureux moment ?

À cause du vent qui soufflait vers la mer, les amants avaient pu
s'approcher tout près des deux femmes sans trahir leur présence.

Linda était assise au bord du fleuve, la tête dans les mains,
tandis que Miss Doorm, prêtresse en robe noire d'un rite
ancien, était appuyée contre le tronc d'un saule têtard dépourvu
de feuilles.

— Elles étaient parfaitement heureuses quand je les ai quit-
tées, chuchota Nance.

Tout en parlant, elle prit conscience du doute misérable et
froid qui lui étreignait l'âme. En un éclair, son esprit revint aux
buissons de lilas du jardin de Londres et elle se sentit en proie
à un terrible abandon.

— Linda ! cria-t-elle, un frisson de remords dans la voix.

La jeune fille se leva rapidement, tandis que la main de Miss Doorm quittait le tronc de l'arbre. Les deux sœurs échangèrent un regard rapide, mais Nance fut incapable de déchiffrer l'expression de Linda. Ils partirent ensemble, Adrian avec Linda, Nance avec Rachel.

— Comment s'appelle ce fleuve ? demanda Nance à sa compagne, dès qu'elle fut rassurée par le rire de la jeune fille.

— La Drôle, ma chère, répondit Miss Doorm. On l'appelle la Drôle. Il traverse Mundham, puis les marais, avant de former le port de Rodmoor.

Nance demeura silencieuse. Au fond de son cœur, elle prit une résolution : trouver quelque chose à faire ici, à Rodmoor. Il était intolérable de dépendre de quelqu'un. Oui, elle trouverait du travail, et si nécessaire elle emmènerait Linda vivre avec elle.

Il ne lui aurait pas été facile d'en expliquer l'obscure raison, mais elle se sentait moins disposée que jamais à retourner à Londres. Tous les battements de son sang vibraient d'une étrange excitation. Un téméraire esprit de combat la souleva. Ce ne serait ni facile ni rapide de lui faire lâcher l'homme qu'elle aimait ! Mais elle sentait du danger à l'horizon… plus près que l'horizon.

Elle le sentait dans ses os.

Devant le jardin de Rachel, il y eut une pause générale, afin de permettre à Adrian de rendre justice à la lourde architecture de « la Maison sur la digue », comme on l'appelait, cette maison que le Blaireau avait eu la lubie — selon le conte du docteur Raughty —, dans sa tête noble quoique « malformée », de léguer à sa solitaire descendante.

Tandis qu'ils franchissaient l'un après l'autre le petit portail délabré, Nance fut prise d'une inspiration soudaine.

— Adrian, murmura-t-elle, saisissant le poignet de son amant, y a-t-il eu quelque chose… ou quelqu'un… pour te rappeler ce que… tu as vu… ce matin-là ?

Elle ne put s'empêcher de croire qu'il avait compris ce qu'elle voulait dire, pourtant il était difficile de l'affirmer car il lui répondit d'un ton calme et naturel, comme s'il avait mal interprété ses paroles :

— Tu veux parler de la mer ? Oui, je l'ai entendue toute la nuit et toute la journée. Nous irons sur la plage cet après-midi, et Linda viendra avec nous. (Il éleva la voix.) Tu viendras voir la mer avec nous, Linda. Hein, mon enfant ? La mer de Rodmoor.

Les mots s'en allèrent mourir sur le fleuve et dans les marais. Les autres étaient déjà dans la maison, mais le rire qui éclaira le pâle visage à la fenêtre et le heurt enfantin des doigts contre la vitre close parurent acquiescer à ce qu'il venait de suggérer.

III

FLÂNERIE AU BORD DE LA MER

Bien que le vent fût tombé, aucun rayon de soleil ne coupait la monotone étendue de ciel gris, de dunes et de mer grises, tandis qu'en cette fin d'après-midi les deux sœurs et leur compagnie flânaient lentement sur la plage de Rodmoor.

Linda était un peu pâle et silencieuse, et de temps à autre Nance croyait discerner quelque chose qui ressemblait à une exultation sinistre dans les regards que Miss Doorm lui lançait, mais l'excitation extraordinaire dont Sorio était la proie l'empêcha de surveiller l'une et l'autre de près. Il ne cessait de déclamer des fragments de poèmes ; Nance saisissait le sens de certains, tandis que d'autres, déclamés en latin ou en grec, ne lui apportaient qu'un vague sentiment d'insécurité. Il était comme un magicien en transe, marmonnant des incantations et invoquant d'étranges dieux.

La mer n'était ni mauvaise ni calme. Des traînées d'écume projetée en l'air apparaissaient et disparaissaient en de lointains points dans l'immense étendue, et de temps à autre la ligne unie du sombre horizon était brisée par l'émergence d'une vague plus forte et plus noire que les autres. Dérangées par leur approche, des troupes de goélands quittaient en tournoyant et en criant le varech où ils trouvaient leur nourriture, et s'éloignaient à grands coups d'ailes au-dessus de l'eau.

Les quatre amis marchaient sur le sable dur, près de la ligne changeante du reflux, s'arrêtant ici et là, chacun son tour, pour retirer de l'andain noir farci de coquillages brisés et du rebut anonyme de la mer les petites choses qui les attiraient ou les surprenaient. Nance s'aperçut la première qu'ils n'étaient pas les seuls à fréquenter ces lieux solitaires. Elle attira l'attention d'Adrian sur les deux silhouettes à la crête des dunes. À en juger par la vitesse à laquelle elles se déplaçaient, elles n'avaient apparemment qu'une envie : atteindre le plus vite possible un promontoire pour disparaître de la vue.

Adrian s'arrêta, scrutant longtemps les deux silhouettes avec intensité. Puis, à l'immense surprise de Nance qui en fut, il faut bien le dire, un peu consternée, il se lança à leur poursuite. Sa longue et maigre silhouette sans chapeau prit une forme si exagérément grotesque, tandis qu'il courait à grandes enjambées sur le sable, que Linda éclata de rire.

— J'espère qu'ils vont fuir en courant, s'écria-t-elle. On verra une poursuite ! Qui sont ces gens ? Il les connaît ?

Nance ne répondit pas, mais Miss Doorm, qui avait observé l'incident avec un intérêt sardonique, marmonna :

— Ça commence, en vérité ça n'a pas traîné !

Nance se tourna brusquement vers elle :

— Que veux-tu dire, Rachel ? Est-ce qu'Adrian connaît ces gens ? Et *toi*, les connais-tu ?

Elle n'obtint aucune réponse, mais il n'était pas nécessaire d'en obtenir une car le mystère, quel qu'il fût, était sur le point d'être résolu. Adrian avait rattrapé les objets de sa quête et les ramenait avec lui en les tenant par la main. Nance ne fut pas longue à se faire une idée de leur allure générale. C'étaient deux femmes, l'une vieille, l'autre très jeune, et, à en juger par leur apparence aussi bien que par leur manière de s'habiller, nettement des dames. Lorsqu'elles furent à portée de voix, le cœur de la jeune fille se mit à battre, l'avertissant d'un danger imminent. Cela se produisit dès qu'elle eut une vision claire de la plus jeune des deux compagnes d'Adrian.

— Ce sont les Renshaw, lui avait brusquement chuchoté Rachel au creux de l'oreille avant qu'un salut pût être échangé. Je ne les ai pas vues depuis que Philippa était petite, mais ce sont les Renshaw. Il doit les avoir rencontrées ce matin. Prends garde à toi, ma chérie.

Nance ne l'entendit que vaguement. Toutes les fibres de son corps et de son âme étaient fixées sur la mince silhouette équivoque aux côtés d'Adrian.

Les présentations qui suivirent eurent un caractère tout à fait curieux. Entre Nance et la jeune femme que Rachel avait nommée Philippa, il y eut, à l'instant où leurs doigts se touchèrent, un échange de regards semblable à deux lames nues se croisant. Mme Renshaw retint dans la sienne la main de Linda plus longtemps que ne l'exigeaient les convenances, et Linda elle-même parut s'accrocher à la dame aux yeux bruns et aux cheveux gris avec un mouvement de confiance enfantine. Nance, malgré son cœur qui battait, garda suffisamment de calme pour remarquer avec intérêt que la mère de sa rivale, bien que faisant preuve envers eux tous d'une timidité et d'une réserve excessives, paraissait exercer une influence restrictive et calmante sur Rachel Doorm, laquelle se mit aussitôt à lui parler avec une déférence et un respect inhabituels. Après avoir conversé à bâtons rompus, la compagnie quitta le bord de mer pour prendre la direction de la ville, et, en dépit de furtifs efforts pour y échapper, Nance se retrouva coincée entre Mme Renshaw et Rachel, Linda les précédant sur l'étroit sentier accidenté entre les dunes et le sable lourd de la haute rive.

De temps à autre, Mme Renshaw se baissait pour attirer leur attention sur une petite plante marine dont elle leur disait le nom avec de lents et doux accents, comme si elle répétait une formule liturgique, leur indiquant quelle serait la couleur précise des pâles boutons glauques lorsqu'un temps plus chaud ferait s'ouvrir les pétales.

En ces occasions, Nance tournait rapidement la tête, mais, elle avait beau faire, elle ne pouvait que constater qu'Adrian et sa compagne étaient de plus en plus à la traîne.

À un certain moment, tandis que la dame à la voix douce touchait légèrement du bout de ses doigts dégantés une insignifiante touffe de feuilles et demandait à Nance si elle connaissait le minime hélianthème, la jeune fille fut dans son trouble sur le point de pousser un cri étrangement déplacé.

— *Rose au regard saphique*, murmura son cœur troublé, *plus pâle que les lys, rose au regard saphique, offre-nous le parfum de ton illusoire virginité, fleur hypocrite, fleur de silence.*

Ils arrivèrent enfin à l'entrée du petit port, et au grand soulagement de Nance Mme Renshaw leur demanda de s'asseoir sur un banc qui sentait le poisson, au milieu des rouleaux de cordages, pour attendre les retardataires.

La marée était basse et l'eau refluait entre les grandes rives de boue vers la mer en un étroit courant tourbillonnant. Un gros bateau de pêche, à la haute coque goudronnée et aux voiles rouges déployées, était dirigé dans cette voie d'eau par deux hommes armés d'énormes gaffes.

À travers les mâts de plusieurs autres bateaux amarrés à des anneaux de fer dans le ponton de bois, et entre les toits d'ardoise de quelques maisons délabrées de l'autre côté, ils aperçurent en regardant vers l'ouest à travers les marais la bande couleur de rouille d'un ciel bas sombrement illuminé. C'était apparemment le seul coucher de soleil que Rodmoor allait connaître ce soir, et Nance, tout en écoutant vaguement la voix douce de Mme Renshaw décrire à Linda les « figures » les plus pittoresques parmi les gens du port, éprouvait l'angoissante sensation d'être emportée de plus en plus loin par une impitoyable marée, dans un paysage où le ciel pesait lourd au-dessus de sa tête et où la grève autour d'elle était interminablement grise, avec tout le temps quelque chose de retenu, de rétracté, d'inexplicable dans la force qui la poussait en avant.

Ils apparurent enfin, Adrian et Philippa Renshaw, et Nance eut le cœur arraché par l'implacable soupçon que la bataille était déjà perdue, que cette chose fragile aux grands yeux ambigus et aux manières réservées, cette chose dont le corps agile et les cheveux bruns en nattes serrées auraient pu être ceux d'un garçon déguisé, lui avait déjà arraché ce qu'elle ne pourrait plus reconquérir de toute sa vie.

Lorsqu'ils quittèrent le port pour entrer dans la rue principale du village, Adrian fit quelques efforts délibérés pour arracher Nance au reste de la troupe. Il lui désigna quelques petits riens dans les modestes vitrines, paraissant surpris et déçu qu'elle ne répondît pas à ses avances. Elle *ne pouvait pas* répondre. Elle ne pouvait même pas le regarder en face. Ce n'était ni par caprice qu'elle se détournait ainsi, ni par dépit, comme une femme piquée, mais parce qu'en elle toute émotion était lamentablement paralysée. La blessure paraissait plus profonde qu'elle n'en avait elle-même conscience. Son cœur était un poids mort et froid, comme un enfant assassiné dans son sein, avant de naître ; et, de même qu'en certains rêves tragiques elle ne pouvait sortir de sa léthargique inertie, elle avait des membres de plomb, et ses lèvres — au moins pour Adrian — devinrent celles d'un animal muet.

Un homme voyant les choses de l'extérieur — un minime incident apparemment banal — aurait été confondu qu'un coup si léger pût produire sur Nance un tel effet ; mais les femmes se meuvent dans un monde différent, un monde où le déplacement du plus petit brin de paille peut être le signe d'une catastrophe atterrante, et pour l'instinct de la moins sensible d'entre elles les pressentiments de Nance auraient paru évidents.

À cet instant, la jeune fille ressentit de manière aiguë combien elle connaissait peu son amant. Fondue en lui, elle lui était totalement dévouée, mais la complexité et l'intrication de son caractère lui étaient aussi inconnues que lors de leur première rencontre dans London Bridge Road.

Tout à fait étrangement, Nance, dont les sentiments étaient paralysés, ne ressentait aucune aversion consciente envers celle qui était la cause de sa détresse. Elle s'entendit parler de façon naturelle et spontanée à Miss Renshaw lorsque le hasard les rapprocha, à l'instant où elles débouchèrent sur le pré communal.

— Oh, j'aime ces arbres ! s'écria-t-elle en apercevant la rangée de vieux sycomores, qui étaient le principal attrait de la petite place abandonnée.

Le cottage de Baltazar Stork se révéla être situé juste derrière les sycomores, porte à porte avec la bâtisse à l'immense enseigne décolorée — seul lieu de distraction des habitants de Rodmoor.

— "La Tête de l'Amiral", répéta Nance, les yeux fixés sur l'enseigne, pensant que c'était sans doute sous ce toit sordide que le parent de Miss Doorm s'était saoulé à mort.

— Ne la regardez pas, disait Mme Renshaw. Je me sens honteuse chaque fois que je passe devant.

Philippa lança à Nance un rapide sourire mordant :

— Mère leur raconte que c'est notre bière que l'on vend ici. Vous savez que nous sommes brasseurs, n'est-ce pas ? Mère pense que c'est son devoir de le rappeler à chacun. Elle tire un curieux plaisir à parler de ça. C'est sa conscience morbide. Nous sommes tous plutôt morbides dans le coin, vous verrez, ajouta-t-elle en lançant à Nance un regard inquisiteur. C'est la mer. La nôtre est différente des autres mers : elle nous ronge.

— Pourquoi me dites-vous cela ?… Et sur ce ton ? demanda gravement Nance en soutenant le regard de l'autre. Mon père était marin. J'aime l'eau salée.

Philippa Renshaw haussa les épaules.

— Il est possible que vous aimiez être *sur* l'eau. C'est différent. Reste à savoir si vous aimerez vivre *auprès* d'elle.

— J'aime l'eau salée toujours et partout, répéta obstinément Nance, et je ne crains rien d'elle.

Elles rattrapèrent les autres sur cet échange, et Mme Renshaw se tourna maussadement vers sa fille :

— Ne lui parle pas de la mer, Philippa… Je sais que c'est ce que tu fais.

La fille à la silhouette de garçon posa les yeux sur ceux d'Adrian ; Nance sentit le poids qui lui étreignait le cœur devenir froid comme de la glace lorsqu'elle observa l'effet que ce regard produisait sur son amant.

Ce fut Rachel qui rompit la tension.

— Il n'y a pas si longtemps, dit-elle, Rodmoor était à l'intérieur des terres. On dit maintenant qu'il y a des maisons et des églises sous l'eau ; qu'elle gagne sans arrêt sur la terre, centimètre après centimètre. Les dunes sont beaucoup plus près de la ville, j'en suis certaine, et l'embouchure du fleuve également, que du temps où je vivais ici.

Mme Renshaw parut fort contrariée par ces remarques.

— Eh bien, dit-elle, il est l'heure de rentrer dîner. Passerons-nous par le parc, Philippa ? C'est le chemin le plus agréable… si l'herbe n'est pas mouillée.

Dans le chœur d'adieux qui suivit, Nance ne fut pas surprise que Sorio lui souhaitât le bonsoir, à elle comme aux autres. Il prétendit aller à la gare pour attendre le train de Mundham.

— Baltazar aura des tas de choses à porter, dit-il, et je me dois de lui donner un coup de main.

Avant de partir, Mme Renshaw pressa si tendrement la main de Linda que l'on aurait pu excuser un observateur cynique de soupçonner que, dans le soupir qu'elle réprima en prenant le bras de Philippa, se cachait le souhait que le destin aurait dû lui donner pour fille la plus docile et la moins difficile des enfants.

Tandis que les deux sœurs s'éloignaient avec Rachel, Linda se montra pleine d'enthousiasme et de louanges fiévreuses envers la dame à la voix triste. Elle ne cessa de caqueter à son sujet, au point que Nance, qui n'avait pas les nerfs en état de le supporter, finit par exploser en protestant violemment :

— C'est le genre de personne, lança-t-elle, qui est toujours sentimentale envers les jeunes filles. Attends de la trouver avec une fille plus jeune que toi, et tu seras vite fixée ! N'ai-je pas raison, Rachel ?

— N'est-ce pas qu'elle a tort ? s'interposa l'autre.

Miss Doorm les regarda gravement :

— Je crois que vous ne comprenez ni l'une ni l'autre Mme Renshaw. En vérité, il n'y a pas beaucoup de gens qui la comprennent. Elle a eu des ennuis que vous pouvez toutes les deux prier Dieu de ne jamais avoir. Et son petit bout de fille ne va pas tarder à en créer d'autres.

Elle jeta à Nance un regard significatif :

— Tiens bien ton Adrian, mon amour. Tiens-le bien, ma chérie !

Ainsi parla Rachel Doorm, comme elles atteignaient le chemin de halage.

Dans l'intervalle, de sa tour de guet au-dessus de l'auberge, l'Amiral sans nom vit les ombres de la nuit s'allonger sur les sycomores. D'un air provocant malgré sa mine fanée, il regardait insolemment entre les arbres et les maisons tout ce qu'il pouvait saisir dans le port qui s'assombrissait, et si Rodmoor avait été un navire au lieu d'être un village, et lui une figure de proue au lieu d'une enseigne, il n'aurait pas fait face à l'inconnu, et à tout ce que cela pouvait apporter, avec plus d'indifférence, de désinvolture et de mépris.

IV

CHÊNEGARDE

La nuit qui suivit sa première rencontre avec Adrian Sorio, la fille de la maison Renshaw demeura fiévreusement éveillée. Elle écouta l'horloge du vestibule sonner minuit avec une intensité qui aurait suggéré à n'importe quel observateur qu'elle n'avait fait qu'attendre ce moment précis pour se lancer dans quelque entreprise nocturne, aussi pleine de charme que de péril.

La nuit était fraîche, et le ciel couvert sans la moindre étoile. Les lourds rideaux étaient tirés, mais la fenêtre grande ouverte derrière eux laissait entrer un courant d'air plein d'odeurs de pluie, qui faisait vaciller les flammes des deux chandeliers d'argent sur la coiffeuse et qui fit voleter les pans de la mince chemise de nuit de la jeune fille à l'instant où elle s'assit, tendue par l'attente, près des braises d'un feu mourant.

À gauche de la cheminée, un cadre à dorures enfermait un grand miroir à l'antique dessin.

Au dernier coup de minuit, la jeune fille bondit sur ses pieds et, après avoir rapidement laissé tomber l'unique vêtement qui la couvrait, se tint debout, raide et droite, les mains nouées sur la nuque, devant le miroir. Le feu rougeoya sur ses longs membres nus et les flammes des bougies lancèrent des ombres vacillantes sur son cou fuselé et ses bras levés. Elle avait toujours les cheveux en nattes serrés autour de la tête, et cela, ajouté aux formes garçonnières de son corps, lui donnait l'apparence de l'un de ces androgynes sculptés par les anciens Grecs, dont la beauté ambiguë éveille toujours en nous, même dans le marbre froid, un appel très touchant. Son front lisse et son petit visage délicatement modelé paraissaient fantomatiques dans le miroir. Ses lèvres écarlates tremblèrent pendant qu'elle se regardait, jusqu'à former cet énigmatique et impénétrable sourire de défi qui, plus qu'aucune autre expression humaine, semble avoir hanté l'imagination de certains grands artistes du passé.

Autorisé un bref instant à entrevoir cette silhouette blanche, un intrus doué d'une parcelle d'imagination poétique aurait pu être tenté de rêver que la poussière des siècles avait été ranimée, et que venait de reprendre souffle et conscience quelque délicate évocation d'un pervers désir païen.

Un tel rêve n'aurait peut-être pas résisté à l'examen rapide du visage de la jeune fille. Ses yeux, à l'iris si large et aux pupilles tellement dilatées qu'ils paraissaient être sous l'influence d'une drogue, avaient ce regard particulier, plein de tristesse et lourd de mystère, dont on sentait qu'*il ne pouvait pas avoir été au monde* avant la mort du Christ.

Avec sa silhouette hermaphrodite, elle ressemblait à l'une de ces prêtresses d'Artémis évoquant une image moqueuse de sa propre asexualité provocante. Avec ses yeux inhumainement tristes, elle suggérait quelque étrange créature, un elfe né de la magie médiévale.

Se détournant du miroir, Philippa Renshaw souffla les bougies et ouvrit brusquement les rideaux. Demeurant un moment exposée à l'air vague de la nuit sans étoiles, pleine de fraîches odeurs de terre, elle inspira plusieurs longues bouffées et parut inhaler l'essence même des ténèbres, semblable au baiser d'un amant surnaturel. Puis elle frissonna légèrement, ferma la fenêtre, et s'habilla rapidement à la lumière du feu. Nu-tête, mais enveloppée d'un manteau sombre qui lui tombait jusqu'aux chevilles, elle quitta doucement sa chambre et descendit silencieusement l'escalier sur la pointe des pieds. L'un après l'autre, elle tira les lourds verrous de la porte du vestibule et tourna la clé massive.

Se glissant dans l'air de la nuit avec les mouvements de quelqu'un qui est familier de ce genre d'escapades, elle se hâta sur le sentier rocailleux, franchit les grilles de fer de l'entrée et se retrouva dans le parc. Après avoir saisi le pan de son manteau et l'avoir serré autour d'elle pour être plus libre de ses mouvements, elle s'élança dans l'herbe humide et dirigea sa course vers le plus épais des bouquets de chênes. Entre les troncs immenses et les racines moussues de ces enfants des siècles, rongés par la mer et tordus par le vent, elle chercha son chemin à tâtons, butant des pieds sur les branches mortes et le visage fouetté par les jeunes feuilles humides.

Elle semblait possédée d'un désir fou de se débarrasser de tous les vestiges et de tous les signes qui l'emprisonnaient dans son argile humaine, afin de se livrer, libre et désenchaînée, à l'étreinte des puissances primordiales. À la voir enfin se jeter, face contre terre, au pied de l'un des plus vieux arbres — dont elle entoura le tronc de ses bras libérés du manteau —, on aurait pu penser qu'elle était l'adoratrice d'une divinité bannie en train d'invoquer son dieu, tandis que les persécuteurs dormaient, et lui demandant passionnément de revenir sur l'autel qu'il avait déserté. Relâchant la sauvage étreinte de ses doigts après s'être blessé la chair sur la rugueuse écorce de l'arbre, la jeune fille enfonça ses ongles dans le terreau meuble de feuilles humides et se frotta le front contre la mousse trempée. Elle frissonna tandis qu'elle était ainsi étendue, et tout en frissonnant elle agrippa avec plus de force encore, comme dans une sorte d'extase, les racines des herbes et les mottes de terre dans lesquelles s'enfonçaient ses ongles.

Cependant, à l'intérieur de la maison se déroulait un autre petit drame. Dans la vieille bibliothèque démodée rassemblée par des générations de Renshaw, où le noble goût rabelaisien du dix-huitième siècle voisinait sans cérémonie avec les fades banalités d'une époque postérieure, était assis, à l'instant même où la jeune fille descendait l'escalier, un homme taillé en hercule, vêtu d'une robe de chambre.

Brand Renshaw était une figure formidable et frappante. Tout en muscles et très grand, il portait au-dessus de ses massives épaules une tête à la forme si étrange que, s'il avait été le chef d'une bande de soudards au Moyen Âge, il serait certainement passé à la postérité sous le nom de Brand Tête-de-Hache, ou Brand Crâne-de-Pioche. Sa tête s'éloignait du haut front étroit pour former sur le dos du crâne une sorte de dôme protubérant, qui, en dépit des cheveux roux coupés court qui le recouvraient, suggérait de façon presque sinistre la structure osseuse du crâne en dessous.

Le feu s'était éteint. Les bougies sur la table vacillaient en crachotant de petits bruits de cire à mesure que les mèches se noyaient, l'âtre froid était jonché d'innombrables cendres de cigarettes. L'homme ne lisait ni ne fumait. Il était assis, les mains posées sur les bras de son fauteuil, le regard perdu dans le vide.

Les yeux de Brand Renshaw étaient semblables à ceux d'un animal morose, doué peut-être de quelque pouvoir d'intellection étranger à la race humaine, mais sans cesser pour autant d'être un animal ; et lorsqu'il concentrait ainsi son regard sur les objets inconnus de sa pensée, ses prunelles inquisitrices étaient chargées d'une intensité si lourdement appuyée qu'elle en devenait désagréablement menaçante.

Il regardait fixement l'âtre désert quand il entendit un pas furtif dans le vestibule, au milieu du silence de mort de la maison, immédiatement suivi du léger bruit de râpe des verrous que l'on tirait avec précaution.

En un éclair il fut debout et moucha les bougies qui coulaient. En silence il se dirigea sur la pointe des pieds vers la porte, et faisant sans bruit tourner la poignée risqua un œil dans le vestibule. Il arriva juste à temps pour voir la lourde porte se refermer. Sans le moindre signe de hâte ni de surprise, il enfila son paletot, prit sa canne et son chapeau, et se mit en quête de la fugitive.

Il ne vit d'abord que l'obscurité et n'entendit d'autre bruit que le volettement d'un oiseau dérangé dans les hautes branches, puis, dans le lointain, peut-être même hors des limites du parc, le cri de terreur d'un lapin agressé. Mais lorsqu'il parvint à la grille, en prenant soin de marcher sur les plates-bandes plutôt que sur le gravier, il discerna une silhouette féminine à peu de distance devant lui. Elle courait vers les chênes, si droit devant elle et si aveuglément qu'il put la suivre sans difficulté, même si sa silhouette fuyante était de temps à autre gommée et avalée par les ténèbres.

Lorsqu'il la rejoignit enfin, il la vit étendue au pied de l'arbre, mais ne fit aucun geste qui pût trahir sa présence. Il se contenta de la regarder, silhouette aussi silencieuse et aussi inhumaine qu'elle-même l'était ; au-dessus d'eux, les vagues immensités ainsi que les ombres ténébreuses de la formidable nuit imprégnée des parfums de la terre étaient suspendues de plus en plus bas et de manière de plus en plus terrifiante, comme des puissances retenant leur souffle, à l'affût, l'œil aux aguets.

Par intervalles, la queue d'une rafale de vent parvenant des marais lointains soulevait les feuilles mortes sur le sol et leur faisait danser une petite gigue de mort, sans même toucher aux jeunes pousses vivantes des branches qui les surplombaient.

L'obscurité parut monter et descendre autour des deux silhouettes, avancer, reculer, se dilater, fondre en vagues alternées de transparence et d'opacité. Dans son souffle tour à tour

inhalé et expiré, comme dans le flux et le reflux de sa fluc-
tuante présence, elle semblait battre — du moins c'était ce
que Brand Renshaw ressentait — comme le pouls d'un cœur
immense gonflé d'inexprimables mystères.

Cette illusion, si c'en était une, était peut-être due obscurément au fait que dans le silence de la nuit lourde le bruit
de la marée sur la plage de Rodmoor était l'arrière-fond de
toutes choses.

Ce ne fut qu'au moment où elle se leva que la jeune fille
l'aperçut, ombre debout parmi les ombres. Poussant un cri
étouffé, elle fit un mouvement comme pour s'enfuir, mais il
avança rapidement et la prit dans ses bras. Avec une force
presque brutale il la serra, pressant contre le sien ce corps
agile et le caressant avec de petits murmures graves comme
s'il consolait un enfant désespéré.

Elle se soumit passivement à ses caresses, puis d'une voix
intermédiaire entre la plainte et le rire elle lui chuchota par
saccades à l'oreille :

— Lâche-moi, Brand, j'ai été folle de sortir. Je n'ai pas pu
m'en empêcher. Je ne le referai plus. Plus, je le jure.

— Non, je pense que ça ne se reproduira plus ! marmonna
l'homme qui se dirigea rapidement vers la maison, de son
bras lui enlaçant toujours la taille. Non, je pense que ça ne
se reproduira plus, répéta-t-il.

Il s'arrêta à l'entrée du jardin et, la saisissant par les poignets,
la pressa brutalement contre l'un des piliers de pierre de la
grille.

— Je sais de quoi il s'agit, murmura-t-il. Tu ne peux pas
me tromper. Tu as été avec ces gens de Londres. Tu as été
avec cet ami de Baltazar. C'est bien de cela qu'il s'agit, n'est-ce
pas ? Tu as été avec ce cinglé… cet imbécile, ce bon à rien
qui habite le village. Hein, que je ne me trompe pas ? Hein ?

Les bras avec lesquels il lui pressait les mains contre la poitrine tremblaient de rage pendant qu'il prononçait ces mots.

— Baltazar m'a dit seulement ce matin…, poursuivit-il, à Mundham… m'a tout raconté sur ces gens. Ils n'ont pas d'intérêt, aucun, pas le moindre. Ils sont comme n'importe qui d'autre. Ce type est à moitié étranger, c'est tout. Un demi-sang Américain, genre de bâtard ou autre, c'est tout ce qu'il y a à dire de lui ! Aussi, si tu as commencé à te faire des idées folles sur M. Sorio, plus vite tu t'en débarrasseras, mieux ça vaudra. Il n'est pas pour toi. Tu entends ? Pas… pour… toi !

Ces derniers mots furent accompagnés par un raidissement si furieux des mains qui la tenaient que la jeune fille fut obligée de se mordre la lèvre pour s'empêcher de pleurer.

— Tu me fais mal, dit-elle d'un ton calme. Lâche-moi, Brand.

Le ton posé de sa voix parut le calmer et il la relâcha. Portant l'un de ses poignets à sa bouche, elle le caressa doucement du bout des lèvres.

— Tu seras toi-même intéressé par ces gens avant longtemps, murmura-t-elle en lui lançant un regard moqueur par-dessus son bras nu. La seconde fille est très jeune et très jolie. Elle m'a confié qu'elle avait une peur terrible de la mer. Elle a immédiatement ému les instincts protecteurs de Mère. Nul doute qu'elle n'émeuve aussi… les tiens ! Aussi ne condamne pas trop vite.

— Que le diable t'emporte ! marmonna son frère en ouvrant la grille. Viens ! Rentre avec moi ! Tu me parles comme si j'étais un noceur professionnel. Je n'éprouve aucun intérêt… pas le moindre… pour tes jeunes innocentes aux séduisantes terreurs. Au lit ! Au lit ! Au lit !

Il la poussa devant lui dans le sentier, mais Philippa savait bien que la main sur son épaule était plus légère et moins en colère que celle qui la tenait quelques instants plus tôt, et tandis qu'elle grimpait les marches de Chênegarde — le nom que portait la maison Renshaw depuis l'époque du Conquérant — flotta sur son visage ombré le même sourire à double sens qui s'était formé il n'y avait pas si longtemps sur le miroir de sa chambre quand elle s'y était regardée.

Lorsque l'aube pâle et froide se décida à sortir en rampant de la mer du Nord, et à soulever le poids des ombres avec une sorte de lassitude mécanique, ce n'étaient ni Brand ni Philippa qui étaient éveillés.

Alertée comme toujours par la plus petite manifestation d'un bruit inhabituel, la mère de cette étrange paire était restée dans son lit l'oreille aux aguets depuis l'instant où sa fille était sortie de la maison.

Elle s'était levée une fois pour regarder par la fenêtre, ses cheveux gris défaits mêlés aux plis d'un vieux châle fané aux couleurs sombres, tandis que ses deux enfants étaient dans le parc et que régnait un silence absolu. À cette seule exception, elle était restée étendue sur le dos à écouter, à écouter toujours silencieusement, avec une expression d'attente tragique et tourmentée dans ses grands yeux bruns enfoncés. On aurait pu la prendre, couchée là, seule dans le grand lit à colonnes, entourée par une immense litière de bibelots et de souvenirs accumulés, pour une image symbolique de tout ce qui est condamné à veiller pendant que tourne ce monde mortel, à attendre, à invoquer les dieux, et à s'accrocher de toutes ses forces aux reliques pathétiques et au mémorial que le temps consent à laisser des jours qu'il anéantit.

Lentement l'aube se leva sur les arbres et les toits de Chênegarde. Avec une lumière grise et pâlotte, elle emplit les carreaux des fenêtres. Avec une lumière grise comme le plomb, elle accusa jusqu'à l'horreur chaque sillon et chaque ride du visage patient de celle qui veillait.

Voyageant loin et haut dans le ciel, une longue file d'oiseaux d'eau volait, le cou tendu vers la lointaine solitude des marais.

Dans les carex des rives, les passereaux du fleuve pépiaient des notes stridentes, tandis qu'au-dessus des dunes des nuées de goélands criaient leur faim à la marée montante qui leur apportait des déchets.

De lassitude, Helen Renshaw ferma enfin les yeux ; quelques heures plus tard, le premier rayon de soleil que Rodmoor eût connu depuis des jours lui baisa le front — blanc au milieu des cheveux gris défaits — doucement, gentiment, tendrement, comme il aurait baisé le front d'une morte.

V

UN SYMPOSIUM

Adrian Sorio était assis en face de son ami, devant un feu aux chaudes flammes brillantes.

Baltazar Stork était un petit homme frêle d'apparence si délicate et gracieuse que bien des gens étaient tentés de se comporter envers lui avec autant d'égards et de douceur que s'il avait été une fille. C'était un compliment à sa fragilité, mais de mauvaise politique, car Baltazar était un égoïste impénitent, et sous le gant de velours était cachée une main de fer.

La pièce dans laquelle conversaient les deux amis était meublée de manière exquise, avec un goût particulier. De vieilles gravures, peu nombreuses et d'une qualité rare, ornaient les murs. Aux quatre coins étaient disposées de façon charmante, chacune séparée par l'espace requis, de précieuses pièces de Chine et d'inestimables statuettes en céramique ou en métal. De chaque côté du manteau de cheminée souriait un personnage en porcelaine de Meissen, dans le style de Watteau, tandis qu'au centre, à l'endroit où l'on trouve généralement une pendule, l'espace était occupé par une sculpture d'une grâce et d'une délicatesse ravissantes, représentant Syrinx échappant aux mains de Pan.

Le tableau le plus remarquable, qui attirait immédiatement l'attention de tous ceux qui entraient, était un sombre portrait ovale aux riches couleurs, celui d'un jeune homme au manteau vénitien, au large front lisse, aux yeux pénétrants sous de lourdes paupières, à la bouche avançant en une moue de dédain. Ce tableau, que l'on disait avoir été peint sous l'influence de Giorgione par l'ami de cœur de cet incomparable artiste, passait pour être un portrait d'Eugenio Flambard, le secrétaire favori du plus célèbre ambassadeur de la République à la cour papale.

La majorité de ces trésors avait été rassemblée par Baltazar au cours de certaines vacances prolongées dans diverses parties du continent. Cela se passait plusieurs années avant la faillite des valeurs, ou autre patrimoine, qu'il avait héritées de Herman Renshaw.

Depuis cette époque, il avait été plus ou moins dépendant de Brand — une dépendance que seules ses heureuses relations avec la mère de Brand et son urbanité de plomb avaient pu rendre tolérable.

— Adrian, vieux fripon, pourquoi ne m'as-tu pas dit que tu avais rencontré Philippa ? Brand m'a dit hier que tu l'avais vue deux fois. Ce genre de choses ne me plaît pas du tout. Je n'approuve pas ces rencontres clandestines. Tu m'entends, vieux garnement ? Crois-tu que ce soit très agréable pour moi, n'est-ce pas, d'apprendre par hasard… une sorte de malheureux hasard… un événement de ce genre ? Si tu *dois* te livrer à ces petits jeux, tu pourrais au moins m'en parler. En outre, je porte à Philippa un intérêt fraternel. Je ne veux pas que son innocence soit corrompue par un vieux satyre comme toi.

Sorio se contenta de murmurer :

— Des rats.

— Tu as beau jeu de dire "Des rats" sur ce ton, poursuivit l'autre. La vérité est que cette affaire commence à devenir sérieuse. Tu ne crois pas un instant, n'est-ce pas, que ta Nance va se coucher, comme on dit, pour laisser mon extraordinaire sœur lui marcher dessus ?

Adrian se leva et se mit à arpenter de long en large la petite pièce.

— C'est absurde, marmonna-t-il. Tout cela est absurde. J'ai l'impression que c'est une affaire diabolique. Du début à la fin ! Et tout cela parce que je n'ai rien d'autre à faire qu'à déambuler dans ces maudits sables !

Baltazar l'observait avec un sourire serein, le menton mollement appuyé sur ses doigts féminins, la tête légèrement inclinée de côté, belle et bouclée.

— Mais tu le sais, mon enfant, lança-t-il avec une caresse moqueuse dans la voix, tu sais très bien que tu es la dernière personne à pouvoir parler de travail. C'est le travail qui t'a réglé ton compte en Amérique. Tu ne vas pas recommencer avec *ça* ?

Adrian s'arrêta et lui lança un regard furieux.

— Crois-tu que je vais laisser *ça*, comme tu dis, me donner le coup de grâce ? Ma vie ne fait que commencer. À Londres, c'était différent. Mon Dieu ! Si j'avais pu rester à Londres ! Nance éprouve la même chose, je le sais. Il va falloir qu'elle trouve quelque chose, elle aussi, ou nous allons tous les deux devenir fous. C'est votre maudite mer ! J'ai bien envie de l'épouser sur-le-champ et de déguerpir. On trouvera quelque chose… quelque part… n'importe où… pour vivoter.

— Pourquoi es-tu venu à nous, mon cher, si tu nous trouves si effrayants ? dit Baltazar en riant avant de se pencher pour renouer un lacet de chaussure et remonter l'une de ses chaussettes de soie.

Sans répondre, Adrian continua d'arpenter férocement la pièce.

— Tu vas faire tomber quelque chose si tu ne fais pas attention, protesta Baltazar en haussant les épaules. Tu es le plus déconcertant des amis. Tu acceptes une invitation sans faire la moindre cérémonie et une couple de semaines plus tard tu beugles comme un taureau et tu nous envoies tous au diable.

Que t'avons-nous fait ? Que t'a fait cet endroit ? Pourquoi toi et ta précieuse Nance ne vous comportez-vous pas comme des gens normaux, qui font l'amour et sont heureux ? Elle va tout le temps de son côté et toi du tien. Pourquoi ne vous divertis-sez-vous pas à ramasser des algues ou des étoiles de mer, ou Dieu sait quoi d'autre ?

Pour la seconde fois Adrian cessa de rôder comme une bête sauvage.

— C'est votre damnée mer qui est la cause de tout, cria-t-il. Elle lui porte sur les nerfs comme elle porte sur les miens. La petite Linda avait parfaitement raison d'en avoir peur.

— J'avais cru comprendre, gronda l'autre en choisissant une cigarette dans un étui d'émail et en allumant la lampe, que tu trouvais les peurs de la petite Linda plus séduisantes qu'autre chose.

— Elle nous monte la tête, poursuivit Sorio sans relever l'interruption. Elle nous travaille l'esprit d'odieuse manière ! Nance dit qu'elle l'entend pendant son sommeil. Quant à *moi*, c'est sans cesse. Je l'entends sans un seul moment d'interruption. Écoute-la maintenant… *shish*, *shish*, *shish*, *shish* !… Pourquoi ne peut-elle pas faire d'autre bruit ? Pourquoi ne peut-elle pas s'arrêter ? Il me tarde que toute cette maudite farce soit finie. Elle m'ennuie, Tassar, elle m'ennuie !

— Désolé que tu trouves les éléments si éprouvants, Adriano, répondit languidement l'autre, mais je ne vois vraiment pas ce que je peux faire pour t'aider… seulement te conseiller de ne pas croiser le chemin de Philippa. C'est un élément beaucoup plus dangereux que les autres.

— Tassar ! cria l'enragé dans un éclat de fureur, si tu ne cesses pas de remettre Philippa sur le tapis, je t'étrangle ! Qu'est-ce que Philippa pour moi ? Je la *hais*… tu m'entends ? Je déteste jusqu'aux sonorités de son nom !

— Son nom ? murmura Stork d'un air méditatif. Son nom ?
Oh, je crois que tu as tout à fait tort de le haïr ! C'est un nom
qui évoque toutes sortes de choses intéressantes. Il a une conso-
nance plus qu'historique. Il a des couleurs médiévales et une
forme grecque. Il me fait penser à Euripide.

— Votre maudit Rodmoor, gémit Adrian, c'est trop pour
moi. En quel autre lieu sur terre un homme pourrait-il avoir
autant de mal à rassembler ses pensées et à voir les choses
telles qu'elles sont ? Il y a quelque chose ici qui travaille l'esprit, Tassar, quelque chose qui travaille l'esprit.

— Ce qui *te* travaille l'esprit, mon ami, répondit Baltazar Stork
en riant, ce n'est ni quelque chose d'aussi vague que les rêves,
ni quelque chose d'aussi simple que la mer. C'est tout simplement la tâche à la fois précise et très compliquée de mener deux
histoires d'amour en même temps ! J'en suis désolé pour toi, mon
petit Adrian, extrêmement désolé pour toi. C'est une situation
qui n'est pas inédite dans l'histoire du monde, que l'on pourrait
même dire, en fait, très banale. Mais j'ai bien peur que cela ne
te la rende pas plus agréable. Cependant, on peut s'en sortir, il
suffit d'un peu d'adresse, Adrian, simplement d'un peu d'adresse !

L'homme ainsi accusé d'une manière si sarcastique se retourna
furieusement, un éclat coléreux de feintes protestations au bout
de la langue. À cet instant, il y eut un heurt discret à la porte
d'entrée. Baltazar bondit sur ses pieds.

— Ce doit être Raughty, s'écria-t-il. Je lui ai demandé de
passer ce soir. Je brûlais de te le faire rencontrer.

Il se hâta d'aller ouvrir et fit entrer le visiteur en l'accueillant
avec cordialité. Après une pause remplie de tergiversations — car
le docteur Raughty prenait soin d'enfiler, outre un manteau, des
caoutchoucs et même des guêtres quand le temps était inclé-
ment —, les deux hommes entrèrent dans la pièce et Stork se
lança dans des présentations compliquées.

— Docteur Fingal Raughty, dit-il, M. Adrian…

À sa grande surprise, Sorio le coupa :

— Le docteur et moi nous connaissons déjà, fit-il remarquer en serrant vigoureusement la main du visiteur. J'ai bien peur de n'avoir pas été en cette occasion aussi poli que j'aurais dû l'être, poursuivit-il avec un petit rire d'une voix artificiellement forcée, mais le docteur me pardonnera. Le docteur, j'en suis sûr, se montrera indulgent.

Le docteur Raughty lui lança un regard rapide, à la fois ironique et amical, puis se tourna vers Stork :

— La mère Lorman est morte, dit-il en poussant un petit soupir. Enfin. Elle avait quatre-vingt-dix-sept ans et trente petits-enfants. Sa gorge a gargouillé à la fin avec le bruit que fait un rossignol quand il chante en juin. Je préfère ce genre de mort à n'importe quelle autre, quoiqu'elles soient toutes pitoyables.

— Nance m'a dit que vous étiez présent à la mort du vieux Doorm, Docteur, dit Adrian tandis que leur hôte se retirait à la cuisine pour aller chercher des rafraîchissements et des verres.

Le docteur acquiesça d'un signe de tête :

— J'ai mesuré le crâne de cet animal, remarqua-t-il gravement. Il était asymétrique, très curieux aussi. L'intéressant, c'est que l'on trouve sur cette partie de la côte une tradition bien établie de malformations du crâne. Elles réapparaissent chez la plupart des vieilles familles. Brand Renshaw en est un splendide exemple. *Son* crâne devrait être légué à un muséum. Il est beau, il a des lobes antérieurs de toute beauté.

Baltazar revenait en portant un plateau. Les yeux du docteur Raughty brillèrent d'une douce chaleur.

— Muscade, remarqua-t-il en s'approchant du plateau et en touchant légèrement et avec respect chacune des choses qui s'y trouvaient — muscade, citron, eau chaude, gin… *et* cognac !

C'est un choix admirable, profondément adapté à l'occasion. Puis-je mettre l'eau chaude sur la plaque pendant que nous nous préparons ?

Tandis que Baltazar disparaissait une fois de plus, le docteur Raughty, d'un ton grave et irrité, fit remarquer à Sorio que c'était une erreur de remplacer le rhum par du cognac.

— Il a fait ça parce qu'il n'a pas de rhum de première qualité, mais c'est ridicule. *N'importe* quel rhum est meilleur que pas de rhum du tout quand il s'agit de confectionner un punch. Êtes-vous d'accord avec moi, Monsieur Sorio ?

Adrian fut si complètement et emphatiquement d'accord que sur le moment le docteur parut presque embarrassé.

Au retour de Baltazar, cependant, il hasarda une autre suggestion :

— Et si on apportait la bouilloire ici ?

Stork le regarda sans un mot et posa sur la table un petit plateau de macarons. Avec un coup d'œil bizarre à Sorio, le docteur tendit la main vers le plateau, et après avoir grignoté le bord d'un biscuit dit d'une voix basse :

— Oui, ils sont particulièrement réussis aujourd'hui.

À peine les trois hommes se furent-ils installés dans leur fauteuil autour du feu qu'Adrian se mit à parler d'une voix rapide et nerveuse :

— J'ai le sentiment extraordinaire, dit-il, que cette soirée est emplie d'une signification fatale. Je suppose que pour vous deux ce n'est rien, mais il me semble que ce maudit *sish, sish, sish, sish* de la mer est plus proche et plus fort que d'habitude. Docteur, vous ne vous formaliserez pas si je vous parle franchement ? Vous m'êtes sympathique, quoique je me sois montré brutal envers vous l'autre jour… mais ce n'est rien… (il écarta ce rien d'un geste), c'est la manière d'agir de tous les imbéciles qui ne vous connaissent pas. Je sens que je vous connais, maintenant.

Cette remarque à propos du rhum… pardonne-moi, Tassar… et de la bouilloire… oui, surtout de la bouilloire… m'a été droit au cœur. Je vous aime, Docteur Raughty. Je vous annonce que mon sentiment, en cet instant, atteint l'amour… oui, vraiment l'amour ! Mais ce n'est pas ce que je voulais dire.

Enfonçant profondément les mains dans les poches, il étendit les jambes, et laissant choir son menton sur sa poitrine il leur jeta un œil noir, plein d'une sombre excitation.

— Je sens, ce soir, qu'un grand événement se prépare. Non, non ! Que dis-je ? Pas un événement. "Événement" n'est pas le mot. "Événement" est un terme stupide, n'est-ce pas, Docteur… n'est-ce pas… cher homme à la noble allure ? Car vous avez l'air vraiment noble, savez-vous, Docteur ? Là, en buvant ce punch… quoique, à dire vrai, votre nez ne soit pas tout à fait droit vu d'ici et qu'il y ait de drôles de taches sur votre visage. Non, pas là. *Là !* Tu ne les vois pas, Tassar ? Des taches… de curieuses taches pourpres.

Pendant cette sortie, M. Stork s'agita d'un air gêné dans son fauteuil. Bien qu'habitué aux excentricités de Sorio et très au courant du profond intérêt pathologique de son ami médecin pour toutes les anomalies, il y avait dans cette tirade quelque chose d'outrageant qui offensa ce qui était un instinct dominant chez lui : le sens des convenances, pour ne pas le nommer, et de la bonne éducation. Peut-être à cause de la barre de bâtardise qui entachait sa naissance, mais en raison surtout de la délicatesse de ses goûts esthétiques, tout ce qui ressemblait à un fiasco social ou à un *faux pas* le contrariait énormément. En cette occasion, heureusement, rien n'aurait pu surpasser la douceur avec laquelle les phrases brutales d'Adrian furent reçues par la personne à laquelle il s'adressait.

— On pourrait penser que tu as déjà bu la moitié du punch, Sorio, murmura enfin Baltazar. Qu'est-ce qui te prend, ce soir ? Je crois que je ne t'ai jamais vu comme ça.

— Rappelez-moi de vous dire quelque chose, Monsieur Sorio, quand vous aurez dit tout ce que vous avez à dire, remarqua le Docteur Raughty.

— Écoutez, vous deux ! reprit Adrian en se redressant, les mains posées sur les bras du fauteuil. Il y a une raison pour que j'aie le pressentiment qu'il va se passer quelque chose de fatal ce soir. Il y a une raison à cela.

— Essayez de nous dire de manière aussi précise que possible, dit le docteur Raughty, de quoi vous parlez exactement.

Adrian le regarda d'un œil mauvais, empreint de perplexité.

— Croyez-vous, dit-il lentement, que ce soit pour des prunes que nous sommes tous les trois ici à écouter ce…

Baltazar l'interrompit :

— Ne répète pas ce *sish*, *sish*, *sish*, *sish*, mon cher. Ta manière d'imiter les grands fonds ne me procure aucun plaisir.

— Ce que je voulais dire, reprit Sorio en élevant la voix, c'est qu'il est étrange que nous soyons tous les trois assis ensemble en ce moment, alors qu'il y a deux mois j'étais en prison à New York.

Baltazar fit un petit geste déprécatoire ; tandis que le docteur, intéressé, se penchait gravement en avant.

— Mais ce n'est rien, poursuivit Sorio. Une broutille. Baltazar connaît toute l'histoire. Ce que je veux que vous reconnaissiez, c'est qu'il y a quelque chose dans le vent… que quelque chose se trame qui est sur le point d'arriver. Le sentez-vous… ou non ?

Il y eut un long silence oppressant, brisé seulement par le murmure continuel qui dans chaque maison de Rodmoor formait le fond de toutes les conversations.

— Ce que je voulais dire tout à l'heure, remarqua enfin le docteur, c'est que dans cet endroit il est nécessaire de se protéger de *ça*. (Il secoua le pouce en direction de la fenêtre.) Notre ami Tassar se protège avec l'aide de Flambard, qui est là. (Il désigna le Vénitien, dans le cadre.) Moi avec l'aide de mon armoire à pharmacie. Hamish Traherne en disant ses prières. (Il pointa, en guise d'avertissement, un doigt en direction de Sorio.) Ce que j'aimerais savoir, c'est comment, vous, vous proposez de le faire ?

Baltazar, à cet instant, s'arracha à son fauteuil.

— Oh, tais-toi, Fingal ! s'écria-t-il d'un ton maussade. Tu vas rendre Adrian insupportable. J'en ai assez d'entendre parler de cette absurde eau salée. Il y a d'autres gens que nous obligés de vivre dans des villes côtières. Pourquoi ne remettez-vous pas les choses à leur place ? Pourquoi ne les admettez-vous pas une bonne fois ? Le sujet me porte sur les nerfs. Il m'ennuie, je vous le dis, il m'ennuie à pleurer. Pour l'amour de Dieu, parlons d'autre chose… de n'importe quoi, mais d'autre chose. Vous me faites broyer du noir avec vos murmures marins. C'est aussi triste que de devoir aller passer une soirée à Chênegarde seul avec Tante Helen et Philippa.

Sa maussaderie eut un effet instantané sur Sorio, qui le repoussa affectueusement dans son fauteuil.

— Désolé, Tassar, dit-il. Je ne le ferai plus. Je commençais à me sentir un peu bizarre ce soir. On ne peut pas avoir surmonté la démence cérébrale — c'est le bon terme, Docteur ? — sans qu'il y ait quelques petites séquelles. Allons, soyons sensés et parlons des choses qui sont vraiment importantes. C'est l'occasion ou jamais, n'est-ce pas, Tassar ? avec le docteur sous la main et sur la table un punch à base de cognac au lieu de rhum.

Il s'installa devant la cheminée et poussa un profond soupir.

— Ce qui me préoccupe le plus à présent, c'est de savoir ce que doit faire une personne qui n'a pas un sou en poche et qui est inapte à toute occupation. Que conseillez-vous, Docteur ? Au fait, pourquoi avez-vous mangé tous les macarons pendant que je parlais ?

Cette remarque sembla légèrement embarrasser la personne en question, mais Sorio poursuivit sans attendre de réponse :

— Oui, je suppose que tu as raison, Tassar. C'est une erreur d'être sensible au charme des jeunes filles. Mais c'est difficile — n'est-ce pas, Docteur ? — de ne pas l'être. Ne sont-elles pas, quand on y songe, si follement délicieuses ? Il y a quelque chose dans leur façon de tourner la tête... la ligne qui part de la gorge, vous savez ?... quelque chose dans leur manière de parler... quelque chose de pathétique, quelque chose — comment dirais-je ? — de démuni. C'est tout à fait désarmant. C'est plus que pathétique, c'est tragique.

Le docteur le regarda d'un air méditatif.

— Je crois qu'il y a un poème de Goethe qui dit cela, remarqua-t-il — si je ne me trompe pas, écrit après son voyage en Sicile... oui, juste après cette tempête en mer, vous vous rappelez ? quand il s'est souvenu de l'épisode du Christ marchant sur les eaux.

Plissant les yeux, Sorio scruta l'orateur avec une sorte de malignité teintée d'humour.

— Docteur, dit-il, pardonnez-moi de vous le dire, mais vous avez encore des miettes dans votre moustache.

— Le seul mot, intervint leur hôte, tandis que le docteur Raughty s'éloignait rapidement de la table et avec une sorte de bizarre froncement de toutes les rides de son visage s'examinait dans l'un des nombreux miroirs de Stork, le seul mot que je refuserai désormais d'entendre prononcer chez moi est le mot "mer". Je suis surpris d'apprendre que Goethe — un homme au goût classique — se réfère à de telles abominations gothiques.

— Ah ! s'écria Sorio, le grand Goethe ! Ce vieux pingre madré de Goethe ! Il savait comment se tirer de ces petites griffes de velours !

Le docteur Raughty se rassit et se mit à tambouriner du bout des doigts, d'un air absent, sur le plateau où ne restait plus le moindre macaron. Puis, avec un petit soupir pensif, il sortit sa blague à tabac, bourra sa pipe, et frotta une allumette.

— Docteur, murmura Sorio, dont les lèvres rebelles formèrent un sourire sardonique et dont les yeux se rétrécirent jusqu'à devenir aussi sinistres que ceux de l'Hadrien dont il portait le nom, pourquoi balancez-vous la tête comme ça d'avant en arrière pendant que vous allumez votre pipe ?

— Ne lui réponds pas, Fingal ! explosa Baltazar, il se conduit vraiment mal. Il fait l'intéressant, comme on dit des enfants.

— Je ne fais pas l'intéressant, s'écria bruyamment Sorio. Je pose au docteur une question parfaitement polie. Il allume sa pipe d'une façon fort singulière. Il y a là quelque chose. Beaucoup plus qu'il n'y paraît. Un secret du docteur. Sans doute de nature panthéiste.

— Que diable veux-tu dire par "panthéiste" ? Au nom du ciel, comment la façon dont Fingal tient une allumette peut-elle être qualifiée de "panthéiste" ? protesta Stork avec irritation. Tu vas vraiment un peu trop loin, *Adriano mio*.

— Pas du tout, pas du tout, rétorqua Sorio en étendant ses longs bras maigres pour attraper le dos d'une chaise. Le docteur le réfutera ou non, comme il voudra, mais ce que je dis est parfaitement vrai. Il tire du balancement de sa tête en avant et en arrière un plaisir cosmique. Il se sent le centre de l'univers quand il fait cela.

Le docteur détourna les yeux puis contempla le sol. Il était évident que la brutalité de Sorio le déconcertait. Il posa son verre et se leva.

— Je crois qu'il est l'heure de partir, dit-il. J'ai une visite à faire de bonne heure demain matin.

Lançant un regard de reproche à Adrian, Baltazar se leva à son tour. Ils se rendirent ensemble dans le vestibule d'où parvinrent les mêmes haletantes tergiversations qu'à l'arrivée de Raughty. Le docteur remettait caoutchoucs et guêtres.

Adrian sortit pour le voir partir et comme pour se racheter de sa conduite l'accompagna sur le pré en direction de sa maison, dans la rue principale. Ils se quittèrent les meilleurs amis du monde, mais à son retour Sorio trouva Baltazar sérieusement remonté.

— Pourquoi lui as-tu infligé ce traitement ? s'obstina ce dernier. Tu n'as pourtant aucun grief contre lui ? C'était juste ta manière idiote de te venger des choses en général, hein ? Ta jolie petite habitude de déverser ton humeur de chien sur la personne inoffensive qui te tombe sous la main ?

Sorio regarda son ami avec stupéfaction. Il était rare que M. Stork s'exprimât avec autant de véhémence.

— Je suis confus, mon cher, vraiment confus, marmonna l'accusé en regardant avec remords le plat et le verre vide du docteur.

— Tu peux l'être, rétorqua l'autre. Ce genre d'inconvenance est la seule chose que je ne supporte pas. C'est impardonnable… impardonnable ! Et de plus, infantile. D'accord pour décocher des coups quand il y a une raison, ou à un chien galeux qui a besoin d'une leçon, mais mettre mal à l'aise une personne sensible comme Fingal simplement pour faire le bravache, c'est intolérable !

— Je suis désolé, Tassar, répéta humblement l'autre. Je ne sais pas pourquoi j'ai fait ça. C'est certainement quelqu'un de charmant. Je lui ferai des avances. Je serai doux comme un agneau la prochaine fois que je le verrai.

Baltazar sourit, tandis que ses mains faisaient avec humour un geste inconsolable.

— On verra bien, dit-il. On verra bien.

Il verrouilla la porte puis, avec un soin rituel, alluma une couple de bougies.

— Éteins la lampe, *amico mio*, et oublions tout cela. La meilleure façon de choisir entre deux amours est de dire ses prières et d'aller se coucher. Ces choses se décident toutes seules en rêve.

— En rêve, répéta l'autre en le suivant d'un air soumis dans l'escalier. En rêve. Mais j'aimerais savoir pourquoi les chevilles du docteur paraissent si épaisses quand il s'assoit ; il doit porter d'extraordinaires sous-vêtements.

VI

LE PONT ET L'OSERAIE

Les mots légers que Philippa Renshaw avait prononcés au sujet de Linda revinrent plus d'une fois hanter l'esprit du maître de Chênegarde, tandis qu'avril faisait place à mai, puis que mai lui-même commençait à passer. Les champs mouillés et les bois rabougris de Rodmoor parurent à cette époque faire un effort conscient presque humain pour se débarrasser de l'influence néfaste de la mer et répondre aux avances d'un temps plus clément. Les herbes au bord de la route grandirent et devinrent plumeuses, tandis que dans les prairies inondées les renoncules remplaçaient le populage des marais.

Durant ses maints allers-retours entre sa maison et son bureau à Mundham, Brand — qui n'avait pas encore fait la moindre tentative pour la voir — devint de plus en plus obsédé par l'*idée* de la jeune fille. Cette terreur de la mer qu'éprouvait la jeune inconnue touchait, comme sa sœur l'avait parfaitement prévu, quelque chose d'étrangement enraciné dans le tréfonds de sa nature. Ses ancêtres avaient si longtemps vécu en ce lieu qu'il s'était établi entre l'être intime de l'homme et les marées voraces — qui, année après année, dévoraient la terre que l'homme possédait — une tenace osmose de sentiment et d'humeur. Qu'une jeune et fragile intruse éprouvât cette peur morbide de l'élément qu'à demi inconsciemment il associait à lui-même lui procurait une subtile et maussade exultation. Cela promettait de devenir une sorte de lien pervers entre eux, et il se plaisait à s'imaginer — même si, de peur d'être déçu, il remettait toujours leur rencontre — que la jeune fille elle-même ne pouvait pas ne pas avoir le pressentiment de ce qui l'attendait.

Il arriva donc que le coup que Philippa Renshaw avait porté pour se défendre eut exactement l'effet qu'elle avait prévu.

Ressassant ce fantasme, à sa lente et tenace manière, à mesure que les semaines passaient, il laissa sa sœur faire ce qu'elle voulait, certain que l'orgueil de sa race lui interdirait de se commettre sérieusement avec un obscur étranger, se promettant de mettre fin à l'histoire d'une main de fer dès qu'il le jugerait bon.

À la mi-mai environ, survint un événement qui donna à l'affaire une impulsion décisive et lui fit prendre un tour fatal : le hasard de la rencontre, sur le pont de la Drôle, entre Brand et Rachel Doorm. Il l'aurait croisée sans même la reconnaître, mais elle l'arrêta et lui tendit la main :

— Vous ne vous souvenez pas de moi, Monsieur Renshaw ? demanda-t-elle.

Il enleva son chapeau — ce qui fit apparaître les cheveux roux coupés court sous la bosse anormale du crâne — et la regarda en souriant.

— Vous avez changé, Miss Rachel, remarqua-t-il, mais votre voix est toujours la même. On m'a dit que vous étiez là. Je savais que nous nous rencontrerions un jour ou l'autre.

— Couvrez-vous, Monsieur Renshaw, dit-elle en s'asseyant sur un petit banc de pierre sous le parapet et en lui faisant une place à côté d'elle. Je savais aussi que nous nous rencontrerions. Cela fait bien longtemps, n'est-ce pas ?… Bien des années, et des années sombres pour certains d'entre nous. Vous souvenez-vous que lorsque vous étiez enfant vous m'avez demandé un jour pourquoi on appelait cet endroit le "pont Neuf" alors qu'il est si évidemment vieux ? Vous souvenez-vous de cela, Monsieur Renshaw ?

Il la regarda avec curiosité, en clignant des yeux, le front plissé.

— Ma mère m'a dit que vous étiez revenue, murmura-t-il. Elle a toujours raffolé de vous. Elle espérait… enfin, vous savez ce que je veux dire.

— Que j'épouserais le capitaine Herrick ? lança Miss Doorm. N'ayez pas peur de le dire. Les morts n'ont pas d'oreilles, et, à part les morts, personne ne s'en soucie. Oui, elle l'espérait, et elle a même intrigué pour cela, la chère âme. Mais cela ne s'est pas fait, Monsieur Renshaw. Ellie Story était plus jolie. Ellie Story était plus intelligente. Alors c'est arrivé. L'épineux était qu'il avait juré à Mary, avant qu'elle meure, juré sur la tête de ma chère Nance, que s'il se remariait un jour ce serait avec moi. Mary est morte avec cette certitude. Tout autre chose lui aurait été un coup de poignard en plein cœur. Je le sais parfaitement. Car elle et moi, Monsieur Renshaw, comme votre mère pourrait vous le dire, nous étions plus que des sœurs.

— Je pensais que vous étiez également l'amie de la mère de Linda, observa Brand en s'absorbant dans une contemplation rêveuse de la route droite et blanche qui menait à la maison Doorm.

Les fantaisies mentales qu'il avait tissées autour du nom qu'il prononçait à présent pour la première fois de sa vie lui étaient si vivement présentes qu'il ne remarqua pas le spasme vindicatif qui convulsa les traits de sa compagne.

Croisant les bras sur sa maigre poitrine, Rachel Doorm rejeta la tête en arrière.

— Ellie avait *peur* de moi, Monsieur Renshaw, prononça-t-elle d'une voix altérée.

Puis elle dirigea sur lui un regard pénétrant.

— Oui, dit-elle, Mme Herrick et moi étions les meilleures amies du monde, et il en va de même pour Linda et moi. C'est une tendre petite chose nerveuse et impressionnable… notre chère Linda… et très jolie aussi, dans son genre… vous ne trouvez pas, Monsieur Renshaw ?

L'homme perdit contenance à son tour.

— Jolie ? dit-il en riant. Comment voulez-vous que je le sache, je ne l'ai jamais vue !

Serrant les mains contre sa robe noire, Rachel fixa les yeux sur lui.

— Vous aimeriez la voir ? murmura-t-elle avidement.

Il répondit à son regard, et entre eux eut lieu un long échange de pensées muettes qui tremblotèrent, s'agitèrent, puis prirent forme.

— J'ai aperçu Nance… de loin… avec ma mère, remarqua-t-il en laissant son regard errer sur le parapet d'en face, puis plus loin, jusqu'à l'endroit où glissaient les hirondelles, mais je n'ai jamais parlé à aucune des deux filles. Comme tout le monde le sait ici, je fais bande à part, Miss Rachel.

Rachel Doorm se leva soudain de manière si inattendue que l'homme sursauta comme s'il avait reçu un coup.

— Votre sœur, lança-t-elle avec une véhémence concentrée, porte un coup mortel à ma Nance, qui a donné son cœur — complètement et sans restriction, la pauvre chérie — à cet étranger qui habite là-bas. (Elle agita la main en direction du village.) Si Miss Renshaw ne le laisse pas tranquille, il y aura une tragédie.

Brand la regarda d'un œil scrutateur, un sourire ambigu tremblant sur les lèvres.

— Dites-lui de le laisser tranquille ! répéta la femme qui s'avança comme pour lui serrer la main. Vous pouvez le faire si vous le voulez. Vous l'avez toujours pu. Si elle le lui prend, ma chérie aura le cœur brisé. Monsieur Renshaw… je vous en prie… en souvenir du passé, en souvenir de notre vieille amitié, faites cela pour moi : dites-lui de le laisser tranquille !

Il recula un peu, le même subtil sourire ambigu aux lèvres.

— Pas de promesses, Miss Rachel, jamais de promesses ! Je n'ai jamais rien promis à personne ! Mais nous verrons… nous verrons. Nous avons largement le temps. Mais j'ai l'œil sur Philippa, vous pouvez en être sûre.

Tout en parlant, il tendit la main à la femme émue, qui la prit dans les siennes et en un éclair la porta à ses lèvres.

— Je savais que je vous rencontrerais, Monsieur Renshaw, dit-elle en se détournant enfin, et, vous voyez, c'est arrivé ! Je ne demanderai pas pourquoi vous n'êtes pas venu avant. Je n'ai pas demandé cela, n'est-ce pas ? et je ne le demanderai jamais. Mais nous nous sommes enfin rencontrés. C'est l'essentiel. C'est ce qui compte. Attendons maintenant de voir ce qui va en sortir.

Ils se séparèrent, et Brand s'engagea sur le pont. Il fit quelques pas, puis entendit la voix de Rachel qui lui demandait de s'arrêter. Il se retourna avec impatience.

— Quand vous étiez un petit garçon, Monsieur Renshaw (la voix lui parvenait par secousses pantelantes), vous avez dit une fois, là-bas au bord de la mer, que Rachel était la seule personne au monde qui vous aimât vraiment. Votre mère vous a entendu le dire et elle a pris un air… vous connaissez l'air qu'elle prend ! Vous m'appeliez toujours Cousine en ce temps-là. Très loin, à ce qu'on dit, les Renshaw et les Doorm *étaient* cousins. Mais vous ne le saviez pas. C'était simplement votre idée d'enfant. "Cousine Rachel", m'avez-vous dit un jour… tel quel… "viens et emmène-moi loin d'eux."

Brand acquiesça avec une politesse contrainte, mais les derniers mots de Rachel le firent changer de couleur.

— Écoutez, dit-elle, j'ai parlé de vous à Linda. Elle vous a bien en tête.

Au moment où s'achevait cette rencontre sur le pont Neuf, vers les six heures de l'après-midi, Nance Herrick marchait, le cœur battant, vers le rendez-vous que lui avait promis Sorio, à l'angle sud d'une petite oseraie située à moins de un kilomètre de la Maison sur la digue en direction de Mundham. Nance avait préféré retrouver là son amant — si on pouvait toujours lui donner ce nom — plutôt que dans la maison. C'était elle qui avait découvert l'endroit et s'en était entichée. Abrité du vent par un bouquet de saules rampants, l'endroit était coupé de l'horizon mélancolique des marais par le remblai du chemin de halage, et la jeune fille avait pris l'habitude de s'y réfugier, comme pour échapper à la poursuite de vagues présences hostiles. Au voisinage immédiat de l'oseraie, s'étendaient plusieurs champs de blé, point de départ d'une longue bande de terre arable qui, jusqu'à Mundham, séparait le fleuve des marécages.

L'endroit précis où elle espérait trouver Sorio était un verdoyant talus, ombragé par un mélange de saules et d'aulnes, en bordure d'un champ d'orge qui, bien qu'encore vert, montrait déjà à un œil exercé le genre d'épis qu'un mois de pas trop mauvais temps suffirait à faire mûrir et à changer en or. Au milieu des épis, pointaient des tiges et des feuilles de coquelicots, mêlées à de petites plantes indiscernables, encore à l'état de jeunes pousses, qui deviendraient plus tard des bleuets et des chicorées.

Le voisinage de ce champ de blé noir, qui respirait l'amitié et dont les fleurs toutes simples promettaient un festin de rassurantes couleurs à mesure que l'été avançait, était devenu pour la jeune fille, en proie au trouble et à l'incertitude, une sorte de symbole d'espoir. C'était le seul endroit de Rodmoor — car le jardin Doorm était aussi noir que la maison Doorm — où elle pût retrouver quelque chose de l'enchantement qu'elle éprouvait devant le réveil de la nature. Ici, dans les épis de nouveau verts et le cortège des plantes amies qu'ils protégeaient, montait avec force la sève indomptable de la terre, qui refusait d'être réprimée, qui refusait d'être matée par les puissances malignes du vent et de l'eau.

Ici, sur le talus qu'elle avait choisi comme retraite, de petites plantes naïves dont elle connaissait le nom — l'herbe au lait et le mouron d'eau — étaient déjà en fleurs et, du fouillis d'aulnes et de saules au-dessus de sa tête, de douces odeurs consolantes, non contaminées par la salure de l'eau saumâtre ni par la brume des marais, lui rappelaient le souvenir de vieilles excursions dans la campagne, à des lieues de la mer ou des marécages.

Elle n'avait pas encore révélé l'existence de ce sanctuaire à Sorio, et son cœur se mit à battre la chamade lorsqu'elle pressa le pas pour s'en approcher, brûlant d'associer la sécurité du lieu à son sentiment dominant et craignant en même temps, si son amant était de mauvaise ou froide humeur, que l'endroit perdît à jamais sa magie. Elle s'était habillée avec soin cet après-mi-di-là, mettant — quoique le temps fût à peine assez chaud pour d'aussi légers atours — une robe blanche en imprimé semée de petites roses. Plusieurs fois, devant le miroir, elle avait brossé sa robe, dénoué puis renoué la masse de ses cheveux brillants. À présent qu'elle était tout près, elle tenait son chapeau à la main, car il lui avait dit une fois, à Londres, qu'il la préférait tête nue.

Elle avait oublié son ombrelle et, tout en s'avançant dans l'étroit sentier qui menait du fleuve à l'oseraie, elle fouettait les herbes folles avec une branche morte qu'elle avait incon-sciemment ramassée.

La robe d'imprimé moulait parfaitement sa jolie silhouette, accentuant le délié des mouvements de ses membres emplis d'une grâce juvénile.

Passionnément, intensément, elle sonda du regard les contours familiers du lieu, espérant et à la fois craignant de le voir. Pas encore… Pas encore ! Rien d'autre en vue que le petit buisson rampant et la bande de terre arable qui l'entourait. Elle s'approcha encore. Elle n'était plus qu'à quelques pas du lieu de rendez-vous. Rien ! Il n'était pas là… Il lui avait fait faux bond.

Elle prit une profonde inspiration et resta sans bouger. La branche morte lui avait échappé de la main, et ses doigts dégantés se tordaient et se détordaient machinalement l'un l'autre.

— Oh, Adrian ! Adrian ! gémit-elle. Tu ne te soucies plus de moi… plus de moi.

Soudain, elle entendit un bruissement de feuilles, et des brindilles craquer. C'était peut-être lui.

— Adrian ! cria-t-elle. C'est toi, Adrian ?

Craquements et bruissements se firent plus nets, et il jaillit des broussailles avec un rire discordant.

— Tu m'as fait peur, lui dit-elle en le regardant avec des lèvres tremblantes. Pourquoi t'es-tu caché comme ça, Adrian ?

Fondant sur elle, il la prit avec impétuosité dans ses bras et lui couvrit la bouche, la gorge et le cou de furieux baisers brûlants. Ce n'était pas ce dont le cœur de Nance avait besoin. Elle avait envie d'épancher en pleurant sur son épaule les sentiments qu'elle avait réprimés. Envie d'être dorlotée, caressée, doucement, gentiment, avec des mots tendres et affectueux.

Au lieu de cela, tandis qu'il embrassait son corps, les lèvres rivées à sa chair, elle avait l'impression qu'il cherchait à fuir ses propres pensées et à lui supprimer les siennes, à les chasser loin de toute conscience et de toute raison, en proie à l'impulsion brutale d'une simple passion animale.

Les larmes qu'elle était sur le point de verser dans un flot d'abandon soulageant furent réprimées par la violence dont il faisait preuve, et s'il avait pris soin de regarder dans ses yeux gris il y aurait discerné un appel apeuré, pitoyable et inquiet, semblable au coup d'œil affolé que lance un daim acculé par les chiens.

Ayant atteint son paroxysme, l'accès se calma ; la relâchant, il se jeta en pantelant sur le sol. Elle resta un moment debout près de lui en silence, les joues en feu, remettant de l'ordre dans ses cheveux et le dévisageant avec étonnement, les sourcils froncés.

— Assieds-toi, haleta-t-il. Qu'est-ce que tu as à me regarder fixement comme ça ?

Elle s'assit docilement près de lui, ramena les plis de sa jupe autour de ses chevilles, et laissa tomber ses mains sur ses genoux.

— Adrian, dit-elle en lui lançant un regard timide, pourquoi viens-tu de m'embrasser comme ça ?

Il se cala dans l'herbe et regarda le champ d'orge d'un air sombre.

— Pourquoi… t'ai-je… embrassée ? murmura-t-il comme s'il parlait dans un rêve.

— Oui… pourquoi comme ça, tout à l'heure ? poursuivit-elle. Ce n'était ni toi ni moi. Tu étais brutal, Adrian. Tu n'étais pas toi-même. Oh, cher cher ! Tu as souci de moi deux fois moins qu'avant !

De ses poings il frappa le sol avec irritation, et ses yeux s'emplirent d'un regard presque vindicatif.

— J'en étais sûr ! lança-t-il sur le ton de l'invective. J'étais sûr que tu le prendrais comme ça ! Vous, les filles, vous voulez être aimées, mais vous voulez l'être sans qu'on vous touche. Un geste de trop, un mot déplacé… et vous montez sur vos grands chevaux.

Nance eut l'impression qu'on lui enfonçait entre les seins un coin froid comme de la glace.

— Adrian, s'écria-t-elle, comment peux-tu me traiter comme ça ? Comment peux-tu me dire des choses pareilles ? T'ai-je jamais empêché de m'embrasser ? Ai-je jamais été distante envers toi ?

Détournant les yeux, il se mit à arracher une plaque de mousse.

— Alors de quoi te plains-tu ? marmonna-t-il.

Elle poussa un soupir amer, puis fit un gros effort pour parler sur un ton naturel :

— Je n'ai pas senti une seconde que c'était moi que tu embrassais. J'étais simplement une fille dans tes bras… n'importe laquelle ! C'était honteux, Adrian. Cela m'a fait mal.

Sa voix devint plus douce, presque suppliante :

— Tu le sais sûrement, chéri, tu *dois* savoir ce que je veux dire.

— Je ne sais pas le moins du monde ce que tu veux dire, s'écria-t-il. C'est quelque sot scrupule absurde que quelqu'un t'a fourré dans la tête. Je ne peux pas toujours te faire l'amour comme si nous étions deux enfants, n'est-ce pas ?… deux bébés dans le bois.

À ces paroles, la bouche de Nance frissonna ; elle tendit un bras vers lui, puis, le laissant retomber, se mit à tripoter maladroitement un brin d'herbe du bout des doigts. Une curieuse ride, qui apparaissait rarement sur son visage, lui barra le front, tressautant légèrement comme un nerf sous la peau. Cette ride avait en elle plus qu'une ombre : un *pathos*. Il eût été beau que l'Italien se fût rappelé, en l'apercevant, certains vieux masques tragiques de son pays natal, mais c'est l'une des ironies les plus persistantes de la vie que les signes d'une tristesse monumentale, alors qu'ils servent si noblement les fins de l'art, ne fassent qu'exciter, vus de près, une geignarde irritation. Sorio ne manqua pas de remarquer cette ride de douleur, mais, au lieu de l'adoucir, cela ne fit que le rendre plus hargneux.

— En fait, tu n'es pas en colère parce que je t'ai embrassée, dit-il. C'est ce que vous, les femmes, faites toujours : vous sautez sur le premier prétexte venu pour vous venger, en pensant tout le temps à Dieu sait quoi, quelque grief insensé que vous ruminez et qui n'a rien à voir avec ce que vous dites.

Elle bondit comme piquée par une vipère, et le regarda avec des yeux étincelants.

— Adrian ! Tu n'as pas le droit… Je ne t'ai jamais donné le droit… de me parler comme ça. Viens ! Nous ferions mieux de rentrer à la maison. Je souhaite… oh, comme je souhaite !… ne pas t'avoir demandé de venir me retrouver ici.

Elle se baissa pour ramasser son chapeau.

— J'aimais venir ici, ajouta-t-elle, un accent de nostalgie dans la voix, mais tout est gâché maintenant.

Sorio ne bougea pas. Il la regarda d'un air grave.

— Tu es une petite idiote. Nance, dit-il. Une vraie petite idiote. Mais la fureur te rend extraordinairement jolie. Viens ici, mon enfant. Reviens t'asseoir et parlons comme des gens sensés. Il y a autre chose dans le monde, et des choses beaucoup plus importantes que nos ridicules querelles.

Le ton de sa voix eut de l'effet sur elle, mais elle ne céda pas aussitôt.

— Je pense qu'aujourd'hui mieux vaudrait peut-être rentrer, murmura-t-elle.

Elle ne bougea pas, se balançant inconsciemment de manière un peu provocante, un sourire triste aux lèvres.

— Allons, viens t'asseoir, répéta-t-il d'une voix basse.

Elle lui obéit, car c'était ce que son cœur désirait, et se serrant avec force contre lui elle laissa libre cours aux émotions qu'elle avait réprimées. La tête maladroitement pressée contre son manteau, elle pleura à gros sanglots tout son saoul de larmes.

Sorio boutonna gentiment la longue manche qui s'était ouverte. Il le fit avec gravité, sans le moindre changement d'expression. Apparemment, le tragique et particulier pathos émanant d'une jeune fille qui en vient à oublier son apparence physique ne lui traversa pas l'esprit. Appuyée contre lui, Nance avait un air pitoyable, et même grotesque. Sa jupe laissait voir l'une de ses jambes tendues. Sorio remarqua que ses chaussures brunes étaient un peu usées et qu'elles n'allaient pas très bien avec ses bas blancs. L'idée que les chevilles de Nance étaient moins fines qu'il ne se les était imaginées lui traversa un instant l'esprit.

Les sanglots de la jeune fille se transformèrent en longs hoquets frissonnants qui lui secouèrent tout le corps. Tout en lui caressant la tête, Sorio avait les yeux fixés sur la rive lointaine du fleuve, le long de laquelle un lourd cheval de trait tirait sur une corde. De temps à autre, son visage se contractait un peu, comme sous l'effet d'une douleur physique. Cela était dû au fait qu'il commençait à souffrir de crampes, le corps de la jeune fille lui pesant sur un genou. Les sanglots de Nance avaient cessé, mais elle ne semblait pas désireuse de bouger.

Elle risqua un timide mouvement de la main en direction de la sienne, et il y répondit en lui pressant fortement les doigts. Tandis qu'il la tenait ainsi contre lui, son regard passa du cheval au chemin de halage, et se fixa sur une grosse mouche joliment tachetée qui se déplaçait lentement, expérimentalement, sur une tige verte. Du bout de ses longues antennes tendues devant elle, la mouche se frayait un chemin, ouvrant et refermant de temps à autre ses ailes diaphanes.

Sorio haït le cheval, haït la mouche, se haït lui-même. Envers la jeune fille lourdement appuyée contre lui, il n'éprouvait rien en cet instant qu'une terne patience inerte, et cette sorte de pitié objective que l'on peut ressentir pour un animal blessé. Dans les profondeurs de sa conscience, associé à son être le plus intime et à ce que, dans la forteresse de son âme, il aimait appeler son « secret », un chenal de force et d'espoir fortement creusé demeurait ouvert, et très loin, tout au bout de cette vision, à travers des nuages de souvenirs compliqués, apparaissait l'image du fils qu'il avait laissé en Amérique et dont, à l'insu de Nance elle-même, il recevait semaine après semaine des lettres qui lui semblaient être en ce moment la seule chose qui donnait quelque douceur à sa vie.

En jouant la carte de son désir pour Nance, il avait cherché à adoucir les arêtes tranchantes et à cautériser les plaies qui saignaient dans son esprit, et en cela, même à présent, tandis qu'il lui rendait la douce pression de ses doigts, il reconnut qu'il avait réussi.

C'était, il le savait bien, l'apparition de l'*autre*, l'insidieuse « rose au regard saphique », l'enfant de la mer et des marais, qui avait gâché l'enchantement qui venait de Nance, car Nance, pas plus que lui, n'avait changé. C'était la découverte de Philippa, la révélation de Philippa, qui avait jeté une ombre sur tout le reste.

Les doigts mêlés aux cheveux brillants qu'il caressait, il maudit le jour où il était arrivé à Rodmoor. Et pourtant, cette « fleur hypocrite » des marais salants touchait son « secret » de si près qu'elle en perçait le mystère au cœur comme l'âme d'aucun autre mortel, excepté Baptiste, n'aurait pu le faire. Depuis un moment déjà, le soleil qui sombrait derrière eux projetait de longues ombres noires sur le champ qui s'étendait à leurs pieds.

Les mouches qui rôdaient au-dessus de la silhouette prostrée de la jeune fille avaient perdu leur brillant, et de tous les points environnants montaient les bruits capricieux qui signalent la fin du jour : murmures, soupirs, souffles légers, doux en même temps que profondément tristes, annonçant le reflux de la sève et l'approche du crépuscule.

La jeune fille bougea enfin, et levant vers lui un visage ravagé par les larmes lui lança un regard empreint de gêne et de timidité. Elle apparut à cet instant si soumise, si pitoyable, si entièrement dépendante de lui, que Sorio aurait été un monstre s'il ne lui avait pas entouré le cou de ses bras rassurants et embrassé la joue, qui était humide de larmes.

Ils se levèrent ensemble et partirent d'un rire joyeux en voyant combien était froissée et tachée la robe qu'elle avait soigneusement empesée.

— Je te rencontrerai de nouveau ici… demain si tu veux, dit-il gentiment.

Elle sourit, mais ne répondit pas. Quoiqu'ingénue, elle était suffisamment femme pour savoir parfaitement que la victoire — si on pouvait l'appeler ainsi — qu'elle avait remportée sur l'humeur morose de Sorio n'était que temporaire. L'avenir de leur amour lui parut plus que jamais placé sous le signe du doute et de l'incertitude, aussi ce fut d'un cœur glacé, malgré les efforts de charme qu'elle fit pour leur rendre le retour agréable à tous les deux, qu'elle retrouva le jardin abandonné de la Maison sur la digue et le congédia, d'un signe de la main, sur le seuil.

VII

VÊPRES

Nance continua de fréquenter l'oseraie, quoiqu'elle eût perdu son attrait, mais n'y donna plus rendez-vous à Sorio. Cependant, elle le rencontrait toujours, soit dans le jardin désolé de Rachel, qui semblait être sous le charme d'une influence occulte, hostile à la moindre touche adoucissante, soit — et ces rencontres étaient les plus heureuses — dans le petit cimetière de l'église de M. Traherne. Elle le trouvait, en ces jours équivoques, débordant d'affection et même tendre, mais elle avait conscience d'une barrière entre eux que rien de ce qu'elle pouvait dire ou faire ne paraissait capable de rompre.

Son inquiétude à propos des relations entre Rachel et Linda ne diminuait pas à mesure que les jours passaient. Parfois, elles semblaient parfaitement heureuses, et Nance s'accusait d'avoir une imagination morbide ; puis il survenait quelque chose — un petit détail sans importance — qui ranimait ses anciennes craintes.

Une nuit, elle fut certaine d'entendre Linda pleurer en prononçant le nom de Rachel, mais au réveil la jeune fille ne fit que rire gaiement et jura n'avoir aucun souvenir des choses qu'elle avait rêvées.

Comme les jours se succédaient et qu'il ne semblait y avoir aucune issue aux difficultés qui l'entouraient, Nance commença sérieusement à chercher du travail dans les environs. Elle parcourut les annonces des journaux locaux, répondit même à quelques-unes, mais les semaines passaient et rien de concret ne semblait venir.

Sa plus grande consolation, à cette époque, était l'amitié qu'elle avait liée avec Hamish Traherne, le pasteur qui avait la charge de la petite église perdue de Rodmoor, de style normand, où Linda jouait tous les jours de l'orgue.

Le docteur Raughty, quand elle avait la chance de le rencontrer, était également une distraction apaisante. L'admiration évidente que le bonhomme avait pour elle flattait sa vanité, tandis que la tendre et badine façon qu'il avait de l'exprimer passait un baume vulnéraire sur son orgueil blessé.

Tard, un après-midi où le soleil semblait avoir enfin réussi à combattre l'influence néfaste de la mer, elle se retrouva, en compagnie de M. Traherne, assise sur un petit banc contigu au cimetière, attendant d'une part le service — car Hamish ne transigeait pas sur le rituel et sonnait deux fois par jour la cloche avec une patience dévouée —, de l'autre Mme Renshaw, qui, elle le savait, venait matin et soir à l'église.

Linda jouait de l'orgue à l'intérieur du petit édifice de pierre, et la musique, agréablement adoucie par les murs, leur parvenait tandis qu'ils conversaient. Derrière eux s'élevait la cure, un fragment délabré de maçonnerie monastique usé par le temps, maladroitement adapté aux usages modernes, avec un jardin sans prétention passant dans l'enclos sacré par de si imperceptibles touches que les bourgeons qui s'élevaient dans les parterres de fleurs du prêtre, comme pour défier les vents qui balayaient les marais, répandaient leurs pétales sur les tombes les plus fraîchement creusées.

C'était peut-être à cause de l'extrême laideur du vicaire de Rodmoor que Nance s'était rapprochée de lui. En ce qui concernait l'apparence physique, M. Traherne était certainement la personne la moins agréable à regarder qu'elle eût jamais vue. Il ressemblait à s'y méprendre à un vieux cheval éreinté, excessivement patient, et ni son menton en galoche, ni son gros nez bulbeux, ni son front parcheminé n'étaient rachetés par quelque qualité particulière de ses petits yeux délavés, profondément enfoncés dans les orbites, complètement dépourvus de ce qui sauve généralement un visage insignifiant et fixés sur le monde avec une expression de douce protestation muette.

Que ce fût sa laideur ou quelque chose d'indéfinissable en lui qui ne s'exprimait ni par son corps ni par sa voix rauque et voilée, la jeune fille elle-même aurait été bien embarrassée de le dire, mais, quoi que ce fût, cela l'attirait et la tenait, et elle ressentait un curieux soulagement à parler avec lui.

Cet après-midi-là, elle s'était permis d'aller plus loin que d'habitude dans les confidences et avait traité le pauvre homme comme s'il était son confesseur attitré.

— Jusqu'ici je n'ai pas eu de chance, dit-elle en lui parlant de ses tentatives pour trouver du travail, mais je pense que j'en aurai d'ici peu. N'ai-je pas raison, en tout cas sur ce point ? Quoi qu'il arrive, il vaut mieux que Linda et moi puissions être indépendantes.

Le prêtre approuva d'un vigoureux signe de tête et noua ses mains osseuses sur ses genoux.

— Je souhaiterais connaître M. Sorio comme je vous connais, dit-il. Quand je connais les gens, je les aime, et en général (il ouvrit sa grande bouche tordue et lui sourit avec humour), en général, ils m'aiment.

— Oh, ne vous méprenez pas sur ce que je viens de dire ! s'écria anxieusement Nance. Je n'ai pas voulu dire qu'Adrian ne vous aimait pas. Je sais qu'il vous apprécie beaucoup. Ce qu'il y a, c'est qu'il a peur de votre influence, de votre religion, de votre bonté. Il a peur de vous. Voilà ce qu'il y a.

— Nous savons bien, dit Hamish Traherne en tâtant le sol du bout de sa canne de chêne et en ramenant autour de ses jambes les plis de sa longue soutane, nous savons bien qu'en réalité c'est M. Sorio qui devrait songer à chercher du travail. Il devrait en trouver très vite, et aussitôt après vous épouser ! Voilà comment je vois cette affaire s'arranger.

Il lui sourit avec une bienveillance teintée d'humour. Nance fronça légèrement les sourcils :

— Je n'aime pas que vous parliez comme ça, remarqua-t-elle. Cela me donne le sentiment que j'ai eu tort de vous faire des confidences. C'est comme si j'avais trahi Adrian.

Il y eut, pour un homme si lourd et si laid, une gentillesse pathétique dans la manière dont il posa la main, en réponse, sur le bras de sa compagne.

— La trahison, dit-il à voix basse, aurait été de ne *pas* m'en parler. Qui d'autre peut aider votre ami ? Qui d'autre est soucieux de l'aider ?

— Je sais, je sais, s'écria-t-elle, vous faites tout ce que vous pouvez pour moi. Vous êtes mon plus fidèle ami. Mais c'est seulement que j'ai parfois le sentiment qu'Adrian n'aimerait pas que je parle de lui… à quiconque. C'est idiot, n'est-ce pas ? Et il le faut, il n'y a pas d'autre manière de l'aider.

— Je trouverai un moyen, murmura le prêtre. Vous n'aurez plus besoin de prononcer son nom. À l'avenir, ma petite, nous le tiendrons pour entendu et nous œuvrerons tous les deux dans son intérêt.

— Si seulement, poursuivit la jeune fille en promenant un regard désemparé sur la vaste étendue de marais, si seulement il arrivait à comprendre la vraie nature de ses sentiments. Je crois que, au fond du cœur, il m'aime. Je sais que je peux l'aider comme personne d'autre ne peut le faire. Mais comment lui faire comprendre cela ?

Ils furent interrompus par l'apparition de Mme Renshaw, qui, du sentier qui menait à la porte de l'église, les regardait avec hésitation, comme si elle se demandait si elle devait ou non s'approcher d'eux.

Se levant aussitôt, ils s'avancèrent sur l'herbe à sa rencontre. Au même instant, Linda, qui sortait de l'église, les accueillit avec une ardeur enjouée :

— J'ai si bien joué aujourd'hui, Monsieur Traherne, s'écria-t-elle, vous seriez étonné. J'arrive à me débrouiller parfaitement avec les pédales et les registres. Oh, c'est merveilleux ! Merveilleux ! Je sens que je vais devenir une vraie musicienne.

Ils saluèrent tous Mme Renshaw puis, tandis que le prêtre allait sonner la cloche, les trois femmes se dirigèrent ensemble vers le parapet de pierre, construit contre les inondations, qui séparait le cimetière des marécages.

De petites mousses délicates, parsemées de plantules aux fleurs pâles, poussaient sur ce mur au-delà duquel s'étendait une aire marécageuse, pleine de mares profondes couleur d'ambre et de bouquets de roseaux limités par une digue à un demi-mille environ.

Il y avait un agréable bourdonnement d'insectes dans l'air et, quoiqu'une procession de nuages blancs traversât le soleil bas sur l'horizon, projetant des ombres froides sur le paysage, l'aspect général de l'endroit était plus amical et moins désolé que d'habitude.

Elles s'assirent sur le parapet et se mirent à parler.

— Brand a promis de venir me chercher ce soir, dit Mme Renshaw. Je l'ai supplié d'arriver à temps pour le service, mais… (elle gloussa de manière significative d'un petit rire triste) il m'a dit qu'il n'arriverait pas à temps. À votre avis, pourquoi les hommes sont-ils de nos jours aussi réticents envers ces choses ? Ce n'est pas qu'ils soient plus sages que leurs ancêtres. Ni plus intelligents. Ni qu'ils aient moins besoin de l'Invisible. Quelque chose est venu sur le monde, il me semble… quelque chose qui masque le ciel. J'y ai souvent pensé ces derniers temps, surtout quand je me réveille le matin. Il me semble qu'autrefois les aubes étaient plus fraîches et plus transparentes qu'aujourd'hui.

Elle poussa un soupir de lassitude.

— Dieu S'est lassé de nous aider, mes chères.

D'un mouvement caressant, Linda tendit sa chaude petite main et Nance lui répondit avec gentillesse :

— Je comprends très bien ce que vous voulez dire, mais je suis sûre… oh, certaine !… que ce n'est que provisoire. Et je pense également que c'est, bizarrement, de notre faute… je veux dire de la faute des femmes. Il m'est difficile d'exprimer clairement ce que j'ai en tête, mais il me semble que nous avons toutes changé… que nous ne sommes plus ce que nous étions autrefois. Ne pensez-vous pas qu'il y a quelque chose de ça, Madame Renshaw ? Évidemment, cela ne vaut que pour Linda et moi.

Pendant que la jeune fille parlait, la vieille femme eut l'air de se flétrir et de se ratatiner : ses rides s'accusèrent et la pâleur de son visage devint si extrême qu'elle rappela à Nance l'horrible blancheur du visage de son père, quand elle l'avait vu pour la dernière fois, étendu dans son cercueil. Frissonnant légèrement, elle laissa ses doigts errer sur la maçonnerie croulante et les herbes folles du parapet, cherchant de manière instinctive et tâtonnante à toucher quelque chose de naturel, de terrestre et de rassurant.

Il y eut à cet instant un interlude dans la monotone procession de nuages, et les doux rayons chauds du soleil couchant brillèrent, emplis d'odeurs de tourbe, de mousse et de vase des roseaux. Des nuées de minuscules moucherons dansèrent à l'horizon étale et, sortis de nulle part, quelques papillons engourdis voletèrent au-dessus des monticules.

Soudain le front de Mme Renshaw se contracta bizarrement.

— Oh, voilà Brand qui arrive ! s'écria-t-elle. Et la cloche s'est arrêtée. Qu'il est étrange qu'aucune d'entre nous ne l'ait remarqué ! Écoutez ! Oui… Il a commencé le service. Vous n'entendez pas ? Oh, quel malheur ! Je ne peux pas supporter d'arriver en retard.

Enjambant les tombes sans cérémonie, Brand Renshaw s'approcha du groupe. Elles se levèrent pour l'accueillir. Nance se sentit inspectée de la tête aux pieds, pesée sur une balance et trouvée légère. Linda se montra réservée, baissa les yeux et rougit profondément. Brand garda les yeux fixés sur elle pendant tout le temps que durèrent les présentations. Elle — Nance en eut la soudaine intuition — ne fut *pas* trouvée légère.

Ils bavardèrent pendant quelques minutes à bâtons rompus, mais rien de ce qu'elle put dire ou entendre n'ôta à Nance l'idée que venait de se produire, magnétiquement, mystérieusement, irrésistiblement, l'une de ces attractions soudaines entre un homme et une femme, bien souvent synonymes — dans le monde tel qu'il est fait — d'une tragédie à l'horizon.

— Je pense… si tu n'y vois pas d'inconvénient, Brand, dit Mme Renshaw lorsqu'il y eut une pause dans la conversation, que nous allons faire un saut une minute ou deux à l'église. Il en est aux Psaumes. Je l'entends. Et cela me fait mal au cœur de penser que le pauvre homme va devoir les chanter tout seul.

Nance se mit aussitôt en route, mais Linda fit la moue et lança un regard timide à Brand.

— Je suis fatiguée de l'église, murmura-t-elle. Je vous attendrai dehors. Les accompagnez-vous, Monsieur Renshaw ?

Brand ne répondit pas, mais reconduisit gravement les deux autres jusqu'au porche.

— Ne vous inquiétez pas si votre sœur a disparu quand vous sortirez, Miss Herrick, dit-il avec un sourire en les quittant devant la porte.

Retournant d'un pas rapide vers l'endroit où Linda contemplait les marais, il fit quelques remarques banales sur la douceur du soir et l'emmena hors du cimetière. Ni l'un ni l'autre ne firent la moindre allusion à leur comportement. Ils semblaient tous les deux nerveusement saisis d'un étrange mutisme, mais, dans les mouvements résolus de l'homme, il y avait une vague d'excitation contenue, et le cœur de la jeune fille, mince silhouette délicatement moulée dans son manteau bleu et sa jupe, battait la chamade.

Il la mena tout droit à l'étroit sentier bordé de roseaux plongeant de chaque côté dans un fossé, qui se terminait au pont sur la Drôle. Cependant, avant d'atteindre le pont, il obliqua sur la gauche et l'aida à franchir une barrière de bois.

De cet endroit, en suivant un mauvais chemin en bordure de l'une des prairies inondées, il était possible d'atteindre les dunes sans passer par le village.

— Non, pas la mer, supplia Linda, qui eut un mouvement de recul lorsqu'elle s'aperçut de la direction que prenaient leurs pas.

— Si, la mer ! cria-t-il en la poussant en avant avec une détermination impitoyable.

Elle ne tenta plus de résister. Ne protesta même pas lorsque, au bout du chemin, il la prit à bras-le-corps pour lui faire passer une clôture qui leur barrait le chemin. Elle le laissa faire pendant qu'ils traversaient le sable profondément meuble, couvert d'une pâle herbe rude qui s'affaissait sous leurs pas. Et, quand ils atteignirent enfin la crête des dunes et virent la mer s'étendre devant eux, elle le laissa tenir la main qu'elle lui avait abandonnée et qui l'entraîna, presque sans résistance, jusqu'au bord même des flots.

Ils étaient tous les deux comme des gens sous l'influence d'une drogue. Ils avaient les yeux brillants, les pupilles dilatées, et quand ils parlaient leurs voix résonnaient avec un timbre surnaturellement solennel. L'emprise du courant magnétique qui les balayait était si absolue qu'ils ne pouvaient rien faire, semblait-il, que prendre tout ce qui arrivait pour acquis… prendre tout… tout… comme s'il ne pouvait en être autrement, comme s'il était *impensable* qu'il en fût autrement.

Lorsqu'ils arrivèrent à l'endroit où clapotait la marée et où la poussière d'eau miroitait au soleil mourant, la jeune fille s'arrêta enfin. Elle avait les lèvres et les joues aussi pâles que l'écume. Elle tenta d'arracher ses doigts à la main de fer qui les emprisonnait. S'enfonçant dans le sable humide, ses pieds étaient éclaboussés par l'eau qui montait.

— On m'a dit que tu avais peur, murmura-t-il d'une voix qui leur sembla, à tous les deux, venir de très loin, mais je n'en ai rien cru. Je pensais que c'était un caprice de petite fille. Mais je vois qu'on avait raison. Tu *as* peur.

Se redressant de toute sa taille, il se remplit les poumons en inspirant avec extase une cinglante bouffée de vent salé qui soufflait à la surface de l'eau.

— Mais de ta peur nous allons faire un pacte, poursuivit-il en élevant la voix, un pacte qu'aucun d'eux ne pourra rompre !

Se baissant soudain, il plongea les doigts dans l'eau comme pour écoper, et lui présenta une pleine tasse d'écume marine, blanche comme un spectre brillant dans sa paume :

— Voilà, enfant, cria-t-il, tu ne peux plus m'échapper maintenant !

Tout en parlant, il lui sabra le visage avec les bulles d'écume qu'il avait recueillies. Puis il éclata d'un rire sauvage. Elle recula en sursautant, mais se reprit aussitôt, éleva la main qui tenait la sienne et la pressa contre son front. Ils restèrent ensuite un moment à se regarder en silence, stupéfaits, étourdis, égarés, comme s'ils sentaient l'aile même du vent du destin passer au-dessus de leurs têtes.

Brand rompit le charme en riant.

— Je t'ai baptisée, dit-il. À présent je peux t'appeler comme il me plaira. Viens ici, Linda, ma petite, et parlons de tout cela.

Main dans la main, ils s'éloignèrent du bord de mer et s'accroupirent à l'ombre des dunes. La lumière rose disparut sur la frange de l'écume et devant eux la masse des eaux devint plus sombre, comme obscurcie par l'ombre rôdeuse d'un colossal oiseau. Très loin, au bord de l'horizon, un unique fragment de nuage errant prit la forme d'une main sanglante à l'index tendu, mais même cela disparut bientôt, au moment où le soleil, sombrant dans les marais, cessa de lutter contre l'obscurité.

En même temps que la lumière se retirait de la surface de la mer, tout ce qui restait de vent tomba dans une immobilité absolue. Un immense silence libérateur, plutôt souligné que rompu par le clapotis monotone des vagues, parut jaillir de quelque réservoir planétaire et submergea le monde.

Pas un seul goéland ne braillait, pas un seul bruit ne venait du port, pas un seul pluvier ne criait dans les marais, pas un pas, pas une voix, pas un murmure ne troubla leur solitude ni ne dérangea leur étrange communion.

Linda était assise, la tête baissée sur la poitrine, les mains nouées autour des genoux. À côté d'elle, Brand, avec une concentration qui exprimait un intense sentiment de possession, caressait sa silhouette du regard.

Ni l'un ni l'autre ne parlait, mais l'une des mains de l'homme reposait sur celles de la jeune fille comme un poids de plomb écrasant une plante fragile.

Ce qu'il semblait tenter de faire, en cette heure propice, c'était d'hypnotiser les sens de la jeune fille de manière que le premier signe évident de passion vînt plutôt d'elle que de lui. Et en cela on aurait dit qu'il réussissait, car après deux ou trois soupirs à peine audibles le corps de Linda trembla légèrement et se pencha vers le sien, tandis qu'un faible gémissement, émis sur un registre qui ne lui était pas habituel, s'arrachait à ses lèvres, comme contre sa volonté.

— Qu'êtes-vous en train de me faire ? murmura-t-elle.

Pendant que les invisibles Parques inauguraient ainsi l'œuvre qu'elles avaient projeté d'accomplir sur Brand et Linda, Nance et Mme Renshaw sortaient du cimetière.

« Si seulement la vie était plus simple, pensait la jeune fille, elle serait supportable. C'est cette incertitude de toutes choses… cette terrible incertitude… que je ne peux pas supporter ! »

— Le psaume que nous venons d'entendre était magnifique, dit Mme Renshaw de sa douce voix pénétrante au moment où, après avoir marché quelques minutes en silence, elles débouchèrent sur le pont qui traversait la Drôle.

Nance jeta un coup d'œil au-dessus du parapet et, dans l'état dépressif où elle se trouvait, se vit noyée, dérivant, face vers le ciel, dans le courant.

— Oui, répondit-elle machinalement, les psaumes sont toujours beaux.

— Je ne crois pas, poursuivit la dame en la regardant avec des yeux si creux et si douloureux qu'il émanait d'eux le crépuscule d'un monde encore plus triste que celui qu'ils regardaient, je ne crois pas que je comprenne votre petite sœur. Elle est très impressionnable… très nerveuse. Il ne faut surtout pas la brusquer. Pour vous dire la vérité, je ne crois pas que mon fils Brand soit le compagnon qu'il lui faut. J'aurais préféré qu'ils nous attendent au lieu de partir comme ça. Il oublie parfois combien le cœur d'une jeune fille est sensible.

Elles avaient atteint la rive sud de la Drôle et se trouvaient sur la grand-route qui reliait Rodmoor à Mundham. Quelques pas encore, et elles gagnèrent les premières maisons du village. Quelque chose, dans la façon déprécatoire, impuissante, avec laquelle Mme Renshaw salua en s'excusant une vieille femme qui les croisait, porta de manière étrangement irritante sur les nerfs de Nance.

— Je ne vois pas pourquoi on devrait avoir plus de considération pour la jeunesse ! éclata-t-elle. C'est une idée purement conventionnelle. Nous avons tous nos ennuis, et je pense que, plus on vieillit, plus la vie devient difficile.

Le visage de Mme Renshaw se revêtit d'un masque de lassitude et d'obstination, et elle se mit à marcher plus lentement, d'un pas traînant, la tête légèrement penchée en avant.

— Les femmes doivent apprendre ce que signifie le devoir, dit-elle, et le plus tôt est le mieux. Celles qui parmi nous ont le privilège de rendre un homme heureux obtiennent ce qu'il y a de meilleur dans la vie. Il est naturel que l'on soit impatiente tant qu'on ne l'a pas obtenu. Mais on doit essayer de dominer son impatience. On doit demander de l'aide.

Elle se tut. Son visage blanc s'affaissa et s'inclina, tandis que ses doigts fatigués cessèrent d'étreindre la jupe dont le bas traînait dans la poussière de la route. De son profil, sur lequel Nance jeta un coup d'œil en biais, émanait une morne et impuissante passivité.

En proie à l'irritation en même temps qu'au remords, la jeune fille se retira en elle-même. Elle ressentait un obscur désir de venir en aide à cette malheureuse et cependant, quand elle la regardait, marchant courbée, l'air impénétrable, elle se sentait exclue, mise à la porte.

Avant d'atteindre le centre du village — car Nance ne voulait pas quitter Mme Renshaw avant de la savoir à l'abri à l'intérieur des grilles du parc — elles tombèrent soudain sur Baltazar Stork qui revenait, comme chaque jour, de Mundham.

Habillé comme toujours avec élégance, il portait dans une main un petit sac noir et dans l'autre tenait un bouquet de pivoines. Nance fut surprise de saisir, dans le regard de sa compagne, une extraordinaire illumination lorsqu'elle aperçut l'homme qui s'avançait vers elles. Se rappelant plus tard ce regard, ce fut le mot « vivacité » qui lui vint à l'esprit.

— Oh, je suis toujours le même ! dit M. Stork en réponse à l'accueil de la vieille dame. Chaque jour qui passe augmente mon ennui. Je dis les mêmes mots, pense les mêmes choses et rencontre les mêmes gens. C'est… merveilleux !

— Je suis heureuse pour vous que vous en soyez là, fit observer Nance en riant.

Rire un peu sottement quand elle était embarrassée était une de ses particularités et, bien qu'elle eût déjà rencontré une ou deux fois l'ami de Sorio, elle se sentait, pour une raison ou pour une autre, mal à l'aise avec lui.

Avec une délibération exquise, M. Stork posa le sac noir sur le sol et, à la lumière de la fenêtre d'une boutique, choisit dans son fastueux bouquet deux fleurs parmi les plus fraîches et en tendit une à chacune des deux femmes.

— Comment va ton ami ? demanda Mme Renshaw, avec une touche d'ironie dans la voix. Cette jeune femme ne l'a pas vu aujourd'hui.

À cet instant Nance comprit qu'elle haïssait cet être mélancolique qu'une rencontre de hasard avec le fils de son mari semblait avoir rempli de malice. Elle sentit que tout ce que Mme Renshaw dirait jusqu'à l'instant où elle la quitterait ne serait qu'ennui et humiliation pour elle. C'était peut-être une illusion fantasque, mais elle la prit brusquement au pied de la lettre.

— Au revoir, s'exclama-t-elle en se tournant vers sa compagne. Je vous laisse entre les mains de M. Stork. J'ai promis à Rachel de ne pas rentrer tard ce soir.

Puis elle s'inclina vers le jeune homme en lui montrant la pivoine :

— Au revoir… et merci pour ça.

— Elle est jalouse, remarqua Baltazar en accompagnant Mme Renshaw sur le pré, sous les sycomores qui s'assombrissaient. Elle est abominablement jalouse ! Elle était en furie… je l'ai vue de mes yeux… lorsque Adrian est allé se promener avec sa sœur, l'autre jour, et à présent elle est furieuse parce qu'il s'est lié d'amitié avec Philippa. Oh, ces filles, ces filles !

Un sourire amusé flotta un moment sur les lèvres de la vieille femme, mais elle le fit disparaître instantanément. Elle poussa un profond soupir.

— Vous êtes tous trop pour moi, dit-elle, trop pour moi. Je me fais vieille, Tassar. Dieu ait pitié ! Ce monde n'est pas un endroit facile à vivre.

Marchant à ses côtés, elle demeura ensuite profondément silencieuse jusqu'à la grille du parc.

VIII

MER ET SOLEIL

Tandis que les jours commençaient à devenir plus chauds et que les premières roses apparaissaient dans les jardins les mieux abrités, Nance n'était pas la seule à s'inquiéter du déplorable état d'esprit d'Adrian Sorio.

Le plus souvent, Baltazar ignorait complètement où son ami errait dans les longs crépuscules. Plus d'une fois, au début de juin, l'infortuné gourmet fut condamné à souper seul et à s'asseoir sans compagnie sur la pelouse derrière sa maison, en attendant que la nuit tombe.

À l'approche du jour le plus long, lorsque l'odorant aubépinier qui était le principal ornement de son petit jardin eut perdu presque toutes ses fleurs rouges, l'énervement de Stork atteignit un degré tel qu'il s'en prit violemment au vagabond et, sans l'accuser vraiment d'ingratitude, lui fit clairement comprendre qu'il ne s'attendait, de la part d'un si vieil ami, ni à ce genre d'état d'esprit ni à ce genre de traitement.

Sorio accepta cet éclat avec la plus grande humilité, se déclara entièrement coupable et prêt à s'amender, mais à mesure que les jours passaient les choses empiraient au lieu de s'améliorer.

Baltazar ne put rien apprendre de précis sur les activités auxquelles se livrait Sorio quand il disparaissait, mais il eut graduellement l'impression de plus en plus nette qu'il passait ces heures interminables à d'immenses marches en solitaire au bord de la mer. Il revenait parfois comme un homme à bout de forces, et son ami ne put s'empêcher de remarquer qu'il avait les chaussures pleines de sable et le visage légèrement brûlé.

Un après-midi particulièrement chaud où Stork était rentré de Mundham par le train de midi dans l'espoir de trouver Adrian prêt à se promener avec lui sous les arbres du parc, il y eut entre les deux hommes une violente et amère altercation car, le repas aussitôt terminé, ce dernier insista pour sortir seul.

« Va au diable ! », lança Adrian lorsque Baltazar, abandonnant son urbanité coutumière sous le coup de l'injustice, donna libre cours à l'irritation qu'il réprimait depuis des jours. « Va au diable ! », répéta l'indélicat en coiffant son chapeau et en s'éloignant à grands pas sur le pré.

Une fois sorti de la petite ville, il ralentit l'allure et, passant le pont sur la Drôle, se dirigea vers le rivage. Le soleil éblouissant, qui fondait d'un ciel absolument sans nuages, semblait avoir réussi ce jour-là à réduire l'océan lui-même à une sorte de stupeur hypnotique. Les eaux s'étalaient sur les sables étincelants en une longue ride somnolente et huileuse qui s'avançait et se retirait en ne laissant ici qu'un scintillement, là un flocon d'écume. Les goélands flottaient languidement sur l'eau étale ou se querellaient en poussant de brefs petits cris d'irritation au-dessus des monceaux d'algues blanchies, fortement odorantes, où des essaims de mouches nécrophages partageaient avec eux l'agitation de midi.

La mer elle-même paraissait recouverte d'une sorte de fine brume chatoyante, comme ciselée dans le métal d'une substance marine moins résistante, mais non moins aveuglante que le cuivre ou l'or. Cela, à mi-distance, si l'on peut dire, dans la grande plaine d'eau. Au loin, l'insoutenable scintillement diminuait, remplacé par un sombre éclat livide rayé, à certains endroits de l'horizon, par de lourds barreaux de brume blanche, là où la mer touchait le ciel. Les larges bandes de sable dur rougeoyaient et tremblaient sous le flamboiement du soleil, et de petites vagues de chaleur vibrante dansaient, démons sans forme, à la crête des plus hautes dunes.

Sorio marchait à présent lentement vers le nord sur le sable uni du bord de mer, jetant de temps à autre un coup d'œil sur les dunes. À environ trois kilomètres de Rodmoor, il atteignit un endroit où aucun signe de vie humaine n'était visible sur des lieues et des lieues dans toutes les directions.

Il était seul avec le soleil et la mer ; le soleil dominait l'eau, et l'eau dominait la terre.

Il demeura immobile et attendit, le cœur battant, le pouls fiévreux, les yeux profondément enfoncés dans les orbites, sur le qui-vive et pleins d'une lumière passionnée. Il n'eut pas à attendre longtemps. Descendant lentement les dunes couvertes d'herbe, au-delà de la hutte de pêcheur abandonnée qui était devenue leur rendez-vous familier, apparut la silhouette désirée. Elle marchait d'un pas lent et délibéré, avec un mouvement qui avait, tandis que Sorio se hâtait à sa rencontre, quelque chose de presque méfiant dans sa réserve théâtrale.

Ils se saluèrent avec une certaine gaucherie. Pas de main tendue, pas de sourire. Cela aurait pu être la rencontre de deux conspirateurs craignant la trahison. Ils marchèrent d'abord quelques minutes en silence, côte à côte, toujours vers le nord, puis Sorio se mit enfin à parler, mais avec une tempétueuse véhémence.

— Personne ici ne me connaît, cria-t-il. Personne. Ils me prennent pour un traînard, un paresseux, un illuminé. Parfait ! Ce n'est rien. Nance ne me connaît pas. Elle ne se soucie pas de me connaître. Elle… elle *aime* ! Comme si l'amour était ce que je veux… comme si l'amour était assez !

Il se tut, et la jeune fille le regarda curieusement, attendant qu'il en dît davantage.

— Ils ne seraient pas peu surpris, tonna-t-il, s'ils connaissaient l'existence des manuscrits qu'*il* (il prononça ce dernier mot avec un profond respect) me garde là-bas. *Il* me comprend, Phil, et personne d'autre au monde à part *lui*. Écoute, Phil ! Depuis que je te connais, je peux respirer… simplement respirer… dans cette maudite Angleterre. Avant… Seigneur ! y penser me donne le frisson !… j'étais muet, étranglé, suffoqué, paralysé, mort. Même à présent… même avec toi, Phil… je suis toujours en train de tâtonner, de chercher à l'aveuglette… ce que j'ai à dire au monde, mon secret, mon idée ! Elle me blesse, mon idée. Tu connais cette sensation, Phil. Mais je suis en train de la mettre en ordre… en forme. Regarde !

Il sortit de sa poche un petit cahier épais, couvert d'une écriture serrée, brouillée de ratures et d'ajouts, et tachée d'eau salée.

— C'est ce que j'ai fait depuis que je te connais… au cours de ce dernier mois… et c'est meilleur que tout ce que j'ai écrit auparavant. C'est plus clair. Ça enfonce le clou de façon plus blessante. Phil, écoute-moi ! Je *sais* que j'ai en moi quelque chose à donner au monde dont il n'a jamais rêvé… quelque chose dont la vérité est démente… et qui mord les choses jusqu'à l'os. Je sais que j'ai ça en moi.

Il se baissa pour ramasser une méduse échouée, masse de tremblante iridescence exposée, impuissante, au soleil brûlant. Il s'avança dans l'eau qui lui recouvrit les chaussures et lança la bestiole le plus loin possible dans la mer huileuse, où elle descendit immédiatement au fond, laissant derrière elle un petit cercle de rides.

— Continue, continue ! cria la jeune fille en le regardant avec des yeux qui devenaient plus sombres et plus insatiables à mesure qu'elle sentait l'âme de Sorio remuer et trembler et se mettre à nu devant elle.

— Continue ! Dis-m'en plus sur Nance.

— Je te l'*ai* dit, marmonna-t-il. Je t'ai tout dit. Elle est bonne et fidèle et tendre. Elle me donne de l'amour… oh, amour sans fin !… Mais ce n'est pas ce que je cherche. Elle ne me comprend pas plus que *moi* je ne comprends… l'éternité ! La petite Linda lit mieux en moi.

— Parle-moi de Linda, murmura la jeune fille.

Sorio lança un coup d'œil halluciné autour d'eux.

— C'est la peur qui lui enseigne ce qu'elle sait… ce qu'elle devine. La peur lit en profondeur et loin. La peur brise bien des barrières. Mais elle a changé depuis qu'elle a été avec Brand. Elle est devenue comme les autres.

— Oh, Brand !… (Philippa haussa les épaules.) Ainsi, *il* y est venu ? Laissons-le aller. Parle-moi encore de Nance. Est-ce qu'elle s'accroche à toi en faisant une scène ? Est-ce qu'elle essaie la comédie des larmes ?

Sorio lui lança un regard aigu. Un vague soupçon envahit les profondeurs de son âme. Ils continuèrent de marcher en silence pendant quelques minutes. La puissance du soleil parut augmenter. Un monceau d'algues, flottant sous l'eau, donnait autour de lui une ombre couleur d'ambre qui brisait la monotonie de la surface étincelante.

— Est-ce que ton fils croit en toi… aussi fort que moi ? demanda-t-elle gentiment.

À peine les mots eurent-ils franchi ses lèvres qu'elle comprit que c'étaient les derniers qu'elle aurait dû prononcer. L'homme se retira dans sa coquille, tous les nerfs tendus à se rompre. Personne — et certainement pas Nance — n'avait jamais osé aborder ce sujet. Une fois, à Londres, il avait parlé de Baptiste à Nance, et récemment deux fois à sa présente compagne, mais cette question directe concernant le garçon était de trop. Elle outrageait en lui quelque chose d'inarticulable. Le choc reçu fut si intense et la réaction qu'il provoqua si vive que, sans presque savoir ce qu'il faisait, il plongea la main dans la poche où se trouvait le calepin contenant ses notes, qu'il agrippa de ses doigts comme pour le protéger d'une agression. Tandis qu'il se tenait ainsi devant elle, raide et muet, elle ne put que se consoler en remarquant qu'il détournait les yeux.

Elle avait l'esprit en ébullition. Il lui fallait trouver coûte que coûte quelque chose qui brisât la tension. Elle avait préjugé de la force de son magnétisme.

— Adriano, dit-elle en imitant d'instinct la caressante intonation de Baltazar, j'ai envie de me baigner. Il n'y a personne aux alentours. Nous nous connaissons parfaitement maintenant. Veux-tu… ensemble ?

Il rencontra son regard. Il y avait, dans la profondeur de ses yeux, un appel subtil qui l'attira vers elle et lui troubla les sens. Il approuva d'un signe de tête, avec un rire embarrassé.

— Pourquoi pas ? répondit-il.

— Très bien, dit-elle rapidement, en saisissant l'occasion au vol avant qu'il ait eu le temps de changer d'avis, je cours me déshabiller derrière ces collines de sable. Déshabille-toi ici et entre dans l'eau. Et n'oublie pas de nager en me tournant le dos, Adrian ! Je te rejoins dans une minute.

Elle le quitta et il lui obéit machinalement — jetant simplement un regard nerveux aux alentours lorsqu'il plia la veste contenant le précieux manuscrit et posa dessus une lourde pierre.

Il se plongea brutalement dans la mer d'huile et se mit à nager avec d'impétueuses brassées. L'eau céda sous la violence de ses mouvements comme un lac de vif-argent. Dans son sillage fulgurèrent des fils éblouissants, des paillettes s'agitèrent, tremblèrent, des arcs-en-ciel scintillèrent puis disparurent. Les yeux fixés sur le dôme immense du ciel au-dessus de lui, qui coupait l'horizon comme le bord d'un bouclier bruni, il ne cessait d'avancer en nageant, avec obstination, cherchant, en embrassant ainsi un univers de lumière blanche, à trouver l'issue qui l'obsédait.

D'étranges pensées lui inondèrent l'esprit tandis qu'il nageait. Les plus nouveaux, les plus terrifiants des points contenus dans les notes dithyrambiques qu'ils avaient laissées sous la pierre surgirent devant lui, et l'image de Baptiste, se mêlant à eux avec une sauvage exultation, lui fit signe en une fournaise de lumière blanche en fusion.

Loin derrière lui, lui parvint enfin la voix de sa compagne. Il ne savait pas si elle lui demandait de se retourner, car ses paroles étaient inaudibles, mais lorsqu'il le fit il s'aperçut qu'elle était debout, mince silhouette blanche, au bord de l'eau. Il l'observa avec un mélange d'amertume et de tendresse.

« Pourquoi reste-t-elle là si longtemps ? se murmura-t-il. Pourquoi ne commence-t-elle pas à nager ? »

Comme avertie de ses pensées par quelque instinct télépathique, la jeune fille se glissa dans l'eau, où elle se mit à avancer lentement, les mains nouées sur la nuque. Lorsqu'elle eut de l'eau jusqu'aux genoux, ses mains se détendirent comme un ressort et en un éclair son corps blanc disparut de la vue. Elle demeura si longtemps invisible que Sorio s'inquiéta et se rapprocha d'elle en quelques brasses vigoureuses. Elle finit par réapparaître et nagea avec énergie dans sa direction.

Lorsqu'elle l'eut rejoint, elle insista pour aller plus loin : côte à côte, avec de lents mouvements paresseux, ils nagèrent vers le large, le souffle à l'unisson, les yeux fixés sur l'horizon lointain.

— Assez loin ! s'écria Sorio en la regardant avec attention.

Le visage de la jeune fille était éclairé par une étrange lumière folle. « Pourquoi revenir ? semblait dire son regard. Pourquoi ne pas continuer à nager ensemble, de plus en plus loin... jusqu'à ce que les eaux nous recouvrent et que toutes les énigmes soient résolues ? » Il y avait dans son expression — tandis qu'entre ciel et mer ils se dévisageaient muettement — quelque chose qui interprétait un terrible et insondable mystère. L'intensité du moment était telle qu'il était impossible de la supporter longtemps : ils détournèrent la tête et mirent le cap vers la plage.

Le retour fut plus long qu'ils ne l'avaient prévu, la jeune fille nageait très lentement, et elle montra des signes de fatigue évidents avant qu'ils fussent près du rivage. Dès qu'elle put toucher le fond du bout des pieds, elle se hâta de sortir et, les membres raides, tituba sur le sable jusqu'à l'endroit où elle avait laissé ses vêtements.

Lorsqu'elle revint, habillée et d'excellente humeur, les cheveux défaits brillant au soleil comme de la soie humide, elle le trouva qui arpentait le bord de mer avec un air de sombre résolution.

— Il va falloir que je récrive chaque mot, dit-il en frappant la poche de sa veste. Il m'est venu une pensée nouvelle, tout à l'heure, dans l'eau, une pensée qui change tout.

Se laissant tomber sur le sable chaud, elle étala ses cheveux pour les faire sécher.

— Ne partons pas encore, Adrian, supplia-t-elle. J'ai si sommeil, et je me sens tellement heureuse.

Il la regarda d'un air pensif, sans presque saisir le sens de ses paroles.

— Ça change tout, répéta-t-il.

— Viens t'allonger ici, murmura-t-elle doucement, laissant son regard rencontrer le sien avec une silencieuse prière.

Il s'installa à ses côtés.

— Fais attention au soleil, dit-il.

Elle sourit, d'un long et lent sourire rêveur, et l'attira vers elle du regard.

— Je crois que tu as peur de moi aujourd'hui, Adrian, murmura-t-elle.

Bien dessinée sous la robe légère qu'elle portait, sa silhouette de garçon, au moment où elle s'étira avec langueur, parut respirer une sorte de volupté classique. Tout en s'étirant, elle tourna la tête de côté, jusqu'à ce que le menton reposât sur l'épaule, libérant une tresse de cheveux bruns tout humide qui se colla sur le cou mince.

Un soudain accès de malice parut s'emparer de l'homme, qui se pencha sur elle.

— Tes cheveux ne sont pas à moitié aussi longs que ceux de Nance, dit-il en se détournant aussitôt et en s'entourant des bras les genoux.

À ces mots, la jeune fille se ramassa sur elle-même comme un serpent fuyant sous un pied lourd, et s'appuyant sur les mains lui lança un regard qui s'il l'avait saisi au vol aurait provoqué un nouveau changement dans le livre de notations philosophiques. Pendant une fraction de seconde, les yeux de la jeune fille retinrent en eux quelque chose comme un feu livide reflété dans la glace bleue.

Pendant plusieurs minutes ensuite, ils s'absorbèrent dans la contemplation de la masse immobile des eaux illuminées. Adrian rompit enfin le silence :

— Mon but dans ce livre, dit-il, c'est la révélation que l'essence de la vie est liée à l'instinct de destruction. Je veux démontrer — ce qui est la pure vérité — que le plaisir de la destruction, perpétrée pour elle-même et par pure joie, est à la racine de toute impulsion qui fait monter la sève de la vie. C'est de la destruction seule… de la mise en pièces et du déchirement du vivant… que la vie nouvelle prend naissance.

Près de lui, ses doigts prenaient puis laissaient filer une poignée de sable.

— Il ne s'agit pas de destruction par amour de la cruauté, poursuivit-il. La cruauté n'est que le négatif d'un sentiment.

La cruauté implique l'attirance, la passion, et même l'amour dans certains cas. La pure destruction, la destruction pour elle-même, telle que je la conçois, n'est pas une pulsion grossière, lourde, boueuse, comme celle qui obsède les pervers. C'est une flamme brûlante et dévorante. C'est une bacchanale de blancheur éblouissante, démente et splendide, comme celle qui nous blesse à présent les yeux. Je vais démontrer dans mon livre que l'ultime essence de la vie, telle qu'on la trouve à son degré le plus pur et le plus haut dans les extases des saints, n'est rien d'autre qu'une folie de destruction ! C'est cela que l'on trouve à la racine de tout ascétisme et de toute renonciation au monde. C'est l'instinct de détruire… de détruire tout ce qui est à portée de main… et dans ce cas-là, bien sûr, le corps et les passions du corps. Les ascètes imaginent qu'ils font cela pour le salut de leur âme. C'est leur illusion. Ils le font pour l'extase elle-même, pour l'amour de l'extase de destruction ! L'homme est le plus parfait des animaux, car c'est lui qui peut détruire le plus. Les saints sont les plus parfaits des hommes parce qu'ils peuvent détruire l'humanité.

Il se leva et, ramassant une pierre plate au bord de la mer, l'envoya ricocher sur l'eau.

— Cinq ! s'écria-t-il quand la pierre s'enfonça enfin.

La jeune fille se leva et vint à ses côtés.

— Moi aussi je sais faire des ricochets, dit-elle.

Imitant son geste, elle prit à son tour un galet qui s'enfonça après n'avoir effleuré que trois fois la surface brillante.

— Tu ne peux pas faire des ricochets avec l'univers, répliqua Sorio. Aucune fille ne le peut… pas même toi, avec tes bras et tes jambes de garçon ! Tu ne peux même pas lancer une pierre en toute innocence. Tu n'as lancé ce galet que parce que j'ai fait la même chose, pour que je te voie armer ton bras et pour changer la conversation.

Il la considéra de haut en bas avec un air de moquerie maussade.

— Ce que cherchent les saints et les mystiques, poursuivit-il, c'est la destruction de tout ce qui est à portée… de tout ce qui dépasse, de tout ce qui gêne, de tout ce qui est simplement *là*. C'est pourquoi ils lapident la vie sous toutes ses formes. Mais la vie qu'ils attaquent fait de même encore plus crûment. La mer détruit la terre, l'herbe détruit les fleurs, les fleurs se détruisent l'une l'autre : tout, les bois, les marais, les plaines, tout détruit quelque chose. Les saints ne sont que les plus fous et les plus sages de tous les destructeurs…

— Sorio ! Il y a une étoile de mer, là… qui va s'échouer. Oh, laisse-moi essayer de l'attraper !

Elle lui arracha son bâton et, relevant sa jupe, entra dans l'eau.

— Soit ! marmonna-t-il. Soit !

Elle abandonna sa tentative avec un impatient haussement d'épaules, mais continua d'observer le flux de la marée montante avec un intérêt soutenu.

— Ce que les saints visent, poursuivit Sorio, ainsi que les grands poètes, c'est cette absolue *lumière blanche* qui signifie la noyade, l'aveuglement, l'annihilation de toutes ces couleurs de pacotille qui affirment leur existence et tentent de se rendre immortelles. Le seul bonheur divin est de voir les mondes, l'un après l'autre, culbuter dans l'oubli. C'est la démente, douce et secrète arrière-pensée de toutes les religions. Dieu — comme les terribles grands penseurs de l'Antiquité ne l'ont jamais oublié — est le nom suprême de cette ultime destruction de toute chose qui est le but unique. C'est pourquoi Dieu est toujours représenté comme une nuée d'aveuglante lumière blanche. C'est pourquoi le dieu Soleil, le plus grand des destructeurs, est figuré avec des flèches de feu.

Tandis qu'Adrian continuait, à ce rythme fou, d'exposer sa philosophie désespérée, il est dommage qu'il n'y ait eu personne pour observer les expressions variées qui, en séquences spectrales, passèrent, comme de maléfiques apparitions dans un joli miroir, sur le visage de Philippa Renshaw.

Le conflit qui oppose l'homme à la femme était, à cet instant, digne de susciter un intérêt complexe et curieux. Tandis qu'il éructait, sur un ton passionné, son iconoclaste métaphysique, l'instinct de la jeune fille — la maligne intuition féminine qui réduit tout à la touche personnelle —, irrité et insatisfait, rongeait son frein d'énervement. Peu lui importait que la formule qu'il employait fût celle de ses propres instincts. Elle aimait la destruction mais, dans son cœur subtil, méprisait avec un infini dédain toutes les théories philosophiques… les méprisait comme étant tout simplement étrangères et sans rapport avec la vraie vie… sans rapport, en fait, avec ces primitives impulsions du moi qui seules possèdent couleur, parfum, sel et douceur !

Vaguement, au fond de son âme, même pendant qu'il parlait, Sorio comprit que la jeune fille était piquée et en colère. Mais le fait d'en avoir pris conscience, loin d'être désagréable, donnait un attrait supplémentaire à ses paroles. Il se vengeait sur elle de l'attraction qu'elle exerçait sur lui, en lui montrant que, dans le monde métaphysique au moins, il pouvait la réduire à la non-existence ! Elle était si contrariée qu'elle eut, en désespoir de cause, un éclair de ruse diabolique. Elle lui jeta en pâture sa propre nature équivoque, comme une amorce pour son analyse dévorante.

— Je saisis parfaitement ta pensée, dit-elle, tandis qu'ils rentraient lentement vers Rodmoor. Pauvre cher, tu dois avoir toi-même été mis en pièces pour être parvenu à un tel point de perspicacité ! Moi aussi, j'ai à ma façon expérimenté quelque chose de semblable. Mon cerveau — tu sais *cela* maintenant, n'est-ce pas, Adriano ? — est le cerveau d'un homme, alors que mon corps est le corps d'une femme. Oh, je hais ce corps de femme qui est le mien, Adrian ! Tu ne peux pas savoir combien je le hais ! Tout ce qui t'ennuie, comme tout ce qui m'ennuie moi-même, vient de là !

Tout en parlant, elle serra sauvagement ses petites mains contre sa poitrine, comme si elle voulait arracher devant lui l'âme même de sa féminité.

— Depuis ma plus tendre enfance, poursuivit-elle, j'ai détesté être une fille. Pendant des nuits entières parfois, je restais éveillée à pleurer, pleurer, pleurer de n'être pas née différente. J'ai haï ma mère pour cela. Je la hais toujours, je la hais à cause de sa morbide et sentimentale manie pour tout ce qu'elle appelle la "sensibilité" des jeunes filles. La sensibilité ! Comme si les jeunes filles n'étaient pas les choses au monde les plus opiniâtrement stupides et endormies ! Elles ne sont pas sensibles du tout. Elles n'ont ni sensibilité, ni délicatesse, ni modestie, ni décence ! Tout cela, c'est du chiqué… tout. Je le *sais*, je suis comme ça moi-même… ou du moins une moitié de moi l'est. L'un de mes *moi* trahit l'autre, et je me lacère moi-même pour être moi-même. C'est un curieux état de choses… tu ne trouves pas, Adriano ?

Elle s'était apitoyée sur elle-même avec une telle émotion passionnée que de grosses larmes ruisselantes vinrent brouiller la supplication tragique de ses yeux. Ni le balancement de son corps, tandis qu'elle marchait près de lui, ni la façon dont elle laissa retomber sa tête en avant quand il ne répondit pas à son regard n'étaient certainement prémédités. En révélant à dessein ce qu'elle était, elle était allée trop loin, et cette mise à nu de son âme, qui aurait dû être son triomphe, ainsi accueillie avec une froide indifférence, devint son humiliation.

Après cela, ils marchèrent longtemps en silence, lui tellement possédé par la nouvelle piste qu'il suivait qu'il était à
peine conscient de sa présence, elle luttant avec une obstination amère contre le remords d'avoir commis une telle erreur,
et cherchant quelque autre moyen… n'importe quel moyen…
de saper la force de son indépendance.

Tandis qu'ils continuaient de marcher dans l'après-midi
qui s'avançait, un changement frappant envahit la scène. Une
étroite bande d'ombre d'une grande netteté apparut au-dessous des dunes de sable. Le ciel perdit son éclat métallique et
devint d'un profond bleu hyacinthe, un bleu qui au bout d'un
moment envahit le volume des eaux sans presque changer de
teinte. Aux endroits où des monceaux d'algues flottaient sous
la surface, le bleu omniprésent fonça jusqu'à un pourpre d'une
richesse indescriptible, ce pourpre extraordinaire, plus fréquent
dans les mers du Sud que dans celles du Nord, et dont Homère
dit qu'il est « sombre comme du vin ».

Comme le couple approchait des environs familiers de
Rodmoor, il aperçut soudain une barque de pêcheur tirée sur
le sable, avec quelques lourds filets étalés près d'elle.

— Sorio ! s'écria la jeune fille en soulevant les mailles de l'un
d'eux, Sorio ! Il y a quelque chose de vivant dedans. Regarde !

Se penchant à ses côtés au-dessus du filet, il dégagea en hâte
quelques petits poissons argentés qui se débattaient faiblement
et ouvraient les ouïes avec de douloureux sursauts.

— D'accord… d'accord ! s'écria l'homme en s'adressant,
dans son excitation, aux minuscules prisonniers, je vais bientôt
vous libérer.

— Qu'est-ce que tu fais, Adrian ? lui dit la jeune fille avec
reproche. Non… Non ! Il ne faut pas les remettre à l'eau…
Non ! Après l'école, les enfants viennent toujours explorer les
filets. C'est une coutume de Rodmoor.

— C'est une coutume que je vais briser, alors ! cria-t-il en se précipitant vers la mer avec une pleine poignée de petites vies à l'agonie.

Ses doigts, lorsqu'il revint, étaient couverts d'écailles brillantes, qui n'éclipsèrent pas l'éclat de son visage.

— Tu aurais dû les voir filer, s'écria-t-il. Je suis content à l'idée que ces gosses ne les trouveront pas !

— Ils en trouveront d'autres, remarqua Philippa Renshaw. Il y a toujours des poissons pris dans les filets.

IX

PRÊTRE ET DOCTEUR

Il y a, dans la vie de chaque homme, des heures où, sortant de quelque lit caché, le cours de la destinée devient dans la conscience un élément palpable que l'on peut reconnaître. De telles heures, à condition que la vie intérieure de l'homme soit, pour ainsi dire, en harmonie avec les dieux les plus puissants, sont des heures d'indescriptible et vibrant bonheur.

Le lendemain de la longue marche de Sorio et de Phillipa, une expérience de ce genre, rien de moins, inonda délicieusement, telle une vague d'éther divin, la conscience de Hamish Traherne.

Tandis qu'il traversait le jardin, tôt le matin, et entrait dans l'église, le chaud soleil et les ombres bien découpées lui procurèrent cette sensation d'indestructible joie que les anciens penseurs ont joliment nommée le « plaisir de l'instant idéal ».

De la fenêtre exposée à l'est, un flot de lumière tremblante, inondant le sol du chœur, se déversait dans la fraîcheur embaumée du lieu. Ayant laissé grandes ouvertes les portes au pied de la tour, il entendit en s'agenouillant le clair gazouillis aigu des hirondelles au-dehors, et les piaillements d'une nuée de sansonnets.

À travers chaque fibre de son être, à l'instant où il s'agenouilla, vibra un inexprimable courant de bonheur — un bonheur si grand que les mots de sa prière se mêlèrent jusqu'à se dissoudre, et que toute pensée précise s'unit à eux pour former cette rare conjoncture où la prière devient extase et l'extase éternelle.

Retournant dans sa maison sans gaspiller une seule goutte dorée de la part du vin des Immortels qui lui était allouée, il prit son petit-déjeuner dans le jardin, se donnant tout le temps de rêver près des premières roses. Elles étaient de cette espèce que l'on appelle les « sept sœurs » — de petites fleurs aux pétales blancs lavés d'une imperceptible touche de rose —, et lorsqu'il en inclina un rameau près de son visage leur pénétrante odeur lui rappela celle d'un riche et vieux vin, « longtemps rafraîchi dans la cave profonde de la terre ».

Des lieux humides qui s'étendaient au-delà du parapet provenaient d'exquises odeurs de menthe aquatique et de joncs fleuris, auxquelles se mêlait la subtile fragrance fortement aromatique de kilomètres et de kilomètres de marais chauffés par le soleil.

L'herbe de la pelouse et les feuilles des arbres qui l'ombraient respiraient la douceur particulière — une douceur qui n'a pas son pareil au monde — des premiers jours chauds de l'année dans certains jardins de l'East Anglia. Que ce soit la présence de la mer qui confère à ces lieux une qualité si rare, ou l'austère retenue du cycle des saisons, il est difficile de le dire, mais il n'en reste pas moins que dans le Norfolk et le Suffolk — et, malgré la modestie de leur séduction, il y avait quelque chose de ce charme dans les parterres de fleurs de Hamish Traherne — quelque chose surpasse tous les autres jardins des îles Britanniques en pensive et pénétrante beauté.

Le prêtre, qui venait d'allumer une cigarette, buvait à petits coups une tasse de thé, lorsque la soudaine apparition de Nance Herrick, hors d'haleine et blanche de désespoir, le fit sursauter.

Elle refusa la chaise qu'il lui offrait et s'effondra dans l'herbe.

— Je suis venue, haleta-t-elle, il fallait que je vienne. Je n'ai pas pu le supporter. Pas pu dormir. Pas pu rester dans cette maison. Je l'ai vu hier soir. Il marchait avec *elle* près du port. Je leur ai parlé. J'étais calme… ni en colère ni amère, et il l'a laissée m'insulter. Me fouetter avec sa langue, avec une perversité cruelle, et en même temps à mots si couverts, si obliques... — vous me comprenez, Hamish — que je n'ai pas pu répondre. Si j'avais été seule avec elle, je l'aurais fait, mais comme il était là je me suis sentie stupide, misérable, ridicule ! Et elle en a tiré avantage. Elle a dit... oh, des choses si mesquines, si mordantes ! Je ne peux pas vous les répéter. Y penser me fait horreur. Elles m'ont zébré la chair comme une mèche d'acier. Et il restait là sans rien faire. Il était comme un homme en transe. Il restait là et la laissait faire. Hamish... Hamish... je voudrais être au fond de la mer !

Elle se pencha jusqu'à enfouir dans l'herbe son visage blanc tordu par le désespoir. Le soleil, jouant sur ses brillants cheveux, les fit paraître semblables à l'or nouvellement frappé. M. Traherne s'agenouilla près d'elle. Intensifiée par la compassion, sa laideur atteignit un degré presque sublime. Il était comme une gargouille consolant une déesse.

— Mon enfant, mon enfant, écoute-moi ! s'écria-t-il.

Sa voix rauque et discordante tomba sur le silence de la détresse de Nance comme un chargement de rocaille sur des dalles de marbre.

— Il y a des moments dans la vie où les paroles, même les plus tendres ou les plus avisées, ne peuvent pas procurer le moindre réconfort. Le seul moyen — c'est ainsi, mon enfant... c'est ainsi ! —, le seul moyen est de trouver dans l'amour lui-même le baume qui apaise. Car l'amour *peut* faire cela, je le sais, j'en ai fait l'expérience.

D'un geste bizarre et spasmodique, il leva le bras et le laissa retomber aussi soudainement qu'il l'avait levé.

— L'amour se réjouit de supporter toutes choses, poursuivit-il. Il pardonne et pardonne encore. Il est le serviteur du jour et de la nuit aimés, invisible et intouchable il tire sa force de la souffrance. Quand les coups du destin le frappent, il se réfugie dans son cœur et en ressort plus fort que le destin. Quand l'heure qui passe lui est cruelle il se replie, s'enfonce loin au-dessous du passage de toute heure possible, au-delà de la blessure infligée par tous les coups que l'on pourrait concevoir. L'amour ne demande rien. Il ne demande pas à être reconnu. Il est lui-même sa propre réciprocité, sa propre reconnaissance. Écoute-moi, mon enfant ! Si ce que je te dis n'est pas vrai, si l'amour n'est pas tel que je le décris, le monde entier est poussière et cendres, "et le socle de la terre bâti sur du chaume" !

Sa voix rauque s'éteignit dans l'air, et pendant un moment il n'y eut plus dans le jardin que le gazouillis des oiseaux, le bourdonnement des insectes, et le murmure de la mer. Puis elle fit un mouvement, se souleva, et se frotta le visage de ses mains.

— Merci, Hamish, dit-elle.

Elle se leva avec lui lorsqu'il se releva, et ils marchèrent lentement de long en large dans le petit enclos de verdure. La voix rauque du prêtre, plus rauque que jamais quand le timbre était modulé, monta et descendit monotonement dans l'air ensoleillé.

— Jc ne dis pas, Nance, que tu ne dois pas t'attendre au pire. Je crois qu'il faut toujours s'y attendre et se préparer en conséquence. Je dis seulement que dans le pouvoir même de l'amour que tu ressens il y a une force capable de te soutenir toute ta vie quoi qu'il arrive. Et c'est en puisant dans cette force — plus puissante que le monde, chère enfant… que le monde entier !… — que tu seras capable de donner à ton Adrian ce dont il a besoin. Il a besoin de ton amour, petite fille, pas de ta jalousie, ni de tes jérémiades ou de ta colère. Dieu sait combien il en a besoin ! Et si tu puises dans ton cœur la force nécessaire, si tu l'attends et si tu pries pour lui, et si tu souffres pour lui, tu verras comment, à la fin, il te reviendra ! Non… je ne dirais même pas ça. Car, en ce monde, il ne comprendra peut-être pas avec quelle dévotion il est soutenu. Qu'il revienne ou qu'il ne revienne pas, je dirais que tu auras été son seul véritable amour et qu'il le saura, mon enfant, et que dans ce monde ou dans l'autre il te connaîtra telle que tu es !

Plus vieille que les siècles, plus vieille que Platon, l'impossible et douce doctrine de la suprématie de l'amour spirituel n'avait jamais trouvé — et certainement pas dans ce jardin monastique — de plus éloquent défenseur. Tandis qu'elle écoutait ces paroles, laissant son regard s'attarder sur une bordure de delphinium d'un bleu profond qui, à mesure qu'ils allaient et venaient, se mêlaient à l'impression qu'il produisait sur elle, Nance comprit qu'une crise était survenue dans sa vie — survenue puis passée —, une crise dont les effets ne pourraient jamais disparaître, quoi qu'il arrivât. Elle était triste au-delà de toute expression. Cette tristesse ne lui procurait aucun réconfort superficiel, mais elle était dépourvue aussi bien d'amertume que de désespoir. Elle entra, en tout cas pour l'heure, dans la ronde de ceux qui ont résolument écarté les douceurs de la vie, et trouvent dans la pointe de l'épée qui leur aiguillonne les reins un orgueil qui est sa propre récompense.

Elle était toujours dans cet état d'esprit quand elle se retrouva, quelques heures plus tard, dans la rue principale de la petite ville, en train de contempler, un sourire mi-amusé aux lèvres, son image dans la vitrine de la pâtisserie. Elle venait de sortir de la boutique voisine où elle avait définitivement accepté le poste de « première », c'est-à-dire la responsabilité de superviser la demi-douzaine de jeunes filles qui travaillaient dans le calme établissement de Miss Pontifex — « la seule modiste officielle », ainsi que le disait l'annonce, « en aval de Mundham ».

Elle était intensément soulagée d'avoir sauté le pas. L'oisiveté avait commencé à lui peser — une oisiveté rendue plus amère par l'état lamentable de ses relations avec Sorio —, et l'indépendance que lui garantissaient les dix-huit shillings par semaine de Miss Pontifex lui apparaissait comme une oasis d'assurance dans un désert d'ambiguïtés. Elle n'avait aucun souci de prestige social. En ce sens, elle était bien la fille de son père, l'officier le plus « démocratique » de la Marine anglaise. Ce qui lui donnait une satisfaction profonde dans sa détresse, c'était la pensée que, si la jalousie de Rachel devenait intolérable, elle pourrait sans quitter Rodmoor trouver un petit logement séparé pour sa sœur et pour elle.

Même Linda, avec les progrès qu'elle avait faits à l'orgue, pourrait peut-être arriver à gagner quelque chose. Il y avait peut-être des églises à Mundham prêtes à rétribuer un tel service, à condition de pouvoir surmonter la difficulté de s'y rendre en raison de la rareté des trains le dimanche. Quoi qu'il en fût, elle sentait qu'elle avait fait un pas dans la bonne direction. Vivant à présent chez Rachel, elle pouvait économiser chaque penny que Miss Pontifex lui donnait, et cette relative indépendance lui affermissait la main et lui donnait une sorte d'avantage de terrain sur tout ce qui pourrait arriver dans l'avenir.

Elle était toujours devant la boutique de la modiste lorsque, entendant une voix bien connue, elle se retourna et se retrouva face à face avec Fingal Raughty. Le docteur la regarda avec une tendre sollicitude.

— On prend le soleil ? lui dit-il en lui retenant les doigts dans les siens et en les caressant comme si c'étaient les pétales d'une rare orchidée.

Elle lui sourit avec affection, songeant que, par une étrange ironie, tout le monde, sauf la personne à laquelle elle tenait le plus, la traitait avec considération.

— Venez, dit le docteur. Maintenant que je vous ai sous la main, je ne vais pas vous lâcher. Venez voir mes appartements ! Vous me l'avez promis, vous vous rappelez ?

Elle n'eut pas le cœur de refuser, et ils cheminèrent ensemble dans la rue jusqu'à la petite maison de briques rouges que le docteur partageait avec la famille d'un employé de banque de Mundham. Il ouvrit la porte et la conduisit au premier.

— J'ai tout l'étage, expliqua-t-il. Je reçois mes patients ici... (il l'introduisit dans la pièce donnant sur la rue) et là, c'est mon bureau.

Le mot « bureau », appliqué à l'une des pièces donnant sur la Grand-Rue de Rodmoor, fit sourire Nance, mais lorsqu'elle aperçut les rayonnages sous lesquels disparaissaient les murs, les tables et les chaises couvertes de livres — dont certains étaient à l'évidence des raretés de grande valeur —, elle comprit qu'elle n'avait pas rendu justice au goût du docteur. Il voletait autour d'elle avec mille attentions délicates, lui fit enlever chapeau et gants, et l'installa dans un grand fauteuil confortable devant la fenêtre ouverte. Il baissa légèrement l'un des volets verts afin d'adoucir le rayon de soleil qui entrait puis, se précipitant vers les rayonnages, arracha l'un des grands livres minces qui se trouvaient sur l'étagère du bas. Après l'avoir épousseté avec soin de sa manchette, il le lui posa gentiment sur les genoux :

— Je pense que vous l'aimerez, murmura-t-il. L'édition n'a aucune valeur, mais c'est ce qu'il a écrit de meilleur. Je suppose qu'à la Maison sur la digue Miss Doorm a tous les vieux maîtres sur velin reliés en maroquin ? Ou n'a-t-elle que les cartes et les histoires du comté ?

Tandis que la visiteuse à la tête dorée et aux lèvres souriantes tournait les pages de l'ouvrage, le docteur se mit à empiler livre sur livre à côté d'elle.

— Apulée ! vieil original pas sans intérêt ; mais vous le connaissez, bien sûr ? Petronius Arbiter ! il vaut mieux lire le texte, mais les illustrations pourront vous divertir. William Blake ! il y a quelques dessins qui ont une certaine ressemblance avec… une ou deux personnes que nous connaissons ! Bewick ! oh, il vous plaira, si vous ne le connaissez pas ! J'ai l'autre volume aussi. Ne regardez pas *toutes* les vignettes, mais certaines ne sont pas sans charme.

— Mais… Fingal…, protesta la jeune fille en quittant des yeux *La Boucle dérobée* de Pope illustrée par Aubrey Beardsley, qu'êtes-*vous* en train de faire ? On dirait que vous me préparez à un long voyage. J'aimerais mieux vous parler que lire.

— Je reviens dans un moment, dit-il en lui lançant, d'un air tourmenté, un regard nerveux. Je dois me laver les mains.

Il sortit précipitamment de la pièce, et Nance, avec un haussement de sourcils et d'épaules, se replongea dans *La Boucle dérobée*.

La salle de bains du docteur était, semblait-il, située au voisinage immédiat du bureau. Nance entendit tourner ce qui lui parut être d'innombrables robinets, puis le bruit de puissants jets d'eau.

« Est-ce que le cher homme se prépare à prendre un bain ? », se demanda-t-elle en jetant un coup d'œil à la pendule sur la cheminée. Si son hypothèse était exacte, le docteur mit longtemps à se préparer à cette ablution, prise à une heure aussi indue, car elle l'entendit courir de long en large dans la salle de bains comme une souris dans sa cage. Avec un petit soupir elle posa sur « Bewick » *La Boucle dérobée* et regarda d'un air las par la fenêtre, songeant de nouveau à Sorio et à l'événement du soir précédent.

Dix bonnes minutes s'écoulèrent avant le retour de son hôte. Il avait l'air de radieuse humeur, mais le seul résultat visible de sa toilette prolongée était un certain aplanissement de la mèche qui lui tombait sur le front et une rougeur plus vive sur les joues. Ce changement de couleur n'était pas dû à un cosmétique, mais le résultat évident d'un vigoureux frottement.

— Votre cou est une vraie colonne de marbre blanc, dit-il. Vos bras sont-ils pareils… je veux dire aussi blancs, là-dessous ?

Avec une grande douceur et se servant de ses mains comme si elles appartenaient à quelqu'un d'autre, il se mit à relever la manche de la robe d'été. Nance était suffisamment jeune pour être sensible à cette admiration, et assez expérimentée pour ne pas être choquée par cette audace. Elle lui laissa remonter la manche assez haut, souriant avec tristesse en voyant combien l'étoffe fraîchement amidonnée mettait en valeur la délicatesse et la douceur du bras ainsi dévoilé. Elle ne fut pas même surprise ou contrariée lorsqu'elle s'aperçut que le docteur, après lui avoir à plusieurs reprises effleuré du bout des doigts la courbe de l'épaule, s'était emparé de sa main et la retenait tendrement. Elle continua de regarder d'un air rêveur et triste par la fenêtre, les lèvres souriantes mais le cœur lourd, pensant une fois de plus à l'amère ironie des petites manières du monde qui ne lui offrait qu'un badinage — certes délicat et exquis — à la place de ce qu'elle perdait.

— Vous devriez courir pieds nus sur la plage, le cœur débordant de joie, murmura le docteur Raughty. Vous devriez barboter dans l'eau, la jupe relevée jusqu'à la ceinture ! Vous ne voulez pas que je vous emmène à la plage ?

Elle fit non d'un signe de tête et, se tournant vers lui, lui retira sa main.

— Il faut que je rentre, maintenant, dit-elle en le regardant droit dans les yeux. Donnez-moi mes affaires, s'il vous plaît.

Lui obéissant comme un agneau, il la laissa remettre son chapeau et enfiler ses gants. Tandis qu'elle le précédait dans l'escalier, Nance eut vaguement conscience que le docteur Raughty murmurait quelque chose où il était question d'Adrian. Elle ne releva pas la remarque et, lorsqu'il lui ouvrit la porte, tendit la main avec reconnaissance.

— Ne vous verrai-je même pas chez vous ? demanda-t-il.

Elle secoua de nouveau négativement la tête. Ses nerfs avaient eu leur provision de tendresse joueuse.

— Au revoir ! s'écria-t-elle en le laissant sur le seuil.

En traversant le pré, elle lança un regard désenchanté sur le cottage de Baltazar.

— Oh, Adrian, Adrian, gémit-elle, plutôt être battue par toi qu'aimée par le reste du monde !

Après avoir regardé la jeune fille s'éloigner, le docteur Raughty gravit de nouveau le petit escalier d'un pas lent et lourd. En entrant dans le bureau, il s'approcha de la pile de livres qu'elle avait laissés près du fauteuil et les remit l'un après l'autre à leur place sur les étagères.

— Une douce créature, murmura-t-il tout en rangeant, une douce créature ! Que dix mille charretées de démons cornus emportent ce maudit Sorio dans le puits de l'enfer !

X

MARÉE BASSE

Pendant les jours qui suivirent, Nance fut si absorbée par les derniers arrangements qu'elle prit avec la modiste et par la nécessité de se familiariser avec son nouveau travail qu'elle put rester parfaitement maîtresse de ses nerfs. Elle rencontra Sorio plus d'une fois et réussit mieux qu'elle n'avait osé l'espérer à contenir l'excès de sa jalousie. Ses sentiments, elle dut l'admettre avec tristesse, n'atteignaient pas le sublime niveau platonique indiqué par M. Traherne, mais, tant qu'elle ne faisait pas de référence manifeste à Phillipa et ne laissait pas son orgueil blessé empoisonner ses relations avec son ami, elle sentait qu'elle ne s'était pas trop éloignée de la haute doctrine du prêtre.

Ce fut de la bouche de Sorio lui-même, cependant, qu'elle apprit enfin le tour nouveau et alarmant qu'avaient pris les événements, un tour calculé pour ruiner tous ses plans. Rien de moins que la réalisation du pressentiment fatal qu'elle avait eu dans le cimetière : Brand et Linda se rencontraient secrètement. Sorio parut surpris par le tragique avec lequel elle accueillit ces nouvelles, et elle fut indignée par la tranquillité d'esprit avec laquelle il prenait la chose. Le pire était qu'elle soupçonnait Rachel Doorm d'être impliquée dans l'affaire. Adrian éclata de rire quand elle lui en parla :

— À quoi t'attendais-tu ? dit-il. Ta charmante amie est une vieille connaissance des Renshaw et rien ne lui ferait plus plaisir que de voir Linda dans l'ennui. C'est probablement elle qui arrange leurs rendez-vous. Elle a une tête d'entremetteuse.

Ils marchaient ensemble sur la route de Mundham. Il était environ trois heures de l'après-midi et Nance se rappela avec un soudain serrement de cœur combien les deux femmes l'avaient encouragée à faire cette excursion. Elle devait se rendre à Mundham avec Sorio et revenir tard dans la soirée par le train.

— Il faut que je rentre, s'écria-t-elle en s'arrêtant et en le regardant avec des yeux effarés. C'est trop horrible ! Ils ont dû comploter pour m'éliminer. Comment Linda a-t-elle pu faire ça ? Mais elle n'a pas plus d'idée du danger qu'elle court qu'un petit oiseau dans la haie.

Sorio haussa les épaules :

— Tu ne vas pas rentrer maintenant, protesta-t-il. Nous sommes à plus de trois kilomètres du pont. Et puis à quoi cela servira-t-il ? Tu ne peux rien faire. Rien arrêter.

Nance le regarda avec des yeux étincelants.

— Je ne comprends pas ce que tu veux dire, Adrian. Elle est en danger. Linda est en danger. Évidemment que j'irai ; je n'ai pas peur de Brand.

Elle balaya d'un coup d'œil la grande étendue des marais. Derrière elle, vers le sud, les arbres du parc de Chênegarde se détachaient contre le ciel et, plus près, vers le nord, les pignons de la Maison sur la digue s'élevaient au-dessus des rives du fleuve.

— Oh, mon Dieu, mon Dieu ! s'écria-t-elle affolée. Il faut que je les rejoigne ! Il le faut ! Il le faut ! Regarde… voilà la maison ! On aperçoit le toit ! Ce n'est pas la peine de retourner jusqu'au pont, il doit y avoir un chemin… sûrement… il *doit* y avoir un raccourci.

Elle l'entraîna au bord de la route. Un profond fossé noir, bordé de roseaux, coupait le champ au-delà duquel coulait la Drôle. Il y avait au milieu du champ un petit enclos à l'air abandonné, à l'intérieur duquel une énorme truie beige les observait d'un air maussade. Elle poussa un lamentable cri perçant et posa les pattes avant sur le barreau inférieur de sa prison, ce qui leur fit voir son énorme ventre aux multiples mamelles ondulantes. La présence des intrus dans un trou de la haie tantalisa la truie qui se mit à pousser des grognements de plus en plus discordants. Elle avait l'air d'une coléreuse allégorie de la fécondité tournant en dérision la fébrilité de Nance.

— Tu ne traverseras pas ce fossé, dit Sorio en observant la scène, à moins d'avoir de l'eau jusqu'à la ceinture. Et, à moins de nager, tu ne traverseras pas le fleuve.

Des larmes de colère jaillirent des yeux de Nance.

— Je le ferais, haleta-t-elle. Je le ferais si j'étais un homme.

Sorio fit une grimace humoristique et approuva d'un signe de tête en regardant la truie :

— Quelle est ton opinion là-dessus… hein, ma beauté ?

À cet instant leur parvint un bruit de trot.

— Voilà quelque chose qui pourra t'aider si tu persistes à vouloir rentrer.

Ils retournèrent sur la route, où le véhicule qui approchait se révéla être la petite carriole du docteur Raughty. Comme on peut l'imaginer, le docteur fut plus que ravi de faire une place à Nance. Elle déclara être fatiguée et lui demanda de la ramener simplement jusqu'au village.

— Je vous emmènerai où vous voulez, dit Fingal Raughty qui, avec une petite toux nerveuse, s'extirpa de la carriole pour l'aider à monter.

« Ah ! j'oubliais ! Excusez-moi une minute. Tenez le poney, s'il vous plaît. J'ai promis de la menthe aquatique à Mme Sodderly.

Il se précipita dans le champ et Nance, assise dans la carriole, jeta un regard désemparé à Sorio qui, après avoir signifié d'un geste que le monde entier était devenu fou, se mit à caresser la tête du poney. Ils attendirent patiemment, et le docteur les fit attendre. Par un trou dans la haie, ils l'apercevaient courant de-ci de-là, et se baissant de temps à autre pour farfouiller dans l'herbe. Il paraissait avoir complètement oublié leur inconfort.

— La chasse à la menthe, marmonna Sorio, est pire que la chasse aux musaraignes. Je suppose qu'il cueille du sèneçon et des matricaires pour toutes les vieilles de Rodmoor.

Nance atteignit bientôt les limites de la patience.

— Docteur Raughty ! cria-t-elle (puis, avec un désespoir féminin), Fingal ! Fingal !

Ces cris rameutèrent le docteur qui revint en toute hâte et, à l'étonnement de Sorio, avec les plantes recherchées. Une délicieuse fragrance aromatique se répandit autour de Nance lorsqu'il grimpa dans la petite carriole.

— J'en ai trouvé, dit-il. Elles sont sous mon chapeau. Désolé de n'avoir qu'une place. Hue, Elizabeth !

Ils s'éloignèrent, tandis que Sorio, d'un geste à la Pilate, montrait qu'il s'en lavait les mains.

— Une noble créature… cette truie, observa le docteur en lançant un coup d'œil nerveux à sa compagne, un bel et noble animal ! Je ne serais pas surpris qu'elle aime, comme tout un chacun, les melons d'eau. Avez-vous observé son œil ? Une petite marguerite jaune ! Un bel œil, mais avec quelque chose de mauvais à l'intérieur… vous ne trouvez pas ?… quelque chose de menaçant et de malveillant.

Nance s'efforça de sourire à cette saillie, mais les mains la démangeaient d'empoigner le fouet pour hâter l'allure du poney. Quand ils arrivèrent enfin au Nouveau Pont, elle se demanda si son compagnon allait vraiment obéir à ses souhaits, ou s'il allait de nouveau la presser de visiter son bureau. Mais il passa la Drôle sans un mot et, sur la rive opposée, continua de piquer vers l'ouest droit sur la Maison sur la digue.

Lorsqu'ils furent tout près, le cœur de Nance se mit à battre furieusement, et elle chercha une excuse pour empêcher son compagnon de l'emmener plus loin. Comme s'il semblait lire dans ses pensées, avec un tact surnaturel il tira sur les rênes lorsqu'ils furent à une centaine de mètres de la grille du jardin.

— Si vous le permettez, je n'entrerai pas, dit-il. J'ai plusieurs patients à aller voir avant le dîner et je veux apporter la menthe à Mme Sodderly.

Nance sauta rapidement de la carriole et se confondit en remerciements.

— Vous avez l'air mortellement pâle, remarqua-t-il en prenant congé. Oh, attendez une seconde, il faut que je vous en donne quelques brins !

Il enleva son chapeau avec précaution et de nouveau l'aromatique odeur se répandit dans l'air.

— Voilà ! dit-il en lui tendant deux ou trois plants aux longues racines et aux feuilles d'un vert pourpre.

Elle les prit machinalement, et les tenait toujours à la main quand elle arriva, les lèvres blanches et les traits décomposés, à l'entrée de la maison Doorm.

Tout était calme dans le jardin et il ne venait aucun bruit de la maison qui dénotât la moindre présence. Avec une pitoyable incertitude, elle s'avança jusqu'à la porte, apercevant au passage les outils de jardinage qu'elle avait laissés traîner sur une plate-bande envahie par les mauvaises herbes, et les plants de verveine qu'elle venait de repiquer qui baissaient tristement la tête. Même en cet instant, elle s'en voulut, dans la hâte qu'elle avait mise à rejoindre Sorio, d'avoir oublié de les arroser. Lui vint l'arrière-pensée qu'elle devrait commencer par éliminer toutes les mauvaises herbes.

Jamais encore elle n'avait ressenti la désolation particulière de la Maison sur la digue. Avec ses fenêtres closes et ses cheminées sans feu, elle semblait avoir été abandonnée depuis un siècle. Elle entra dans le vestibule et prêta l'oreille. Pas un bruit ! À part un lointain tic-tac et le bourdonnement d'une mouche bleue contre les fenêtres du salon, tout était silencieux comme à l'intérieur d'une tombe. Une indescriptible sensation de solitude l'envahit. Elle eut l'impression que tous les habitants de la terre, sauf elle, avaient été annihilés... elle et le tic-tac stupide des pendules dans les maisons abandonnées.

Elle monta rapidement l'escalier et entra dans la chambre qu'elle partageait avec Linda. La vue du lit bien fait, avec la housse brodée contenant la chemise de nuit posée sur l'oreiller, éveilla en elle un sentiment maternel.

— Ma chérie ! Ma chérie ! s'écria-t-elle tout haut. Tout est de ma faute ! Tout est de ma faute !

Elle se dirigea vers la fenêtre et l'ouvrit. Les mains agrippées au châssis de bois, elle se pencha en avant, fixant intensément les environs. L'étendue du paysage plat s'offrit tout entière à son coup d'œil. Elle aperçut, de façon claire et instantanée, quelque chose qui la fit trembler de la tête aux pieds. En un éclair elle appréhenda la situation et fut prête à l'action.

Une barque était amarrée sur la rive opposée du fleuve, et dans cette barque, le front dans les mains, était assis Brand Renshaw. Il avait la tête nue, et le soleil de l'après-midi qui donnait sur elle la faisait paraître rouge sang. De l'autre côté, sur la route de Mundham — celle-là même qu'elle venait de traverser —, elle apercevait la silhouette d'une jeune fille, indiscutablement celle de sa sœur, qui se dirigeait furtivement vers la lisière d'un petit bois de pins, tout à fait à l'ouest des bois de Chênegarde. L'homme dans la barque ne voyait rien de tout cela. Même en se levant il ne pouvait rien voir, car la rive était trop haute. Pour la même raison, la jeune fille qui traversait les champs ne pouvait apercevoir l'homme dans le bateau. Seule Nance, de la fenêtre, avait une vision complète de la situation. Elle recula un peu dans la chambre de peur que

Brand ne l'aperçût par hasard en levant les yeux. Quelle chance qu'elle fût entrée sans faire le moindre bruit ! Les deux tourtereaux prenaient toutes les précautions possibles ! L'homme avait évidemment l'intention de demeurer où il était jusqu'à ce que la jeune fille fût cachée par les arbres. Rachel Doorm, semblait-il, avait filé pour les laisser livrés à eux-mêmes, mais il était clair que Brand préférait un rendez-vous chez lui, dans le parc, plutôt que de se risquer dans la maison en l'absence de la maîtresse. De cela, en tout cas, Nance lui était sincèrement reconnaissante. Elle observa les mouvements de Linda jusqu'à ce qu'elle la vît disparaître dans les pins, puis descendit l'escalier en hâte et sortit dans le jardin. Elle savait parfaitement ce qu'elle avait à faire. Elle devait rejoindre sa sœur avant que Brand eût vent de sa présence.

Elle connaissait assez les Renshaw pour savoir que si elle l'appelait d'une rive à l'autre il se contenterait de lui rire au nez. Par ailleurs, s'il avait la moindre idée de sa présence dans les parages, il précipiterait les événements et partirait sur-le-champ retrouver Linda.

Mais comment faire pour rejoindre la jeune fille ? La Drôle les séparait impitoyablement. En regardant Brand dans la petite barque, elle n'avait pas manqué de remarquer que la marée était très basse. Sorio s'était trompé ou lui avait menti en lui assurant qu'elle était haute. Elle devait déjà avoir commencé à descendre.

Passant la grille sans bruit, Nance demeura un moment à contempler la rive du fleuve. Non, il était impossible que Brand l'aperçût. Sans autre hésitation, elle quitta le sentier et s'avança avec précaution, dans l'herbe haute, jusqu'à l'endroit où la Drôle faisait un brusque lacet sur la gauche. Elle eut un moment de panique lorsqu'elle rampa sur la berge. Non, même ici, tant qu'elle ne se relevait pas, elle était invisible de la barque. Descendant la pente, elle se glissa jusqu'au bord du fleuve. La Drôle était vraiment basse. Il n'y avait qu'un étroit ruban d'eau rapide au centre du lit. De chaque côté, les pentes de boue visqueuses des rives brillaient au soleil.

Nance avait le visage rougi, et le souffle qui s'exhalait entre ses lèvres entrouvertes était court et haletant.

— Linda… petite Linda ! murmura-t-elle, c'est de ma faute… tout est de ma faute !

Avec un coup d'œil nerveux sur le fleuve, enlevant ses chaussures et ses bas, elle descendit dans la boue durcie par le soleil. Puis, après avoir enfoncé ses bas dans les chaussures dont elle noua ensemble les lacets, elle releva ses jupes et les assujettit autour de sa taille. Elle jeta, en faisant cela, un coup d'œil plein d'appréhension aux alentours, mais elle était tout à fait seule et, après un nouveau regard terrifié sur la marée, elle ramassa ses chaussures et commença d'avancer dans la boue glissante. Elle tituba un peu au début, car ses pieds s'enfonçaient profondément dans la vase, mais elle marcha plus facilement dès qu'elle eut atteint l'eau, où le fond offrait plus de prise. La Drôle tourbillonnait autour d'elle, glaçant de froid ses membres nus et blancs. Elle eut bientôt de l'eau au-dessus du genou, et elle n'avait pas encore fait le quart de la traversée ! Son cœur battait à présent misérablement, et la rougeur disparut de ses joues. Comme une main de glace sur sa gorge, une idée lui traversa l'esprit : quelle horreur ce serait de perdre pied, d'être charriée par la marée jusqu'au port de Rodmoor, puis dans la mer, morte et mêlée aux algues, les yeux fixes et grands ouverts, l'eau entrant et sortant à flots de la bouche. Seul un instinct maternel désespéré, poussé au paroxysme à l'idée qu'elle était responsable du danger qu'encourait Linda, pouvait l'inciter à continuer. Elle avait de l'eau déjà à la ceinture et ses vêtements étaient trempés, mais elle n'avait pas encore atteint le milieu du courant.

Elle fit un nouveau pas en avant et, lorsque l'eau lui monta aux aisselles, elle vacilla sous la terrible tentation de faire demi-tour et d'abandonner. « Après tout, pensa-t-elle, peut-être que Brand n'a pas de mauvaises intentions. Peut-être — qui peut le savoir ? — est-il sincèrement amoureux d'elle ? »

Mais même pendant qu'elle hésitait, regardant avec un visage blanc le flot tourbillonnant, elle savait qu'elle se mentait à elle-même. Depuis qu'elle était à Rodmoor, elle avait entendu les pires choses sur la manière dont Brand se conduisait avec les femmes. Pourquoi traiterait-il sa sœur autrement que les autres ?

Soudain, sans effort particulier, elle revit avec une extraordinaire clarté un regard que Linda, il y avait longtemps, quand elle était petite fille, lui avait lancé pour qu'elle la prît sous son aile. Un élan de remords maternel lui fortifia le cœur et elle plongea résolument en avant. Un moment, elle perdit pied, et dans l'effort qu'elle fit pour retrouver son équilibre le flot lui passa par-dessus les épaules. Mais ce fut le pire. Après cela, elle passa régulièrement à gué jusqu'à la rive opposée.

Ruisselante de la tête aux pieds, elle remit ses chaussures, essora autant qu'elle le put l'eau de sa jupe trempée et la secoua au-dessus de ses genoux. Puis elle escalada la berge, jeta un coup d'œil aux alentours pour s'assurer qu'elle était toujours invisible, et coupa à travers champs. Elle ne put s'empêcher de sourire, lorsqu'elle atteignit la route de Mundham et la traversa rapidement, à la pensée de la stupéfaction de Sorio s'il l'avait vue ! Mais il n'y avait ni Sorio ni personne en vue et, laissant derrière elle des traces de chaussures humides dans la chaude poussière de la route, elle courut plus vite que jamais vers le bouquet de vieux pins aux troncs sombres à l'ombre desquels sa sœur avait disparu.

XI

LES DEUX SŒURS

Le dos appuyé contre un arbre, assise sur un tapis d'aiguilles de pin, Linda fut si surprise qu'elle eut peine à réprimer un cri de terreur lorsque Nance apparut soudain devant elle, hors d'haleine à force d'avoir couru. Un moment s'écoula avant qu'elle pût retrouver la parole. Elle saisit sa sœur aux épaules et la tint à bout de bras, la regardant éperdument et cherchant ses mots en pantelant.

— J'ai traversé…, haleta-t-elle, traversé la Drôle… pour te rejoindre. Oh, Linda ! Oh, Linda !

Une profonde rougeur apparut sur les joues de Linda et lui envahit le cou. Elle fixa Nance avec de grands yeux terrifiés.

— Tu as traversé le fleuve…, commença-t-elle, laissant les mots mourir sur ses lèvres lorsqu'elle comprit ce que cela signifiait. Mais tu es trempée jusqu'aux os… jusqu'aux os ! s'écria-t-elle. Tiens ! Mets quelque chose à moi.

Les doigts tremblants, elle dégrafa ses habits, se glissa rapidement hors de sa jupe qu'elle envoya dinguer, et se mit à tâter les vêtements de Nance. Poussant de petits cris d'horreur à mesure qu'elle découvrait combien sa sœur était trempée, elle l'entraîna sous le couvert et la força à tout enlever.

— Que tu es belle, ma chérie ! s'écria-t-elle, cherchant comme un enfant n'importe quelle excuse pour retarder la sentence.

Même en pleine réaction d'angoisse, Nance ne pouvait être complètement indifférente à la naïveté de ce recours, et elle se surprit même à rire pendant que les bras tendus au-dessus de

la tête, les doigts accrochés à une branche de résineux, elle laissait sa sœur la frictionner pour lui réchauffer le corps.

— Regarde ! Je vais finir de te sécher avec des fougères !
s'écria la cadette.

Arrachant une pleine poignée de fougères de l'année, elle
se mit à la frotter vigoureusement avec les frondes odorantes.

— Oh, que tu es belle ! s'écria-t-elle de nouveau en l'inspec-
tant de la tête aux pieds. Laisse-moi te dénouer les cheveux !
Tu ressemblerais… oh, je ne sais pas à quoi !

Puis elle ajouta :

— Si Adrian pouvait te voir…

Cette dernière remarque était une grosse bévue. Elle eut un
double effet malheureux : celui de rappeler à Nance ses propres
ennuis et de faire renaître toutes les craintes qu'elle éprouvait
au sujet de sa sœur.

— Donne-moi quelque chose à enfiler, dit-elle d'un ton sec.
Il faut que nous partions d'ici.

Linda fit glisser en vitesse quelques autres vêtements et,
après une petite dispute amicale pour savoir laquelle des deux
porterait la jupe qui n'était pas mouillée, elles furent prêtes à
sortir de leur cachette. Nance pensait en avoir fini avec les difficultés. Elle ne s'était jamais autant trompée.

Elles avaient parcouru peut-être un peu plus d'un kilomètre en direction du parc, toujours à l'abri de l'ombre des
pins, lorsque Linda, qui portait les vêtements mouillés de
sa sœur, laissa soudain tomber le paquet avec un petit cri et,
comme pétrifiée, regarda fixement les champs. Suivant son
regard, Nance comprit immédiatement de quoi il était question : la silhouette d'un homme se hâtait vers l'endroit qu'elles
venaient de quitter.

Il était évidemment l'heure fixée, et Brand se rendait au
rendez-vous. Nance saisit la main de sa sœur et la fit reculer

dans l'ombre. Les pupilles de Linda s'étaient dilatées et brillaient. Elle lutta pour se dégager :

— Qu'est-ce que tu fais, Nance ? cria-t-elle. Lâche-moi ! Ne vois-tu pas qu'il me veut ?

L'aînée resserra sa poigne.

— Ma chérie, ma chérie, supplia-t-elle, c'est de la folie ! Linda, Linda, mon amour, écoute-moi. Je ne peux pas te laisser y aller. Tu n'as aucune idée de ce que ça signifie. Aucune idée de ce qu'est ce genre d'homme.

La jeune fille n'en lutta que plus violemment pour se dégager. Elle était comme possédée. Elle avait les yeux pailletés et les lèvres tremblantes. Une tache d'un rouge profond apparut sur ses joues.

— Linda, mon enfant ! Ma Linda ! cria Nance en s'emparant avec désespoir du poignet libre de sa sœur avant de s'appuyer, pantelante, contre le tronc d'un pin. Qu'est-ce qui t'arrive ? Je ne t'ai jamais vue comme ça. Non, non, je ne te laisserai pas y aller.

— Il me veut, répéta la jeune fille en faisant toujours des efforts frénétiques pour se libérer. Je te dis qu'il me veut ! Il me haïra si je n'y vais pas.

Ses bras fragiles paraissaient doués d'une force surnaturelle. D'une torsion, elle parvint à se libérer un poignet et tira de toutes ses forces sur la main qui retenait l'autre.

— Linda ! Linda ! gémit sa sœur, as-tu perdu la tête ?

La malheureuse enfant réussit enfin à se libérer et bondit vers la lisière. Aussitôt lancée à sa poursuite, Nance la saisit dans ses bras et, moitié la portant, moitié la tirant, la ramena sous le couvert. Mais, là encore, la lutte se poursuivit. La cadette ne cessait de dire en haletant : « Il m'aime, je te le dis ! Il m'aime ! », et chaque fois qu'elle répétait ce cri elle luttait sauvagement pour se défaire de l'étreinte de l'aînée. Le vent, qui avait soufflé par bourrasques tout l'après-midi, commença à redoubler de violence ; venant du nord, il fit gémir et craquer les branches des pins au-dessus de leurs têtes. Un lourd banc de nuages couvrit le soleil et l'air devint plus froid. Nance sentit ses forces faiblir. Le destin allait-il l'obliger à abandonner, après tout ce qu'elle avait enduré ?

Elle entoura de ses bras le corps de sa sœur, et les deux jeunes filles se mirent à tanguer au-dessus du tapis d'aiguilles sec et odorant. Leurs membres à demi nus étaient enlacés, leurs seins se soulevaient, et leurs cœurs, dans la lutte, battaient désespérément à l'unisson.

— Lâche-moi ! Je te hais ! Je te hais ! haletait Linda.

À cet instant, elles butèrent contre une racine couverte de mousse et roulèrent toutes les deux sur le sol.

Tant le choc que la tension de la lutte provoquèrent chez la cadette une sorte de crise d'hystérie. Elle se mit à hurler, et Nance, craignant que les cris ne parvinssent aux oreilles de Brand, lui colla la main sur la bouche. La précaution n'était pas nécessaire. La force du vent était devenue telle qu'au milieu du gémissement des branches et du froissement des feuilles aucun bruit ne franchissait les limites du bois.

— Je te hais ! Je te hais ! hurla Linda, qui mordit sauvagement la main qui lui couvrait la bouche.

Les nerfs de Nance avaient atteint le point de rupture.

— Dieu, ne veux-Tu pas m'aider ? s'écria-t-elle.

Soudain la violence de Linda tomba. Deux ou trois frissons spasmodiques lui parcoururent le corps, et ses lèvres devinrent blanches. Relâchant son étreinte, Nance se releva. La tête de Linda retomba sur le sol et ses yeux se fermèrent. Nance l'observa avec appréhension. S'était-elle rompu le cœur pendant le combat. Était-elle mourante ? Mais la jeune fille ne perdit même pas connaissance. Elle demeura quelques minutes parfaitement immobile, puis ouvrit les yeux et lança à sa sœur un regard empli de tragique reproche.

— Tu as gagné, murmura-t-elle dans un souffle. Tu es trop forte pour moi. Mais je ne te le pardonnerai jamais… jamais… jamais… jamais…

Elle ferma de nouveau les yeux et resta immobile. S'agenouillant près d'elle, Nance tenta de lui prendre la main, mais Linda la repoussa.

— Oui, tu as gagné, répéta-t-elle en fixant sur sa sœur des yeux pleins d'une haine impuissante. Et dois-je te dire pourquoi tu as fait ça ? Dois-je te dire pourquoi tu m'as empêchée d'aller à lui ?

Elle poursuivit, d'une voix basse et épuisée :

— Tu as fait ça parce que tu es jalouse de moi, parce que tu n'arrives pas à te faire aimer d'Adrian comme tu le voudrais, parce que Adrian s'est complètement entiché de Philippa ! Tu ne peux pas supporter l'idée que Brand m'aime comme il m'aime… tellement plus qu'Adrian ne t'aime, toi !

Nance la regarda, stupéfaite.

— Oh, Linda, ma petite Linda, murmura-t-elle, comment peux-tu dire ces choses terribles ? Je n'ai fait que penser à toi, tout le temps.

Refusant l'aide de sa sœur, Linda se mit péniblement debout.

— Je peux marcher, dit-elle (puis, avec une amertume qui parut empoisonner l'air autour d'elles), n'aie pas peur que je m'enfuie. Il ne voudrait plus de moi maintenant, tu m'as blessée et rendue laide.

Nance ramassa ses vêtements qui formaient un tas souillé de boue. L'odeur du fleuve qui en émanait encore lui donna la nausée.

— Viens, dit-elle, nous allons suivre le mur du parc.

Elles s'éloignèrent lentement sans prononcer un mot, et jamais heure ne s'écoula plus misérablement dans la vie de chacune. Lorsqu'elles arrivèrent en vue de Chênegarde, Linda était si blanche et si épuisée que Nance fut sur le point d'oser aller demander de l'aide à Mme Renshaw, mais l'idée de tomber sur Philippa dépassait ce qu'elle était capable d'endurer, et elles continuèrent à se traîner en direction du village.

Émergeant des grilles du parc et débouchant sur le pré communal, Nance prit conscience qu'il était hors de question de demander à Linda d'aller plus loin et, après une seconde d'hésitation, elle lui fit traverser l'herbe et longer les sycomores jusqu'au cottage de Baltazar.

La porte fut ouverte par M. Stork en personne. Il recula d'un pas à la vue de ces deux silhouettes pâles et frissonnant au vent. Il les fit entrer dans le salon et se mit aussitôt à allumer le feu. Il les enveloppa de couvertures chaudes et prépara du thé, tout cela sans leur poser la moindre question, traitant l'affaire comme si c'était une chose parfaitement normale. La chaleur du feu et le goût agréable du thé de l'épicurien procurèrent à Nance un peu de réconfort. Elle expliqua qu'elles s'étaient aventurées trop loin et qu'elle avait tenté de traverser le fleuve pour venir en aide à sa sœur. Linda resta presque muette, les yeux désespérément fixés sur le portrait du secrétaire de l'ambassadeur. Le jeune Vénitien semblait lui répondre, et Baltazar, toujours avide de sympathies occultes, observa cette rencontre spirituelle avec un amusement sournois. Il avait enveloppé la plus jeune des filles dans un châle oriental particulièrement brillant, et le contraste entre les riches couleurs de l'étoffe et la fragile beauté du visage qui en émergeait le frappait de très agréable manière.

Il devina avec perspicacité qu'il y avait au fond de tout cela quelque ennui venant de Brand, et le soupçon que Nance s'était mêlé de l'histoire d'amour de sa sœur ne diminua pas le préjugé qu'il avait déjà commencé à nourrir contre elle. Stork avait une nature immunisée contre le charme féminin, et le naturel, fait de petites plaisanteries et de badinage enjoué, avec lequel la pauvre fille essayait de faire oublier combien la situation était embarrassante ne fit que l'irriter davantage.

« Pourquoi sont-elles toujours à faire du charme, à se vouloir jolies et pleines d'esprit ? pensa-t-il. Sauf quand on veut leur faire l'amour, elles devraient rester tranquilles. » Et avec un malin plaisir d'ennuyer Nance il se mit à faire grand cas de Linda, la persuadant de s'étendre sur le sofa et de s'envelopper les pieds d'un cachemire exquis.

Pour vérifier l'exactitude de son hypothèse quant à la cause qui les avait mises dans une aussi fâcheuse posture, il lança à brûle-pourpoint le nom de Brand.

— Notre ami Adrian, remarqua-t-il, refuse de reconnaître que M. Renshaw est un bel homme. Qu'en pensez-vous, Mesdemoiselles ?

L'expédient fut instantanément couronné de succès. Linda devint pourpre et Nance fit un geste comme pour l'arrêter. « Ah ! ah ! se dit-il en riant intérieurement, voilà donc de quel côté vient le vent. On interdit à la petite sœur de gambader, ce qui n'empêche pas qu'on se permette de flirter avec tout le village. »

Il continua de s'occuper avec mille attentions de Linda. Sous prétexte de lui dire la bonne aventure, il tira sa chaise près d'elle et se lança dans une longue litanie de lignes de cœur et de lignes de vie, d'hommes bruns et d'hommes blonds. Nance se contenta de se rapprocher du feu et de se réchauffer les mains aux flammes. « Je vais lui demander d'aller nous chercher un cabriolet à l'auberge, pensa-t-elle. Pourvu qu'Adrian revienne. Je me demande s'il sera rentré avant notre départ. »

En partie parce qu'il avait lui-même arrangé le châle, et en partie parce qu'il y avait sur le visage de la petite la touche d'un quelque chose qui lui rappelait certains portraits du Pinturrichio,

Baltazar commença de se sentir plus tendrement disposé envers Linda qu'il ne l'avait été depuis des années envers aucune créature féminine. Cela le divertit immensément, et il lâcha la bride à cette émotion ténue. Mais il était irrité de ne pas parvenir à vexer la sœur de sa petite protégée.

— Je pense, dit-il en reposant les doigts blancs de Linda sur la couverture écarlate, je pense, Miss Herrick, que vous commencez à sentir les effets de notre petite société. Oui, poursuivit-il en s'adressant à Linda, c'est mon Vénitien, Flambard... N'est-il pas délicieux ?... N'aimeriez-vous pas l'avoir comme amant ?... Oui, Rodmoor est un endroit plutôt curieux. On s'y désintègre, vous savez, on y perd son identité et on y oublie les règles. Évidemment, c'est un lieu qui *me* convient admirablement, car je n'ai jamais pris les règles en considération, mais vous — enfin, je le crois — vous devez le trouver inquiétant ? Fingal prétend qu'il y a une cause physiologique précise qui explique le comportement des gens ici. Car vous savez, Miss Herrick, nous nous comportons tous très mal. Il dit que c'est l'effet de la mer du Nord. Il dit que toutes les vieilles familles qui vivent près de la mer du Nord deviennent bizarres avec le temps... je veux dire s'adonnent à la boisson ou quelque chose de ce genre. C'est une idée intéressante, n'est-ce pas ? Mais je suppose que ce genre de chose ne vous attire pas ? Vous envisagez la vie — comment dit-on ? — comme une chose plus sérieuse.

Nance se tourna vers lui d'un air las. « Si Adrian n'est pas là dans une minute ou deux, pensa-t-elle, je lui demanderai d'aller nous chercher un fiacre ou j'irai chez le docteur Raughty. »

— C'est une chose très curieuse, poursuivit Baltazar, qui alluma une cigarette et se mit à arpenter la pièce, mais je sais tout de suite si les gens sont sérieux ou non. Il doit y avoir quelque chose sur leur visage. Linda, par exemple (il caressa du regard la silhouette sur le sofa), n'est à l'évidence jamais sérieuse.

Elle est comme moi. Je l'ai lu dans sa main. Elle est destinée à traverser la vie comme je la traverse, jouant à la surface comme une libellule au-dessus d'une mare.

La jeune fille répondit à son regard avec un doux sourire déconcerté, et il s'assit de nouveau près d'elle pour continuer à lui prédire l'avenir. Il avait, tandis qu'il lui tenait la main, des doigts presque aussi fins que ceux de Linda, et un profil qui, dans la subtile délicatesse de ses contours, rappela à Nance celui de Philippa. Elle sentit dans chaque geste qu'il faisait une inhumanité raffinée, et chaque mot qu'il prononçait la remplissait de dégoût. Les contours de son visage avaient un modelé exquis, et sa petite tête ronde couverte de belles boucles serrées était portée par un cou aussi doux et aussi blanc que celui d'une femme. Mais, aux yeux de l'aînée des deux jeunes filles, son regard glauque, couleur de plante marine, était extraordinairement sinistre. Elle ne put s'empêcher de comparer mentalement l'attitude de Baltazar penché sur Linda à celle de l'honnête docteur Raughty qui s'était laissé aller avec elle en plusieurs occasions à un marivaudage amoureux. La différence était difficile à saisir, mais, en observant Baltazar, elle parvint à la conclusion qu'il y avait, dans les avances amoureuses du docteur, un fond d'affection vraie qui les rendait inoffensives comparées à celles de l'autre.

Linda, cependant, était évidemment aussi ravie que flattée. Elle était étendue, la tête rejetée en arrière, un langoureux sourire de contentement aux lèvres. Elle ne fit même pas la moindre tentative pour retirer sa main lorsque les prédictions furent terminées. Nance décida qu'elle resterait encore cinq minutes, à l'heure marquée par l'élégante pendule française de leur hôte, et que si Adrian n'était pas rentré d'ici là elle demanderait à M. Stork de leur procurer un attelage. Elle sentit qu'il y avait quelque chose de morbide et de subtilement dénaturé

dans la façon dont Baltazar traitait Linda, mais elle fut incapable de mettre le doigt sur ce que c'était. Un instinct profond
l'avertissait, un instinct qu'elle ne pouvait pas analyser, que rien
de ce que Brand Renshaw pourrait faire — même s'il était
le séducteur sans scrupule qu'elle le soupçonnait d'être — ne
serait aussi dangereux pour la paix de l'esprit de sa sœur que
ce qu'elle était en train de subir.

Avec Brand, il y avait simplement une forte attraction magnétique, formidable et irrésistible, c'était tout ; mais elle tremblait
à l'idée des éléments morbides et tordus que les avances de
Baltazar pouvaient faire naître.

— Regardez, était-il en train de dire, Flambard nous observe !
Je crois qu'il est jaloux de moi à cause de vous, ou de vous à
cause de moi. Je crois qu'il n'a jamais vu aucun rival d'aussi
près ! Je pense que vous devez avoir en vous quelque chose qu'il
comprend. Peut-être êtes-vous une réincarnation de l'un de ses
Vénitiens ! Ne pensez-vous pas, Miss Herrick, ajouta-t-il en se
tournant avec urbanité vers Nance, qu'elle a quelque chose qui
évoque Venise… étendue comme elle est… avec ce sourire ?

Le langoureux coup d'œil de secret triomphe que Linda lui
jeta était plus que Nance n'en pouvait supporter.

— Vous serait-il possible d'aller nous chercher un fiacre ou
quelque chose de ce genre à la Tête de l'Amiral ? demanda-t-
elle brusquement en se levant de son siège.

Baltazar acquiesça aussitôt, et quitta la pièce avec une politesse courtoise et même empressée. Dès qu'il fut parti, Nance
s'approcha de Linda.

— Petite fille, dit-elle, les lèvres tremblantes, je ne t'ai pas
reconnue aujourd'hui. Tu n'étais pas ma Linda du tout.

Le visage de la cadette se contracta spasmodiquement et son
expression se durcit. Elle fixa son regard sur l'ambigu Flambard
et ne fit aucune réponse.

— Linda chérie… Je n'ai fait que penser à toi, plaida Nance en avançant la main.

Un éclair de haine manifeste illumina les yeux de la cadette. S'emparant soudain de la main offerte, elle l'examina d'un air vindicatif.

— Je vois l'endroit où je t'ai mordue. Je suis heureuse de l'avoir fait ! s'écria-t-elle avant de poser de nouveau les yeux sur Flambard.

Nance retourna s'asseoir près de la cheminée. Mais quelque chose sembla pousser Linda à la frapper de nouveau.

— Tu croyais avoir tout le monde pour toi à Rodmoor, n'est-ce pas ? dit-elle. Adrian et le docteur Raughty, et M. Traherne, et tout le monde. Tu n'as jamais pensé que quelqu'un pourrait m'aimer !

Nance la regarda avec une stupéfaction non feinte. L'influence de Baltazar se faisait certainement sentir.

— Tu m'as emmenée ici, poursuivit Linda. Je ne voulais pas venir, *et tu le savais.* À présent… comme *il* le dit, nous n'avons qu'à en tirer le meilleur parti.

La phrase « et tu le savais » traversa le cœur de Nance comme une dague empoisonnée. Oui, elle le savait ! Elle avait essayé d'éloigner la chose… de se déculpabiliser en se disant qu'elle l'avait fait pour ne pas blesser Rachel. Mais elle le savait. Et à présent le châtiment commençait. Baissant la tête, elle se couvrit le visage des mains.

— Tu es venue, poursuivit la voix de la cadette, parce que tu haïssais l'idée d'être séparée d'Adrian. Mais Adrian ne veut plus de toi. Il veut Philippa. Sais-tu, Nance, je crois qu'il épouserait Philippa si c'était possible… si Brand le lui permettait !

Les mains qui voilaient le visage de Nance tremblaient. Elle aurait voulu être loin pour que les sanglots puissent soulager son cœur. Elle pensait qu'elle avait touché le fond. Jamais elle ne s'était attendue à cela. Linda, comme puisant de l'inspiration dans la souffrance qu'elle infligeait, continuait de regarder Flambard dans les yeux.

— Brand m'a dit que Philippa rencontre Adrian toutes les nuits dans le parc. Il m'a raconté qu'il les a épiés une fois et qu'il les a trouvés en train de s'embrasser. Ils étaient appuyés contre le tronc d'un chêne, Adrian lui rejetait la tête en arrière contre le tronc et l'embrassait comme ça. Il m'a exactement montré comment. Et il m'a fait rire comme ce n'est pas possible après en me disant quelque chose d'autre. Mais je ne crois pas que je te le raconterai... à moins que tu ne veuilles tout savoir... Es-tu prête à ouvrir les oreilles ?

À cet instant, Nance leva la tête. Elle avait dans les yeux un regard auquel seule l'impitoyable cruauté d'une femme frustrée dans sa passion pouvait rester insensible.

— Es-tu en train d'essayer de me tuer, Linda ? murmura-t-elle.

Sa sœur lui jeta un coup d'œil rapide, puis regarda de nouveau Flambard en silence tandis que la pendule française égrenait les secondes avec une facétieuse malignité.

Le vent qui soufflait de plus en plus fort balança de grosses gouttes de pluie contre la fenêtre, et le bruit des vagues qu'il apportait devint plus fort et plus clair, comme si la mer s'était avancée de plusieurs lieues dans les terres depuis qu'elles étaient entrées dans la maison.

XII

HAMISH TRAHERNE

Nance ne dit rien à Rachel Doorm le soir où elles rentrèrent, ramenées par le patron de la Tête de l'Amiral. Ce que Rachel craignit, ou ce qu'elle imagina lorsque les deux sœurs à moitié nues entrèrent dans la maison avec un paquet de vêtements trempés, il est impossible de le deviner. Elle s'activa à leur allumer un feu dans la chambre, et leur monta elle-même le souper pendant qu'elles se déshabillaient. Ce fut une misérable soirée pour les deux sœurs, et rares furent les mots échangés au cours du repas. Une fois au lit, les lumières éteintes, ce fut Nance qui, en dépit de tout, trouva le sommeil la première. Les « affres de l'amour déçu » n'ont pas le même poison corrosif que le dard de la passion enfiellé de rancœur.

Nance se leva tôt et prit son petit-déjeuner seule. Elle éprouva l'irrésistible besoin d'aller voir M. Traherne. Elle arriva à la maison du prêtre presque aussi tôt que la dernière fois, mais comme le temps était couvert et venteux il la reçut à l'intérieur. Elle le trouva en train de lire *Don Quichotte*, et sans lui laisser le temps de parler il lui lut le passage de la mort du fier et magnanime hidalgo.

— Il n'y a aucun livre, dit-il lorsqu'il eut terminé, qui me fasse autant de bien que celui-là. Cervantès est la plus noble des âmes et la plus courageuse. Il est le seul auteur qui ne renonce ni à son humilité devant Dieu ni à son orgueil devant l'univers. C'est l'auteur qui me convient ! C'est l'auteur qu'il nous faut, à nous pauvres prêtres !

M. Traherne alluma une cigarette et à travers la fumée regarda Nance avec un grotesque froncement de sourcils d'une infinie bonté.

— Du courage, petite fille ! L'âme du grand Cervantès n'est pas morte au monde. Dieu ne nous a pas abandonnés. Rien ne peut nous blesser tant que nous sommes avec le Christ et que nous défions le démon !

Nance lui sourit. La conviction avec laquelle il parlait était pour elle comme une eau rafraîchissante dans un désert aride.

— M. Traherne…, commença-t-elle, mais il l'interrompit d'un geste du bras.

— Je m'appelle Hamish, dit-il.

— Hamish, donc, poursuivit-elle en souriant à cette espèce de goule qu'elle avait devant elle enveloppée d'un halo de fumée de cigarette qui montait comme de l'encens autour de la tête d'une idole, j'ai plus de choses à vous raconter que je ne puis en dire. Aussi vous devez m'écouter et être très gentil avec moi !

Il s'installa dans son profond fauteuil en crins de cheval, une jambe croisée par-dessus l'autre, la vieille soutane déplorablement tachée recouvrant les deux. Et elle épancha son chagrin, sans omettre aucun détail de l'histoire… sauf une ou deux phrases cruelles de Linda. Lorsqu'elle eut terminé son récit, elle guetta sa réaction avec anxiété. Une peur terrible lui faisait battre le cœur : celle de s'entendre dire qu'elle devait emmener Linda à Londres.

Il parut lire ce qu'elle pensait dans les yeux de la jeune fille.

— Une chose, commença-t-il, est parfaitement claire. Vous devez toutes les deux quitter la Maison sur la digue. N'aie pas l'air si effrayé, mon enfant. Je ne dis pas que tu doives quitter Rodmoor. Tu ne peux pas kidnapper ta sœur de force, et dans l'état d'esprit où elle est rien à part la force ne pourrait l'inciter à partir avec toi. Mais il me semble… il me semble, ajouta-t-il, que nous pourrions la persuader de quitter Miss Doorm.

Il étendit les jambes, plissa le front et fit la moue en avançant ses lèvres épaisses.

— Prends une fraise, dit-il soudain en attrapant une assiette posée au milieu d'une litière de papiers et de livres et en la lui présentant. Oh, il y a des cendres dessus ! Je suis désolé ! Mais les fruits sont mûrs. Voilà ! Garde l'assiette près de toi… par terre… n'importe où… et sers-toi !

Il se renfonça de nouveau dans le fauteuil et fronça pensivement les sourcils. Nance, avec un sourire d'infini soulagement — n'avait-il pas dit que quitter Rodmoor était impossible ? —, garda l'assiette sur ses genoux et se mit à grappiller les fruits. Elle avait très envie de souffler les cendres, mais la crainte de le heurter dans ses sentiments la retint. Du bout des doigts, elle brossait subrepticement chaque fraise avant de porter le fruit à ses lèvres.

— Tu n'as pas froid ? dit-il soudain. Car je *pourrais* allumer un feu.

Nance regarda l'âtre minuscule bourré de feuilles de fougère et se demanda comment il s'y prendrait.

— Oh, non ! dit-elle en souriant de nouveau. J'ai délicieusement chaud.

— Alors, si tu n'y vois pas d'inconvénient, ajouta-t-il avec une grimace des plus alarmantes, rabats ta jupe car j'aperçois tes chevilles.

Nance releva les pieds et replia rapidement les jambes sous elle.

— Ça va, maintenant ? demanda-t-elle en piquant un léger fard.

— Désolé, ma chère, dit Hamish Traherne, mais tu ne dois pas oublier que je suis un moine solitaire et que des chevilles aussi jolies que les tiennes me perturbent l'esprit.

Il la regarda avec une indignation si humoristiquement teintée de bienveillance que Nance fut incapable de lui en vouloir. Il y avait quelque chose de si enfantin dans sa candeur qu'il aurait été inhumain d'en prendre offense.

— Je crois que je penserais de façon plus claire si j'avais Ricoletto, s'écria-t-il quelques instants plus tard en s'arrachant d'un bond à son fauteuil et en quittant la pièce.

Nance profita de l'occasion pour souffler dans le foyer toutes les cendres de cigarette du plat de fraises. Elle eut juste le temps de terminer cette opération et de se réinstaller sur sa chaise, les jambes chastement repliées : M. Traherne entrait de nouveau dans la pièce, tenant dans les mains un gros rat blanc.

— Il est beau, n'est-ce pas ? remarqua-t-il en présentant l'animal à la jeune fille pour qu'elle le caresse. Je l'adore. C'est lui qui m'inspire tous mes sermons. Il prend pitié de la race humaine… n'est-ce pas, Ricoletto ? Il ne hait rien qui soit vivant, à part les chats. Il a un tempérament séraphique et ne souhaite pas se marier. Les chevilles ne sont rien pour lui — hein, Ricoletto ? —, mais il aime les pommes de terre.

Tout en parlant, le prêtre balaya un tas de papiers, ce qui fit apparaître une épluchure à demi grignotée de l'un de ces végétaux.

— Allez, mon amour ! dit-il en se rasseyant dans le fauteuil, l'épluchure et le rat posés sur l'épaule, trouve ton bonheur et donne-moi la sagesse de vaincre les ruses de tous les démons. Les démons sont des chats, Ricoletto chéri, de gros chats pelucheux ronronneurs avec des yeux aussi grands que des saucières.

Tout en continuant de grignoter les fraises, Nance pensa qu'il était étrange d'éprouver un tel sentiment de paix alors que toutes les inquiétudes possibles et imaginables lui torturaient le cœur.

— C'est un rat papiste, remarqua M. Traherne. Il aime l'encens.

Une fois de plus, il se replongea dans ses pensées ; le seul bruit audible provenait des mouvements de Ricoletto.

— Ce qu'il te faut, mon enfant, commença-t-il enfin tandis que la jeune fille posait le plat sur la table et se suspendait à ses mots, c'est un logement pour toi et Linda au village. Je connais une excellente femme qui t'accueillera… c'est tout près de Miss Pontifex, et pas loin de notre cher Raughty. En fait, c'est la femme de ménage de Fingal. Ce qui plaide en sa faveur ! Fingal a le génie de s'entourer de gens serviables. Tu aimes Fingal, hein, Nance ? Je sais que oui et je sais aussi (et le prêtre fit la plus abominable des grimaces), je sais qu'il *t'adore*. Inutile de te dire, ma chère, qu'avec Fingal tu es parfaitement en sécurité. Il te taquinera peut-être. C'est un incurable païen, mais il a un cœur d'or.

Nance approuva complètement les paroles du prêtre. Cependant, elle sourit intérieurement à l'idée de ce qu'il adviendrait de la « sécurité » dont il parlait si le hasard n'avait voulu que son cœur fût entièrement pris. Elle ne put s'empêcher de penser que tous ces hommes admirables étaient aussi pathétiques que des enfants, à la fois dans leurs faiblesses et dans la lutte contre leurs faiblesses. Le sentiment de paix et de sécurité qu'elle éprouvait s'accentua, et avec lui — c'était humain — une délicate sensation de puissance féminine.

— Oui, poursuivit M. Traherne. Vous devez vous loger toutes les deux au village. Dix-huit shillings par semaine, c'est bien ce que t'a promis cette dame Pontifex, n'est-ce pas ? Ce n'est pas beaucoup pour deux, mais ça vous permettra de ne pas mourir de faim. Attends, j'ai une idée, attends ! Je ne vois pas pourquoi Linda ne nous jouerait pas de l'orgue le dimanche. Je dois toujours aller mendier le secours de quelqu'un. Je suis souvent moi-même l'organiste en même temps que le prêtre. Oui, laissons-la essayer… laissons-la essayer ! Ça m'aidera à garder un œil sur elle, et ça lui fera une distraction. Oui, laissons-la essayer. Je lui donnerai un petit quelque chose… non pas ce qu'elle devrait recevoir, mais un petit quelque chose qui lui fera sentir qu'elle t'aide en participant à l'entretien de la maison.

Il battit des mains si violemment que Ricoletto se réfugia dans son cou, s'accrochant des griffes au col de sa soutane.

— Oui, c'est ce que nous allons faire, ma chère. Nous allons faire de ta sœur une organiste appointée. La musique est le sortilège le plus efficace du monde pour éloigner les démons… hein, Ricoletto ? Plus efficace encore que les rats blancs.

Nance le regarda avec une immense gratitude, et totalement oublieuse de ses instructions ramena ses jambes dans leur position initiale. M. Traherne se leva, et lui tournant le dos se mit à tambouriner du bout des doigts sur le manteau de cheminée, tandis que Ricoletto luttait désespérément pour ne pas perdre l'équilibre.

L'esprit soudain traversé par une étrange pensée, Nance demanda au prêtre pourquoi il y avait tant d'hommes non mariés à Rodmoor. La question le fit virevolter et il lui lança un regard de gobelin tout en se frottant la joue contre le museau du rat.

— Tu vas loin, Nance, tu vas loin avec tes questions. En fait, je me suis parfois moi-même demandé pourquoi. Tu as tout à fait raison, tu sais, parfaitement raison. Cela s'applique aussi bien aux gens du peuple qu'aux gens de bien. Il faut voir ce qu'en dirait Fingal Raughty. Je suis sûr que mon explication le ferait rire.

— Quelle est votre explication ? s'enquit la jeune fille.

— Elle est très simple, répondit le prêtre. C'est l'influence de la mer. Tu comprendras mieux ce que je veux dire en regardant les plantes qui poussent ici. Mais tu n'as pas encore vu la plante la plus caractéristique de Rodmoor. Elle va bientôt être en fleur, je te la montrerai. C'est le pavot cornu ! Quand tu la verras, Nance — et c'est la fleur du diable, je peux te l'assurer —, tu comprendras qu'il y a en ce lieu quelque chose qui tend à une perverse anormalité. Je ne dis ni que le démon n'est pas à l'œuvre partout, ni que tous les gens mariés sont exempts de ses attaques. Mais le fait est que l'air de Rodmoor a quelque chose... quelque chose qui rend difficile à ceux qui sont sous son influence de demeurer simples et normaux. Nous serions nous-mêmes sûrement devenus fous — n'est-ce pas, vieux rat ? n'est-ce pas, ma beauté blanche ? — si nous n'avions pas une église où prier et un *Don Quichotte* à lire. Je ne veux pas t'effrayer, Nance, et je prie ardemment pour que ton Adrian expulse, comme le roi Saül, le démon qui le tourmente. Mais Rodmoor n'est pas l'endroit où aller à moins d'avoir les nerfs particulièrement solides, et une provision sans fond de bonté naturelle... comme notre ami Fingal Raughty. Il est absurde de ne pas reconnaître que les êtres humains, comme les animaux ou les plantes, sont sujets à toutes sortes d'influences physiques. La nature peut se montrer terriblement maligne dans les tours qu'elle nous joue. Elle peut favoriser nos tendances à la morbidité tout comme elle fait pousser le pavot cornu. La seule chose à faire est de nous en remettre à un pouvoir complètement étranger à la Nature, un pouvoir qui vient de l'extérieur, Nance... de l'extérieur !... et qui change tout.

L'esprit de Nance était à moitié occupé par le discours de M. Traherne, à moitié par Linda, aussi intervint-elle dès qu'il eut terminé.

— Ne pouvez-vous rien faire, absolument rien, pour empêcher M. Renshaw de voir ma sœur ?

Le prêtre poussa un profond soupir et grimaça, ce qui fit apparaître un réseau de rides grotesques.

RODMOOR

— Je lui parlerai, dit-il. C'est ce que je crains plus que n'importe quoi au monde car, pour te dire la vérité, je suis le poltron parfait dans ce genre de démarche. Mais je lui parlerai. Je savais que tu allais me demander de le faire, je l'ai su dès que tu es entrée. Dès que je t'ai vue, je me suis dit : "Hamish, mon ami, il va de nouveau te falloir affronter cet homme", mais je le ferai, Nance. Je le ferai. Peut-être pas aujourd'hui. Si, je le ferai aujourd'hui. Il sera à Chênegarde ce soir. J'irai après dîner. Je mangerai, grâce à toi, un bon petit dîner, Nance, mais j'irai. Je le verrai, je le verrai !

Nance lui prouva sa gratitude en lui tendant la main et en le regardant tendrement dans les yeux. Ce fut M. Traherne qui le premier brisa le sortilège et lui relâcha les doigts.

— Tu es une bonne petite fille, ma chère, marmonna-t-il, une bonne petite fille.

Et il la reconduisit gentiment à la porte.

XIII

DÉPART

Après avoir parlé avec M. Traherne, Nance se rendit directement au village pour visiter le logement disponible. Elle le trouva parfaitement adapté à ses souhaits, et reçut un accueil cordial quoiqu'un peu surpris de la part de la maîtresse de maison. Il fut décidé que les deux sœurs emménageraient le soir même et que leurs affaires les plus encombrantes — qui, après tout, n'étaient pas très nombreuses — les suivraient le lendemain, quand le transporteur local aurait un moment. Il lui restait à s'assurer de l'accord de sa sœur pour ce soudain changement et à annoncer leur départ à Rachel Doorm. La première de ces deux entreprises s'avéra plus facile que Nance n'avait osé l'espérer.

Au cours de cette matinée, Miss Doorm ne laissa pas une seconde Linda en paix. Elle la persécuta par des questions concernant les événements de la veille, et fit preuve d'une curiosité si maligne pour savoir où en était l'histoire d'amour de la malheureuse enfant avec Brand qu'elle la réduisit à un état voisin de la prostration hystérique. Sous prétexte de changer de robe, Linda finit par se réfugier dans sa chambre, mais même là elle ne fut pas tranquille. Étendue sur le lit, les cheveux défaits, les yeux grands ouverts fixés avec inquiétude sur le plafond, elle entendit Rachel en bas errer de pièce en pièce, tel un spectre furieux d'avoir manqué sa proie. Elle se boucha les oreilles. Ce faisant, son regard se posa sur la fenêtre où elle aperçut de lourdes nuées sombres courant dans le ciel, poursuivies par un vent impitoyable. De l'endroit où elle était étendue, elle observa ces nuages, et son esprit troublé accrut l'étrangeté de leurs formes menaçantes soufflées par la tempête. Incapable de supporter plus longtemps leur vue, elle bondit sur ses pieds, et de son long bras nu baissa le store. Quiconque l'aurait vue de l'extérieur faire ce geste aurait pensé à une créature traquée essayant d'échapper au monde en se calfeutrant. Se jetant de nouveau sur son lit, elle se réenfonça les doigts dans les oreilles. En traversant la chambre, elle avait entendu le pas lourd de son ennemie dans l'escalier. Consciente de la vibration de ces pas, même pendant qu'elle en oblitérait le son, la jeune fille s'assit et regarda fixement la porte. Elle la vit bouger au moment où la femme, essayant de tourner la poignée, la trouva fermée de l'intérieur.

Rien n'est plus difficile que de se forcer à ne rien entendre lorsque l'attention est aiguisée à l'extrême. Linda laissa bientôt retomber ses mains, et son âme entière se mit à écouter. Elle entendit Miss Doorm s'éloigner et marcher lourdement jusqu'au bout du couloir. Puis il y eut une longue pause d'un mortel silence, et puis… *floc… floc… floc…* elle était de nouveau là.

« Je n'ouvrirai pas la porte ! Je ne l'ouvrirai pas ! Je ne l'ouvrirai pas ! Je ne l'ouvrirai pas ! », murmura la jeune fille, et comme pour s'assurer que son corps obéissait à sa volonté elle se raidit et agrippa les barreaux de fer du lit au-dessus de sa tête. Elle demeura quelques minutes dans cette position, les lèvres entrouvertes, les yeux sur le qui-vive, les seins palpitant sous le corsage.

La porte fut de nouveau secouée et elle entendit prononcer son nom d'une voix basse et nettement timbrée :

— Linda ! Linda ! répéta la voix. Linda ! Il faut que je te parle.

Incapable de supporter plus longtemps la tension et trouvant la pénombre de la chambre plus éprouvante que la vue du ciel, la jeune fille courut à la fenêtre et releva le store aussi vite qu'elle l'avait tiré. Le visage pressé contre la vitre, elle regarda au-dehors d'un œil fixe. Plus sombres et plus menaçants que jamais, les nuages se suivaient dans les cieux comme un immense troupeau de bêtes monstrueuses mené par d'invisibles bergers. La Drôle tourbillonnait à gros bouillons entre les berges, les eaux avaient une couleur brun pâle, et des paquets d'algues dérivaient, flottant çà et là à la surface. Le vaste horizon des marais, s'étendant jusqu'à Mundham, paraissait presque noir sous le ciel, et les grands pins de Chênegarde baissaient la tête comme à l'approche de quelque menace inconnue.

La porte continuait d'être secouée et la voix de Rachel Doorm ne cessait pas d'appeler. Linda revint vers le lit et s'assit, le menton dans les mains. Il y a dans la pénombre d'une maison qui s'assombrit le jour, sous le poids d'une tempête imminente, quelque chose de plus menaçant et de plus maléfique que tout ce qui peut arriver la nuit. Le « démon qui sort à midi » se rapproche de nous à ces moments-là.

— Linda ! Linda ! Laisse-moi entrer ! Je veux te parler, plaida la femme.

La jeune fille se leva, se précipita à la porte et la déverrouilla rapidement. Puis elle se jeta d'un bond sur le lit, s'y enfouit le visage et demeura immobile. Rachel Doorm entra, s'assit à côté de Linda et lui posa la main sur l'épaule.

— Pourquoi n'as-tu pas mis ta robe ? murmura-t-elle. Tu dois avoir les bras aussi froids que de la glace. Oui, ils sont glacés ! Laisse-moi t'aider à t'habiller comme je le faisais autrefois.

Linda bougea pour ne plus sentir la main qui la touchait et d'un brusque mouvement du corps se tourna convulsivement vers le mur.

— Il est dommage que tu n'aies réfléchi à rien avant de commencer ce jeu avec M. Renshaw, poursuivit Miss Doorm.

Ça commence à te faire mal, n'est-ce pas ? Alors pourquoi ne t'arrêtes-tu pas ? Dis-le-moi, Linda Herrick. Pourquoi n'y mets-tu pas un point final en refusant de le voir ? Quoi ? Tu ne me réponds pas. Alors je vais répondre à ta place. Tu ne t'arrêtes pas maintenant, tu ne fais pas marche arrière, parce que tu ne peux pas ! Il s'est emparé de toi. Tu le sens même à présent — n'est-ce pas ? — qui te déchire le cœur. Oui, tu es prise, mon petit oiseau, tu es prise. Fini, le temps de pointer ton petit menton et de rejeter la tête en arrière ! De te moquer de celui-ci ou de celui-là avec tes manières aguichantes, sans t'en soucier plus que s'ils étaient du vent. C'est toi... toi qui dois venir quand on te siffle, et qui dois venir vite, où que tu puisses avoir couru ! Comment sais-tu qu'il n'a pas envie de te voir ? Qu'il n'est pas en train de t'attendre là-bas, à la lisière des pins ? Fais attention, ma fille ! M. Renshaw n'est pas un homme avec lequel tu peux jouer comme tu jouais avec les jeunes gens de Londres. Les pleurs et les gémissements seront pour toi cette fois-ci. Le jour est proche où tu seras à genoux devant lui, le suppliant et le suppliant pour ce que tu n'auras jamais ! As-tu vraiment cru qu'une mioche comme toi, simplement parce que tu as de beaux cheveux et la peau blanche, pourrait retenir un homme comme ça ?

« Après, ne dis pas que Rachel Doorm ne t'avait pas avertie. Je te le dis maintenant : "Renonce à lui, laisse-le partir, cache-toi loin de lui !" Je dis cela, mais je sais parfaitement que tu ne feras pas ce que je dis. Et tu ne le feras pas parce que tu ne peux pas le faire, parce qu'il a ton petit cœur et ton petit corps et ta petite âme dans la paume de sa main ! Je peux te dire ce que cela signifie. Je sais pourquoi tu presses tes mains contre ta poitrine et pourquoi tu te tournes vers le mur. Je l'ai fait en mon temps, me tournant et me retournant des nuits entières sans le moindre réconfort. Et tu te tourneras et te retourneras toi aussi, appelant, appelant dans l'obscurité sans avoir plus de réponse que je n'en ai eu. Pourquoi ne le quittes-tu pas maintenant, Linda, avant qu'il soit trop tard ? Te dirai-je pourquoi tu ne le fais pas ? Parce qu'il est déjà trop tard ! Parce qu'il t'a eue, parce qu'il s'est emparé de toi pour de bon… pour toujours et à jamais… de même que quelqu'un, peu importe qui, a eu Rachel il y a longtemps !

Sa voix fut interrompue par une soudaine gifle de pluie sur la vitre et le gémissement d'une terrifiante rafale de vent qui fit trembler toutes les fenêtres de la maison.

— Où est Nance ? cria la jeune fille en sursautant et en se levant d'un bond de son lit. Je veux Nance ! Je veux lui dire quelque chose !

À cet instant, il y eut des voix au rez-de-chaussée et le bruit d'un véhicule qu'on conduisait à l'arrière de la maison. Quittant la chambre, Miss Doorm descendit l'escalier en courant. Linda enfila la première robe qu'elle trouva, et devant le miroir remit rapidement de l'ordre dans ses cheveux. Elle avait à peine fini lorsque sa sœur entra. Nance se tenait sur le seuil, sans oser avancer, les yeux anxieusement fixés sur sa sœur. Ce fut Linda qui fit le premier mouvement.

— Emmène-moi loin d'ici, haleta-t-elle en se jetant dans les bras de Nance et en l'embrassant passionnément, emmène-moi loin d'ici !

Nance lui rendit ardemment son étreinte, mais ses pensées dansaient une ronde folle dans sa tête. Elle fut un instant tentée de révéler aussitôt ses nouveaux projets, sans donner d'autre réponse au cri de sa sœur. Mais un instinct plus noble l'emporta.

— Tout de suite, tout de suite, ma chérie, murmura-t-elle. Oui, oh oui, partons tout de suite ! J'ai un peu d'argent et M. Traherne me donnera le complément. Nous prendrons le train de trois heures et nous serons à Londres avant la nuit.

Oh, ma chérie, ma chérie, je suis si heureuse ! Nous allons commencer une nouvelle vie ensemble… une nouvelle vie !

À la mention du mot « Londres », les bras de Linda lâchèrent prise et tout son corps se raidit.

— Non, soupira-t-elle en repoussant sa sœur et en portant la main à son flanc, non, Nance chérie, c'est impossible. Cela me tuerait. Je m'échapperais et je reviendrais ici, même si je devais faire toute la route à pied. Je ne veux pas le voir. Je ne veux pas ! Je ne veux pas ! Je ne veux pas lui parler… je ne veux pas qu'il m'aime… mais je ne peux pas partir d'ici. Je ne peux pas retourner à Londres. Je tomberai malade et je mourrai. Non, non, Nance chérie, si tu m'emmènes de force à Londres, je me débrouillerai pour revenir le lendemain ou le jour suivant. Je sais que je le ferai… je le sens *ici*… comme elle l'a dit.

La main toujours pressée sur le flanc, elle fixa le visage de Nance avec des yeux implorants :

— Nous pouvons trouver un endroit où vivre, toi et moi, sans aller aussi loin, un endroit où nous ne *la* verrons plus… est-ce possible, Nance ?

Alors, avec une claire conscience, l'aînée, d'une voix douce et rapide, lui fit part des dispositions qu'elle avait prises et lui dit qu'elles étaient libres de quitter la Maison sur la digue dès qu'elles le voudraient.

— J'ai demandé au cocher de garder le cheval ici pour l'après-midi, dit-elle. Comme ça nous aurons le temps de rassembler les affaires que nous voulons emporter. On nous enverra nos malles demain.

Le soulagement de Linda, lorsqu'elle entendit ces nouvelles, fut pathétique à voir.

— Oh toi, ma chérie, ma chérie, s'écria-t-elle, j'aurais dû savoir que tu me sauverais ! J'aurais dû le savoir ! Oh, Nance si chère, j'ai été horrible de te dire toutes ces choses hier ! Je serai bonne à présent, je ferai tout ce que tu me diras. Du moment que je ne suis pas loin de *lui*... pas trop loin... je ne le verrai pas, je ne lui parlerai pas, je ne lui écrirai pas ! Que M. Traherne est gentil de me laisser jouer de l'orgue ! Et il me paiera aussi, tu as dit ? Comme ça je pourrai t'aider et je ne serai plus un fardeau pour toi. Oh, ma chérie, quel bonheur, quel bonheur !

Nance la quitta et descendit à la cuisine aider Miss Doorm à préparer le repas de midi. Les deux femmes, tout en s'activant à leur tâche, évitèrent la moindre référence au dénouement qui allait suivre, et Nance se demanda si l'homme de l'auberge, qui surveillait les préparatifs assis sur une chaise, tâchant de savoir si elles allaient lui offrir une bière et un morceau de viande, avait expliqué à Rachel pourquoi il n'était pas reparti. Quand le repas fut prêt, on appela Linda, et le palefrenier soiffard — sirotant en faisant la grimace à une table d'angle — eut le privilège d'entendre comment trois femmes, dont les pensées bouillonnaient d'antipathie mutuelle, pouvaient parler et rire et manger comme si tout dans le vaste monde était calme, sécurisant, inoffensif et inintéressant.

Le repas terminé, Nance et Linda se retirèrent dans leur chambre et s'activèrent à choisir dans leur modeste garderobe les vêtements qu'elles jugeaient indispensable de prendre avec elles. Elles rangèrent soigneusement le reste dans leurs deux malles de cuir — l'une portant les initiales *N. H.*, l'autre *L. H.*, et ayant encore toutes les deux, collées sur les côtés, des étiquettes ferroviaires où étaient inscrits les mots *Chant du Cygne* en souvenir de leur dernier voyage au bord de la mer en compagnie de leur père.

L'après-midi passa rapidement ; la tempête était toujours menaçante, la pluie soufflait en rafales irrégulières tandis que les nuages couraient dans le ciel. Vers six heures, il fit si sombre que Nance fut obligée d'allumer des bougies. Elles s'étaient souvent interrompues pour converser passionnément à voix basse et échanger leurs impressions sur la façon dont elles allaient organiser, pour la première fois de leur vie, un emploi du temps dont elles seraient entièrement maîtresses. Elles ne firent aucune allusion ni à Adrian ni à Renshaw. Les bougies, vacillant dans les courants d'air, promenaient d'intermittentes taches lumineuses sur les silhouettes des deux jeunes filles, penchées sur leur ouvrage, ou à genoux, chuchotant et riant. Ni l'une ni l'autre, depuis leur arrivée à Rodmoor, n'avaient jamais été aussi heureuses. Le soulagement de quitter la Maison sur la digue allégea l'atmosphère de façon si matérielle que, tout en parlant de leur logement dans la Grand-Rue et des vertus de Mme Raps, Nance commença à se dire qu'Adrian, après tout, allait bientôt se lasser de Philippa, et Linda commença à rêver qu'en dépit de toutes les apparences l'attitude de Brand envers elle était celle d'un homme d'honneur.

À six heures elles étaient prêtes, et Nance descendit annoncer leur départ à Rachel Doorm. Elle trouva le cocher endormi près du feu de la cuisinière, et après l'avoir éveillé pour lui demander d'atteler le cheval elle se mit en quête de l'amie de sa mère.

Elle trouva Rachel sur le chemin de halage, les yeux sinistrement fixés sur le fleuve. Elle était tête nue et le vent qui gémissait autour d'elle faisait voler une mèche de ses cheveux gris sur son front. Ses yeux profondément enfoncés dans les orbites paraissaient vidés de toute lumière. Au pas de Nance, elle se retourna et sa lourde jupe claqua au vent comme un étendard funèbre.

— Je vois, dit-elle en pointant le doigt vers la fenêtre éclairée de la chambre des deux sœurs où passait et repassait la silhouette de Linda, je vois que tu l'emmènes. Je suppose que c'est à cause de M. Renshaw. Puis-je te demander — si tu portes un intérêt quelconque à ce que je m'en soucie — ce que tu vas faire d'elle ?

Elle a été… elle et sa mère… la malédiction de *ma* vie et je crains qu'elle ne devienne la malédiction de la tienne.

Nance s'enveloppa étroitement dans le manteau qu'elle avait pris et regarda impassiblement le visage hagard de la femme.

— Oui, nous partons… toutes les deux, dit-elle. Nous allons au village.

— Pour vivre d'air et d'eau de mer ? s'enquit l'autre d'un ton amer.

— Non, répondit gentiment Nance. Pour vivre dans un logement et travailler pour vivre. J'ai trouvé une place à la boutique de Miss Pontifex, et M. Traherne va rétribuer Linda qui jouera de l'orgue. Ce sera mieux ainsi. Je ne peux pas la laisser ici après ce qui est arrivé hier.

Sa voix trembla, mais elle continua de regarder Miss Doorm dans les yeux.

— Tu es sortie exprès hier, Rachel, dit-elle d'un ton grave, afin qu'ils puissent se retrouver. Seul un scrupule ou la peur a empêché M. Renshaw de lui donner rendez-vous dans la maison. Combien il y a déjà eu de rendez-vous, je ne le sais pas et ne veux pas le savoir — je prie seulement Dieu que les choses ne soient pas allées trop loin. Si le mal était fait, la ruine de cette enfant retomberait sur *nos* têtes. Je ne te comprends pas, Rachel, je ne te comprends pas.

La bouche égarée de Miss Doorm s'ouvrit comme pour pousser un cri, mais elle prit une profonde inspiration et le réprima. Ses doigts décharnés se croisaient et se décroisaient, et le vent, soufflant sur sa jupe, faisait apparaître le haut de ses vieilles bottes de caoutchouc démodées.

— Ainsi, elle nous a séparées, siffla-t-elle. Je pensais qu'elle le ferait. Elle est née pour ça. Et peu importe que je t'aie soignée, que j'aie pris soin de toi et fait des projets pour toi depuis ta plus tendre enfance ? Rien ! Rien du tout ! Elle se met entre nous aujourd'hui comme l'a fait sa mère autrefois. Je savais que ça arriverait ! Je le savais ! Elle est exactement comme sa mère… douce et collante… douce et blanche… exactement comme elle.

Elle continua sur un ton bas, presque effrayé :

— Sais-tu que sa mère me visite toutes les nuits, qu'elle s'assoit et me regarde avec ses grands yeux comme elle le faisait jadis quand Linda avait été méchante avec moi ? Sais-tu qu'elle marche de long en large devant ma porte quand je l'ai chassée ? Sais-tu que, lorsque je vais me coucher, je la trouve qui m'attend, douce, blanche, et collante ?

Sa voix s'enfla jusqu'à une sorte de plainte que le vent transporta sur la route déserte et fit rebondir sur les champs.

— Et elle parle, aussi, Nance. Elle me dit des choses collantes, douces et implorantes qui m'affolent. Un jour — elle m'a dit *ça* la nuit dernière —, un jour elle va m'embrasser et ne me lâchera plus… m'embrasser pour l'éternité entière avec des lèvres terrifiées, douces et suppliantes, m'embrasser exactement comme elle l'a fait le jour où Linda a perdu mon collier. Tu te souviens de mon collier, Nance ? De vraies perles de jade, avec de drôles de raies rouges. Je les vois souvent autour de son cou. Elle les portera autour du cou quand elle m'embrassera… du jade, sais-tu, ma chère ? avec des raies rouges. Je ne verrai rien d'autre alors, rien d'autre dans la tombe où nous serons ensevelies !

Sa voix devint un murmure :

— C'était le capitaine qui les avait rapportées. Il avait rapporté ces perles des mers lointaines. Il les avait rapportées pour moi, tu m'entends… pour moi ! Mais elles sont toujours autour de son cou maintenant.

Nance écouta cette folle explosion de confidences avec un visage sévère. Elle avait toujours soupçonné qu'il y avait un désespoir morbide dans l'attachement de Rachel envers son père, mais jusqu'à cet instant elle n'avait jamais imaginé que les choses étaient allées jusque-là. Les yeux fixés sur le visage de la femme, elle poussa un soupir, et ce soupir emporta au vent qui soufflait le pacte qu'elle avait fait avec sa propre mère. Tout ce qui en elle était santé naturelle et sens de la mesure était en alerte : elle se raidit et s'endurcit le cœur en prévision de ce qu'elle avait à faire. « Entre un vœu à une morte et la sauvegarde d'une vivante, pensa-t-elle, il n'y a pour moi qu'un seul choix possible. »

— Ainsi, tu t'en vas, commença de nouveau Miss Doorm. Eh bien, ma chère, va-t'en, pars et laisse-moi ! Je ne troublerai pas la terre longtemps après que tu seras partie.

Elle tourna le visage vers le fleuve et resta immobile, les yeux fixés sur le courant. L'énorme poids de la tempête menaçante, qui semblait retenu comme par la main levée de quelque puissant dieu de la terre, avait complètement détruit la lumière naturelle du jour sans pourtant plonger le monde dans les ténèbres. Une étrange ombre verdâtre, semblable à l'ombre de l'eau vue à travers l'eau, était suspendue au-dessus des arbres du parc et de la rive opposée du fleuve. Elle se prolongeait et couvait sur les marais, seulement, à cet endroit, la couleur verdâtre était rehaussée d'une touche plus sombre et plus mystérieuse, tandis qu'au loin une rougeâtre exhalaison signalait l'emplacement des usines de Mundham. Les eaux de la Drôle — que Nance et Rachel regardaient — avaient un terne reflet blanchâtre, comme celui de l'œil d'un poisson mort. L'imminence du tonnerre, que l'on n'avait pas encore entendu rouler, semblait évoquer une sorte d'attente apeurée. Les petits oiseaux avaient été réduits au silence, leurs pépiements comme étouffés par le poids d'un suaire. Seul le cri d'un pluvier solitaire était apporté à de rares intervalles par les tourbillons du vent.

— Viens, rentre, dit enfin Nance, et dis-nous au revoir, Rachel. Je viendrai te voir, bien sûr. Nous ne serons pas très loin.

Elle tendit la main pour l'aider à descendre la pente du talus. Rachel ne répondit pas à ce geste mais la suivit en silence. Elles n'eurent pas plus tôt pénétré dans le jardin et refermé la petite grille derrière elles que la femme tomba à genoux et entoura la taille de la jeune fille.

— Nance, mon trésor ! s'écria-t-elle sur un ton pitoyable, Nance, mon petit bébé à moi ! Nance, oh Nance, tu ne vas pas m'abandonner après toutes ces années ? Non, je ne te laisserai pas partir ! Nance, ce n'est pas vrai ? Dis-moi que ce n'est pas vrai ?

Le vent qui soufflait en rafales autour d'elles fit brusquement pivoter la grille sur ses gonds. La tresse grise échevelée de Rachel claqua comme un vieux haillon contre la taille de la jeune fille.

— Écoute, gémit la femme, je te supplie à genoux de ne pas m'abandonner ! Tu ne sais pas ce que tu me fais. Tu ne le sais pas, Nance, tu ne le sais pas. C'est toute ma vie que tu prends. Oh, ma chérie, n'auras-tu pas pitié ? Tu es la seule chose que j'aie… la seule chose que j'aime. Nance, Nance, aie pitié de moi !

Nance, les larmes aux yeux mais le visage toujours fermé, tenta de se libérer des mains qui la tenaient. Elle essaya avec tendresse et douceur au début, mais le désespoir de Rachel rendait l'entreprise difficile. Puis elle comprit que cette effroyable tension devait être rompue d'un seul coup. D'un brusque et inflexible mouvement, elle s'arracha et courut vers la maison. Rachel tomba face contre terre, ses mains labouraient le sol humide. Puis elle se releva en titubant et tendit la main vers la fenêtre éclairée où la silhouette de Linda se détachait avec netteté.

— C'est toi… c'est toi, cria-t-elle, c'est toi qui as fait ça… qui as monté la tête de ma chérie contre moi, sois maudite pour ce que tu as fait ! Que ton amour devienne un poison qui consumera ta chair blanche ! Que ton âme prie et prie pour chercher un réconfort qu'elle ne trouvera pas ! Qu'elle ne trouvera jamais… jamais… jamais ! Oh, tu peux te cacher ! *Lui* te trouvera. Brand te trouvera et te fera payer ce que tu m'as fait. Brand et la mer te trouveront. Écoute ! Tu m'entends ? Écoute ! La voilà qui t'appelle !

Que ce fût le soudain arrêt de sa voix, intensifiant le silence, ou un léger virage du vent à l'est, à cet instant, au-dessus des grincements de la grille et des froissements des feuilles dans les buissons, parvint le bruit qui parmi tous les autres était l'expression même de l'âme tourmentée de Rodmoor. Linda ne l'entendit sans doute pas, car elle était fiévreusement en train d'aider Nance à empiler les bagages dans le cabriolet, mais le conducteur le perçut.

— Le vent est en train de changer, remarqua-t-il. Vous entendez ça ? C'est cette maudite mer !

L'attelage s'était déjà éloigné sur la route lorsque Nance se retourna pour regarder en arrière. Comme elles avaient soufflé les bougies avant de partir et que le feu s'était éteint dans la cuisine, il n'était pas surprenant qu'il n'y eût aucune lumière aux fenêtres. Pourtant, ce fut avec un froid serrement de cœur que la jeune fille se pencha de nouveau en avant auprès du conducteur. Elle ne pouvait s'empêcher d'imaginer une silhouette cassée trébuchant autour des murs de la maison sombre, ou peut-être même à présent debout dans une pièce délabrée, seule au milieu du vide et du silence, seule au milieu des spectres du passé.

XIV

BRAND RENSHAW

Pendant que les deux sœurs prenaient possession de leur nouveau logis, et goûtaient sans trop d'appétit au dîner que leur avait préparé Mme Raps, Hamish Traherne, enveloppé d'un épais ulster protégeant sa soutane de la tempête qui menaçait, s'en allait comme promis « parler » au maître de Chênegarde. Poussé par un besoin irrésistible, avec peut-être la vague idée que la présence de l'animal lui redonnerait courage, il portait son cher Ricoletto roulé en boule dans l'une des poches intérieures de son manteau. Le rat avait dîné avec un appétit féroce, et dormait paisiblement dans la chaleur du nid, insoucieux des inquiétudes de son maître. Son bâton de chêne à la main, l'air aussi redoutable que n'importe quel voleur de grand chemin, le prêtre traversa la sombre allée d'arbres noueux, battus par les intempéries, qui menait à la demeure des Renshaw. Il sonna la cloche avec une violence impétueuse, celle d'un visiteur dont l'agitation intérieure est une caricature de la fermeté qu'il manifeste. Il fut déçu et surpris d'apprendre que M. Renshaw passait la soirée chez M. Stork au village. Mettant obscurément en doute la réponse du serviteur, et ne voulant pas abandonner à la première rebuffade, il demanda à voir Mme Renshaw. La dame apparut presque aussitôt dans le vestibule.

— Entrez, entrez, Monsieur Traherne, dit-elle avec empressement. Je suppose que vous avez déjà dîné, mais vous pourrez prendre le dessert avec nous. Philippa fait toujours traîner le dessert. Elle préfère les fruits à n'importe quoi d'autre. Elle mange des groseilles, ce soir.

Mme Renshaw avait toujours l'air de se séparer de sa fille et de parler d'elle d'un air détaché comme si c'était un animal étrange, vaguement menaçant, avec lequel le destin l'avait obligée à vivre. Mais le prêtre refusa d'enlever son ulster. L'intérêt de voir Philippa manger des groseilles n'était pas suffisamment fort pour le détourner de son but.

— Votre fils rentrera tard, j'en ai bien peur ? dit-il. Je désire particulièrement… oui, particulièrement… le voir ce soir. À ce que j'ai compris, il est au cottage.

— Attendez une minute, dit la dame de sa voix basse et pressée. Asseyez-vous là, voulez-vous ? Je vais… je vais voir Philippa une seconde.

Elle retourna dans la salle à manger et le prêtre s'assit pour attendre. Elle en ressortit bientôt d'un pas pressé, portant un plateau de raisin.

— C'est pour vous, dit-elle. Philippa n'en veut pas. Voilà ! Laissez-moi vous choisir les plus belles grappes.

Le serviteur qui l'avait suivie avait l'air d'un policier pompeux et embarrassé, incertain de son devoir. Être la cause de cet embarras semblait procurer à Mme Renshaw une sorte de plaisir impénétrable. Elle s'assit à côté du prêtre et lui tendit une par une les grappes de raisin, comme s'il était un enfant.

— Brand les fait venir de Londres, remarqua-t-elle, c'est pourquoi nous en avons à cette époque. J'appelle ça de l'extravagance, mais il y *tient*.

Elle poussa un profond soupir.

— Philippa, répéta-t-elle, préfère les fruits du jardin. Mangez-les sans arrière-pensée. Ils vont s'abîmer s'ils ne sont pas mangés.

Le serviteur se hâta sur la pointe des pieds vers la porte de la salle à manger, risqua un œil à l'intérieur et revint à son poste. Il ressemblait absolument, pensa M. Traherne, à un héron maussade et contrarié. « Bientôt, se dit-il, il va se tenir sur une patte. »

— Quand pensez-vous que votre fils rentrera ? demanda-t-il de nouveau. Je ferais peut-être mieux de passer au cottage et de revenir à pied avec lui.

— Mais oui ! s'écria Mme Renshaw avec une ardeur inattendue. Passez au cottage. Il vous sera agréable de vous joindre à eux : ils sont tous là — M. Sorio, le docteur, et Brand. Oui, allez-y ! Je serais soulagée de vous savoir avec eux. J'ai parfois peur que le cousin Tassar n'encourage le cher Brand à trop boire du breuvage qu'il aime confectionner. Ils mettent de l'alcool dedans. Je leur dis toujours que ce serait aussi bon avec du jus de limette. Oui, allez-y, Monsieur Traherne, et insistez pour avoir du jus de limette !

Le prêtre regarda la dame, regarda le serviteur, et regarda la porte du vestibule. Il sentit un léger grattement à l'intérieur de son manteau. Ricoletto commençait à se réveiller.

— Eh bien, je vais y aller ! s'exclama-t-il en se levant.

À cet instant, la silhouette de Philippa, exquisément vêtue d'une robe pourpre sombre, émergea de la salle à manger. Elle avança lentement vers eux, d'un air de dramatique réserve plus accentué que d'ordinaire. M. Traherne remarqua que ses lèvres étaient encore plus rouges que sa robe. Son regard était sombre et las, mais brillait d'une pernicieuse menace. Elle lui tendit posément la main, et il la prit en fourrageant maladroitement dans son ulster.

— J'espère que vous appréciez les raisins, dit-elle.

— Tu devrais t'excuser d'apparaître à M. Traherne dans ce costume extravagant, remarqua Mme Renshaw. On ne penserait

pas qu'elle a été chez le dentiste toute la journée, n'est-ce pas ?
Elle a l'air d'être dans l'une de ces somptueuses demeures de
Londres, attendant juste d'être emmenée à un bal, vous ne
trouvez pas ? Oui, chez le dentiste, poursuivit Mme Renshaw
d'une voix de stentor. Chez le dentiste à Mundham. Elle a
eu un abcès aux dents qui l'a empêchée de dormir toute la
nuit. Il me semble que tu es encore un peu enflée, chérie ?
Elle ne devrait pas rester dans ce vestibule froid, n'est-ce pas,
M. Traherne ? Et avec le cou si découvert. C'était un très gros
abcès. Laisse-moi voir, chérie.

Elle fit un pas vers sa fille, qui battit immédiatement en
retraite.

— Elle ne veut pas me laisser voir, ajouta-t-elle plaintivement. Elle n'a jamais voulu, même quand elle était petite.

Hamish, fourrageant des doigts dans son ulster, fit une
grotesque grimace de compassion et redemanda la permission
de prendre congé. Il discerna, dans le regard que la fille avait
posé sur sa mère, une expression qui indiquait combien il y
avait peu de sympathie entre elles. Il était presque neuf heures
et demie lorsqu'il atteignit Rodmoor et frappa à la porte de
Baltazar. Il y avait à la taverne une sorte de réjouissance villa-
geoise et le vacarme intermittent des rires se mêlait aux voix
qui venaient du petit salon de Stork. Le vent et la pluie avaient
cessé, et l'atmosphère d'orage était moins oppressante.

Traherne se retrouva, comme on le lui avait dit, en présence
de Raughty, de Sorio et de Brand. Introduit par le courtois
Baltazar, il les salua tous avec un bienveillant sourire plein
d'humour et ne se fit pas prier pour prendre une coupe de l'admirable vin qu'ils buvaient. Excepté leur hôte, ils semblaient
tous un peu excités par ce qu'ils avaient bu, et le prêtre observa
que plusieurs autres bouteilles attendaient d'être débouchées. Le
docteur Raughty seul parut sérieusement troublé par l'arrivée

du nouveau venu. Il toussa plusieurs fois, comme c'était son habitude quand il était déconcerté, et lança des coups d'œil inquiets aux autres.

Sorio, semblait-il, était au milieu d'une sorte de diatribe et, dès qu'ils furent de nouveau assis, il ne se fit pas scrupule de continuer.

— Ce n'est qu'une illusion, s'exclama-t-il en regardant M. Traherne comme s'il le défiait de contredire ses paroles, c'est une illusion totale de croire que les femmes sont plus subtiles que les hommes. Ce qui en donne l'idée est simplement le fait qu'elles agissent par impulsion au lieu d'agir par raison. Quiconque agit par impulsion paraît subtil si ses impulsions sont suffisamment variées ! Les femmes sont extraordinairement simples. Ce qui leur donne une apparence de subtilité, c'est qu'elles ne savent jamais de quelle impulsion nouvelle elles vont être la proie. Aussi elles se replient sur elles-mêmes et attendent que ça vienne. Elles sont éminemment *physiologiques* dans leurs réactions. N'ai-je pas raison sur ce point, Docteur ? Elles sont plus complètement matérielles que nous ne le sommes, poursuivit-il en vidant son verre d'un trait rageur. Elles sont imbibées, trempées jusqu'aux os dans la matière. Elles ne sont pas vraiment complètement ni humainement *conscientes*. Toujours la matière les tient, toujours elle s'accroche à elles, et toujours elle les noie. C'est pourquoi les poètes représentent la Nature comme une femme. Les romanciers décrivent toujours les femmes comme si sensibles, si poreuses au pouvoir de la Nature. Ils attribuent cela à leur sensibilité supérieure. Ce n'est pas leur sensibilité du tout ! C'est leur élément. Évidemment qu'elles y sont poreuses, elles en font partie ! Elles n'en ont jamais émergé. Il les entoure comme les vagues entourent les algues. Prenons la question de boire… parlons de ce vin délicieux que nous buvons ! Aucune femme au monde ne pourrait jamais comprendre le plaisir que nous éprouvons maintenant… un plaisir presque purement intellectuel. Elles pensent, dans leur absurde petite tête, que nous n'en tirons qu'une simple sensation de chaleur, de douceur ou d'ivresse. Elles ne se doutent pas le moins du monde qu'étant assis comme nous le sommes nous entrons dans la compagnie de toutes les grandes et nobles âmes, philosophant sur la nature des dieux et partageant leur quintessentiel bonheur ! Elles pensent que nous ne sommes que de vulgaires bêtes sensuelles, comme elles le sont elles-mêmes, petits démons avides, quand elles se gavent de pâtisseries et grignotent du sucre candy chez le confiseur. Aucune femme n'a encore compris, et ne comprendra jamais, ni le détachement sublime, ni la victoire sur la vie qu'une honnête compagnie d'amis intelligents qui se respectent éprouve en buvant, avec une tranquillité sereine, un vin aussi rare, aussi bien choisi, aussi innocent que celui-ci. Les femmes haïssent l'idée du bonheur que nous éprouvons à présent. Je sais parfaitement que chacune des femmes que nous fréquentons en ce moment — et cela ne s'applique, ajouta-t-il avec un sourire, qu'à M. Renshaw et à moi-même — souffrirait mille maux si elle pouvait nous voir. C'est instinctif, et de *leur* point de vue elles auraient tout à fait raison.

« Le vin nous sépare de la Nature. Il nous libère du sexe. Il fait de nous des dieux. Il détruit… oui ! c'est ce qu'il fait, il brise notre fatalité physiologique. (Il leva son verre au-dessus de sa tête.) Avec un vin comme celui-ci, nous ne sommes plus esclaves de nos sens et, par conséquent, plus esclaves de la matière. Nous nous sommes libérés de la matière. Nous avons *détruit* la matière !

— Je ne suis pas certain, dit le docteur Raughty en se dirigeant avec précaution vers la cheminée où il avait posé un bocal de cerises à l'eau-de-vie destinées à être consommées plus tard, je ne suis pas certain que vous ayez raison en disant que le vin oblitère le sexe. J'ai vu, en mon temps, d'authentiques femelles se transformer en autant de Ninon et de Thaïs une fois éméchées. Évidemment, je sais qu'elles peuvent apparaître sous ce jour, poursuivit-il tout en laissant patiemment et minutieusement s'évaporer jusqu'à la dernière goutte le jus de la cerise qu'il tenait entre les doigts avant de se la fourrer dans la bouche — je veux dire apparaître comme de désirables ménades sans que nous ayons le moindre désir de nous frotter à elles —, mais l'impulsion est la même. En tout cas, ajouta-t-il modestement, le fait qu'elles soient là n'enlève rien au plaisir.

Il fit une pause et, la tête penchée sur les cerises, oublia tout le reste. Il essayait à présent de réussir la délicate opération de plonger le fruit, qu'il avait séché en le secouant à l'air, dans le verre de vin près de lui. Cela fait, ses joues se colorèrent et des tremblements nerveux agitèrent spasmodiquement ses narines expressives.

— J'incline à être d'accord avec le docteur, dit Brand Renshaw. C'est un pur sophisme de moine que de vouloir séparer des choses qui sont manifestement faites pour aller de pair. J'aime boire pendant que les filles dansent pour moi. J'aime les voir danser, encore et encore, encore et encore danser jusqu'à l'épuisement et alors…

Il fut interrompu par un bruit fracassant qui fit tinter et valser les verres. M. Traherne venait d'écraser du poing la table en bois de rose.

— Ce que vous autres gens oubliez, cria le prêtre, c'est que Dieu n'est pas mort. Non ! Il n'est pas mort, même à Rodmoor. La Nature, les filles, le vin, les rats… ce ne sont que des ombres dans une eau vacillante. Une seule chose est éternelle, et cette chose est un cœur pur et aimant !

Cet éclat fut suivi d'un silence embarrassé, et le prêtre regarda tour à tour les quatre hommes avec une sorte d'ahurissement songeur. Puis une expression d'une indicible douceur apparut sur son visage.

— Pardonnez-moi, mes enfants, marmonna-t-il en se pressant le front de la main. Je n'ai pas voulu être violent. Baltazar, vous devez avoir rempli mon verre trop vite. Non, non ! Je ne toucherai pas une goutte de plus.

Stork se pencha vers lui :

— Nous comprenons, dit-il. Nous comprenons parfaitement. Vous avez senti que nous allions un peu trop loin. Et c'est vrai ! Ces discours sur le mystère du vin et le secret des femmes sombrent toujours dans l'absurdité. Adrian aurait dû le savoir, au lieu de se lancer sur un tel sujet.

— C'est ma faute, répéta humblement M. Traherne. Si vous voulez bien m'excuser, je vais chercher quelque chose dans ma poche.

Il se leva et sortit dans le couloir. Brand Renshaw, haussant les épaules, porta son verre à ses lèvres.

— Je crois que c'est son rat, chuchota le docteur Raughty. Il vit trop dans la solitude.

Le prêtre revint avec Ricoletto dans la main, regagna son siège et caressa rêveusement l'animal. Baltazar regarda l'un après l'autre ses invités, et les traits de son visage délicat prirent une curieuse expression lointaine — comme s'il se détachait d'eux et se lavait les mains de tout cela.

— Traherne s'en remet à Dieu, dit-il d'un ton flûté, et c'est tout à fait son droit. Mais je serais moi-même en mauvaise posture si je n'avais pour échapper au fléau des femmes que le recours à l'Éternité. Notre cher Adrian, qui a toujours une fille ou une autre en tête, s'imagine qu'il peut leur échapper par la boisson. Brand n'a aucune envie de leur échapper. Il veut jouer au sultan. Raughty — nous savons quel amoureux *vous* êtes, Docteur ! — a sa propre manière fantastique de naviguer dans les eaux dangereuses. Moi seul, parmi vous tous, possède la véritable clé de l'évasion. Car, entre nous, mes chers, nous savons parfaitement que Dieu et l'Éternité ne sont que les innocentes illusions de Hamish.

Le prêtre resta entièrement sourd à la remarque, mais Brand tourna vers l'orateur sa tête en forme de hache.

— Tais-toi, Tassar, marmonna-t-il sèchement. Tu vas le provoquer de nouveau.

— Que veux-tu dire ? s'écria Sorio. Continue ! Continue, dis-nous ce que tu as en tête.

— Attendez un moment, intervint le docteur Raughty, parlez d'autre chose pendant un moment. Je dois seulement me rafraîchir la tête.

Il posa sa pipe à côté du bocal de cerises, en prenant grand soin que le tuyau fût surélevé par rapport au fourneau. Puis il souleva sa chaise et la posa à un angle précis de la table, n'hésitant pas à revenir deux fois pour ajouter une petite touche à l'ensemble. Enfin, posant aussi légèrement qu'une plume sa blague à tabac sur le siège, il sortit de la pièce et grimpa l'escalier en courant.

— Quand le docteur entre dans une salle de bains, remarqua Brand, il vaut mieux l'oublier pour un temps. La dernière fois qu'il a dîné avec moi à Chênegarde, il a presque inondé la maison.

Pressant le rat contre sa joue, M. Traherne grimaça comme un satyre.

— Aucun de vous autres ne comprend Fingal, explosa-t-il ; c'est sa façon de prier. Oui, je le crois ! C'est sa façon de dire ses prières. Il le fait comme Ricoletto le fait. C'est un rituel. Je le comprends parfaitement.

Cette conversation parut avoir sur Sorio un effet particuliè-rement irritant. Il s'agita et regarda autour de lui d'un air mal à l'aise. Puis il fit un geste extraordinaire : il ouvrit la main, raidit les doigts en arrière, et la ferma de nouveau. Baltazar l'observait attentivement.

— Qu'est-ce qui te passe par la tête, Adriano ? remarqua-t-il enfin. Une nouvelle obsession ?

Ils regardèrent tous l'Italien. Les muscles de son lourd visage d'empereur romain tremblaient.

— Ce n'est pas un rituel, marmonna-t-il d'un ton sinistre. Vous feriez mieux de ne pas me demander ce que c'est, car je le *sais* !

Brand Renshaw sourit d'un sourire cruel :

— Il veut dire que c'est la *folie*, dit-il avec nonchalance, et j'ose croire qu'il a tout à fait raison.

— Fingal Raughty n'est pas fou, protesta M. Traherne. Je vous dis qu'il fait ses ablutions exactement comme mon rat... pour prier Dieu et se laver de ses péchés !

— Je ne pensais pas au docteur, dit calmement Brand, la même cruelle lueur dans le regard. Monsieur Sorio sait à quoi j'ai fait allusion.

L'Italien fit le mouvement de se jeter sur lui pour le frapper, mais la réapparition de Fingal, les joues brillantes et le visage doucement irradié, détourna l'attention générale.

— Vous aviez commencé à nous dire, Stork, commença le docteur, quel était *votre* moyen d'échapper au dard de la sensualité. Vous écartiez, avez-vous dit, Dieu et l'Éternité ?

Les traits féminins de Baltazar se durcirent comme sous un fin masque d'émail. Brand lui décocha un regard venimeux.

— Je peux répondre pour lui, dit-il avec une vénéneuse amertume. Tassar se prend pour un artiste, savez-vous ? Nous ne sommes pour lui qu'un tas de buses et de philistins. Il vous dira que l'art est la chose suprême et que les critiques d'art en savent beaucoup plus long que les pauvres imbéciles qui le pratiquent ; qu'ils savent, en fait, tout ce qu'il y a à savoir.

L'expression de Baltazar, tandis qu'il écoutait le discours de son demi-frère, était un palimpseste d'émotions contradictoires. Cependant l'allure dominante était celle d'une femme sous le fouet, attendant son heure. Un sourire effleura ses lèvres et il agita sa main délicate.

— Nous avons tous notre secret, déclara-t-il gaiement. Brand croit qu'il connaît le mien, mais il en est aussi loin que la lune nouvelle du secret de la marée.

Ces paroles les firent jeter un coup d'œil à la fenêtre. Les nuages avaient disparu et le fin croissant spectral les épiait par la fente des rideaux.

— La marée lui obéit, ajouta-t-il de manière significative, mais elle garde son secret.

— Et, intervint violemment Sorio, elle a profondeur sous profondeur avec lesquelles mieux vaut qu'aucun monde-cadavre n'interfère !

Le docteur Raughty, qui mal à l'aise venait de s'éclaircir plusieurs fois la gorge, attira l'attention de la compagnie sur une phalène qui s'était brûlé les ailes à l'une des bougies et gisait, agitée de soubresauts, sur le bord de la table.

— N'a-t-elle pas d'exquis dessins ? dit-il en touchant la créature du bout de l'index et en se penchant sur elle comme un amant. C'est une *Dicranura vinula* ! Dommage que je n'aie pas mon flacon de cyanure. Je l'aurais gardée pour Horace Pod.

Sorio se leva soudain d'un bond et arracha le papillon.

— Honte ! s'écria-t-il en s'adressant indistinctement au docteur, à Horace Pod et à l'univers. Pauvre petite chose, ajouta-t-il en l'enfermant dans son poing pour l'apporter à la fenêtre.

Avec difficulté et après maintes imprécations à voix basse, il réussit à la jeter dehors.

RODMOOR

— Elle m'a chatouillé, remarqua-t-il gravement. Les phalènes tremblent tellement dans la main.

— Bien des choses tremblent, remarqua Brand, quand on veut s'en débarrasser. Et il y en a, ajouta-t-il d'un ton significatif, qui ne font pas que trembler.

Plus qu'aucune des précédentes interruptions, l'incident de la phalène parut avoir brisé le charme de la soirée. Le docteur Raughty, regardant nerveusement Sorio, mit sa pipe dans sa poche et annonça son intention de se retirer. Brand Renshaw se leva également, et avec lui M. Traherne.

— Pourrais-je faire un bout de chemin avec vous ? demanda le prêtre.

Le maître de Chênegarde le regarda d'un air confondu.

— Bien sûr, bien sûr, répondit-il. Mais j'ai bien peur que cela ne vous éloigne.

Ils mirent un moment avant de quitter la maison, car Baltazar, avec mille attentions délicates envers chacun d'eux et toutes sortes de paroles enjouées, dans le remue-ménage de la séparation fit de son mieux pour tout adoucir et leur faire oublier les divers petits chocs qui avaient émaillé la soirée. Ils finirent enfin par se séparer et, après avoir souhaité bonne nuit aux autres, Brand et le prêtre prirent le chemin du parc. Le ciel, au moment où ils franchirent les grilles, était clair et plein d'étoiles, et les arbres sombres de l'allée dans laquelle ils marchaient s'élevaient autour d'eux dans une immobilité absolue.

M. Traherne, enfouissant la main dans la poche de son ulster pour se donner du courage au contact de son animal favori, plongea sans préambule au cœur du périlleux sujet.

— Vous ne savez peut-être pas, Renshaw, dit-il, que Miss Herrick et sa sœur quittent la Maison sur la digue et vont vivre au village. Nance a trouvé du travail chez Miss Pontifex et Linda va jouer régulièrement de l'orgue pour moi. Je crois qu'il y a eu quelque chose… dernièrement… (il hésita et sa voix trembla légèrement, mais au prix d'un terrible effort il se reprit) quelque chose, poursuivit-il, entre Linda et vous. Il va sans dire qu'en tout autre cas il m'en coûterait de dire quoi que ce soit. Se mêler de ce genre d'affaire est à la fois indiscret et inutile. Mais ce cas est tout à fait différent. La fille est très jeune. Elle n'a pas de parents. Sa sœur est également très jeune et, en un sens, elles dépendent toutes les deux de moi ; en tant que prêtre de cette paroisse, elles dépendent toutes les deux de moi. Je me sens responsable de ces filles, Renshaw, responsable d'elles, et aucun sentiment personnel vis-à-vis de qui que ce soit (il pinça Ricoletto si fort que le rat émit un chuintement de peur) n'interférera avec ce que je sens être mon devoir. Non, écoutez-moi, écoutez-moi jusqu'au bout, Renshaw ! se hâta-t-il de poursuivre, comme son compagnon commençait à parler. C'est un sujet qui demande que nous parlions très franchement. Je veux, en fait, que vous me promettiez… que vous me promettiez sur l'honneur… de laisser cette enfant tranquille. Je ne sais pas jusqu'où les choses ont été entre vous. Je ne puis imaginer… il serait honteux d'imaginer… qu'elles ont été au-delà d'un simple flirt. Quoi qu'il en soit, il faut que ça cesse. C'est seulement votre parole d'honneur que je veux, rien d'autre que votre parole d'honneur, et je ne puis croire que le gentleman que vous êtes hésitera à me la donner. Vous allez me la donner, n'est-ce pas, Renshaw ? Dites simplement *oui* et nous n'en parlerons plus.

Retirant la main de sa poche, il la posa sur le poignet de son compagnon. Brand avait gardé la tête suffisamment froide pour remarquer avec intérêt que le prêtre tremblait. Non seulement il tremblait, mais lorsqu'il enleva son chapeau pour donner plus de solennité à sa demande de grosses gouttes de transpiration, connues de lui seul car l'obscurité lui voilait le visage, lui tombèrent dans les yeux. Brand se libéra doucement et recula d'un pas.

— Je ne suis pas le moins du monde surpris que vous me parliez ainsi, dit-il, et aussi étrange que cela puisse paraître, cela ne m'ennuie pas. En fait, ça me plaît. J'aime ça. Cela donne plus de prix à la fille — je veux dire, à Linda — et m'incite à vous respecter. Mais si vous vous imaginez, mon bon monsieur Traherne, que je vais vous faire la promesse dont vous venez de parler, c'est que vous n'avez pas plus idée de ce que je suis que de ce qu'est Linda. Parlez-*lui*, Hamish Traherne, parlez-lui, et voyez ce qu'elle vous dira !

Le prêtre serra les doigts autour du pommeau de sa canne de chêne. Il sentit monter en lui un flot d'humaine colère. Mentalement, il pria son Dieu de pouvoir garder le contrôle de ses nerfs et de ne pas empirer les choses par la violence.

— Si cela vous intéresse de le savoir, poursuivit Brand, je peux vous dire qu'il est très possible que j'épouse Linda. Elle m'attire, je le confesse franchement, plus que je ne pourrais l'expliquer, à vous ou à quiconque. Je présume que vous ne pousserez pas la responsabilité jusqu'à voir un inconvénient à ce que je l'épouse, hein ? Mais ce n'est rien. Là n'est pas la question. Marié ou non marié, je fais ce qui me plaît. Est-ce que je me fais comprendre assez clairement ? Je… fais… ce… qui… me… plaît. Mettez-vous ça en tête, Monsieur Hamish Traherne, guidez-vous là-dessus comme n'importe qui d'autre à Rodmoor. Écoutez-moi, Monsieur. Je vous fais l'honneur de vous parler plus ouvertement ce soir que je ne serai jamais amené à le faire. Peut-être avez-vous l'idée que je ne suis qu'un vulgaire sensualiste, saisissant au passage tous les plaisirs bestiaux qui coupent mon chemin ? Peut-être vous imaginez-vous que j'ai un penchant — comment dit-on ? — "vicieux" à séduire les jeunes filles ? Laissez-moi vous dire, Monsieur Hamish, une

chose qui va peut-être vous surprendre. J'ai arpenté ces bois
jusqu'à ce que j'en connaisse toutes les senteurs de jour comme
de nuit… Sentez-vous comme moi cette odeur fongique ?
C'est l'une des odeurs que je préfère ! Et pendant ces marches
solitaires — j'adore être seul ! — j'ai affronté des forces maléfiques — je les ai affrontées et je leur ai résisté, figurez-vous ! — à
côté desquelles les petits écarts sexuels dont vous m'avez parlé
ne sont que des jeux d'enfants ! Linda me fait du bien. Vous
m'entendez ? Elle me fait du bien. Elle me sauve de ce que
même dans vos rêves les plus fous vous n'imagineriez pas que
quelqu'un fût capable. Oh, vous les prêtres ! Vous les prêtres !
Vous vous enfermez parmi vos crucifix et vos petits livres,
pendant que les grandes marées du mal vont montant et descendant — au-delà de vos imaginations les plus folles. Écoutez !
Je n'ai pas besoin de vous dire ce qu'est ce bruit ? Oui, vous
pouvez l'entendre. De tous côtés en ce lieu on l'entend. Je suis
né avec cette mélodie, Traherne, et je mourrai avec elle. Elle
vaut mieux que le froissement des feuilles, hein ? Elle est plus
profonde. C'est le genre de musique qu'un homme pourrait
avoir en tête lorsqu'il fait quelque chose en comparaison de
quoi les petits péchés dont vous me blâmez sont des vertus !
Avez-vous vu cette chauve-souris ? Je les ai observées sous ces
arbres, de minuit à l'aube. Une chauve-souris dans la lumière de
l'aurore est une chose curieuse à voir. Aimez-vous les oreillards,
Monsieur Traherne, ou vous confinez-vous aux rats ? Bah ! Je
parle comme un idiot. Mais je voudrais que vous compreniez
bien ceci. En ayant affaire à moi, vous avez affaire à quelqu'un
qui a perdu le pouvoir d'être effrayé par les mots, quelqu'un qui
a brisé la croûte du monde pour regarder à la dérobée ce qu'il
y avait dessous, quelqu'un qui a vu les mares noires — aviez-
vous deviné qu'il y avait des flaques noires en ce monde ? —,
qui a vu les taches rouges qu'elles contiennent, et qui connaît

la cause de ces taches ! Bon sang, Hamish Traherne, pour qui m'avez-vous pris pour me parler comme ça ? Pour l'un de ces cochons de jouisseurs ? Pour un vulgaire séducteur de petites filles ? Pour un type à reprendre le pli dès que l'on parle d'honneur et de courtoisie ? Je vous l'ai dit, *j'ai vu les chauves-souris à l'aube* et elles m'ont laissé dans la mémoire des images que seul ce *bruit* — vous l'entendez encore ? — peut égaler en horreur.

« C'est parce que Linda connaît l'horreur de la mer que je l'aime. J'aime l'emmener sur le rivage, sentir qu'elle veut fuir et ne pas la laisser fuir. Et elle m'aime *pour la même raison* ! C'est un fait, Monsieur Hamish, qu'il vous est peut-être difficile de comprendre. Linda et moi, nous nous comprenons. Vous entendez ça, amoureux des rats ? Nous nous comprenons. Elle me fait du bien. Elle me distrait. Elle m'empêche de penser à ces mares noires. Elle empêche les yeux de Philippa de me suivre partout. Elle m'enlève de la bouche le goût des champignons. Elle me convient, je vous le dis ! Elle est ce dont j'ai besoin. Elle est ce dont j'ai besoin et ce que je dois avoir !

« Bah ! Je jacasse comme un idiot. Je dois être saoul. Je *suis* saoul. Mais ce n'est rien. C'est l'un des vices qui sont *mes* vertus. Et pendant que j'y suis je vais vous dire autre chose, Hamish Traherne. Vous vous demandez parfois, je pense, pourquoi je suis bon envers Baltazar. Tout à fait chrétien de ma part, pensez-vous, hein ? Tout ce qu'il y a de plus noble et de plus chrétien... considérant ce qu'il est et ce que je suis ? Cela montre seulement combien vous nous connaissez peu, combien vous connaissez mal chacun de nous ! Tassar ne peut pas plus se libérer de moi que je ne peux me libérer de lui. Nous sommes liés à vie, mon garçon, liés par ce que ces flaques noires signifient et par ce que ce bruit — on ne dirait jamais qu'on puisse l'entendre d'ici, n'est-ce pas ? — ne cesse de signifier.

« Bah ! Je suis saoul comme un porc, ce soir ! Je n'ai parlé comme ça à personne, pas depuis des années. Écoutez, Traherne ! Vous êtes laid, mais vous n'êtes pas idiot. N'est-ce pas saint Augustin qui a dit une fois que le mal n'était qu'un accroc dans le manteau de la bonté ? Le simple innocent ! Je vous le dis : le mal descend jusqu'à la racine de la vie et loin au-delà ! Je le sais car je suis descendu avec lui. *J'ai vu les chauves-souris à l'aube.*

« Oui, Tassar est allé loin, Hamish Traherne, plus loin que vous ne le croyez. Parfois, je crois qu'il est même allé plus loin que *moi*. *Lui* ne parle jamais, vous savez. Vous ne *le* prendrez jamais saoul. Tassar peut regarder le diable en face, pire encore, et garder sa jolie tête froide ! Oh, bon sang, Traherne, il n'est pas facile de ne jamais ouvrir la bouche ! Mais Tassar en a le secret. Il a dû l'apprendre de mon père. Voilà un homme pour vous ! Vous n'auriez jamais osé lui parler comme ça.

Plusieurs fois, durant ce long éclat, les doigts de M. Traherne causèrent des douleurs à Ricoletto. Mais voilà qu'il lança ses longs bras et saisit violemment Brand aux épaules.

— Prie… pauvre âme perdue, cria-t-il, prie le Dieu tout-puissant au-dessus de nous d'avoir pitié de toi et pitié de nous tous !

Ses bras tremblaient pendant qu'il prononçait ces mots et, à peine conscient de ce qu'il faisait, il se mit à secouer la grande carcasse de l'homme devant lui comme s'il avait eu un enfant entre les mains. Il régna pendant quelques secondes un silence mortel. Une belette traversa furtivement le sentier et disparut dans les arbres. Les odeurs humides de la mousse et des feuilles pourrissantes les enveloppaient, et entre les branches immobiles au-dessus de leurs têtes les étoiles brillaient comme des coups d'épingle dans un parchemin noir. Soudain Brand se libéra avec un rire grinçant.

— Ça suffit ! s'écria-t-il. Il y a eu assez de mélodrame et d'absurdités ce soir. Vous feriez mieux d'aller vous coucher,

Traherne, sinon vous ne vous réveillerez pas demain et ma mère manquera les mâtines.

Il lui tendit la main.

— Bonne nuit… et dormez sur vos deux oreilles ! ajouta-t-il du ton sombrement sarcastique qui lui était habituel.

Le prêtre poussa un profond soupir et se baissa pour chercher à tâtons son chapeau qui était tombé sur le sol. Il venait de le trouver et se préparait à rentrer lorsqu'il entendit Brand qui l'appelait en riant :

— Ne croyez pas un mot de tout ce que je vous ai dit. Je ne suis pas le moins du monde saoul. Je me suis simplement un peu amusé. Je ne suis qu'un vulgaire ruffian qui sait reconnaître un joli minois au passage. Parlez de moi à Linda et vous verrez ce qu'elle vous dira !

Il s'éloigna à grands pas dans l'allée, et le prêtre pivota lourdement sur les talons.

XV

BRIBES DE VOIX

Nance et Linda ne mirent pas longtemps à s'habituer à leur nouveau mode de vie. Nance, après ses expériences londoniennes, trouva que le petit atelier de Miss Pontifex, qui donnait sur un agréable jardin, était plus un refuge qu'un lieu de travail ennuyeux. Les jeunes filles qu'elle devait diriger étaient dociles et avaient bon caractère, et Miss Pontifex elle-même — une petite femme prompte à s'émouvoir, qui avait d'extravagantes manières plus que comme il faut et une grosse broche en Wedgwood sous le menton — paraissait penser que la présence de la nouvelle recrue donnerait à la boutique un lustre et une réputation énormes. « Je suis conservatrice jusqu'au bout des ongles, fit-elle remarquer à Nance, et je peux reconnaître une dame entre mille. Je ne dirai rien de ce que je pourrais dire sur les gens d'ici. N'empêche… n'empêche que je n'en pense pas moins. »

La connaissance intime que Nance avait de toutes les ficelles du métier enleva un poids immense de l'esprit de la petite modiste. Elle eut plus de temps pour se consacrer à son jardin, qui était sa passion, et fut emplie d'orgueil de pouvoir dire à ses amis : « Miss Herrick, de la Maison sur la digue, travaille avec moi maintenant. Son père était capitaine dans la Marine royale. »

Le mois de juillet s'écoula sans autres incidents fâcheux. Pour ce que Nance en savait, Brand laissa Linda en paix, et la jeune fille, quoique lasse et sans entrain, paraissait très bien s'accommoder de l'avoir perdu et tirait à la fois distraction et satisfaction des progrès qu'elle faisait à l'orgue. Jour après jour, par tous les temps, elle traversait le pont au début de l'après-midi et se dirigeait vers l'église. Elle s'occupait de la maison le matin, pour libérer sa sœur qui travaillait à la boutique, et le soir, quand il était agréable d'être dehors, elles aidaient toutes les deux Miss Pontifex à arroser les phlox et les delphiniums.

Nance elle-même, à mesure que juillet approchait de son terme et que les champs de blé devenaient jaunes, était à la fois plus heureuse et moins heureuse dans ses relations avec Sorio. Son bonheur était dû au fait qu'il la traitait à présent avec plus de douceur et de considération qu'il ne l'avait jamais fait. Son malheur, à cela qu'il était devenu plus réservé et qu'une étrange sorte de dépression nerveuse paraissait le menacer. Elle savait qu'il voyait toujours Philippa, mais ce qu'étaient leurs relations et si une amitié durable s'était nouée entre eux, il était impossible de le découvrir. Ils ne se rencontraient certainement jamais à présent dans des conditions susceptibles de provoquer un scandale à Rodmoor.

Avant la fin de juillet, Nance alla plusieurs fois voir Rachel Doorm, et les jours de ces visites furent les plus sombres et les plus tristes de tous ceux qu'elle vécut à cette période. La maîtresse de la Maison sur la digue paraissait décliner de jour en jour. Nance fut horrifiée de découvrir combien elle était devenue inerte et indifférente à toute chose. L'intérieur de la maison était aussi poussiéreux et sale que le jardin était désolé ; et, à l'attitude que Rachel avait eue à sa dernière visite, la jeune fille se dit qu'elle avait trouvé dans la solitude la même consolation que celle qui avait tué son père.

Nance fit un effort désespéré pour améliorer les choses. Sans rien dire à Miss Doorm, elle emmena avec elle à la maison l'une

des fortes filles de Mme Raps, qui moyennant une infime rétri-
bution était tout à fait prête à l'aider tous les jours. Mais cet
arrangement ne tint pas. Le troisième jour après sa première
apparition, la jeune fille retourna chez elle et déclara avec des
larmes d'indignation qu'« elle avait été fichue à la porte du
sale endroit ».

Un soir, à la fin du mois, au moment où les deux sœurs se
préparaient à sortir pour faire une promenade, la propriétaire
introduisit Mme Renshaw avec force effusions et agitation.
Fatiguée par la marche et paraissant plus frêle et plus blanche
que d'habitude, celle-ci parut extrêmement heureuse de s'asseoir sur le petit canapé et de siroter le vinaigre à la framboise
que Nance se hâta de servir. Elle grignota également quelques
biscuits, comme si elle se sentait affaiblie par manque de calo-
ries, mais elle le fit d'un air déprécatoire et comme si manger
avait été un vice grossier ou comme si elle n'avait de sa vie jamais
mangé en public. Elle ne cessa d'implorer Nance de partager
la collation, et ce ne fut que lorsque la jeune fille fit semblant
d'y toucher qu'elle parut avoir l'esprit en paix.

Elle ne cessa de promener, avec une admiration nerveuse,
ses grands yeux bruns et caves sur le petit appartement.

— C'est gentil ici, remarqua-t-elle enfin. J'aime beaucoup
mieux les petites pièces que les grandes.

Elle prit sur la table un exemplaire usé de l'*Anthologie* de
Palgrave, et Nance n'avait jamais vu son visage s'illuminer
autant que lorsqu'elle tomba, en feuilletant les pages au hasard,
sur l'« Ode à l'Automne » de Keats.

— Je la connais par cœur, dit-elle. J'en connais chaque mot.
Je l'apprenais à Philippa. Vous ne pouvez pas savoir combien
elle disait joliment les vers. Mais elle ne se soucie plus de poésie
à présent. Elle lit des livres plus savants, des livres plus intelligents. Elle m'a échappé. Mes deux enfants m'ont échappé.

Elle poussa un profond soupir, et Nance, avec un élan d'horrible pitié, la vit — elle qui était heureuse dans de petites pièces avec de petites anthologies de vers d'antan — condamnée à la solitude dévastatrice de Chênegarde.

— Je vois que vous avez *La Fiancée de Lammermoor*, là, dit-elle en se levant impétueusement du canapé et en prenant le livre dans les mains.

Nance n'oublia jamais la manière dont elle le toucha, ni l'infinie douceur qui embruma son regard tandis qu'elle murmurait : « Pauvre Lucy ! Pauvre Lucy ! » en tournant les pages.

Soudain, un autre livre attira son attention et elle prit *Humphrey Clinker* sur le rayonnage.

— Oh ! s'écria-t-elle alors qu'une faible rougeur envahissait ses joues creuses, je n'ai pas vu ce livre depuis des années et des années. Je le lisais avant mon mariage. J'estime que Smollett est un très grand écrivain, vous ne pensez pas ? Mais je suppose que les jeunes gens d'aujourd'hui le trouvent trop simple pour leur goût. Ce pauvre cher M. Bramble ! Et toute cette partie sur Tabitha ! C'est comme si je me souvenais de tout. Je crois que Dickens aimait Smollett. Enfin, il me semble l'avoir lu quelque part. Il devait sûrement aimer ce merveilleux mélange d'humour et de pathétique, mais bien sûr, quand on en vient là, Dickens est inégalable.

Tandis qu'elle prononçait ces mots tout en caressant le volume dépenaillé qu'elle avait entre les mains comme si c'était de l'or pur, le visage de Mme Renshaw fut tellement irradié d'innocence et de candide spiritualité que Nance, en un rapide acte de contrition mental, effaça de sa mémoire tous les moments où elle l'avait haïe. « Ce qu'elle doit souffrir, se dit la jeune fille en l'observant. Ce qu'elle doit *avoir* enduré… avec ces gens dans cette grande maison. »

Mme Renshaw soupira en reposant le livre sur l'étagère.

— Les écrivains sont devenus si intelligents ces derniers temps, dit-elle d'un ton plaintif. Ils se servent de mots si longs. Je me demande où ils les trouvent — dans les dictionnaires, vous croyez ? —, et ils me blessent, ils me blessent, surtout par la façon dont ils parlent de notre religion bien-aimée. Ils ne peuvent pas *tous* être de grands philosophes, comme Spinoza ou Schopenhauer, n'est-ce pas ? Ils ne peuvent pas tous abreuver le monde de nouvelles et réconfortantes pensées ? Je n'aime pas leur ton dur, cinglant, sarcastique. Et… oh, chère Nance ! ajouta-t-elle en se rasseyant sur le canapé, je ne peux pas supporter leur argot ! À votre avis, qu'est-ce qui les pousse à se croire obligés d'employer tant d'argot ? Je suppose qu'ils veulent donner à leurs livres un air réaliste, mais *moi* je n'ai jamais entendu les gens parler comme ça. Peut-être que ça vient d'Amérique. Les écrivains américains paraissent extraordinairement intelligents, et les dictionnaires américains — le docteur Raughty m'en a montré un — beaucoup plus gros que les nôtres.

Elle resta un moment silencieuse, puis regarda gentiment Linda.

— Je pense, ma chère, que vous commencez à jouer merveilleusement. Dimanche soir, vous avez joué les hymnes comme je ne les avais jamais entendus. Mais ils sont magnifiques, n'est-ce pas ? Surtout le dernier, celui que je préfère.

Une fois de plus, elle garda le silence, et Nance crut voir ses lèvres remuer tandis qu'elle fixait ses grands yeux tristes sur le rayonnage et commençait lentement à enfiler ses gants.

— Il faut que je parte, maintenant, dit-elle avec un petit soupir. Merci pour le vinaigre à la framboise et les biscuits. Je crois que j'étais fatiguée. Je n'ai pas très bien dormi la nuit dernière. Au revoir, mes chères. Non, je vous en prie, ne bougez pas. Je peux me débrouiller toute seule. C'est une merveilleuse soirée, n'est-ce pas ? Les coquelicots sont tout rouges dans les champs de blé. J'en aperçois une grande tache de notre terrasse, juste sur l'autre rive du fleuve. Les coquelicots me font toujours penser au temps où j'étais jeune fille. Nous en faisions grand cas. Nous les transformions en fées.

Nance insista pour l'accompagner jusqu'au seuil de la porte. Lorsqu'elle revint dans la pièce, elle ne fut pas totalement surprise de trouver Linda en larmes.

— Je ne peux pas… je ne peux pas m'en empêcher, sanglota la jeune fille. Elle est si pitoyable. Elle est si triste. On a envie de la serrer et de la serrer encore dans ses bras, et on a même peur de lui toucher la main !

Elle fit un effort pour se reprendre.

— Nance chérie, dit-elle solennellement, les joues encore ruisselantes de larmes, je ne crois pas qu'elle vivra jusqu'à la fin de cette année. Je crois qu'un de ces jours, quand viendra l'automne, on apprendra qu'on l'a retrouvée morte dans son lit. Nance, écoute-moi ! (la voix de la jeune fille devint plus solennelle et comme frappée de terreur superstitieuse), ne crois-tu pas que ce sera horrible pour *ces deux-là*, là-bas, de la trouver comme ça et de penser qu'ils ont été incapables de la rendre heureuse ? Tu imagines la scène, Nance ? Le vent gémissant et gémissant autour de cette maison, et elle, étendue toute blanche et terrifiante… et Philippa se penchant au-dessus d'elle avec une bougie…

— Pourquoi dis-tu "avec une bougie" ? demanda brusquement Nance. Tu parles comme une folle en exagérant tout. S'ils la trouvent le matin, Philippa ne viendra pas avec une bougie.

Linda regarda rêveusement par la fenêtre.

— Non, évidemment, dit-elle, mais je ne peux pas imaginer la scène sans Philippa qui tient une bougie. Et je vois quelque chose d'autre aussi, ajouta-t-elle à voix basse.

— Je ne veux pas…, commença Nance.

Puis, d'une voix plus douce :

— Que vois-tu d'*autre*, petit démon ?

— Les lèvres rouges de Philippa, murmura-t-elle doucement, aussi vives que si elle s'était mis du rouge. Est-ce que tu crois qu'elle s'en met ? C'est cela, je suppose, qui m'a fait penser à la bougie. Il me semble que je la vois vaciller contre sa bouche. Oh, c'est absurde… absurde, je le sais, mais je ne peux pas m'empêcher de la voir comme ça… de voir ses lèvres, je veux dire.

— Tu es morbide aujourd'hui, Linda, dit Nance d'un ton sec. Bon ? Veux-tu que nous allions au jardin ? Porter des arrosoirs et arracher les mauvaises herbes nous fera du bien à toutes les deux.

Pendant que les deux sœurs conversaient ainsi dans leur logement de la Grand-Rue, Sorio et Baltazar étaient assis ensemble sur un banc du port. La marée montait et de fraîches brises marines, auxquelles se mêlaient des odeurs de goudron, de peinture et l'odeur du tabac des pêcheurs, flottaient autour de leurs paroles.

— C'est absurde d'avoir des secrets entre nous, disait Sorio, dont le visage reflétait la lumière du couchant qui se déversait à la surface du fleuve jusqu'à l'endroit où ils étaient assis. Quand je deviendrai pour toi un compagnon impossible, je suppose que tu me le diras et que tu me mettras à la porte. Mais, jusque-là, je veux bien croire que je t'intéresse et que je ne t'ennuie pas.

— Ce n'est pas la question d'ennuyer qui que ce soit, répondit l'autre. Ce qui m'a contrarié, c'est que j'ai pensé que tu ne faisais aucun effort pour te contrôler. Comme si tu raclais toutes les sensations désagréables que tu as jamais éprouvées pour me les enfoncer dans la gorge. Ennuyé ? Certainement pas. Au contraire, j'étais plutôt comme qui dirait *mordu*. Tu vas si loin, mon cher, tu vas si loin !

— Je n'appelle pas ça "aller loin" du tout, répondit Sorio d'un ton maussade. À quoi bon vivre ensemble si nous ne pouvons pas parler de tout ? Et puis, tu ne m'as pas laissé finir. Ce que je voulais te dire, c'est que, pour une raison ou une autre, j'en suis arrivé au point que tous les gens que je rencontre — chaque personne mortelle, et particulièrement chaque étranger — me semblent odieux et repoussants. J'ai déjà eu cette impression, mais jamais aussi nettement. Ce n'est pas une impression agréable, mon cher, tu peux en être sûr.

— Mais que veux-tu dire… que veux-tu dire par "odieux et repoussants" ? lança l'autre. Je suppose qu'ils sont, comme nous, de chair et de sang. Après tout, chair et sang sont chair et sang.

Tout en disant cela, Baltazar suivait un autre fil de pensées : « Adriano est évidemment en train de redevenir fou. Ce genre de perception est un symptôme. J'aime l'avoir ici avec moi. J'aime regarder son visage lorsqu'il s'anime. Il a un beau visage au moule plus purement antique que la moitié des anciens camées. J'aime surtout le regarder quand il est harcelé et outragé. Il est à ces moments-là empreint d'un désenchantement misérable qui colle parfaitement à mon goût. Adriano me manquerait horriblement s'il partait. Je n'ai jamais vécu avec personne qui me convienne autant. Je peux le perturber quand je veux et l'apaiser quand je veux. Il me remplit d'une délicieuse sensation de puissance. Si seulement Philippa voulait le laisser seul et si cette fille Herrick cessait de le persécuter, il m'irait comme un gant. J'aime voir ses nerfs se crisper et se tendre. J'aime cet air d'animal blessé qu'il prend alors. Mais ce sont ces maudites filles qui gâchent tout. Évidemment, c'est leur travail, leur nouvelle manie. Elles poussent toute chose si loin ! J'aime le voir devenir sauvage et désespéré, mais je ne veux pas le voir fou. Ces filles ne reculent devant rien. Elles le mettraient dans un asile si elles le pouvaient, pauvre diable impuissant ! »

Pendant que ces pensées glissaient doucement dans la tête de Stork, son ami était déjà en train de répondre à la question qu'il avait posé sur « la chair et le sang ».

— Ce n'est pas autre chose qui me porte sur les nerfs, dit-il. Je peux le supporter quand je te parle, parce que j'oublie tout de toi sauf ton esprit, et je peux le supporter quand je fais l'amour à une fille parce que j'oublie tout sauf...

— Ne dis pas son corps ! lança Baltazar.

— Je n'allais pas le dire, gronda l'autre. Je sais que ce n'est pas à leur corps qu'on pense. C'est... c'est... du diable à quoi au juste ? Quelque chose de beaucoup plus profond que cela. Enfin, peu importe ! Ce que je veux te dire, c'est ceci : avec toi et Raughty, et quelques autres qui m'intéressent vraiment, j'oublie tout le reste. *Vous* êtes des individus pour moi. Vous m'intéressez, et j'oublie à quoi vous ressemblez, ou que vous avez le moindre lambeau de chair.

« C'est quand je tombe sur des gens que je n'aime pas ou qui ne m'intéressent pas que j'ai cette sensation, et bien sûr (il observa un groupe de femmes dont les voix s'élevaient avec colère sous un passage voûté à l'autre bout du port), et bien sûr cela m'arrive tous les jours.

Une cigarette non allumée entre les doigts, Stork concentra sur lui son attention.

— Quel *est* exactement le sentiment que tu éprouves ? demanda-t-il d'une voix douce.

La lumière sur le visage de Sorio s'était éteinte en même temps que l'incandescence sur l'eau. Alors, sur l'endroit où ils étaient assis, sur le quai pavé de galets, sur les marches de l'embarcadère gluantes d'algues vertes, sur la vase du port et les plats-bords goudronnés des barques qui se balançaient doucement, sur la pâle marée qui montait en gargouillant et suçant et léchant et en poussant de longs soupirs, commença de tomber cette indescriptible sensation de la venue de la nuit à l'embouchure d'un fleuve, qui n'a pas son pareil au monde. C'était, semblait-il, comme la rencontre de deux perspectives infinies parlant toutes les deux à l'imagination : le sens du mystère des horizons sans fin vers le large, et le mystère plus humain de l'espace inconnu dans les terres semées de champs vagues et de marais et de bois et de jardins silencieux — les deux perspectives mêlées devenant un souffle suspendu d'ineffable possible, triste et tendre, au bord de ce qui ne peut être prononcé.

— Ce que c'est ? répéta rêveusement Sorio d'une voix basse et mélancolique. Comment puis-je te dire ce que c'est ? C'est une connaissance de la vérité intérieure, je suppose. C'est le fait que j'ai enfin découvert ce que les êtres humains sont en réalité. J'en suis arrivé à les voir dépouillés et nus… non ! Pire que ça… *écorchés vifs*. J'en suis arrivé au point, Tassar, mon ami, où je vois le monde *tel qu'il est*, et je peux te dire que ce n'est pas un spectacle réjouissant !

Baltazar Stork le regarda avec une pitié exquise, une pitié qui n'en était pas moins vraie, même si l'émotion qui l'avait fait naître était celle d'un plaisir indescriptible. En présence du visage massif et de la silhouette puissante de son ami, il se sentait délicieusement délicat et frêle, mais avec cette sensation de fragilité lui venait un sentiment d'irrépressible pouvoir… le pouvoir d'un esprit capable de contempler avec sérénité des choses qui font trembler et tituber et perdre l'esprit. Les forces secrètes de l'univers permirent à Baltazar de connaître, au cours de cette heure, l'un des plus grands moments d'exaltation de sa vie.

— Arriver au point que j'ai atteint, poursuivit Sorio (d'une voix douce en observant la couleur mourir à la surface des eaux, remplacée par une lueur blanchâtre, au spectral miroitement argenté), signifie avoir les sens aiguisés jusqu'à une terrible réceptivité. En fait, tant que tu n'entends pas le cœur des gens battre, tant que tu n'entends pas leurs méprisables appétits siffler et se tordre dans leurs veines comme de maléfiques serpents… tu n'as pas atteint ce point. Tu ne l'as pas atteint tant que tu ne sens pas le tombeau… oui ! le tombeau de toute mortalité… à l'approche de la chair, fût-ce la plus pure. Tu ne l'as pas atteint tant que chaque mouvement que font les gens, chaque mot qu'ils profèrent ne trahit pas ce qu'ils sont, ne trahit pas le vautour qui tourne ou la hyène qui rôde. Tu ne l'as pas atteint tant que tu ne te sens pas prêt à crier, comme un enfant dans un cauchemar, et à battre l'air des mains tant est suffocant le poids répugnant des corps vivants… des corps marqués par l'empreinte et le signe et le sceau de la mort et de la décomposition !

Baltazar Stork gratta une allumette et alluma une cigarette.

— Bon ? dit-il en étendant les jambes et en s'appuyant contre le banc de bois. Bon ? Le monde est donc ainsi. Tu l'as découvert. Tu le sais. Tu as découvert cette merveille. Pourquoi ne peux-tu pas fumer des cigarettes, alors, et faire l'amour à tes belles amies en laissant le reste voguer ? De toute façon, tu seras mort d'ici un an ou deux.

« Cher Adriano, dit-il en baissant la voix jusqu'au murmure, puis-je te dire quelque chose ? Tu fais tout ce foin et tu te désespères pour une chose qui en réalité ne te concerne pas le moins du monde. Ce n'est pas ton affaire si le monde pue comme une carcasse. Ce n'est pas ton affaire si le cerveau des gens grouille de serpents venimeux et s'ils ont le ventre plein de gloutonne lubricité. Ce n'est pas ton affaire — tu m'entends ? — si la chair humaine sent le tombeau. Ton affaire, mon garçon, c'est d'en tirer le plus de divertissement possible et de te sentir aussi bien que tu le pourras. Ça pourrait être pire, ça pourrait être mieux. Il n'y a pas grande différence entre les deux.

« Écoute-moi, Adriano ! Je te le dis maintenant, pendant que nous sommes là, assis sur ce banc à regarder cette eau :

si tu ne te débarrasses pas de cette nouvelle manie, tu finiras comme tu l'as fait en Amérique. Tu sombreras de nouveau dans la folie, mon cher, ce qui serait aussi désagréable pour toi qu'extrêmement gênant pour moi. Le monde n'est pas *fait* pour être pris au sérieux. Il est fait pour être maté comme on mate une fille énervante. Prends ce qui t'amuse et envoie le reste au diable ! Toute autre chose — et je sais de quoi je parle — n'est source que de misère.

« Hé ho ! mais c'est un soir absolument délicieux ! Quelle absurdité de parler comme nous l'avons fait ! Regarde ce garçon là-bas. Il ne se préoccupe pas de cimetières. Hé, Harry ! Tommy ! quel que soit ton nom… viens ici ! Je veux te parler.

Le gamin était un chenapan d'environ onze ans, aux jambes nues et en haillons, qui avait un moment tourné autour des deux hommes. Il répondit aussitôt à l'appel de Baltazar et les regarda tous les deux avec un étonnement railleur.

— Z'avez des images ? demanda-t-il.

Approuvant d'un signe de tête, Baltazar ouvrit un nouveau paquet de cigarettes et tendit au gamin une petite carte oblongue frappée aux armes d'une dynastie royale d'Europe.

— J'préfère celles qui sont dans les paquets de Honey-Dew, dit le gamin, celles de sport qu'on trouve dans ces paquets-là.

— On ne peut pas toujours avoir des images de sport, Tommy, dit Baltazar. Les petits garçons, au train où va le monde, doivent apprendre à se contenter des armes des princes européens. Laisse-moi tâter tes muscles, Tommy. J'ai l'impression que tu souffres de malnutrition.

L'enfant étendit le bras, puis le plia avec un air d'extrême et anxieuse gravité.

— Parfait, dit Stork en souriant. Oui, je dirais que tu es vraiment costaud pour ta taille. Quelle est ton opinion, Tommy, sur le monde en général ? Ce monsieur ici pense que nous sommes tous mal partis. Il pense que la vie est un foutu mauvais enfer. Qu'en penses-tu, toi ?

Le gamin le regarda d'un air suspicieux.

— Ben Porter, qui nettoie les couteaux à l'Amiral, a déjà tenté de me faire le coup. Mais j'lui ai vite montré à qui qu'il parlait.

Il partit en courant, mais revint quelques instants plus tard, pointant avec excitation le doigt vers une couple de goélands qui tournaient autour d'eux.

— Y en a un qu'a tiré dessus hier soir, dit-il, et l'oiseau est tombé à l'eau. Bon Dieu, quelle gerbe ça a fait ! L'était pas vraiment mort, j'crois… juste assommé.

— Qu'est-ce que c'est que cette histoire ? demanda Sorio d'une voix coupante. Qu'est-ce qu'est devenu l'oiseau ? Qui l'a recueilli ?

Le gamin les regarda avec des yeux sidérés.

— Y sont pas bons à manger, répondit-il, c'est c'qu'on appelle des "oiseaux-cannibales". Y s'nourrissent d'ordures. Mais c'pendant les chats les bouffent, ajouta-t-il.

— Qu'est-ce qu'il est devenu ? cria Sorio d'une voix menaçante.

— Parti avec la marée, m'sieur, probablement, répondit le gamin en s'éloignant prudemment. J'ai vu des gars dans une barque lui taper d'ssus avec leurs avirons, mais y z'ont pas pu l'avoir. Il s'est démerdé pour battre des ailes et se tirer.

Se levant du banc, Sorio se mit à arpenter le quai, les yeux fixés vers l'est, au-delà de la longue ligne de pilotis de bois à moitié immergés qui indiquaient que l'on entrait dans le port.

— Quand ce démon l'a-t-il tiré, as-tu dit ? demanda-t-il en se tournant vers le garçon.

Mais le garnement avait pris la poudre d'escampette. Des gentlemen en colère et au visage bronzé s'intéressant aux goélands blessés, voilà qui était pour lui une expérience nouvelle.

— Prenons une barque et ramons jusqu'aux pilotis, dit soudain Adrian. Il me semble que je vois quelque chose de blanc là-bas. Regarde ! Tu ne crois pas ?

Baltazar vint à ses côtés.

— Ciel, mon cher, remarqua-t-il languidement, tu n'espères tout de même pas qu'après tout ce temps l'oiseau sera encore là ? Cependant, ajouta-t-il en haussant les épaules, si cela doit te mettre de meilleure humeur, allons-y.

Lorsque la décision fut prise, ce fut Baltazar qui libéra une barque des amarres et Baltazar qui alla chercher une paire d'avirons appuyés contre un hangar à poissons. Pour les détails pratiques, Sorio le passionné était toujours frappé de paralysie ou d'incapacité nerveuse. Une fois dans la barque, cependant, Stork refusa de faire autre chose que barrer.

— Pour tous les goélands du monde, dit-il, je ne ramerai pas contre ce courant.

Sorio ramait avec une force désespérée, mais c'était une tâche lente et laborieuse. Quelques pêcheurs, flânant sur le quai après dîner, observaient la scène avec intérêt.

— Le gentleman veut faire un peu d'exercice avant l'dîner, observa l'un.

— Ça s'rait étonnant qu'il bouge, répondit un autre, mais il rame comme si c'était une régate royale.

Le visage en sueur, tous les muscles du corps raidis de frissons, Sorio tirait et forçait sur les rames. D'abord, la barque sembla bouger à peine. Puis, petit à petit, elle avança, la force de la marée diminuant à mesure que s'élargissait l'embouchure du port. Après plusieurs minutes d'épuisant effort, ils atteignirent l'endroit où le premier pilotis sortait de l'eau. Il était couvert d'un fouillis d'algues et blanchi par le soleil et le vent. La marée gargouillait et écumait tout autour. Baltazar bâilla.

— Ils sont tous comme celui-ci, dit-il. Tu vois à quoi ils ressemblent. Il est impossible de s'y accrocher, à moins d'avoir des mains pour le faire.

Appuyé sur les avirons, Sorio lança un regard de feu sur les eaux qui s'assombrissaient.

— Allons quand même jusqu'au dernier, marmonna-t-il.

Il reprit les rames, l'effort s'amoindrissant à mesure qu'ils échappaient au courant de l'embouchure du fleuve et gagnaient la haute mer. Quand le flanc de la barque se frotta enfin contre le dernier pilotis, ils étaient à environ un quart de mille de la terre. Non, il n'y avait certes pas le moindre goéland ici, mort ou vif !

Une balise, à laquelle était attachée une cloche, émettait à intervalles, au-dessus de l'eau, un son profondément mélancolique… un cri assourdi et pourtant tragique, non totalement dépourvu d'espoir, mais plein d'un désenchantement qui brisait le cœur. L'air était chaud et sans un souffle de vent ; le ciel, lourd de nuages ; l'horizon, masqué par la nuit qui tombait rapidement. Sorio se retint au pilotis pour empêcher la barque de dériver. Il y avait déjà des lumières en ville et quelques-unes leur parvenaient en longues lignes tremblantes irradiant des clignotements.

— Tassar, murmura soudain Sorio sur un ton étrangement et tendrement modulé.

— Eh bien, mon enfant, de quoi s'agit-il ? répondit l'autre.

— Je veux seulement te dire, poursuivit Adrian, quoi que je puisse dire ou faire dans l'avenir, que tu es le meilleur ami que j'aie jamais eu, sauf un.

Sa voix, en prononçant « sauf un », s'emplit d'une vibrante douceur.

— Merci, mon cher, répondit calmement Stork. Je serais extrêmement peiné si tu faisais une bêtise. Mais qui est mon rival, dis-moi cela ! Qui peut être un meilleur ami que moi ? Pas Philippa, j'espère… ou Nance Herrick ?

Sorio poussa un profond soupir.

— Je me suis juré, murmura-t-il, que je ne parlerai plus jamais de lui à personne, mais le son de cette cloche — n'est-il pas surnaturel, Tassar ? n'est-il pas spectral ? — me donne une envie folle de le faire.

Baltazar Stork prit une longue inspiration sifflante et basse :

— Ah ! je comprends, dit-il. Je comprends ! Tu parles de ton fils, là-bas. Eh bien, mon cher, je ne te blâme pas de te languir de lui. J'ai l'intuition que ce doit être un jeune homme extraordinairement beau. Je me l'imagine semblable à mon Vénitien. Ressemble-t-il à Flambard, Adrian ?

Sorio soupira de nouveau, du soupir de celui qui pèche contre son âme secrète et ne trouve aucune récompense dans ce sacrilège.

— Non… non, marmonna-t-il, ce n'est pas cela ! Cela n'a rien à voir avec le fait qu'il soit beau. Dieu sait si Baptiste *est* beau ! C'est que je le veux. C'est qu'il comprend ce que j'essaie de faire dans le noir. C'est simplement que je le veux, Tassar.

— Que veux-tu dire par "essayer dans le noir", Adriano ? De quelle obscurité parles-tu ?

Sorio ne répondit pas immédiatement. Sa main, qui s'accrochait au pilotis tandis que la barque tanguait, rencontra l'une de ces algues aux excroissances glissantes en forme de bulles et il enfonça les ongles dans l'un de ces globes coriaces, avec la vague idée rêveuse que s'il pouvait le crever il ferait du même coup crever l'un des abcès qui lui troublaient le cerveau.

— Te rappelles-tu, dit-il enfin, ce que je t'ai montré l'autre nuit ? Ou l'as-tu oublié ?

Baltazar regarda le contour obscur des traits de son ami et sentit, ce qui était extrêmement rare chez lui, la faible pointe d'un craintif remords.

— Bien sûr que je m'en souviens, dit-il. Tu veux parler de tes notes… de ce livre que tu écris ?

Mais Sorio ne l'entendit pas. Il essayait avec une attention intense de crever une autre bulle sur une algue. La cloche de l'invisible balise sonnait par à-coups sur l'eau et, entre le flanc de la barque et le pieu auquel l'homme s'accrochait, quelque chose gargouillait et lappait et soupirait, comme si, loin au-dessous d'eux, dans les profondeurs de la marée murmurante, quelque triste créature marine, sans espoir, ni mémoire, ni repos, s'agitait en gémissant et tournait une inhumaine face noyée vers le ciel obscurci.

XVI

LES MARAIS

À présent que l'influence de son travail lui calmait les nerfs, Nance réussissait, grâce à une sorte d'obstination léthargique, à supporter la tension de ses sentiments pour Sorio. Elle essayait de toutes ses forces de rendre les choses agréables à sa sœur, qui elle aussi était blessée, en inventant mille petits projets pour la divertir et la distraire, sans rien laisser voir qui pût troubler son enjouement.

Mais sous tout cela son âme souffrait misérablement et sa nature entière avait une lancinante soif d'amour. Son travail agissait sur elle comme une sorte d'opium et, dans les soirées passées au milieu des parterres de fleurs de Letitia Pontifex, il y avait des moments d'un espoir fortifiant, mais nuit et jour la douleur de la passion la blessait et le croc de la jalousie lui mordait la chair.

La nuit, c'était pire que tout. Les deux sœurs couchaient dans la même chambre et, à mesure que juillet finissait, Nance se mit à redouter de plus en plus l'heure où, de retour du jardin de leur voisine, elles se déshabillaient en silence et s'étendaient l'une près de l'autre. Toutes les deux — Linda non moins que sa sœur — essayaient de toutes leurs forces de chasser les pensées qui les tourmentaient et de se comporter comme si elles avaient l'esprit en paix, mais le combat était difficile. Si seulement elles n'avaient pas su, avec une si précise cruauté, exactement ce que pensait l'autre, tandis qu'elles se tournaient et se retournaient, haletant et se rongeant comme de petits animaux fiévreux, cela aurait été plus facile à supporter. « Tu ne dors pas encore ? », murmurait plaintivement l'une, et le résigné : « Je suis désolée, chérie, mais oh ! vivement que le matin arrive ! » qu'elle recevait en réponse ne faisait qu'empirer les choses.

Une nuit exceptionnellement chaude — le premier dimanche d'août, veille d'un jour férié —, Nance sentit qu'elle allait hurler si sa sœur n'arrêtait pas de bouger dans son lit.

Il y avait dans ce supplice quelque chose d'humiliant et de dégradant. Il était difficile d'être patient, difficile de ne pas sentir que la souffrance qui perçait le cœur était subtilement tournée en dérision et comme insultée par la présence de la même blessure dans le cœur de l'autre. Cela réduisait le chagrin des deux sœurs à une sorte d'universelle douleur du sexe, qui outrageait ce qu'il y avait de plus sacré et de plus secret dans leur âme.

Il y avait deux fenêtres dans la chambre, l'une donnant sur la rue, l'autre sur une cour fermée derrière la maison. Nance, étendue sur son lit, les draps rejetés sur le côté, les mains nouées sur la nuque, était horriblement consciente non seulement du fait que sa sœur avait aussi les yeux grands ouverts, mais qu'elles écoutaient *ensemble* les mêmes bruits. Ils étaient de deux sortes, venant parfois séparément, parfois à l'unisson. Il y avait le vagissement d'un bébé dans une chambre en face de la rue, et le gémissement d'un chien dans la cour mitoyenne de la leur.

La jeune fille avait la sensation que toute la désolation du monde était concentrée dans ces deux bruits. Elle gardait les paupières étroitement fermées afin de ne pas voir l'obscurité, mais ce procédé ne faisait que rendre plus intense la perception des autres sens. Elle se représentait l'enfant et se représentait le chien. Le premier, elle l'imaginait avec un petit visage fripé et plissé — comme avait dû l'être celui de M. Traherne au berceau — couvert de repoussants bubons. Elle en voyait la couleur, contre ses pupilles brûlantes, comme si elle le touchait du bout des doigts, et il était d'un brun rougeâtre. Le chien avait un long corps mou sans poils et elle le voyait qui se grattait faiblement en gémissant, tout en sachant, avec une certitude diabolique, qu'il était incapable d'atteindre l'endroit où la démangeaison était insupportable.

Malgré les fenêtres ouvertes, il n'y avait pour ainsi dire pas d'air dans la chambre, et Nance eut l'impression de sentir dans les lambris une odeur semblable à la poussière qui l'avait un jour accueillie lorsqu'elle avait ouvert une armoire dans l'une des chambres inoccupées de la Maison sur la digue, la poussière de tous les vêtements mangés aux mites de générations de morts.

Elle comprit qu'elle aurait pu supporter ces choses — les plaintes du chien et les vagissements du nouveau-né — si seulement Linda, le visage tourné vers le mur, ne les avait pas écoutées aussi, écoutées avec une fiévreuse intensité. Oui, elle aurait pu les supporter si la nuit entière n'était pas à l'écoute — à l'écoute de l'humanité qui se tournait et se retournait, essayant de soulager la gale de son désir et incapable d'atteindre, malgré les tours et les retours, l'endroit où le bubon suppurait.

Poussant un cri, elle sauta hors du lit, fourragea dans la coiffeuse à la recherche d'une allumette, et alluma une bougie. La flamme vacillante éclaira Linda assise toute droite, les yeux lamentablement grands ouverts.

Se dirigeant vers la fenêtre qui donnait sur la cour, elle rejeta en arrière de son front la lourde masse de ses cheveux.

— Dieu nous vienne en aide, Linda ! murmura-t-elle. C'est inutile. Tout est inutile.

La cadette sortit lentement et péniblement du lit, puis traversa la chambre, et se nichant contre l'aînée la caressa en silence.

— Qu'allons-nous faire ? répéta Nance en sachant à peine ce qu'elle disait. Qu'allons-nous faire ? Je ne peux pas supporter ça. Je ne peux pas, petite fille, je ne peux pas !

Comme en réponse à son appel, le chien et le nouveau-né gémirent pitoyablement dans la nuit.

— Quelle misère il y a dans le monde… quelle horrible misère ! murmura Nance. Mieux vaut mourir que rester comme ça. Mieux vaut être morte, ma chérie.

Linda répondit en lui entourant la taille et en la serrant contre elle.

— Pourquoi ne pas nous habiller et sortir ? s'écria-t-elle soudain. Il fait trop chaud pour dormir. Oui, faisons-le, Nance ! Habillons-nous et sortons.

Nance la regarda et lui sourit faiblement. Il y avait dans la voix une ardeur enfantine qui lui rappela la Linda d'autrefois.

— Parfait, dit-elle. Ça ne me dérange pas.

Elles s'habillèrent en hâte. La hardiesse même de l'idée les aida à reprendre leurs esprits. Tête nue et en chaussures de maison, elles sortirent dans la rue. Il était entre deux et trois heures du matin. La petite ville était absolument silencieuse. Le bébé dans la maison d'en face ne faisait aucun bruit. « Peut-être est-il mort », pensa Nance.

Lorsqu'elles traversèrent le pré, Nance lança un long regard désenchanté sur le cottage de Baltazar. Les lourds nuages s'étaient un peu dissipés et, de divers points dans le ciel, les étoiles papillotaient faiblement. Il faisait cependant toujours si noir que, lorsqu'elles atteignirent le milieu du pont, ni l'une ni l'autre rive n'étaient visibles et les eaux de la Drôle qui coulaient dessous étaient cachées dans une profonde obscurité. S'accoudant au parapet, elles respirèrent les ténèbres. Le vent qui soufflait, venant de l'ouest, était chargé d'odeurs de tourbe et de vase des marais, et le bruit de la mer semblait venir de très loin, comme s'il appartenait à un autre monde.

Elles traversèrent le pont et commencèrent à suivre le sentier qui menait à l'église. Arrivant soudain devant une barrière ouverte, elles furent tentées, par un curieux instinct d'inconsciente autopunition, d'abandonner le chemin qu'elles connaissaient pour suivre un étrange sentier inconnu qui s'enfonçait au cœur des sombres marécages. Bifurquant à l'orée du chemin qui s'éloignait de la mer, ce sentier les mena, le long d'un fossé de roseaux, dans un immense et ténébreux labyrinthe de silencieuses prairies inondées.

Heureusement pour les deux jeunes filles, le fossé avait un haut remblai clairement marqué, une levée de terre dont les propriétaires de bétail du lieu se servaient pour faire passer leurs troupeaux d'un pâturage à l'autre. Quiconque n'a jamais suivi l'une de ces digues, ou l'un de ces remblais à travers les marais, ne saurait concevoir les sentiments curieux qu'ils ont le pouvoir d'évoquer. Même de jour, ces impressions sont uniques et étranges. La nuit, elles sont exacerbées jusqu'au bord de la peur panique. La cause immédiate, tangible, de cette émotion est la sensation d'être isolé, séparé, coupé de toute communication avec le monde ordinaire.

Sur le bord de mer, on est certes en contact avec la masse inconnue des eaux, mais il y a toujours, à portée de main, le paysage familier des terres, amical et rassurant. À flanc de montagne, on peut regarder avec appréhension les austères sommets, mais on a toujours derrière soi les rochers et les bois, les terrasses et les corniches que l'on vient d'escalader et par où l'on peut à tout moment redescendre.

Au milieu des marais, il n'y a aucun moyen de se rassurer de la sorte. Le chemin que l'on vient de suivre se fond dans l'espace illimité des alentours. Fondu, perdu, annihilé. Aucune marque, aucun indice, aucun signe pour le différencier des autres chemins semblables. Aucune marque, aucun signe pour séparer le nord du sud ou l'est de l'ouest. De tous les côtés, les mêmes roseaux, les mêmes champs, les mêmes barrières, les mêmes saules rabougris, les mêmes mares désolées, les mêmes vastes horizons fuyants. L'esprit n'a rien pour se reposer sauf l'espace, et l'espace semble aussi dépourvu de bornes que l'infini.

Nance et sa sœur n'étaient pas, bien sûr, suffisamment loin des lieux qui leur étaient familiers pour être frappées par la terreur des marais, mais, l'obscurité aidant, elles commençaient à en sentir les prémices. Le désir d'échapper au fardeau de leurs pensées, qui les poussait en avant, se mêlait, plus elles avançaient, à une sensation croissante de danger. Mais elles plongèrent au cœur de ce danger même avec une sorte de désespoir exultant. Elles éprouvaient toutes les deux, tandis qu'elles avançaient main dans la main, le délicieux et morbide plaisir de se punir, de se forcer d'accomplir — et au plus profond de la nuit — la chose qu'elles avaient, entre toutes, le plus évitée, même à la lumière du plein jour.

À environ un kilomètre de leur point de départ, les puissances élémentaires leur permirent d'assister à un curieux tour de magie. Sans aucun signe précurseur, un vent plus puissant se leva soudain de l'ouest. Tous les nuages furent entraînés vers la mer, et avec eux disparut toute trace de brume marine. Le vaste dôme du ciel devint clair et pur, et parmi les innombrables constellations leur apparut — étendue dans toute sa longueur — la Voie lactée. Non seulement les étoiles se montrèrent, mais elles jetèrent une étrange lumière fantomatique sur l'ensemble du paysage. Ce qui n'avait été que brumeux contour devint distinct, et des choses jusqu'alors cachées étaient à présent nettement reconnaissables.

Les jeunes filles s'arrêtèrent et regardèrent autour d'elles. Elles virent le clocher de l'église, trapu et carré, qui se détachait contre la ligne lointaine des dunes. Elles virent les toits du village, nichés pêle-mêle, grisâtres et obscurs, au-delà de la sombre courbe du pont. Elles virent la forme noire de la Maison sur la digue, à peine esquissée contre le haut chemin de halage du fleuve. Et Nance, en se tournant vers l'ouest, aperçut même son oseraie favorite, entourée d'ombreux champs de blé.

Il y avait, à présent que la scène de leurs ennuis s'étalait devant leurs yeux, quelque chose de pathétique dans la façon dont chacune des deux filles se tourna instinctivement vers le lieu le plus associé aux pensées qu'elle cherchait à fuir. Nance regarda longtemps d'un air désenchanté le petit bois de saules et d'aulnes, qui lui apparaissait comme une simple exhalaison de brume plus dense au-dessus des grandes étendues de marais. Elle se rappela combien ses sentiments avaient été impitoyablement meurtris dans ce bosquet. Combien Sorio s'était montré violent, étrange et peu tendre. Et pourtant, même en cet instant — où son cœur se déchirait au souvenir de ce qu'elle avait enduré —, le vieux cri farouche et passionné s'échappa de son âme : « Mieux vaut être battue par Adrian qu'aimée par le reste du monde ! »

Sans doute parce qu'elle était plongée dans ses pensées et contemplait rêveusement l'endroit qui les lui évoquait, elle ne remarqua pas l'événement qui fit trembler sa compagne d'une intolérable excitation. Ce n'était rien de moins que l'apparition soudaine, entre les arbres qui cachaient presque entièrement la maison, d'une lumière rouge à une fenêtre de Chênegarde. C'était une lumière instable, qui paraissait bouger et vaciller. Parfois, elle devenait d'un rouge profond, comme une étoile menaçante, et à d'autres moments elle pâlissait et diminuait de taille. Soudain, après avoir vacillé et tremblé pendant quelques secondes, elle disparut complètement.

Linda tourna alors rapidement la tête pour voir si Nance l'avait aperçue. Sa sœur n'avait rien vu.

Il n'était pas étonnant que cette lumière à une fenêtre de Chênegarde fit vibrer la jeune fille d'une incontrôlable agitation. Ce même signal, convenu entre eux durant leurs quelques semaines d'amour fou, avait plusieurs fois clignoté sur l'autre rive du fleuve, devant la Maison sur la digue, et, à l'insu de Nance, une réponse clignotante était apparue dans la chambre des deux sœurs. Linda fut parcourue d'un frisson qui fit vibrer toutes les fibres de son corps, et dans l'obscurité ses joues s'embrasèrent. Elle fut soudain convaincue que, par quelque étrange lien entre le cœur de Brand et le sien, il savait qu'elle était dans les marais et lui disait qu'il le savait, avec le vieux signal excitant.

« Il m'appelle, se dit-elle, il m'appelle ! » À l'instant où les mots se formaient sur ses lèvres, avec une douleur qui lui traversa la poitrine et lui serra le cœur jusqu'au vertige, elle eut la certitude que Brand avait quitté la maison et l'attendait, quelque part dans la longue allée de tilleuls et de cèdres où ils s'étaient déjà rencontrés une fois en début de soirée.

« Il m'attend ! », se répéta-t-elle, et le vertige devint si fort qu'elle tituba et saisit le bras de sa sœur.

— Nance, murmura-t-elle. Je me sens mal. Les tempes me battent. Veux-tu que nous rentrions ?

Nance, pleine d'inquiète sollicitude, passa les doigts sur le front de sa sœur.

— Oh, ma chérie, ma chérie, s'écria-t-elle, tu as la fièvre ! C'est de la folie de t'avoir entraînée dans cette escapade !

En la soutenant d'un bras, elle rebroussa chemin lentement. Tandis qu'elles marchaient, Nance ressentit, avec plus de force que jamais depuis qu'elle avait traversé la Drôle, cette profonde pitié maternelle, infiniment sensible à la protection, qui était la qualité fondamentale de sa nature. Peut-être parce que Linda s'accrochait à présent à elle comme un enfant, Nance se sentait plus heureuse qu'elle ne l'avait été depuis bien des jours. Un mystérieux détachement de son propre destin, une sorte d'indifférence résignée à ce qui arrivait, parut la libérer de la pire angoisse de ce qu'elle avait perdu. L'immense étendue d'ombre qui l'environnait, le silence des marais, seulement rompu par le froissement des roseaux et le bruit de l'eau au moment où un poisson qui montait des profondeurs faisait claquer sa queue à la surface, la grande voûte du ciel piquée d'étoiles étrangement et infiniment rassurantes, tout cela faisait vibrer le cœur de Nance d'une inexprimable émotion.

Elle perçut à cet instant, avec une vivacité qu'elle n'avait encore jamais ressentie, le sens profond du haut mystère platonique dont lui avait parlé M. Traherne. Elle se dit que, quoi qu'il pût lui arriver ou ne pas lui arriver désormais, cet étrange secret spirituel n'était ni une illusion ni un rêve. C'était quelque chose de tangible et de réel. Elle l'avait ressenti — ou, du moins, elle avait touché la frange du mystère —, et, s'il ne revenait jamais ou si elle n'en éprouvait plus la puissance comme maintenant dans toutes les fibres de son être, il n'en demeurerait pas moins que le mystère *avait eu lieu*, qu'elle l'avait éprouvé, qu'il était là, enfoui quelque part dans les profondeurs.

Très différentes étaient les pensées qui agitaient au cours de cette marche l'esprit de la cadette. Sa nature entière était obsédée par une seule farouche résolution : se jeter dans les bras de son amant. Il l'attendait. Il n'espérait qu'elle. Elle en était absolument convaincue. La douleur diffuse qu'elle éprouvait dans la poitrine et les battements de son cœur lui assuraient qu'il la guettait, qu'il l'attendait, qu'il lui faisait signe. Les puissantes influences de la nuit, les espaces silencieux, la voûte semée d'étoiles qui avaient procuré à Nance une paix spirituelle ne firent qu'exaspérer le désir de la frêle silhouette qu'elle supportait.

À travers tous les nerfs de son corps parcouru de fièvre, Linda sentait le contact des doigts de son amant. Elle souffrait et frissonnait de désir contenu, du désir de se donner à lui, de se soumettre complètement à son pouvoir. Elle n'était plus seulement quelque chose ayant un corps, une âme et des sens.

La complexité de toute forme mortelle était en elle complètement annihilée. Elle n'était plus qu'une corde tremblante, frissonnante, vibrante, une corde de désir fiévreux qui n'attendait que le moment d'être frappée par la main aimée pour se rompre en un furieux accord de musique extatique.

Son désir à cet instant était de ceux qui fauchent à la racine toute espèce de scrupule. Il ne lui donnait pas seulement le courage de la folie, il lui inspirait la ruse d'un dément. Tout le long du chemin, elle tira des plans désespérés pour s'échapper, et lorsqu'elles atteignirent le sentier de l'église ces plans avaient pris une forme définitive.

Elles débouchèrent sur le chemin familier et obliquèrent vers le sud en direction du pont. Nance, heureuse d'avoir ramené sa sœur si près de la maison sans autre mésaventure, fut tellement soulagée qu'elle ne put résister au plaisir de s'arrêter un moment pour cueillir quelques fleurs sur le talus couvert de roseaux. La fraîcheur de la terre tandis qu'elle se baissait, les herbes ondulantes, le souffle puissant du vent apportant l'odeur des marais, tout cela se mêlait harmonieusement pour fortifier le sentiment de consolation qu'elle venait de découvrir.

Elle arracha impétueusement, presque par les racines, de lourdes grappes de salicaires et d'épilobes en épi. Elle pataugea dans la boue humide d'un fossé peu profond pour ajouter à son bouquet une haute tige d'eupatoire et quelques valérianes. Toutes ces fleurs, vaguement fantomatiques et dépourvues de couleur à la faible clarté des étoiles, avaient une étrange et mystique beauté, et tout en les cueillant Nance se jura qu'elles seraient comme un pacte entre ses sens et son esprit. Un signe ou un indice, offert dans le calme de cette heure à tout ce à quoi les grandes puissances invisibles permettaient de renoncer sur terre sans être totalement malheureuse. Elle revint près de sa sœur avec son bouquet, et ensemble elles atteignirent le pont.

Lorsqu'elles furent exactement au milieu, Linda se mit à tituber. S'arrachant au soutien de sa sœur, elle s'effondra sur le petit banc de pierre au pied du parapet — là où, plusieurs mois plus tôt, s'était nouée une sinistre complicité entre Rachel Doorm et Brand. S'affalant au même endroit, la jeune fille, se pressant la tête dans les mains, poussa un pitoyable gémissement.

Nance laissa tomber les fleurs et s'agenouilla immédiatement auprès d'elle.

— Que se passe-t-il, chérie ? murmura-t-elle avec frayeur. Oh, Linda, que se passe-t-il ?

Pour seule réponse, Linda ferma les yeux en laissant sa tête lourdement tomber en arrière sur la pierre du parapet. Nance se leva et la regarda avec un désespoir muet.

— Linda ! Linda ! cria-t-elle. Linda ! Que se passe-t-il ?

Mais l'indécise forme blanche demeura muette ; seuls les doux cheveux sur le front flottaient au vent, tout le reste était horriblement et mortellement immobile.

Nance traversa le pont en courant et descendit au bord du fleuve. Elle en revint avec de l'eau dans les paumes pour asperger le visage de sa sœur. Les paupières de la petite battirent un instant, mais ce fut tout. Elle resta aussi immobile et apparemment aussi inconsciente qu'auparavant. Dans un effort désespéré, Nance essaya de la prendre à bras-le-corps, mais raide et flasque comme était Linda, c'était au-dessus de ses forces.

Impuissante et silencieuse, elle la regarda de nouveau qui gisait sur le banc. Puis il lui vint à l'esprit que la seule chose à faire était de la laisser où elle était pour courir chercher de l'aide au village. Elle réveillerait sa propriétaire. Elle obtiendrait le concours du docteur Raughty.

Après un dernier coup d'œil sur la silhouette immobile de sa sœur et un regard rapide sur le fleuve pour s'assurer qu'il n'y avait pas — comme cela arrivait parfois — une péniche ou un bateau amarrés avec des gens dormant à l'intérieur, elle se mit à courir aussi vite qu'elle le put en direction du bourg assoupi.

Dès que le bruit des pas de Nance s'éteignit dans le lointain, la soi-disant évanouie bondit sur ses pieds avec légèreté. Elle laissa à sa sœur le temps d'atteindre la Grand-Rue puis, d'un pas ferme et rapide, partit dans la même direction. Elle décida de ne pas prendre le risque de traverser le pré, mais d'atteindre le mur du parc par un petit chemin de traverse qui contournait l'arrière des maisons. Elle était certaine qu'il serait très facile d'escalader ce mur dès qu'elle l'aurait atteint. Elle se rappelait les pierres inégales et plus ou moins descellées, ainsi que le lierre qui y grimpait. Et une fois dans le parc... ah ! elle savait bien quel chemin prendre !

Une fois partis les envahisseurs humains, le vieux Nouveau Pont retrouva son habituelle humeur d'attente silencieuse. Il avait été témoin de maints amours et de maintes haines passionnées. Ses épaules avaient senti marcher des générations d'enfants de Rodmoor, aussi légers que des graines de chardon, et elles avaient senti le craquement du corbillard qui les avait emportés, une fois devenus lourds comme du plomb, dans les trous oblongs que l'on avait creusés pour eux dans le cimetière. Il avait senti tout cela, mais il attendait toujours, il attendait toujours avec une patiente espérance, tandis que les marées montaient et descendaient sous son arche, que les vents marins le balayaient et que, nuit après nuit, les étoiles baissaient les yeux sur lui, il attendait toujours, avec la terrifiante patience des dieux éternels et des éléments premiers, quelque chose, qui, après tout, n'arriverait peut-être jamais.

Les fleurs de Nance gisaient sur le sol, près du banc de pierre, à l'endroit où elle les avait laissés tomber. Elles étaient encore là lorsque, dix minutes environ après son départ, la jeune fille

revint accompagnée du docteur Raughty et de Mme Raps.
Linda n'y était plus.

Et les fleurs restèrent là jusqu'à l'aube, où un garçon de
ferme les aperçut en allant au travail et les jeta dans le fleuve
pour calculer avec quelle rapidité la marée allait les emporter
sous l'arche centrale. Elles y parvinrent très rapidement, mais,
le commis eut beau lambiner, il ne les vit pas réapparaître de
l'autre côté.

XVII
L'AUBE

L'aube commençait à poindre entre les arbres de Chênegarde lorsque Philippa Renshaw, sur le qui-vive comme elle l'était souvent durant ces nuits d'été, en se penchant à la fenêtre de sa chambre aperçut une silhouette presque aussi mince que la sienne, immobile au bord de l'une des terrasses et regardant la maison. Comme il n'y avait pas de lumière dans sa chambre, elle pouvait observer la silhouette sans risquer d'être vue à son tour. Elle l'identifia à l'instant et tint immédiatement pour certain que Brand était en route pour rencontrer la jeune fille à l'endroit où elle l'attendait.

Elle éprouva donc une certaine surprise, et même de l'ennui — car elle aurait aimé être témoin de la rencontre —, lorsque la jeune fille, au lieu de demeurer où elle était, glissa soudain comme une ombre fantomatique et disparut entre les arbres du parc. Philippa resta quelques minutes de plus à la fenêtre, scrutant intensément l'obscurité grise en se disant qu'elle s'était, après tout, peut-être trompée et qu'il s'agissait de l'une des servantes de la maison. Il y en avait une qui était somnambule, et Philippa dut admettre qu'elle avait été probablement trompée par son imagination morbide en supposant que la nocturne visiteuse était Linda Herrick.

Elle se recoucha un moment et essaya de dormir, mais l'idée que c'était vraiment Linda qu'elle avait vue et que la jeune fille était en train d'errer dans le parc comme un spectre en peine prit possession de son esprit. Se levant de nouveau, elle baissa le store avec précaution, tira les rideaux, et commença à s'habiller rapidement en prenant la précaution de poser la bougie solitaire dont elle se servait derrière un écran afin de ne pas donner l'éveil.

Ouvrant la porte, elle se glissa en catimini dans le couloir et s'arrêta un moment sur le seuil de la chambre de son frère. Tout était silencieux à l'intérieur. Avec un petit sourire, elle tourna délicatement la poignée et se glissa dans la pièce. Non ! Son hypothèse était exacte. La chambre était vide et le lit, apparemment, pas défait. Elle sortit et referma silencieusement la porte derrière elle.

La chambre de sa mère étant en face de celle de Brand, elle eut la soudaine lubie d'y entrer aussi. Elle ouvrit la porte et, aussi doucement qu'une âme errante, s'approcha du lit de sa mère. Mme Renshaw dormait dans une position peu confortable, un bras en travers de la courtepointe, la tête tout au bord du lit. Elle respirait lourdement, mais ne dormait pas d'un sommeil profond. De temps à autre, ses doigts s'ouvraient et se refermaient spasmodiquement et ses lèvres émettaient des sons inarticulés. Dans la pâle lumière de l'aube naissante, son visage paraissait plus vieux que Philippa ne l'avait jamais vu. Près de la dormeuse, un livre ouvert sur une petite table, mais il faisait encore trop sombre pour que l'intruse pût discerner quel livre c'était.

La jeune fille demeura quelques minutes d'une immobilité de pierre, les yeux fixés sur sa mère endormie. Son visage avait une expression si complexe, si subtile, que l'observateur le plus fin aurait été bien en peine de l'interpréter. Si ce n'était pas de la malignité, ce n'était certainement pas de la tendresse. Ce n'était comparable qu'au regard d'une courtisane païenne sur un esclave nouvellement converti, aux premiers temps de la chrétienté.

Vaguement consciente, sans être vraiment éveillée — comme souvent les dormeurs —, d'une présence étrangère à ses côtés, Mme Renshaw fit un brusque mouvement dans son lit et se tourna vers la fenêtre en gémissant quelque chose. C'était le nom de quelqu'un qui lui avait échappé, Philippa en était certaine, mais le nom qu'avait prononcé sa mère inconsciente lui était totalement inconnu.

Sortant de la chambre aussi silencieusement qu'elle y était entrée, la jeune fille descendit légèrement l'escalier, prit un manteau dans le vestibule, et se glissa dehors.

Dans les ombres qui se levaient une à une, Linda se hâtait d'un pas rapide et résolu vers l'endroit du parc où l'allée était bordée de grands cèdres. C'était vers ce lieu qu'elle s'était dirigée d'instinct. Une plus froide raison l'avait fait dévier de son but et s'approcher de la maison.

Tandis qu'elle marchait dans l'herbe trempée de rosée, qui brillait comme de l'argent dans la faible lumière, elle éprouva cette vague et indescriptible sensation que toute créature vivante, même sous l'empire de la passion, éprouve au premier signe tangible de l'aube. Des parfums et des odeurs impossibles à exprimer par des mots, et qui ne semblaient pas avoir d'origine naturelle, parvenaient à la jeune fille dans le vent qui passait près d'elle en soupirant. Ce n'était plus — et cela, du moins, Linda en avait vaguement conscience — le vent d'ouest. Ce n'était pas n'importe quel vent ordinaire du jour ou de la nuit. C'était le vent de l'aube, le souffle de la terre elle-même, retenu avec une douce et vive extase dans la délicate terreur de l'arrivée du dieu Soleil.

Comme elle approchait de l'allée où les troncs des cèdres se dressaient sombrement contre la lumière blanche et brumeuse, elle fut soudain surprise par le battement d'ailes d'un énorme héron qui sortit des ombres devant elle et s'envola dans le parc, cou et pattes tendues se découpant dans le ciel de l'est. Elle se glissa dans les ombres d'où le héron avait émergé et là, comme s'il ne l'attendait que depuis quelques instants, se trouvait Brand Renshaw.

D'un seul cri rapide elle se jeta dans ses bras et ils s'étreignirent comme si une éternité les avait séparés. Dans sa robe légère, humide de rosée, elle ressemblait à une créature surgie de la prière désespérée d'une passion terrestre. Les joues et les seins qu'il touchait étaient froids, mais les lèvres qui répondaient à ses baisers étaient brûlantes de fièvre. Elle s'accrochait à lui comme si un abîme pouvait à tout moment s'ouvrir sous leurs pieds. Elle lui prit la tête entre les mains et lui caressa le visage du bout de ses doigts transis. Elle était si légèrement vêtue qu'il sentait son cœur battre comme si c'était le sien.

— Je savais que tu m'appelais, haleta-t-elle enfin. Je l'ai senti... Je l'ai senti dans ma chair. Oh, mon seul amour, je suis toute à toi... toute à toi, toute ! Prends-moi, serre-moi, sauve-moi de tous les autres ! Serre-moi, serre-moi, mon seul amour, serre-moi fort pour me garder d'eux !

Elle s'accrochait si fort à lui qu'ils se balançaient ; alors il la prit dans ses bras et, tandis qu'elle continuait à l'embrasser comme une folle, il la transporta à l'ombre plus profonde des grands cèdres. Enfin, épuisée par l'ardeur de sa passion, elle resta mollement pendue à son cou, le visage aussi blanc que la lumière blanche qui à présent inondait l'horizon au levant. Il la déposa au pied de l'un des plus grands arbres et, se penchant sur elle, repoussa les cheveux qui lui tombaient sur le front comme si elle avait été une enfant épuisée.

Par quelque étrange loi de son étrange nature, l'intensité même de la passion qu'elle éprouvait pour lui et le fait qu'elle s'était totalement soumise à sa volonté calmèrent l'ardeur de son propre désir. Elle était sienne à présent, au moindre contact, au moindre mouvement. Mais il ne l'aurait pas plus touchée à cet instant qu'il n'aurait blessé un nouveau-né. Il éprouvait une émotion qu'il ne devait plus jamais retrouver de toute sa vie. Comme si, intouchée comme elle était, elle lui appartenait corps et âme. Comme s'ils étaient tous les deux, isolés, séparés, soustraits à l'ensemble du monde vivant. Sous les troncs des cèdres au feuillage noir, ils semblaient flotter dans une nef mystique au-dessus d'un océan de vagues blanches et transparentes.

Se baissant, il lui embrassa le front, aussi chastement qu'un père le front d'une petite fille, et elle répondit à ce baiser en fermant les yeux, immobile et silencieuse, un sourire d'infini contentement flottant légèrement sur ses lèvres.

Ils se tenaient ainsi — la main de la jeune fille reposant passivement dans celle de l'homme penché sur elle — lorsque par une trouée entre les arbres le soleil se leva au-dessus de la brume. Il leur envoya un long doigt sanglant qui souilla les troncs des cèdres, et fit paraître poisseux de sang le crâne à la forme bizarre de l'homme incliné. Il rendit écarlate la bouche de la fille et projeta sur son visage un indescriptible éclat, diaphane et délicat comme celui des pétales de roses sauvages dans les haies.

Linda ouvrit les yeux et Brand se leva d'un bond en poussant un cri :

— Le soleil !

Puis d'une voix plus basse :

— Quel augure pour nous, petite fille… quel augure ! Il vient de sortir de la mer, de *notre* mer ! Viens, lève-toi, allons regarder l'arrivée du matin ! D'ici une heure, il n'y aura plus la moindre trace de brume ou de rosée.

Il lui tendit la main et la fit rapidement se lever.

— Vite ! s'écria-t-il. On le voit sur la mer, de là-bas. Je l'ai vu souvent, mais jamais comme ça, jamais avec toi !

Main dans la main, ils quittèrent l'ombre des arbres et grimpèrent rapidement la pente d'un petit tertre herbu — peut-être la tombe d'un ancêtre viking de Brand — au sommet duquel ils admirèrent la merveille du lever de soleil.

Tandis qu'ils regardaient le soleil, montant rapidement de plus en plus haut, disperser les brumes et inonder toute chose de lumière dorée, l'humeur de Brand commença à changer. La situation était inversée : c'était à présent ses bras à lui qui enlaçaient le visage de la jeune fille, qui le repoussait doucement avec tendresse, paraissant avoir retrouvé la réserve instinctive et l'autodéfense propres à son sexe.

Plus le soleil devenait chaud, dessinant avec plus de précision le paysage familier devant leurs yeux, plus la relation entre les deux amants changeait rapidement de sens. Brand ne sentait plus du tout qu'une sorte d'union spirituelle les unissait, abolissant la différence des sexes. La jeune fille était de nouveau une proie fuyante. Il la désirait, et son désir l'irritait et le mettait en colère.

— Nous ne serons plus seuls longtemps, dit-il. Viens… disons-nous au revoir à l'endroit où nous étions tout à l'heure… nous y étions moins exposés aux regards.

Il tenta de la pousser de nouveau vers l'ombre des cèdres mais, le regardant en face, elle éprouva pour la première fois une vague réaction à son égard et un indéfinissable sentiment de recul.

— Je crois que je vais te dire au revoir ici, dit-elle avec un faible sourire. Nance doit me chercher partout et je ne veux pas lui faire peur plus longtemps.

Elle fut étonnée et effrayée par le changement que ces paroles produisirent sur le visage de Brand.

— Comme tu voudras, dit-il sèchement, ici ou n'importe où ailleurs, tant pis ! Tu ferais mieux de repasser par où tu es venue, mais, si tu préfères l'allée, les grilles ne sont pas fermées.

À ces mots il la quitta sans lui tendre la main ni lui accorder le moindre regard, descendit la pente à grands pas et s'éloigna vers la maison.

C'était plus que Linda ne pouvait supporter. Elle le rattrapa en courant et lui saisit le bras.

— Brand, murmura-t-elle, Brand, mon chéri, tu n'es pas vraiment en colère contre moi, n'est-ce pas ? Bien sûr que j'irai te dire au revoir où tu voudras ! Seulement… seulement, ajouta-t-elle avec un petit soupir agité, je ne voudrais pas faire souffrir Nance plus longtemps qu'il n'est nécessaire.

Il la ramena sous les sombres rameaux étalés, à l'endroit où le doigt rouge du soleil les avait pour la première fois touchés. Elle l'aimait trop pour résister longtemps, et trop pour ne pas goûter, dans les flots passionnés de larmes qui suivirent son abandon à sa volonté, une douceur sauvage et désespérée au milieu de toutes les craintes qu'elle nourrissait sur la désastreuse issue de leur amour.

Ce fut finalement au même endroit, et sous les mêmes branches noires, qu'ils se dirent adieu. Brand regarda sa montre et ils sourirent tous les deux lorsqu'il annonça qu'il était presque six heures et que, d'une seconde à l'autre, la voiture du laitier du village pourrait les croiser. Linda le vit s'éloigner, puis se baisser pour ramasser quelque chose. Il se retourna en riant et lui jeta ce quelque chose qui roula jusqu'à ses pieds. C'était une pomme de pin, et elle savait parfaitement pourquoi il la lui avait lancée en guise d'adieu : ils s'étaient demandé, tout à l'heure, comment il se faisait qu'elle eût roulé sous le cèdre, et Brand s'était amusé à enrouler ses cheveux autour.

Elle la ramassa. Il y restait un cheveu — d'une couleur comparable à celle du cône, mais plus claire. Glissant la pomme de pin sous sa robe, elle la laissa descendre entre ses seins. Le cône la gratta et la piqua aussitôt qu'elle se mit en marche, mais elle tira de ce désagrément une singulière satisfaction. Elle se sentait comme une nonne portant pour la première fois le symbole qui la séparait du monde… le symbole qui la consacrait au service de son Seigneur. « Je ne suis certainement pas une nonne, pensa-t-elle en souriant tristement, mais je suis consacrée… consacrée pour l'éternité. Oh, mon cher, cher Amour, je mourrais pour te donner du plaisir ! »

Elle s'éloigna dans l'allée en direction du village. Elle n'était pas très loin lorsqu'un froissement dans les buissons et un rire moqueur la firent sursauter. Elle s'arrêta, frappée de terreur. Le rire reprit et, quelques instants plus tard, émergeant d'une cachette bien choisie dans un bouquet de noisetiers, Philippa Renshaw, les yeux brillants de malignité, fondit sur elle.

— Ah ! s'écria-t-elle joyeusement, je pensais que c'était vous ! Je pensais que ce n'était personne d'autre que vous ! Et où est notre cher Brand ? Vous a-t-il abandonnée si vite ? Peut-être préfère-t-il prendre ses petits plaisirs avant que le soleil soit trop *haut* ? Est-ce qu'il l'a laissée revenir toute seule comme une grande ? Est-ce qu'il s'éclipse comme un voleur dès que le jour pointe ?

Linda était trop terrorisée pour répondre à ce torrent de sarcasmes. Le visage blanc et tiré, elle regardait tristement Philippa comme un oiseau fasciné par un serpent. Philippa paraissait enchantée de l'effet qu'elle produisait, et s'avançant devant la jeune fille elle lui barra le passage.

— Vous n'allez pas nous quitter maintenant ! s'écria-t-elle. C'est impossible. Ça ne se fait pas. Que dira-t-on au village si l'on vous voit traverser le pré à cette heure ? Ce que vous devez faire, Linda Herrick, c'est revenir sur vos pas et prendre le petit-déjeuner avec nous à la maison. Ma mère sera ravie de vous voir. Elle se lève toujours très tôt et elle vous est très,

très attachée, comme vous le savez. Vous *savez* que ma mère vous adore, n'est-ce pas ?

« Écoutez-moi, espèce d'empotée au visage blanc ! Écoutez-moi, jeune innocente qui venez errer au milieu de la nuit autour de la maison des gens. Écoutez-moi… vous, Linda Herrick ! Je ne sais pas si vous êtes assez stupide pour vous imaginer que Brand va vous épouser ? Êtes-vous assez stupide pour cela ? L'êtes-vous, espèce de gourde aux grands yeux ? Parce que, dans ce cas-là, je pourrais vous en dire sur Brand qui vous surprendrait. Vous pensez peut-être que vous êtes la première à qui il a jamais fait l'amour dans notre précieux parc. Non, non, ma beauté, vous n'êtes pas la première… et vous ne serez pas la dernière. Nous, les Renshaw, nous sommes une curieuse famille — comme vous le découvrirez, mon bébé, avant d'en avoir fini avec nous. Et Brand est le plus curieux de nous tous !

« Alors, vous venez avec moi ? Vous venez prendre un charmant petit-déjeuner en compagnie de ma mère ? Vous feriez mieux de venir, Linda Herrick, vous feriez mieux de venir ! En fait, vous *venez*, ce qui clôt le chapitre. Les gens qui passent la nuit à errer sur le domaine d'autrui doivent au moins avoir la décence de se montrer et de dire merci pour l'hospitalité ! En outre, Brand sera ravi de vous revoir ! Pouvez-vous imaginer sa joie ? Pouvez-vous voir son regard ?

« Oh, non, Linda Herrick, je ne peux vraiment pas vous laisser partir comme ça ! Vous voyez, je suis comme ma chère mère. J'aime les gentilles petites jeunes filles sensibles au cœur pur. J'aime leur timidité et leur pudeur. J'aime les malheureux petits accidents qui les conduisent dans les parcs et les jardins. Venez, espèce de gourde aux grands yeux ! Qu'est-ce que vous avez ? Vous ne savez pas parler ? Venez ! Retournons à la maison. Nous trouverons ma mère déjà levée… et Brand aussi, à moins que, dégoûté de la compagnie des filles, il ne soit parti à Mundham. Venez, face de craie, il n'y a pas d'autre choix. Vous devez faire ce que je vous dis.

Elle posa la main sur l'épaule de Linda, qui, sous l'empire de la terreur, lui aurait vraisemblablement obéi telle une somnambule si un événement aussi plein d'à-propos qu'inattendu n'avait renversé la situation. Ce fut l'apparition sur scène d'Adrian Sorio, qui avait depuis peu pris l'habitude de faire chaque jour une courte promenade sous les arbres de Chênegarde avant de prendre son petit déjeuner avec Baltazar. Il avait, à deux ou trois reprises, rencontré Philippa, et l'espoir de la rencontrer de nouveau donnait à ces promenades une saveur délicatement pimentée.

Il ne savait évidemment rien de la disparition de Linda. Dans sa détresse, Nance avait résisté à l'instinct de faire appel à lui. Il fut donc considérablement surpris d'apercevoir les deux jeunes filles au milieu de l'allée inondée de soleil.

Écartant brusquement Philippa, Linda courut à sa rencontre.

— Adrian ! Adrian ! cria-t-elle d'une voix pitoyable. Ramène-moi chez Nance à la maison.

Elle s'accrocha à son bras et, dans la détresse de son cœur blessé, se mit à sangloter comme un enfant qui se serait perdu dans le noir. Sorio, tout en l'apaisant et en la dorlotant de son mieux, jeta un regard inquisiteur à Philippa qui s'avançait.

— Oh, ce n'est rien ! Ce n'est rien, Adrian. C'est seulement que j'ai voulu la faire venir à la maison. Je crois qu'elle ne m'a pas comprise et qu'elle a sottement pris peur. Ce n'est pas une petite fille très intelligente.

Sorio examina Philippa d'un œil pénétrant. Au fond de lui, il la suspectait de toutes les perversités et de toutes les malveillances possibles. Il comprit à cet instant combien l'attraction qu'il éprouvait pour elle était une attraction du furtif et du dangereux. Il ne respectait même pas son intelligence. Il l'avait plus d'une fois surprise en train de jongler avec les idées qui lui étaient chères d'une façon qui indiquait qu'elle les méprisait secrètement. Il l'avait haïe à ces moments, et, à travers elle, la tribu féminine tout entière, cette tribu qui refuse de se laisser impressionner, même par la logique qui écrase le monde. Mais qu'elle était attirante ! Qu'elle était attirante, même en cet instant où il regardait ses yeux provocants et inscrutables, et ses lèvres méprisantes !

— Tu n'as pas besoin de la prendre en pitié, Adrian, poursuivit-elle en jetant un sourire cruel sur la tête inclinée de la jeune fille qui se cachait le visage contre l'épaule de l'homme. Tu n'as pas besoin de la prendre en pitié. Elle est exactement comme les autres, seulement elle ne joue pas franc-jeu, elle ne met pas cartes sur table comme je le fais. Renvoie-la à sa sœur, comme elle dit, et viens avec moi dans le parc. Je te montrerai ce chêne si tu m'accompagnes… Celui dont je t'ai parlé, celui qui est hanté.

Elle lui lança un long regard appuyé, plein d'un subtil défi, et tendit la main comme pour le séparer de l'enfant qui s'accrochait à lui. Sorio soutint son regard et un combat muet s'engagea entre eux. Puis le visage de l'homme se durcit.

— Il faut que je rentre avec elle, dit-il. Je dois la ramener à Nance.

— Absurde, répondit-elle, les yeux fonçant et changeant de couleur. Absurde, mon cher. Elle trouvera bien son chemin toute seule. Viens ! Je te veux. Oui, je pense ce que je dis, Adrian. Je te veux vraiment, cette fois.

L'expression avec laquelle elle le défiait aurait fait les délices des grands peintres antiques du mystère féminin. Les grilles de son âme parurent s'ouvrir à l'intérieur, tournant doucement sur des gonds magiques, et un incalculable pouvoir de magie voluptueuse émana de tout son être.

Il est probable qu'un sortilège aussi puissant serait venu à bout de quiconque ayant une origine différente de celle de Sorio. Mais coulait dans ses veines le sang de cette race qui, entre toutes, est capable de lutter avec les femmes sur un pied d'égalité. À ce sortilège du Nord, il opposa le dédain de marbre du Sud… le dédain qui est pétri de savoir et de subtilité… le dédain qui est semblable à de la haine pétrifiée.

Son visage s'assombrit et se durcit au point de ressembler à un masque de bronze.

— Au revoir, dit-il, pour le moment. Nous nous rencontrerons de nouveau… demain peut-être. Mais, en tout cas, au revoir. Viens, Linda, mon petit.

— Demain peut-être… ou peut-être *pas*, répliqua acerbement Philippa. Au revoir, Linda. Je dirai à Brand que tu l'aimes !

Sorio ne dit presque rien à la jeune fille, qu'il escorta jusque dans la Grand-Rue. Il ne lui posa pas de questions et parut trouver tout naturel qu'elle fût sortie de si bonne heure. À la maison, ils trouvèrent le docteur Raughty en train de tenter de dissuader Nance de se lancer dans une nouvelle expédition désespérée pour retrouver la fugitive, et ce fut sur les conseils du docteur que les deux sœurs à bout de forces passèrent la matinée de ce dimanche d'août dans un profond sommeil épuisé.

XVIII

UN LUNDI FÉRIÉ

Ce fut environ vers deux heures de l'après-midi que Nance s'éveilla d'un profond sommeil sans rêves. Elle se rendit à la fenêtre. Dans la petite rue, les boutiques étaient toutes fermées. Quelques pêcheurs indolents et de jeunes commis flânaient devant les seuils, taquinant paresseusement, avec de bruyants éclats de ce rire particulièrement vide qui semble être l'apanage de l'oisiveté rurale, les groupes épars de jeunes femmes habillées de robes aux couleurs vives, qui dans le voluptueux contentement de l'après-déjeuner se préparaient à prendre le train pour Mundham ou à faire une promenade au bord de la mer avec leur amoureux. Nance se retourna et examina sa sœur endormie.

Linda respirait doucement. Sur ses lèvres sereines errait un sourire de bonheur enfantin. Elle avait rejeté les couvertures et l'un de ses bras, nu jusqu'à l'épaule, pendait au bord du lit. Elle paraissait tenir, dans sa main pathétique, un petit objet rond autour duquel ses doigts se refermaient avec force. Nance s'approcha d'elle et prit sa main dans la sienne. Linda se retourna dans son sommeil, mais continua de dormir. Nance lui ouvrit les doigts et découvrit que ce qu'ils tenaient avec autant de passion était une petite pomme de pin. Le brillant soleil d'août qui inondait la chambre lui permit d'apercevoir plusieurs mèches de cheveux brun clair enroulées autour des écailles du cône. Laissant les doigts inconscients se refermer autour de la pomme de pin, elle regarda anxieusement la jeune fille endormie.

Elle devina sans peine la cause de l'éraflure rouge qui barrait la poitrine de Linda. Elle devait avoir porté ce talisman contre sa chair et les rudes écailles lui avaient tiré du sang.

Nance poussa un profond soupir et resta un moment plongée dans de sombres pensées. Puis, se dirigeant sans bruit vers la porte, elle descendit en courant pour voir si Mme Raps était toujours dans la cuisine ou si elle leur avait préparé quelque chose pour le déjeuner. Elles avaient l'habitude de se faire le petit-déjeuner et le thé, mais la propriétaire leur montait le déjeuner. Elle trouva une admirable collation préparée avec soin sur un plateau et un petit mot sur le buffet les avertissant que la famille était allée passer l'après-midi à Mundham. *Béni soit votre pauvre cher cœur*, disait la missive pour terminer, *le vieux et moi avons pensé qu'il valait mieux ne pas déranger les enfants.*

Nance se sentit défaillir de faim. Elle mit la bouilloire sur le feu et prépara le thé, qu'elle posa sur le plateau de Mme Raps, puis monta le tout dans la chambre et éveilla sa sœur.

Linda parut d'abord ne pas savoir où elle était. Dans l'instant, il lui fut difficile de ne pas croire que les événements de la nuit et du début de la matinée n'étaient qu'un mauvais rêve confus. Nance remarqua le geste nerveux, presque abasourdi, avec lequel elle posa la main sur ses seins, comme si elle se demandait ce qui la brûlait là, puis le mouvement hâtif et déconcerté avec lequel elle cacha la pomme de pin sous son oreiller. En dépit de tout, cependant, le repas ne fut pas triste le moins du monde. Dans la chambre, le soleil était brillant et chaud. Par la fenêtre, mêlées aux indolents rires joyeux des gens en vacances, entraient des senteurs de roses et d'embruns auxquelles se joignait l'odeur plus vague d'un mélange de tourbe et de goudron. Après tout, elles étaient jeunes toutes les deux, et ni la douleur lancinante qui habitait l'âme de l'une ni la nouvelle crainte vague, douce-amère, et pleine d'étranges pressentiments, qui habitait l'esprit de l'autre n'arrivaient à étouffer l'élan vital qui leur faisait tourner la tête vers le ciel et le soleil comme deux plantes secouées par le vent dans un moment d'accalmie. Elles étaient jeunes. Elles étaient vivantes. Elles savaient — trop bien, peut-être ! mais elles savaient néanmoins — ce que c'était que d'aimer, et l'avenir immense, avec une infinité de possibles, s'étendait devant elles. « *Sursum corda !* », leur chuchotaient les brises d'août. « *Sursum corda !* Élevez vos cœurs ! », répondait leur jeune chair irriguée de sang.

Linda n'hésita pas, tout en se restaurant, à confesser à Nance qu'elle l'avait trahie et qu'elle avait rencontré Brand dans le parc. De la scène inquiétante qui s'était déroulée sous les cèdres, elle ne raconta rien, mais elle lui expliqua comment Philippa lui avait sauté dessus dans l'allée et l'avait abreuvée de cruels sarcasmes.

— Elle m'a fait peur, murmura la jeune fille. Penses-tu qu'elle m'aurait vraiment forcée à retourner dans la maison avec elle… à rencontrer Brand et Mme Renshaw et le reste ? Je n'aurais pas pu le supporter (tout en parlant elle se couvrit les joues de ses mains). Je n'aurais pas pu… je n'aurais pas pu ! Et pourtant je crois qu'elle allait vraiment me forcer à le faire. Tu le crois, Nance ? Tu crois qu'elle aurait *pu* faire une chose semblable ?

Nance empoigna furieusement les bras du fauteuil où elle était assise.

— Pourquoi n'es-tu pas partie ? s'exclama-t-elle. Pourquoi ne l'as-tu pas plantée là en décampant ? Ce n'est pas une sorcière. C'est une simple fille comme nous.

Linda sourit.

— Tu as l'air d'une furie, ma chérie ! Je crois que, si tu avais été à ma place, tu l'aurais giflée ou poussée ou quelque chose comme ça.

L'air sombre, Nance regarda fixement par la fenêtre. Elle se demandait par quelle magie spirituelle M. Traherne et son rat blanc arrivaient à faire disparaître la rage empoisonnée de la jalousie. Elle se demandait ce que le cher prêtre dirait de cette attaque gratuite et cruelle contre Linda. Au cours de leurs conversations, il n'avait jamais fait la moindre allusion à Philippa. Avait-il aussi peur de la beauté de cette fille qu'il avait peur de la sienne ? Demandait-il à Philippa de cacher ses chevilles sous sa jupe lorsqu'elle lui rendait visite ? Mais elle se dit qu'elle ne lui rendait jamais visite. C'était quelque chose de difficile à imaginer, la sœur de Brand Renshaw dans le petit bureau du prêtre.

De Traherne, l'esprit de Nance passa au docteur Raughty. Comme il avait été gentil avec elle quand elle était au désespoir au sujet de Linda ! Elle ne l'avait jamais vu à moitié si sérieux, ni l'air aussi préoccupé. Elle put à peine s'empêcher de sourire en se rappelant l'expression particulière qu'il avait eue et la manière dont il avait enfilé son manteau et lacé ses bottes. Elle l'avait laissé lui offrir un verre de crème de menthe et revoyait, avec une merveilleuse netteté, la gravité avec laquelle il l'avait observée pendant qu'elle buvait. Elle était certaine qu'il avait eu la main tremblante de nervosité lorsqu'il lui avait repris le verre. Elle l'entendait encore s'éclaircir la gorge et marmonner une invocation fantastique à ce qui ressemblait à une divinité égyptienne. Une inquiétude extrême ne pouvait conduire personne d'autre que le docteur Raughty à invoquer le grand dieu Râ ! Et quelles choses extraordinaires il avait mises dans sa petite mallette noire avant de l'accompagner sur le pont ! À en juger par ses préparatifs, l'état de Linda réclamait d'urgence plusieurs opérations chirurgicales.

Il avait promis de passer la journée en mer, pour aller à la pêche avec Adrian et Baltazar. Elle se demanda si leur bateau était toujours visible, ou s'ils étaient hors de vue du port de Rodmoor.

— Linda chérie, dit-elle en surprenant la main de sa sœur sous l'oreiller en quête de la pomme de pin qu'elle y avait cachée, Linda, ma chère, si tu veux que je te pardonne ce que tu as fait cette nuit — je veux dire : m'avoir échappé après avoir prétendu je ne sais quoi —, feras-tu quelque chose dont j'ai envie maintenant ? M'accompagneras-tu sur le rivage pour voir si je peux apercevoir le bateau d'Adrian ? Il est à la pêche avec le docteur Raughty et M. Stork, et j'adorerais regarder leur voile. Je sais qu'ils sont sur un voilier, parce que le docteur Raughty m'a dit qu'il allait prendre son Mackintosh pour se protéger des embruns, car à grande vitesse le bateau embarque des paquets de mer. Je pense qu'il était un peu effrayé par l'expédition. Pauvre cher homme ; à nous tous, j'ai bien peur que nous ne lui donnions une série de chocs !

Linda se leva d'un bond. Elle se sentait prête à n'importe quoi pour faire plaisir à sa sœur. En outre, certaines pensées qui lui agitaient l'esprit réclamaient à grands cris n'importe quelle sorte de distraction. Elles s'habillèrent et sortirent, choisissant pour ce jour de vacances des robes plus vives et des chapeaux plus gais que ce qu'elles avaient porté depuis des semaines. La position de Nance chez la Pontifex était des plus avantageuses en ce qui concernait leur garde-robe.

Elles descendirent jusqu'au port. Elles furent surprises — et ce fut pour Linda une surprise particulièrement désagréable — de trouver attaché à un poteau, à l'endroit où l'embarcadère s'élargissait et où l'herbe poussait entre les pavés, le petit poney gris et la carriole brune dont Mme Renshaw avait l'habitude de se servir quand la chaleur rendait la marche fatigante.

— Revenons ! Oh, Nance, revenons ! chuchota Linda d'une voix frappée de terreur. Je ne crois pas que je *pourrais* la voir aujourd'hui.

Elles s'arrêtèrent, hésitantes.

— Elle est là, s'écria soudain Nance, regarde… dis-moi, qui est avec elle ?

— Oh, Nance, c'est Rachel, oui, c'est Rachel !

— Elle a dû passer la prendre à la Maison sur la digue, murmura l'autre. Vite ! Demi-tour !

Mais c'était déjà trop tard. Se levant du banc où elles bavardaient sur l'embarcadère, les deux femmes se dirigèrent vers les jeunes filles en les appelant par leurs noms. Comme il n'y avait plus de fuite possible, les deux sœurs s'avancèrent à leur rencontre.

Elles formaient un étrange premier plan sur le fond du petit port en vacances, ces deux silhouettes en robes noires. Mme Renshaw était légèrement en avant et sa silhouette moins rigide avait un certain pathétique un peu voûté, comme si elle désavouait en marchant son apparition au milieu d'une scène aussi charmante. Les deux femmes portaient des bonnets démodés, d'un genre qui ne se faisait plus depuis des années. Mais la robe et le bonnet de Rachel Doorm semblaient avoir été tirés d'une vieille commode, sans souci de l'état négligé de ses autres vêtements. Contrastant avec le balancement des eaux brillantes de l'embouchure du fleuve et les beaux atours des cargaisons de filles et de garçons qui partaient en mer, l'aspect des deux femmes qui s'avançaient sur le quai suggérait le genre de scène qui, transformée en poésie par le génie des anciens poètes, a si souvent symbolisé, dans les drames classiques, l'approche des messagères du malheur.

Mme Renshaw accueillit les deux sœurs avec une grande nervosité. Nance surprit le coup d'œil de désapprobation ascétique qu'elle jeta sur leurs robes et leurs chapeaux aux vives couleurs. Rachel, sans les regarder, tendit à chacune d'elles une froide main molle. Elles échangèrent avec embarras quelques phrases conventionnelles ; Nance, comme d'habitude en de telles circonstances, laissant échapper de petits éclats de rire aussi déconcertants qu'inattendus. Elle avait la manie d'ouvrir grand la bouche quand elle riait ainsi, et ses yeux gris s'ouvraient encore plus grand, ce qui lui donnait un air puéril et folichon qui traduisait le contraire de ce qu'elle avait en tête.

Au bout d'un moment, comme mues par une impulsion instinctive, elles quittèrent le port pour se diriger vers le rivage. Elles devaient, pour ce faire, traverser une étendue particulièrement désolée, jonchée de poissons morts, de débris de filets et de tas d'algues sèches blanchies par le soleil. Nance eut un instant la bizarre intuition morbide que l'abandon particulier de ce lieu répondait au goût de Mme Renshaw, qui avait une expression plus enjouée et marchait d'un pas plus joyeux que sous les yeux des badauds de l'embarcadère. Comme il y avait à cet endroit des jeunes femmes qui pataugeaient dans l'eau, et des jeunes gens qui les regardaient, Mme Renshaw, marchant avec Nance devant les deux autres, obliqua vers le sentier au pied des dunes. C'était le sentier où elles avaient vu, la première fois qu'elles avaient exploré la côte de Rodmoor, les touffes non fleuries de cette petite plante qui s'appelle « hélianthème ». Nance remarqua que les fleurs étaient à présent fanées et desséchées, mais d'autres banales plantes marines attirèrent son regard. Il y avait plusieurs touffes d'œillets maritimes aux feuilles grises, et plus grise encore était la lavande de mer. Il y avait aussi d'autres herbes glauques aux tiges molles qu'elle n'avait pas remarquées auparavant et dont les feuilles humides et grasses donnaient l'impression d'avoir été faites pour vivre plutôt sous l'eau qu'au-dessus, tant la proximité de la mer avait modifié leur forme. Mais ce qui la fit s'arrêter et se pencher en avant, l'attention soudain en éveil, ce fut l'apparition de la plante que M. Traherne lui avait décrite comme particulièrement caractéristique de la côte de Rodmoor. Oui, c'était lui : le pavot cornu ! Penchée au-dessus de la plante, Nance comprit combien était vrai tout ce que le prêtre avait dit d'elle. Les froides feuilles moites de la chose avaient une merveilleuse teinte bleuâtre, une teinte que rien au monde, sauf la mer elle-même, n'aurait pu faire exister. Elles étaient pointues et piquantes, ces feuilles dentées et mena-çantes, comme modelées par le sinistre caprice d'un hasard à la Vinci dans le but de surprendre et de choquer l'humanité. Mais, plus vivement encore que par la teinte bleuâtre ou les épines menaçantes, la jeune fille fut frappée par les grosses fleurs mollement penchées, d'un sulfureux jaune pâle. C'étaient des fleurs qui n'avaient que peu de ressemblance avec celles des autres pavots. Même avant de se faner, elles respiraient une mélancolie particulière, comme si leurs pétales, une fois goûtés, étaient plus somnifères que les breuvages d'oubli ou la mandragore à laquelle l'âme malade aspire désespérément pour effacer ses souvenirs.

Mme Renshaw sourit lorsque Nance se redressa après avoir longuement scruté cette étrange plante, une plante que l'on aurait pu facilement imaginer « s'enracinant à l'aise sur la rive du Léthé », au milieu du défilé plaintif et gémissant des ombres.

— J'ai toujours aimé le pavot cornu, remarqua-t-elle, il est différent des autres fleurs. On ne peut pas l'imaginer poussant dans un jardin, n'est-ce pas ? J'aime ça. J'aime les choses qui sont sauvages… qu'on ne peut pas emprisonner.

Elle poussa un long soupir et, détournant la tête, regarda les eaux d'un air las.

— Les jours fériés sont faits pour la jeunesse, poursui-vit-elle après une pause. Les pauvres gens les attendent, et je suis heureuse qu'ils en profitent car ils ont une vie dure. Mais il faut avoir un cœur jeune, Nance, un cœur jeune pour apprécier ces choses. Il me semble parfois que nous ne partageons pas assez le bonheur des autres, mais c'est difficile quand on devient vieux.

Elle demeura de nouveau silencieuse puis, comme Nance la regardait avec sympathie, elle poursuivit :

— J'aime Rodmoor parce qu'il n'y a ni m'as-tu-vu, ni voitures, ni festivités bruyantes. C'est un plaisir de voir les pauvres se divertir, mais les autres… Ils me donnent mal à la tête ! Ils m'ennuient. Je pense toujours à Sodome et Gomorrhe quand je les vois.

— Je suppose, murmura la jeune fille, que ce sont des êtres humains et qu'ils ont des sentiments comme le commun des mortels.

Une ombre d'amertume presque maligne passa sur le visage de Mme Renshaw.

— Je ne peux pas les supporter ! Je ne peux pas les supporter ! s'écria-t-elle d'un ton furieux.

Puis, jetant un regard sur la jolie robe de sa compagne, elle ajouta :

— Ceux qui riront pleureront.

— Oui, je crains que les gens heureux n'aient souvent le cœur sec, remarqua Nance, désireuse autant que possible de partager l'opinion de sa voisine mais trouvant difficile d'y parvenir.

Mme Renshaw changea soudain de conversation.

— Je suis allée voir Rachel, dit-elle, car on m'a dit que vous l'aviez quittée et que vous travailliez à la boutique.

Elle prit une profonde inspiration et sa voix se mit à trembler :

— Je pense que vous avez eu tort de la quitter. Que vous vous êtes montrée cruelle envers elle. Je sais ce que vous allez dire. Je sais ce que tous les jeunes gens d'aujourd'hui racontent sur l'indépendance et compagnie. Mais ce n'en était pas moins méchant. Méchant et cruel ! Vous avez un devoir vis-à-vis de l'amie de votre mère. Je suppose, ajouta-t-elle amèrement, que sa solitude et sa tristesse vous déplaisaient. Vous vouliez être en plus joyeuse compagnie.

Nance se demanda si l'hostilité de Mme Renshaw envers les nantis et les gens suffisants n'était pas dirigée dans ce cas contre les cousettes à la tâche ou contre l'infortunée Miss Pontifex et son petit jardin.

— Je l'ai fait pour Linda, répondit-elle. Miss Doorm et Linda n'étaient pas heureuses ensemble.

Tout en parlant, elle se retourna et jeta un coup d'œil anxieux pour s'assurer de la distance à laquelle se trouvaient les deux autres. Rachel semblait avoir repris son ascendant sur la jeune fille : elles s'étaient arrêtées pour regarder la mer et paraissaient complètement absorbées dans leur conversation. Mme Renshaw se tourna vers Nance avec rancune, un feu de colère couvant dans ses yeux bruns.

— Rachel m'a parlé de ça, dit-elle. Elle m'a dit que vous lui en vouliez d'encourager Linda à rencontrer mon fils. Je n'aime pas que l'on se mêle des sentiments des gens ! Mon fils est en âge de faire lui-même ses choix, et votre sœur l'est aussi. Pourquoi éprouvez-vous le besoin de vous interposer entre eux ? Je n'aime pas ces manigances. C'est contrarier la nature !

Stupéfaite, Nance regarda machinalement les doigts de la femme enrouler et dérouler fiévreusement une tige de lavande de mer qu'elle avait cueillie.

— Mais vous m'avez dit… vous m'avez dit vous-même, protesta-t-elle faiblement, que M. Renshaw n'était pas un compagnon convenable pour une jeune fille.

— J'ai changé d'idée depuis, répondit l'autre — dans ce cas précis en tout cas.

— Pourquoi ? demanda précipitamment Nance, pourquoi avez-vous changé d'idée ?

— Parce que, dit la dame en élevant très fort la voix, parce qu'il m'a dit lui-même l'autre jour qu'il était possible qu'il l'épouse bientôt. (Elle lança un regard triomphant à Nance.) Vous voyez donc ce que vous avez fait ! Vous avez essayé de mettre des bâtons dans les roues à l'unique chose qui est l'objet de mes prières depuis des années !

Nance en resta positivement bouche bée. Brand avait-il réellement dit une telle chose ? Si c'était vrai, était-il possible que ce fût autre chose qu'une manière de cacher les traces de son égoïsme ? Quelle que fût la cause de la remarque du fils, il était clair qu'elle ne pouvait pas avouer à la mère, surtout dans l'état d'esprit où elle se trouvait, les sombres soupçons qu'elle nourrissait envers lui. Aussi elle ne fit rien que continuer à regarder fixement, avec une impuissante nervosité, la tige que les doigts surexcités de Mme Renshaw étaient en train de mettre en pièces.

— Je sais pourquoi vous êtes si opposée à mon fils, poursuivit la dame d'un ton plus bas et plus doux. C'est parce qu'il est beaucoup plus vieux que votre sœur. Mais là vous avez tort, Nance. Il vaut toujours mieux que l'homme soit plus vieux que la femme. Tennyson l'a dit, dans l'un de ses poèmes — « La princesse », je crois. Il l'a dit poétiquement, bien sûr, mais il a dû en éprouver la vérité avec une grande force, autrement il ne l'aurait pas affirmé. Nance, vous n'imaginez pas combien j'ai prié et désiré que Brand rencontrât quelqu'un avec qui il puisse envisager de se marier ! Je sais que c'est ce dont il a besoin pour être heureux. À condition, bien sûr, que la fille soit bonne et douce et obéissante.

Le mot « obéissante », dans ce contexte, était trop pour les nerfs de Nance. Les sentiments qu'elle éprouvait envers Mme Renshaw passaient par des fluctuations rapides et contradictoires. Quand elle avait parlé de Smollett et de Dickens dans le petit salon, la jeune fille aurait fait n'importe quoi pour elle, tellement l'innocence de son âme paraissait exquise, spirituelle et, pour ainsi dire, transparente. Mais elle avait à présent un regard pincé d'obstination, et tous les traits de son visage étaient raidis. L'expression était en parfait accord avec la remarque qu'elle allait faire.

— Vous vous dressez contre mon fils, dit-elle, je ne m'attendais pas à autre chose. Philippa serait exactement comme vous si je lui disais quelque chose. Tous tant que vous êtes, jeunes gens, vous êtes trop pour moi. Trop. Mais je vous écoute et n'en fais qu'à ma tête.

L'air de tenace et inflexible résolution avec lequel elle prononça cette dernière phrase contrastait étrangement avec la fragilité de son aspect et la lassitude voûtée de sa silhouette.

Nance, qui n'avait pas digéré la phrase sur l'obéissance, ne put s'empêcher de faire une autre remarque :

— Comment se fait-il, Madame Renshaw, que vous parliez toujours du mariage comme d'un devoir et d'un fardeau pour la femme. Je ne vois pas pourquoi elle devrait être plus douce et plus gentille que l'homme.

Les lèvres pâles de sa compagne esquissèrent un sourire tremblant où se lisait une ironie complexe, et une étrange lumière parut dans ses yeux caves.

— Ah, ma chère, ma chère ! s'exclama-t-elle, c'est que vous êtes encore vraiment jeune. Quand vous aurez quelques années de plus et que vous aurez appris à mieux connaître ce qu'est le monde, vous comprendrez la vérité de ce que je vous dis. Dieu, dans Son insondable sagesse, a décrété que, pour nous autres femmes, le bien et le mal seraient différents de ce qu'ils sont pour les hommes. Cela peut paraître injuste. Peut-être que ça l'*est*. Nous ne pouvons pas plus modifier ou changer cela que nous ne pouvons modifier ou changer la forme de notre corps. Une femme est *faite* pour obéir. Elle trouve son bonheur dans l'obéissance. Vous, les jeunes, pouvez dire ce qui vous plaît, tout écart à cette règle est contraire à la nature. Même les gens les plus intelligents, ajouta-t-elle avec un sourire, "ne peuvent entraver la nature sans en payer le prix".

Nance resta confondue. Les paroles de la vieille femme étaient assenées avec une telle force et prononcées sur un ton de certitude si mélancolique que l'indignation de la jeune fille s'éteignit comme une flamme sous le poids d'un vêtement trempé par la pluie. Mme Renshaw regardait tristement la brillante étendue des eaux qui se balançaient au soleil et où s'éparpillaient des voiles blanches.

— Cela peut nous sembler injuste, poursuivit-elle. *C'est* peut-être une injustice. Mais Dieu, dans Son infini plaisir, ne s'est pas soucié de nos idées de justice en créant le monde. Peut-être que s'Il s'en était soucié il n'y aurait pas eu de femmes du tout ! Ah, Nance, ma chère, il est inutile de ruer dans les brancards ! Nous sommes faites pour supporter, endurer, nous soumettre et souffrir. Toute tentative pour échapper à cette loi majeure se solde nécessairement par un lamentable échec. La souffrance n'est pas le pire des maux. Pas plus que céder à la force brutale. La vie m'a appris que les hommes connaissent des gouffres d'horreur, qu'ils sont entraînés dans des gouffres d'horreur en comparaison desquels tout ce que nous souffrons dans leurs mains est le paradis !

Ses yeux s'illuminèrent d'une expression si étrange quand elle prononça ces paroles que Nance ne put s'empêcher de frissonner :

— Nous aussi, murmura-t-elle, nous tombons parfois dans des gouffres d'horreur, et ce sont les hommes qui nous y entraînent.

Mme Renshaw ne parut pas l'entendre.

— Nous pouvons nous consoler, poursuivit-elle rêveusement. Nous avons nos devoirs. Les petites choses que nous devons faire. Dieu a consacré ces petites choses de façon particulière. Il les a effleurées de Son souffle, si bien qu'elles sont pleines de consolations inattendues. Il y a en elles des perspectives et des horizons impossibles à imaginer tant qu'on n'en a pas fait l'expérience. Nos "petites choses", Nance, sont semblables à de minuscules fougères ou à des fleurs minuscules poussant au bord d'un précipice.

La jeune fille ne put se contenir plus longtemps.

— Je ne suis pas d'accord avec vous ! Non ! Non ! s'écria-t-elle. La vie est immense et infinie, et splendide et infiniment ouverte : aux femmes aussi bien qu'aux hommes. Exactement de la même façon.

Mme Renshaw lui sourit en lui jetant un regard mi-apitoyé, mi-ironique.

— Vous n'avez pas aimé mon discours sur les "petites choses". Vous voulez de grandes choses. Vous voulez Abana et Pharpar, les rivières de Damas ! Même votre sacrifice — si *vraiment* vous vous sacrifiez — devra être frappant, émouvant, merveilleux ! Ah, ma chère, ma chère, attendez un peu, attendez un peu ! Un jour viendra où vous connaîtrez ce qu'est le secret d'une femme sur cette terre.

Nance fit un geste désespéré de protestation. Il y avait dans son cœur quelque chose qui paraissait se prêter aux paroles de sa compagne, mais elle lutta vigoureusement contre.

— Ce que nous autres femmes devons faire, poursuivit impitoyablement Mme Renshaw, c'est que quelqu'un ait besoin de nous… ait absolument besoin de nous. Voilà ce que signifie "aimer un homme". Tout le reste n'est que simple passion et tourne mal. Plus nous sommes soumises, plus ils ont besoin de nous. Je vous le dis, Nance, ce qui nous définit le plus profondément, c'est l'instinct d'être nécessaire à quelqu'un. Lorsqu'un homme a besoin de nous, nous l'aimons. Tout le reste n'est que pure animalité, un feu de paille.

Tout en écoutant, Nance essayait vaguement, en cherchant à tâtons dans son esprit, de retrouver quelque chose du ton élevé, vivifiant, de la doctrine mystique de M. Traherne. Ce ton-*là* l'avait fait vibrer et lui avait donné des forces, alors que *celui-ci* la plongeait au plus profond du découragement. Pourtant, en un certain sens — comme elle fut obligée de l'admettre —, il y avait très peu de différence pratique entre les deux points de vue. C'était seulement qu'avec Mme Renshaw tout prenait une couleur désastreuse et désolée, comme si les pensées élevées et la gaieté et l'audace n'étaient rien en elles-mêmes, et comme si seuls les morceaux joués en mineur sur une gamme de tristesse détenaient la vérité de l'univers. La jeune fille éprouvait la curieuse impression que, dans sa conversation, la malheureuse femme tirait de manière subtile un plaisir morbide à traiter tout ce qui était vibrant et exaltant sur un plan qui tuait dans l'œuf émotion et héroïsme.

— Voulez-vous que nous descendions sur le rivage, ma chère ? demanda soudain Mme Renshaw. Les autres nous verront et nous suivront.

Elles traversèrent ensemble le sable collant aux pieds. Une fois au bord de l'eau, à présent désertée par les promeneurs, Nance fouilla des yeux l'horizon pour essayer de repérer la voile de Sorio et de ses amis. Elle en aperçut deux ou trois qui se détachaient contre le ciel bleu, mais il était impossible à cette distance de dire laquelle — à supposer que l'un des bateaux fût le leur — transportait l'homme qui, aux dires de sa compagne, n'aurait « besoin » d'elle que si elle le servait comme une esclave.

Mme Renshaw se mit à ramasser des coquillages dans les débris épars de l'andain laissé par la frange humide de la marée.

Tandis qu'elle se penchait et montrait l'une après l'autre ses trouvailles à Nance, son visage rayonna de nouveau de cette transparente clarté, spirituelle au-delà de toute expression et habitée par un bonheur enfantin, que la jeune fille avait remarquée lorsqu'elle parlait des livres qu'elle aimait. Était-il possible que cet être étrange ne fût malade et perverti que lorsque la religion et le sexe opposé étaient en jeu ? Si tel était le cas, qu'il était affreux et cruel que les deux choses qui, pour la plupart des gens, étaient la source même de la vie fussent pour cette malheureuse la cause la plus profonde du malheur ! Cependant, Nance était loin d'être satisfaite de sa compréhension du mystère de Mme Renshaw. Il y avait chez cette femme, en dépit des éclats presque sauvages où elle se révélait, quelque chose de si fier, de si réservé, de si distant, que la jeune fille n'avait qu'une très vague certitude d'être sur la bonne piste. Peut-être, après tout, que sous le ton d'auto-humiliation qu'elle prenait habituellement pour parler tant de Dieu que des hommes il y avait un profond courant de sentiments passionnés, dissimulé au monde ? Ou bien était-elle, essentiellement et au plus secret d'elle-même, dure et froide et païenne, ne se forçant à boire la coupe de ce qu'elle pensait être le christianisme que par une sorte d'orgueil à demi dément ? Nance percevait, dans tout ce qu'elle disait du sexe et de la religion, une sorte de lourde matérialité, comme si elle tirait une satisfaction mauvaise à rendre tout ce que l'on appelle ordinairement « bonté » aussi incolore et aussi méprisable que possible. Mais à présent qu'elle venait de ramasser dans les débris un coquillage en forme de trompette, et le montrait, les yeux liquides de plaisir, à la jeune fille, Nance ne put résister à l'impression que la vieille femme était, d'une étrange manière, une créature tirée de force de son élément naturel et plongée dans ces obscures perversités.

— Je peignais ces coquillages quand j'étais petite fille, remarqua Mme Renshaw.

— De quelle couleur ? demanda Nance, pensant davantage à la femme qu'à ce qu'elle disait.

Sa compagne la regarda, puis éclata d'un rire joyeux.

— Je ne voulais pas dire : peindre le coquillage lui-même, dit-elle. Vous ne m'écoutez pas, Nance. Je voulais dire le copier, bien sûr, et peindre le dessin. Je faisais aussi collection d'algues, en ce temps-là : je les faisais sécher dans un livre. J'ai toujours ce livre quelque part, ajouta-t-elle avec nostalgie, mais je ne sais plus où.

Elle avait à présent attiré l'attention de la jeune fille. En un éclair d'infinie pitié, Nance eut l'impression de voir les diverses petites reliques, complètement dissociées de Rodmoor et de ses habitants, que cette femme hautaine devait garder quelque part dans cette maison lugubre.

— C'est drôle, poursuivit Mme Renshaw, mais c'est comme si je sentais très distinctement — mais c'est sans doute parce que je suis au bord de la mer — l'odeur même de ce livre ! Les pages se collaient ensemble et, quand je les séparais, il y avait toujours l'empreinte de l'algue sur le papier. J'aimais beaucoup ces empreintes. C'était comme si la Nature les avait dessinées.

— C'est merveilleux de collectionner des choses, remarqua Nance avec sympathie. Je faisais collection de papillons quand j'étais petite. Mon père disait que je ressemblais plus à un garçon qu'à une fille.

Mme Renshaw lui lança un curieux regard.

— Nance, ma chère, dit-elle d'une voix basse et tremblante, ne tombez jamais dans le travers de vouloir jouer au garçon ou à quelque chose de ce genre. Ne le faites jamais ! Les seules femmes qui soient bonnes sont celles qui acceptent la volonté de Dieu et s'inclinent devant Son plaisir. Toutes les autres voies mènent à d'indicibles malheurs.

Nance ne répondit pas et elles se mirent toutes les deux à chercher d'autres coquillages sur la grève.

Au-dessus de leurs têtes, les goélands tournoyaient en poussant de violents cris d'alarme. Il n'y avait plus qu'une voile à l'horizon et, en fixant sur elle ses pensées, Nance sentit son cœur se gonfler d'un immense désir d'Adrian.

Cependant, entre Linda et Miss Doorm s'échangeaient des paroles beaucoup plus sinistres. Dès qu'elle fût de nouveau en contact avec la jeune fille, Rachel récupéra immédiatement son ancienne emprise. Elle empêcha volontairement le désir instinctif que Linda avait de régler son pas sur l'allure des autres, et la retint à ses côtés comme par le pouvoir d'un lien trop puissant pour être brisé.

— Laisse-moi te regarder, dit-elle dès que les autres furent hors de portée de voix. Laisse-moi te regarder dans les yeux, ma jolie !

Elle posa une main décharnée sur l'épaule de la jeune fille, et de l'autre lui releva le menton.

— Oui, remarqua-t-elle après un long examen au cours duquel Linda, comme pétrifiée, demeura soumise et muette, oui, je m'aperçois que tu as lutté contre lui. Je vois que tu ne t'es pas rendue sans effort. Cela signifie que tu t'*es* rendue ! Si tu n'avais pas lutté contre lui, il n'aurait pas insisté. Il est comme ça. Il a *toujours* été comme ça.

Elle laissa retomber ses mains, mais garda les yeux lugubrement fixés sur le visage de la jeune fille.

— Je pense que tu dois souhaiter n'être jamais venue dans cet endroit, hein ? N'est-ce pas ce que tu souhaites ? C'est donc la fin de ton égoïsme et de ta vanité ? Oui, c'est la fin, Linda Herrick. La fin.

Elle tira lentement la jeune fille en avant dans le sentier. Sur la droite, le soleil tremblotait par intermittence sur les luxuriantes touffes d'herbes éparses dans le sable doux, tandis que, sur la gauche, la mer étincelante était calme et sereine sous le vaste ciel.

Linda sentit ses pieds devenir plus lourds et son cœur s'emplit d'une crainte maladive lorsqu'elle s'aperçut de la distance à laquelle elles avaient laissé les autres s'éloigner. Plus que tout autre chose, c'était grâce au pouvoir de souvenirs cruels que Rachel tenait la jeune fille, docile et impuissante, entre ses mains. La vieille peur panique que Rachel savait faire surgir en elle quand elle était petite semblait inéluctablement perdurer. De toutes ses faibles forces, Linda lutta contre ce sortilège. Elle avait l'ardent désir de se libérer et de se lancer désespérément à la poursuite des autres, mais elle avait des membres de plomb et la volonté paralysée.

Le visage de Rachel était blanc et hagard. Elle paraissait animée par une impulsion démente… une force intérieure démoniaque qui la poussait en avant. Elle avait le front couvert de transpiration, et les mèches grises qui le barraient étaient moites et humides sous le bord de son chapeau noir poussiéreux. Ses vêtements, tandis qu'elle retenait la jeune fille à ses côtés, exhalaient une odeur fétide de moisi.

— Où sont tes manières de mijaurée, à présent ? reprit-elle. Tes petites manières collantes, tes bébêtes petites manières de bébé ? Tes lubies et tes béguins ? Tes caprices et tes fards ? Où sont tes fausses peurs bleues et tes feintes terreurs affichées seulement pour te donner des airs de princesse ?

Elle avait posé la main sur le bras de la jeune fille et la serrait au point de la secouer dans un accès de méchanceté folle.

— Avant que tu sois née, ta mère avait peur de moi, poursuivit-elle. Oh, elle n'a pas gagné grand-chose à m'éliminer grâce à

ses beaux yeux ! Elle n'a pas gagné grand-chose, Linda Herrick !
Elle osait à peine me regarder en face en ce temps-là. Elle avait
même peur de me haïr. C'est pourquoi *tu* es ce que tu es. Tu
es l'enfant de sa terreur, Linda Herrick, l'enfant de sa terreur !

Elle resta un moment silencieuse, pendant que le souffle de
la jeune fille sortait en haletant de ses lèvres blanches comme
sous le fardeau d'un incube.

— Écoute ! siffla enfin la femme qui, légèrement titubante,
s'appuya sur la jeune fille comme si la frénésie de sa méchanceté la privait de force. Écoute, Linda. Te souviens-tu de ce
que je te disais de ton père ? Comment il n'aimait que moi
dans le secret de son cœur ? Comment il se serait plutôt débar-
rassé de ta mère que de moi ? Tu te souviens de cela ? Alors,
écoute ! Je dois te dire quelque chose d'autre… quelque chose
que tu n'as jamais deviné, quelque chose que tu ne pouvais pas
deviner. Quand tu étais…

Elle s'arrêta, à bout de souffle, et si Linda ne l'avait pas
machinalement soutenue elle serait tombée.

— Quand tu étais… Quand j'étais…

Le souffle parut lui manquer. Elle porta la main à son côté
et, en dépit des faibles efforts de la jeune fille pour la soutenir,
s'effondra en gémissant sur le sol.

Linda regarda désespérément aux alentours. Nance et
Mme Renshaw, qui avaient franchi un petit promontoire de
dunes, étaient hors de vue. Elle s'agenouilla près de Rachel.
Même en cet instant — où ils la regardaient comme s'ils ne la
voyaient pas — les yeux sombres pleins de vindicte la tenaient
toujours en leur pouvoir. Tandis qu'elles demeuraient muettement immobiles, la femme prostrée et la jeune fille à genoux,
une faible rafale de vent, soulevant devant elle un petit nuage de
sable et faisant bruire les feuilles des pavots cornus, réveilla les
sens de Linda en leur apportant l'odeur des terres. Elle sentit,

sous cette bouffée d'air, ses facultés normales revenir lentement, et prenant dans la sienne une main de la femme se mit
à la frictionner doucement. Rachel répondit à ce toucher et un
frisson lui parcourut le corps. Puis, en un éclair, l'intelligence
reparut dans ses yeux et ses lèvres remuèrent. Linda se pencha
sur elle pour saisir ses paroles. Elles vinrent par saccades, en
faibles halètements.

— Je l'aimais tant, je l'aimais plus que ma vie. Il a pris ma
vie et m'a tuée. Il a tué mon cœur. Il m'avait apporté ces perles
des mers lointaines. Elles étaient pour moi… pas pour elle. Il
les avait apportées pour moi, je te le dis. Je lui ai donné mon
cœur contre elles et il l'a tué. Il l'a tué et enterré. Ce n'est plus
le cœur de Rachel. Non ! Non ! Plus le cœur de Rachel. Le
cœur de Rachel est parti avec lui… avec le capitaine… sur
les grandes mers lointaines. Il me l'a… pris… quand il m'a…
embrassé les lèvres.

La voix mourut en marmonnements inarticulés, puis elle
redevint claire et compréhensible :

— Mon cœur est parti avec lui il y a longtemps, après cela,
sur la mer. J'étais dans tous ses bateaux. Dans chaque bateau
où il faisait voile… sur les mers lointaines. Et à la place du
cœur… quelque chose d'autre… quelque chose d'autre… est
venu vivre en Rachel. C'est cela que… que…

L'intelligence disparut de nouveau de ses yeux, et elle resta
raide et immobile. Linda crut soudain qu'elle était morte, et
à cette pensée sa peur se dissipa. Il lui sembla, tandis qu'elle
la regardait, gisant là dans sa robe noire et son bonnet froissé,
qu'elle la voyait telle qu'elle était : une malheureuse vieille folle,
un être humain brûlé par la passion. Il parut soudain inconcevable à la jeune fille que cette image hagarde de la désolation eût
été autrefois jeune avec de doux membres faits pour accueillir
en dansant, par les matins d'été, le soleil, comme n'importe quel

autre enfant ! Mais, à l'instant où cette pensée lui traversa l'esprit, Rachel remua de nouveau. Ses yeux avaient à présent une expression d'hébétude. Une expression voilée, maussade, désespérée. Refusant l'aide de Linda, lentement et avec un laborieux effort, elle se releva.

— Va les chercher, dit-elle à voix basse. Va les chercher. Dis à Mme Renshaw que je suis malade… qu'il faut qu'elle me ramène chez moi. Tu n'en as plus pour longtemps à être tourmentée par moi… plus pour longtemps ! Mais tu ne m'oublieras pas. Brand y veillera ! Non, tu ne m'oublieras pas, Linda Herrick.

La jeune fille partit en courant sans se retourner. Quand elles revinrent toutes les trois, Rachel Doorm paraissait avoir retrouvé sa taciturnité habituelle.

Elles firent ensemble le chemin du retour jusqu'à l'embouchure du fleuve. Les deux sœurs aidèrent leurs compagnes à monter dans la petite carriole et détachèrent le poney. À l'instant où l'attelage s'ébranlait en faisant résonner les pavés, Mme Renshaw adressa à Nance un sourire de gratitude, un sourire empli d'une joie si illuminante et si spirituelle qu'il conféra au pâle visage de la vieille femme la beauté d'une ancienne image.

Quand la carriole eut disparu, Nance et Linda s'assirent sur un banc de bois et surveillèrent une voile blanche à l'horizon tout en parlant de Rachel Doorm.

La plupart des promeneurs étaient allés prendre le thé, et une fraîche brise apportée par la marée soufflait agréablement sur le front des jeunes filles, ébouriffant leurs doux cheveux sous leurs chapeaux délicatement enrubannés. Nance, qui tenait dans les doigts le coquillage en forme de trompette, se demanda soudain — peut-être parce que la forme du coquillage le lui avait rappelé — si Linda avait laissé la pomme de pin de mauvais augure, ou si elle l'avait glissée au dernier moment sous sa robe.

Elle jeta un coup d'œil en biais sur la poitrine enfantine de sa sœur, sans presque bouger la tête, les yeux fixés sur la marée haute, se demandant si, sous la robe blanche et rose si coquettement échancrée sur la poitrine, le rugueux trophée des bois hantés par le satyre de Chênegarde avait imprimé de nouvelles marques sanglantes.

La lumière de l'après-midi était si belle sur l'eau, et les cris des goélands qui tournaient si pleins de primitive insensibilité, que Nance fut soudain révoltée contre le poids de l'intolérable passion sexuelle qui gâchait sa vie et celle de sa sœur. Quelque chose de dur, de libre, de téméraire monta en elle, quelque chose qui défiait tout sentiment féminin.

— Vite, ma chère, s'écria-t-elle soudain, sans presque penser à ce qu'elle faisait et sans se soucier de l'effet de ses paroles, vite, donne-moi la pomme de pin que tu as cachée sous ta robe !

Les mains de Linda se levèrent aussitôt et se refermèrent sur sa poitrine, mais sa sœur était trop rapide et trop forte pour elle. Nance eut l'impression de se débarrasser d'un serpent. Elle bondit dès qu'elle eut le trophée et, levant le bras en accompagnant le geste de tout le corps, lança la pomme de pin et le coquillage qu'elle avait gardé le plus loin possible, au centre du courant de la marée montante.

— Voilà pour l'amour ! s'écria-t-elle avec fureur.

Le coquillage descendit immédiatement vers le fond, mais la pomme de pin flotta. Devant la consternation de Linda, elle éprouva une bouffée de remords. Mais elle la réprima impitoyablement. Tout ce qui sous-tendait son état d'esprit était une réaction violente contre l'émotive perversité de Mme Renshaw.

— Viens ! s'écria-t-elle en saisissant violemment la main de sa sœur qui s'agitait au bord du quai en suivant des yeux la pomme de pin, laquelle passa sous un chaland à l'ancre et disparut. Viens ! Allons aider Miss Pontifex à arroser son jardin.

Puis nous prendrons le thé et nous ferons une promenade en barque s'il ne fait pas trop sombre ! Peut-être que le docteur Raughty sera rentré et nous lui demanderons de nous emmener.

Elle était si résolue et si dominatrice que Linda ne put faire autre chose que se soumettre humblement. De manière très étrange, elle éprouvait aussi un regain de vitalité à présent que le talisman écailleux ne lui pressait plus la chair. Après ce qu'elle avait entendu des lèvres de Rachel, elle éprouvait à son tour une réaction contre le chagrin « de ce que les hommes appellent l'*amour* ». Les deux sœurs demeurèrent dans cet état d'esprit jusqu'à la grille du jardin de la modiste.

— Ce sera donc le docteur Raughty… pas Adrian, que nous aurons comme rameur ce soir ? remarqua la cadette avec un sourire.

Nance lui lança un regard rapide et fit un effort pour sourire aussi. Mais la vue des parterres et des fleurs en pot soigneusement entretenus du petit jardin avait été trop longtemps et trop profondément associée à la peine qui lui minait le cœur. Son sourire s'effaça, et ce fut en silence et toujours courbées sous le fardeau de leur humanité, malgré la bravoure de leur révolte, que les deux jeunes filles se mirent à arroser — tandis que le soleil d'août déclinait sur les marais — les phlox fortement odorants et les douces lavandes de l'admirable Miss Pontifex. Cette petite dame était en ce moment en train de regarder, mine de rien, en compagnie d'un neveu aux larges épaules venu de Londres, le début d'un film dans un cinéma de Mundham !

XIX
À L'ÉCOUTE

Août venu, il fit plus chaud que d'ordinaire dans cette venteuse province de l'East Anglia. La moisson commença avant que la moitié du mois se fût écoulée et que les champs de blé près du fleuve ne fussent plus que des chaumes entrecoupés de meules. Mêlées aux gerbes et fanées, puisque leurs tiges étaient coupées, il y avait toutes les fleurs brillantes des champs à l'éclat lumineux que Nance avait admirées, lorsqu'elles étaient en bouton, avec une si tendre émotion, de sa retraite près du lit de saules. Fumeterres et persicaires, chicorées et nielles des blés se mêlaient dans ce fragrant holocauste aux épervières et aux liserons. Au bord des champs, la seconde poussée de coquelicots écarlates traînait comme un chapelet de gouttes sanglantes autour des têtes scalpées de près. Dans les endroits marécageux, près des fossés et des digues, les nouvelles hampes de roseaux avaient de hauts plumets qui dépassaient les tiges de la saison précédente et cachaient ces mortes à la vue. La dernière plante à fleurir, l'aster aux corolles de lavande, refusait encore d'anticiper sur l'époque normale de sa floraison. Mais, en plusieurs endroits des marais salants, les plantes étaient déjà complètement adultes, n'attendant que la fin du mois chaud pour laisser s'épanouir leur floraison d'automne. Dans les coins poussiéreux des cours de Rodmoor et dans les faubourgs graveleux de Mundham, là où il y avait des carrières, la camomille et la matricaire — ces âcres enfants de l'arrière-été, amoureux des décombres et des baraques à vaches désertes — étendaient leurs délicates feuilles rampantes et montraient leurs fleurs amicales.

En bordure des haies, les épiaires cédaient la place aux hampes jaunes des lamiers, et la « marjolaine non éclose », invoquée avec une nostalgie si amère par le poète des *Sonnets*, remplaçait le basilic. La chaude poussière blanche de la route, entre Rodmoor et Mundham, s'élevait en nuages sous les roues des véhicules pour former en montant des spirales au-dessus des étendues herbeuses qui, selon la vieille coutume libérale des constructeurs de routes en East Anglia, séparaient des deux côtés la chaussée des haies avoisinantes. Au somnolent bourdonnement journalier des moissonneuses-batteuses, comme aux cris perçants des enfants dont l'excitation montait à l'apparition des phalènes et des chauves-souris, se mêlait assidûment, de jour comme de nuit, le bruit monotone des vagues sur la plage de Rodmoor.

Pour les riverains que la nature ou quelque mauvais tour du destin avaient rendus morbidement sensibles à ce bruit, il était peut-être plus difficile d'en supporter le rythme placide et réitéré, en ces jours alcyoniens, que lorsqu'il devenait subitement furieux par mauvais temps. Le bruit était d'autant plus intense qu'il diminuait de volume, et l'onomatopée de son éternel refrain, plus aiguë et plus proche dans le silence des chauds midis d'août, semblait aux oreilles les plus sensibles, nerveusement tendues pour la recevoir, de manière fâcheuse incroyablement semblable à la sistole et à la diastole, à l'inspiration et à l'expiration d'un énorme cœur à demi humain.

Parmi les diverses personnes de Rodmoor que les dieux plus puissants et plus bénéfiques avaient abandonnées à la vindicte des puissances de moindre envergure, Philippa Renshaw était vraisemblablement celle qui était la plus consciente de cette note d'insane répétition, presque bestiale dans sa persistance aveugle. Philippa, en ces premières semaines d'août, se tint de plus en plus à l'écart tant de sa mère que de Brand. Elle rencontra Sorio une ou deux fois, mais plus par hasard qu'intentionnellement, et ce ne furent ni pour l'un ni pour l'autre des rencontres heureuses. L'insomnie gagna Philippa et, avec elle, l'habitude d'errer la nuit sous les arbres du parc. Brand la suivit souvent dans ces errances nocturnes mais il ne réussit qu'une fois à la persuader de rentrer avec lui à la maison. Plus elle s'éloignait de lui, plus il semblait avoir un urgent besoin de la voir.

Un soir, après que Mme Renshaw fut montée se coucher, le frère et la sœur s'attardèrent dans la bibliothèque envahie d'ombre. C'était un soir particulièrement étouffant, et un lourd voile de brume obscurcissait le croissant de la nouvelle lune.

Par les fenêtres ouvertes entraient des rafales d'air chaud qui agitaient les rideaux et faisaient vaciller la flamme des bougies. Brand se leva pour les souffler toutes, sauf une qu'il posa sur une table d'angle, sous le portrait peint cinquante ans plus tôt de Herman Renshaw, leur père, dont le visage sombre les regardait fixement. Les autres tableaux accrochés entre les étagères en étaient réduits à une spectrale et ombreuse obscurité, qui convenait parfaitement aux traits fanés et mélancoliques de cette lignée, apparemment pas plus heureuse, des Renshaw de Chênegarde. Autour de la bougie que Brand avait laissée allumée s'agitait un petit groupe de phalènes et, à intervalles, lorsque l'une d'elles se brûlait un peu, elle filait à grands coups d'ailes aveugles dans les coins les plus éloignés de la pièce. Des ténèbres du dehors parvenait parfois un frémissement de feuilles ou un soupir dans les branches accordés aux bouffées du vent chaud qui se levait et tombait. La chaleur oppressante était comme la poigne d'une énorme main palpable posée sur le toit de la maison. De temps à autre, quelque créature surprise par une chouette ou une belette poussait un cri de terreur : était-elle prise ou s'était-elle échappée, seuls les yeux de la nuit le savaient. Le cri montait soudain et s'arrêtait soudain, et le pouls régulier du rythme nocturne continuait comme auparavant.

Brand se jeta dans un fauteuil bas, sur le bras duquel sa sœur s'assit en équilibre, une cigarette allumée entre ses lèvres moqueuses. Se balançant dans l'ombre au-dessus de lui, avec sa silhouette souple oscillant comme un spectre de brume, on aurait pu la prendre pour l'incarnation d'une vision perverse, le rêve incarné des vices du passé mort.

— Après tout, murmura Brand d'une voix qui résonnait comme si ses pensées prenaient forme sans qu'il en eût conscience, qu'est-ce que j'attends de Linda ou de n'importe quelle autre puisque je t'ai ?

Elle inclina moqueusement la tête mais garda le silence, répondant à l'inquiétude de son frère par un simple battement de cils, les yeux emplis d'une étrange lumière.

— Et pourtant elle me convient mieux que n'importe qui d'autre, reprit-il après un silence, mieux que je n'espérais qu'il fût possible à une fille comme ça de me convenir. Elle aura toujours peur de moi, ce qui signifie qu'elle m'aimera toujours. Je devrais me contenter de ça, n'est-ce pas ?

Il fit une nouvelle pause, mais Philippa ne prononça toujours pas le moindre mot.

— Il me semble que tu ne comprends pas très bien, reprit-il, ce qu'il y a entre elle et moi. Nous nous rencontrons *dans les profondeurs*, il n'y a aucun doute, et notre barque nous mène dans les grands fonds, dans des fonds que je n'ai jamais sondés ! Nous nous rencontrons là où ce bruit... au diable le vent ! ce n'est pas du vent que je veux parler... là où ce bruit n'est plus audible. As-tu jamais atteint le point où ce bruit ne te résonne plus dans les oreilles ? Non... Je sais parfaitement que non ! Tu es née en l'entendant… tout comme moi… et tu mourras en l'entendant. Mais avec elle, sans doute parce qu'elle en a peur, parce qu'elle en a une peur panique — tu comprends ? —, *j'ai atteint* ce point. Je l'ai atteint l'autre nuit quand nous étions ensemble. Oui ! Tu peux sourire… petit démon… tu peux sourire, mais c'est vrai. Elle me l'a fait sortir de la tête comme si elle avait fait refluer la marée !

Il regarda le nuage de légère fumée bleue qui flottait autour du visage blanc de sa sœur, puis rencontra de nouveau son regard.

— Bah ! lança-t-il avec colère. Quel absurde non-sens que tout cela ! Nous avons trop longtemps vécu ici, nous, les Renshaw, c'est là que le bât blesse ! Nous devrions vendre cette maison de malheur et aller voir ce qui se passe ailleurs ! Je le ferai, quand notre mère sera morte. Oui, je le ferai… distillerie ou pas distillerie… et je m'en irai à l'étranger avec Tassar. Je vendrai le tout, la terre et l'usine ! Tout ça commence à me porter sur les nerfs. Ça me porte *vraiment* sur les nerfs, puisque le *bat bat bat*, comme l'absurde poème de Mère le dit de ces maudites vagues, résonne en moi comme le cœur battant de quelque chose dont le cœur devrait absolument *cesser* de battre !

La voix qui était montée *crescendo* d'excitation s'éteignit dans une sorte de murmure d'excuse.

— Désolé, marmonna-t-il, mais aussi ne me regarde pas comme ça, fillette. De l'air, va t'asseoir plus loin ! C'est ton regard qui me fait dire ces idioties. Dieu nous aide ! Je comprends cet étranger qui commence à déménager dans sa tête. Tu as dans les yeux, Philippa, quelque chose qui ne devrait être permis à aucune fille vivante d'avoir ! Bah ! Tu m'as fait parler comme un parfait imbécile !

Au lieu de s'éloigner comme on le lui avait ordonné, Philippa effleura son frère d'une caresse. Jamais elle n'avait autant ressemblé à une créature des vieilles civilisations perverses.

— Mère pense que tu vas épouser cette fille, murmura-t-elle, mais je sais que tu vas faire mieux que ça, et j'ai toujours raison pour ce genre de choses, n'est-ce pas, Brand chéri ?

La caresse le fit retomber dans le fauteuil et les traits ombreux de son visage se contractèrent. Il avait l'air aussi fané qu'effondré. Le sourire moqueur de Philippa divisait toujours ses lèvres, dont la courbe paraissait sculptée à la manière subtile et archaïque des marbres de l'ancienne Grèce. Quel que pût être le secret de son pouvoir sur lui, il se manifestait à présent sous la forme d'une cruauté spirituelle qu'il trouvait extrêmement difficile à supporter. Il fit un mouvement qui était presque un appel.

— Dis que j'ai raison, dis que j'ai toujours raison pour ce genre de choses ! insista-t-elle.

À cet instant, une grosse chauve-souris entra, produisant une diversion. La bestiole poussa un étrange petit cri plaintif, semblable au vagissement d'un nouveau-né, et se mit à tourner au-dessus de leurs têtes en cercles rapides et désespérés, battant des ailes contre les rayonnages et les cadres des tableaux. Puis, attirée par la lumière, elle fondit à l'oblique sur la bougie, éteignant la flamme au passage et plongeant la pièce dans l'obscurité.

Philippa, avec un petit rire sarcastique, traversa la bibliothèque en courant et s'enveloppa dans l'un des rideaux de la fenêtre.

— Ouvre la porte et fais-la sortir ! cria-t-elle. Fais-la sortir, je te dis ! As-tu peur de ce genre de bestiole ?

Mais Brand semblait être soit en proie à une sorte de transe, soit trop absorbé dans ses pensées pour faire le moindre mouvement.

La fille sortit avec précaution de son refuge, chercha des allumettes à tâtons et, trouvant enfin une boîte, en craqua une. La chauve-souris passa près d'elle quand la flamme jaillit et disparut en décrivant des cercles dans la nuit. Philippa alluma plusieurs bougies et en approcha une du visage de son frère. Ainsi illuminée, la mine sinistre de Brand ressemblait à un bois sculpté médiéval. Il aurait pu être le protagoniste de l'une de ces vieilles gravures fantastiques représentant le docteur Faust après quelque combat sans espoir contre son maître-esclave.

— Va-t'en, toi ! Laisse-moi seul. Je t'ai déjà trop parlé. La nuit est chaude, hein ? Le genre de nuit étouffante qui met en branle les pensées. Bah ! J'ai pensé à trop de choses. C'est la pensée qui est la cause de toutes les diableries du monde. Penser et entendre les cœurs battre, voilà ce qu'il faut faire cesser !

Il la repoussa pour se lever, s'étira et bâilla :

— Quelle heure est-il ? Quoi ? Seulement dix heures ? Mère doit être montée se coucher très tôt ! C'est le genre de nuit où les gens tuent leur mère. Oui, ils la tuent, Philippa. Tu n'as pas besoin de me regarder comme ça ! Et ils la tuent quand leur mère a une fille qui te ressemble… qui a exactement l'air que tu as en ce moment.

Il s'appuya contre le dos d'un fauteuil et la regarda : elle se tenait négligemment contre le manteau de la cheminée, le bras étendu sur la surface de marbre.

— Pourquoi Mère te raconte-t-elle toujours ces choses à propos de mon mariage ? poursuivit-il d'une voix pâteuse et cassée. Tu la mets sur le sujet et, quand elle t'en parle, tu me rapportes ce qu'elle t'a dit pour me dresser contre elle. Dis-moi, Philippa, pourquoi éprouves-tu tant de haine envers notre mère ? Pourquoi as-tu eu ce regard lorsque j'ai dit que j'allais la tuer ? Qu'est-ce… que… tu… Bas les pattes, ma fille, cesse de me regarder et de sourire comme ça, ou c'est toi que je vais tuer ! Oh, Dieu du Ciel, aide-nous ! Cette nuit étouffante va tous nous envoyer à Bedlam !

Il s'arrêta soudain pour tendre l'oreille, les yeux fixés sur sa sœur.

— Tu entends ? chuchota-t-il d'une voix altérée. Elle marche d'un bout à l'autre du corridor… en pantoufles, si bien qu'on l'entend à peine. Chut ! Écoute ! Elle va entrer dans la chambre de Père. C'est ce qu'elle fait toujours à la fin. Pourquoi penses-tu qu'elle le fasse, Philippa ? Elle farfouille, je suppose, elle ouvre et ferme des tiroirs, elle change de place les tableaux ! Quels drôles de gens nous sommes ! Seigneur Dieu… quels drôles de gens ! Je suppose que les bruits qu'elle fait t'irritent jusqu'à te faire presque exploser la cervelle. C'est une chose étrange, n'est-ce pas, cette vie de famille ! Des êtres humains comme nous n'étaient pas faits pour être fourrés ensemble dans le même trou comme des guêpes dans un bocal. Écoute ! Tu entends ? Elle est en train de faire quelque chose à la fenêtre. Tu parles s'il s'en soucie, à six pieds sous terre ! Mais cela montre qu'il la tient toujours, n'est-ce pas ?

Il fit un geste en direction du portrait de son père, sur lequel à présent la bougie brillait, animant les traits lourds du visage.

— Sais-tu ? poursuivit-il sur un ton solennel en fixant de nouveau sa sœur des yeux. Je crois que l'une de ces nuits, quand elle marchera de long en large comme ça, dans ses pantoufles silencieuses, tu lui sauteras à la gorge pour la tuer de tes mains. Oui, je crois que tu l'écoutes toutes les nuits jusqu'au moment où tu te bouches les oreilles en hurlant.

Il traversa la pièce et, s'approchant de sa sœur, la secoua rudement par le bras. Un changement psychique dans l'atmosphère semblait avoir inversé leur relation.

— Avoue… avoue, ma fille ! marmonna-t-il d'une voix rauque. Avoue que quand tu te sauves dans le parc, ce n'est pas pour rencontrer l'étranger. Ce n'est même pas pour t'étendre, comme je sais que tu aimes le faire, en touchant du bout de la langue le pied des champignons vénéneux sous les chênes. Si tu te sauves, c'est pour ne plus l'entendre ! Avoue-le. Avoue que c'est pour ne plus l'entendre !

La relâchant soudain, il se raidit pour écouter intensément. Le doux et lourd parfum des pétales de magnolia entra en flottant par la fenêtre et quelque part... très loin dans les arbres... une effraie poussa un gémissement brisé, suivi d'un battement d'ailes. L'horloge du vestibule se mit à sonner. Avant chaque coup, une lourde vibration métallique ébranla le silence de la maison.

— Seulement dix heures, dit-il. La pendule d'ici avance.

Au moment où il prononçait ces mots, le timbre retentit à la porte d'entrée. Le frère et la sœur se regardèrent d'un air confondu, puis Philippa partit d'un petit rire artificiel.

— Nous sommes peut-être des criminels, chuchota-t-elle.

Ils reprirent tout naturellement d'instinct des attitudes moins dramatiques et attendirent en silence que, dans le lointain quartier des domestiques, quelqu'un répondît à l'appel. Ils entendirent la porte s'ouvrir et un bruit de voix étouffées dans le vestibule. Puis il y eut une pause au cours de laquelle Philippa leva moqueusement les yeux sur Brand d'un air interrogateur.

— C'est notre cher prêtre, murmura-t-elle, accompagné par quelqu'un.

— J'espère que cet idiot ne va pas essayer de..., commença Brand.

— M. Traherne et le docteur Raughty, annonça le serviteur en tenant ouverte la porte de la bibliothèque pour laisser entrer les visiteurs.

Le clergyman s'avança le premier. Il serra la main de Brand et s'inclina avec une courtoisie démodée devant Philippa. Le docteur Raughty, qui le suivait, serra la main de Philippa et salua nerveusement le frère d'un signe de tête. Les deux hommes s'assirent dans les fauteuils qu'on leur offrait et acceptèrent l'invitation qui leur était faite de fumer. Brand se dirigea vers une table d'angle et leur prépara, avec un air de politesse résigné, les boissons fraîches qui s'imposaient. Il ne but rien lui-même, mais sa sœur, en s'excusant d'un ton moqueur auprès de M. Traherne, alluma une cigarette.

— Comment va le rat ? demanda-t-elle en provoquant le prêtre mal à l'aise d'un sourire taquin.

— Il est là-bas, répondit-il en vidant d'un trait son verre.

— Quoi ? Dans la poche de votre manteau, par une nuit pareille ?

Posant le verre, M. Traherne glissa ses gros doigts d'ouvrier dans le plastron de sa soutane.

— Rien là-dessous qu'une chemise, dit-il. Les soutanes n'ont pas de poches.

— Vraiment ? dit Brand en riant. Elles doivent avoir quelque chose où vous pouvez mettre l'argent. À moins que vous autres, les prêtres, ne soyez comme les kangourous pourvus d'une petite poche naturelle où cacher les offrandes des fidèles.

— Est-il heureux à rester toujours dans votre poche ? s'enquit Philippa.

— Voulez-vous que je le vérifie ? répondit le prêtre en se levant avec un mouvement qui faillit renverser la table. Je vais aller le chercher pour le faire trotter partout dans la pièce.

Le ton sur lequel il prononça ces mots disait à l'évidence : « Tu es un joli petit brin de garce, féminine à souhait ! Tu ne me parles de mon rat que pour te payer ma tête. Qu'il soit heureux ou non dans ma poche est le dernier de tes soucis. Ce n'est que par respect pour tes maudits nerfs que je ne vais pas le chercher pour jouer avec lui. Si tu dis un mot de plus sur ce ton moqueur, je le fais grimper le long de ton jupon ! »

— Asseyez-vous, Traherne, dit Brand, et laissez-moi remplir votre verre. Nous irons tous voir le rat tout à l'heure et nous lui dénicherons de quoi souper. Mais, pour l'instant, je suis anxieux de savoir comment vont les choses au village. Il y a des semaines que je n'y suis pas allé.

C'était un défi non déguisé pour inciter le prêtre à aller droit au but. Hamish Traherne le releva.

— En réalité, c'est *vous* que nous sommes venus voir, Renshaw. Nous parlerons peut-être un peu plus tard, juste avant de partir. Nous ne nous attendions pas à avoir le plaisir de rencontrer Miss Philippa si tard.

Le docteur Raughty, qui s'était jusque-là contenté de faire ses délices de la peau blanche de la jeune fille, de ses lèvres écarlates et du charme indescriptible de sa souple silhouette, s'interposa impétueusement.

— Mais cela peut attendre ! Cela peut attendre ! S'il vous plaît, n'allez pas vous coucher tout de suite, Miss Renshaw. Regardez, votre cigarette est finie ! Jetez-la et goûtez une des miennes. Ce sont des cigarettes françaises, celles qui sont dans les paquets jaunes, je sais que vous les aimerez. Ce sont celles que vous avez fumées quand nous étions sur le fleuve… le jour où vous avez pris cette grosse perche.

Philippa, qui s'était levée en entendant la remarque un peu brusque de Traherne, s'approcha immédiatement du docteur.

— Oh, la perche, s'écria-t-elle, je pense bien que je m'en rappelle ! Vous avez insisté pour la tuer sur-le-champ de peur qu'elle ne saute de nouveau dans l'eau. Vous lui avez introduit le pouce dans la gueule et tordu la tête en arrière. Oh, oui ! Ce paquet jaune me remet tout en mémoire. Je sens encore l'odeur de la pâte collante avec laquelle nous avons essayé de prendre des vandoises, et je revois vos mains maculées de sang et d'écailles d'argent. Oh, c'était une journée merveilleuse, Docteur ! Vous rappelez-vous comment vous avez entortillé ces choses — des feuilles de bryone, je crois — en couronne dans mes cheveux quand les autres sont partis ? Vous rappelez-vous que vous m'avez dit que vous aimeriez me faire subir le même traitement que celui que vous avez infligé à la perche ? Vous rappelez-vous que vous avez couru après une libellule ou je ne sais plus quoi ?

Elle s'arrêta hors d'haleine, et se posant sur le bras du fauteuil où le docteur était assis lui souffla au-dessus de la tête un grand nuage de fumée qui emplit un instant la pièce de l'âcre odeur du tabac français.

Traherne et Brand se regardèrent avec étonnement. Transformée, Philippa semblait être une personne complètement différente. Dans ses yeux brillait une gaieté enfantine et lorsque, à une saillie du docteur, elle éclata de rire, les notes s'égrenèrent avec une liberté et une joie que son frère n'avait pas entendues depuis des années. Elle était toujours penchée sur le fauteuil du docteur Raughty, qu'elle enveloppait d'un épais nuage de fumée, et, à ce que les deux autres purent comprendre, ils furent bientôt plongés dans une discussion compliquée sur la meilleure amorce à employer pour le brochet.

Le prêtre saisit l'occasion de dire ce qu'il avait sur le cœur.

— J'ai bien peur, Renshaw, que vous n'en ayez fait qu'à votre tête au sujet de Linda Herrick. Non ! Ne niez pas. Vous ne l'avez peut-être pas vue aussi souvent qu'avant notre dernière conversation, mais vous l'avez vue. Elle me l'a elle-même avoué. Maintenant, écoutez ceci, Renshaw : vous et moi nous nous connaissons depuis pas mal d'années… Combien, mon vieux ? Quinze ? vingt ? Certainement pas moins. Depuis suffisamment longtemps, en tout cas, pour que j'aie le droit de vous parler tout à fait franchement et de vous dire : Arrêtez. (Sa voix tomba jusqu'à devenir un formidable murmure.) Arrêtez, Renshaw ! Vous devez absolument laisser cette enfant tranquille. Si vous ne le faites pas… si vous persistez à la voir… je serai obligé de prendre des mesures énergiques. Je… mais je n'ai pas besoin de vous en dire plus. Je pense que vous êtes assez fin pour deviner ce que je ferai.

Brand reçut cet ultimatum solennel en réagissant de manière à faire perdre les pédales à l'homme agité qui le lui adressait. Il bâilla avec insouciance et commença d'étirer ses longs bras.

— Comme vous voudrez, Hamish, dit-il, je suis tout à fait prêt à ne plus la voir. En fait, je ne l'aurais probablement plus revue. Pour vous dire la vérité, je commence à en avoir assez. Ces jeunes filles sont de vraies têtes de linotte. Aujourd'hui elles disent *blanc*, demain elles disent *noir*. On ne peut pas se fier à elles deux heures de suite. C'est entendu, Hamish Traherne ! Je n'y toucherai plus. Vous pouvez faire d'elle une nonne si vous voulez… ou tout ce que vous imaginez d'autre. Tout ce que je vous demande, c'est de ne pas raconter l'histoire à tous vos paroissiens. N'en parlez pas à Raughty ! Je ne veux voir personne se mêler de mes affaires… pas même mes amis. C'est entendu, mon garçon… vous n'avez pas besoin de me regarder comme ça. Vous me connaissez, vous l'avez dit vous-même, depuis suffisamment longtemps pour savoir qui je suis. Vous y voilà donc ! Vous avez à la fois ma réponse et ma parole. Peu m'importe que vous l'appeliez "parole d'honneur" comme l'autre nuit. Appelez-la comme vous voulez. Je ne verrai plus Linda pour une raison personnelle, d'ordre privé, et si, ce faisant, je vous fais une faveur, eh bien tant mieux !

Croyant que c'était son vieil ulster, Hamish Traherne fourra la main sous sa soutane, pensant sentir la forme familière de Ricoletto.

Ce geste inconscient et futile montre à quel point le train du monde est suspendu à des détails insignifiants. Si les doigts du prêtre avaient rencontré la soyeuse fourrure de son animal favori, il aurait eu le courage de demander de but en blanc à son hôte redoutable si, en quittant ainsi Linda, il la laissait aussi intacte et aussi innocente que lorsqu'il avait croisé son chemin pour la première fois. Comme il n'avait pas Ricoletto, ses doigts ne rencontrèrent que sa chemise de laine, et l'inspiration lui manqua pour poser la question décisive. C'est de ce genre de bagatelle — un rongeur apprivoisé laissé au-dehors d'une bibliothèque ou, si vous préférez, un prêtre excentrique portant une soutane dépourvue de poche — que dépendait l'avenir de Linda Herrick. Car, s'il avait posé la question et si Brand avait avoué la vérité, le prêtre aurait usé de toutes les menaces en son pouvoir pour le forcer à l'épouser, et il est fort possible, étant donné l'humeur de l'homme en cet instant et la nature des foudres qui le menaçaient, qu'il se soit incliné devant l'inévitable et qu'il ait pris l'engagement de le faire.

Les complexes et déconcertantes complications de la vie étaient par ailleurs illustrées par la nature même des foudres mystérieuses si sombrement annoncées par M. Traherne. Il s'agissait en réalité — et Brand le savait parfaitement — de révéler à Mme Renshaw, sans qu'il pût y avoir le moindre doute, la véritable nature du fils qu'elle essayait avec tant de bonne foi d'idéaliser. Pour quelque intime raison, liée à son être profond, l'idée que sa mère pût savoir qui il était répugnait à Brand. Elle pouvait avoir des soupçons, et même *peut-être se douter qu'il savait qu'elle en avait*, mais étaler cartes sur table serait faire un accroc et mettre en pièces l'inconsciente hypocrisie de vingt années. Pour certaines natures, le brusque clivage de relations morales lentement tissées est pire que la mort. Brand aurait éprouvé moins de remords à être la cause de la mort de sa mère qu'à savoir qu'elle devinait quel être il était vraiment. Le sort de Linda étant ainsi scellé entre les deux hommes — si l'on peut dire que l'échange qu'ils venaient d'avoir le scellait —, anxieux de se distraire, ils tournèrent la tête vers l'endroit où Philippa et le docteur conversaient. Mais ils n'étaient plus là. Brand lança un regard bizarre au prêtre qui, haussant les épaules, se versa un troisième verre de la carafe qui était sur la table. Puis ils se dirigèrent vers la fenêtre, qui était presque une baie vitrée. Enjambant l'appui au-dessus du sol, ils sortirent sur la terrasse. Ils prirent immédiatement conscience d'un changement dans l'atmosphère. Le voile de brume avait été complètement balayé par le vent. La vaste et claire étendue scintillait d'étoiles et, au loin dans les arbres, ils apercevaient le croissant de la nouvelle lune.

Brand attrapa un rameau de roses de Damas dont il respira le parfum. Puis il se tourna vers son compagnon et lui lança un regard diabolique :

— Le docteur et Philippa ont profité de ce que nous étions absorbés par notre conversation, remarqua-t-il.

— Absurde, mon bonhomme, absurde ! s'exclama le prêtre. Raughty est sûrement en train de lui montrer une phalène ou une bestiole quelconque. Vous est-il impossible de cesser vos sarcasmes pour regarder les choses humainement et le plus naturellement du monde ?

Les paroles du prêtre furent immédiatement justifiées. Au coin de la maison, ils découvrirent les deux échappés à genoux au bord d'une pelouse trempée de rosée en train d'observer les mouvements d'un crapaud. Le docteur guidait gentiment les mouvements du batracien avec la tige d'un géranium, tandis que Philippa riait du rire joyeux d'une petite fille.

Ils découvrirent la cause de la disparition de la chaleur étouffante. De l'étendue des marais venait le long souffle régulier du vent du nord-ouest. Il apportait une bouffée pleine de fraîcheur semblable à une immortelle citerne où s'abreuvaient les arbres et les plantes. Avec lui venait l'odeur des marais immenses et des eaux fraîches de l'intérieur des terres, et le souffle qui courbait les arbres et faisait frissonner les parterres de fleurs paraissait oblitérer la présence de la mer qui devenait soudain lointaine.

À l'approche des visiteurs, Raughty et Philippa se levèrent.

— Docteur, dit Brand, quel est le nom de cette grande étoile… ou de cette planète, ou Dieu sait quoi, qu'on aperçoit là-haut ?

Tous observèrent la partie du ciel qu'il indiquait du doigt pour contempler le luminaire inconnu.

— Si seulement on m'avait enseigné l'astronomie à l'école au lieu de me faire apprendre des vers grecs, soupira M. Traherne.

— C'est Vénus, je suppose, dit le docteur Raughty. C'est bien Vénus, Philippa ?

La fille regarda les hommes, puis le ciel, puis son regard revint du ciel aux hommes.

— Voilà une jolie bande de sages, s'écria-t-elle, qui ne connaissent pas l'étoile qui nous gouverne tous ! Ce n'est *pas* Vénus, Docteur. Aucun de vous ne le sait ? Brand… tu la connais sûrement ? Eh bien, je vais vous le dire : c'est Jupiter, la planète reine Jupiter !

Elle éclata d'un rire aussi perlé que celui d'un enfant. Brand se tourna vers le docteur, qui s'était éloigné pour jeter un dernier coup d'œil sur le crapaud.

— Que lui avez-vous fait, Fingal ? demanda-t-il. Il y a des années qu'elle n'a pas eu ce rire.

Il ne reçut pour toute réponse qu'une toux embarrassée, mais, lorsqu'ils rentrèrent dans la bibliothèque et commencèrent à regarder les livres les plus intéressants sur les rayonnages, Brand et M. Traherne remarquèrent que le docteur traitait la jeune fille avec une franche et directe amitié, faite de simplicité et d'humour, comme s'il oubliait complètement le sexe auquel elle appartenait.

XX

LA GRANGE DE RAVELSTON

Le temps chaud continua tout le temps de la moisson, seulement interrompu par quelques jours venteux plus humides. Un samedi après-midi, Sorio, qui devait prendre avec Nance le train de Mundham, flânait avec Baltazar en haut de la Grand-Rue en attendant l'apparition de la jeune fille. Elle lui avait donné rendez-vous là plutôt que chez elle, car depuis le jour où elle avait dû se réfugier au cottage avec Linda il lui était désagréable que Baltazar vît sa jeune sœur. Elle savait, sans avoir posé de questions, que Linda n'avait pas vu Brand depuis plusieurs semaines, et il n'était pas pensable, à présent qu'un danger semblait écarté, que la jeune fille risquât de tomber dans un autre piège.

Nance avait dernièrement rencontré l'ami de Sorio plus qu'elle ne l'aurait souhaité. C'était difficile à éviter, à présent qu'ils étaient presque voisins — surtout que les heures de loisir de M. Stork, entre ses voyages à Mundham, coïncidaient exactement avec les heures de liberté de Nance, après son travail à la boutique de la modiste. Mais plus elle connaissait Baltazar, plus elle le trouvait intolérable. Avec Brand, à chaque rencontre de hasard, elle arrivait toujours à se maintenir sur un plan de dignité et de réserve conventionnelles. Elle voyait qu'il savait combien elle était indignée par la façon dont il s'était comporté envers sa sœur, mais elle ne pouvait s'empêcher de le respecter pour le tact et la discrétion avec lesquels il acceptait sa réprobation muette, ce qui rendait facile d'éviter tout éclat. Elle n'avait, au fond d'elle-même, jamais éprouvé d'antipathie pour Brand Renshaw, ni cette peur qu'il inspirait à la plupart de ceux qui le connaissaient. Elle l'affronterait sans la moindre appréhension si les problèmes de sa sœur rendaient cela nécessaire, mais ce qu'elle demandait, pour l'heure, était qu'il les laissât en paix.

Avec Baltazar, il en allait différemment. Elle le détestait cordialement, et à cette antipathie se mêlait une peur considérable. Elle était incapable d'analyser la nature précise de cette peur. Dans une certaine mesure, elle provenait de l'inaltérable urbanité de Baltazar, et de la façon démonstrative dont il lui parlait en la raillant imperceptiblement chaque fois qu'ils se rencontraient. Nance avait un tour de pensée à la fois simple et direct, et elle ne pouvait s'empêcher de soupçonner que M. Stork se moquait d'elle à mots couverts et cherchait à ce qu'elle se trahît d'une façon ou d'une autre. Il y avait, dans la personnalité de cet homme, quelque chose qui la déconcertait et la rendait perplexe. Ses languides manières efféminées paraissaient cacher une inflexible dureté envers la vie qui, telle une lame d'acier dans un fourreau de velours, était sans cesse sur le point de révéler sa vraie nature et ne la révélait jamais vraiment. Elle se méfiait comme de la peste de l'influence qu'il avait sur Sorio, et allait même jusqu'à le soupçonner de ne pas avoir d'affection pour son vieil ami. Rien de ce qui venait de Baltazar ne semblait à Nance sincère ou naturel. Quand il parlait d'art, comme il le faisait souvent, ou proférait de vagues commentaires cyniques sur la vie en général, elle éprouvait envers lui la sensation qu'éprouve une fille envers une rivale qui, pour attirer l'attention, enfreint en coquetterie les règles communément admises. Elle ne le soupçonnait pas seulement de ruser avec toute l'hypocrisie propre à la diplomatie, ou d'adopter dans chacune de ses attitudes une pose délibérée. C'était comme si, avec une indescriptible subtilité, il lui faisait sentir que chacun des gestes qu'elle faisait ou chacune des paroles qu'elle prononçait était faux. Il la troublait et la remuait au point qu'elle devenait parfois désespérément consciente d'être entraînée dans le mensonge, ou au moins de faire ou de s'entendre dire des choses qu'elle ne pensait pas réellement. C'était surtout le cas lorsqu'il était là quand elle rencontrait Sorio. Elle s'entendait parfois dire des choses insensées, des choses très éloignées de ce qu'elle était naturellement ; et même quand elle essayait en vain d'être elle-même, elle sentait vaguement que Baltazar l'observait, l'encourageant et la poussant comme s'il applaudissait des deux mains. Elle l'entendait, pour ainsi dire, lui chuchoter à l'oreille : « Quel joli discours, quelle opportunité de détourner la tête, quel sourire au bon moment, quel appel dans ce petit silence ! »

La présence de Stork la faisait douter et faisait vaciller la base même et les fondations de sa confiance en soi. Il rendait artificiel ce qui était naturel, et prémédité ce qui était spontané. C'était comme s'il plongeait dans les profondeurs de l'âme de Nance pour y remuer de la boue, et couvrir d'un voile ce qui n'était que clarté et simplicité. Tout ce qui était impulsif et enfantin, féminine impétuosité dans son âme, devenait absurde et forcé quand il était là, quelque chose qui aurait pu être différent si elle l'avait voulu tel, mais dont elle usait délibérément pour ensorceler Adrian.

Le drame était qu'elle ne *pouvait* être autrement, qu'elle ne pouvait ni regarder, ni parler, ni rire, ni rester silencieuse d'une autre façon. Cependant, il lui faisait sentir que ce n'était pas seulement possible, mais facile. Il était, dans sa maligne clairvoyance, diaboliquement et impitoyablement intelligent. Nance

n'était pas simplette au point d'ignorer qu'il y a mille occasions où il est aussi légitime que naturel qu'une fille « fasse le
maximum », tant en ce qui concerne son humeur que ses sentiments. Elle n'était pas stupide au point de ne pas savoir que
les émotions d'une femme, affleurant dans toutes les fibres et
tous les nerfs de son être, entraînent d'innombrables petites
exagérations en soulignant impulsivement, pour ainsi dire, la
nature même de la vérité. Mais c'était précisément la racine ou,
si l'on peut se permettre la phrase, les caractéristiques « orga-
niques » de sa propre expression que la vigilance affectée de
Baltazar prenait dans ses griffes. Il réussissait curieusement,
puisqu'il était un homme, à trahir l'essence même de la dignité
du sexe de Nance. En fait, il la jetait dans une sorte d'autodéfense embarrassée en ce qui concernait tous les accessoires
indispensables à sa féminité.

Ce qui était injuste et rendait la chose encore pire, c'était
qu'elle devait si souvent écouter les diatribes amères et sarcas-
tiques des deux compères contre les femmes en général. L'un
des passe-temps favoris d'Adrian et de son ami était de rechi-
gner sans motif contre les femmes et, lorsque la conversation
roulait sur ce sujet, la présence de Nance semblait plutôt attiser
que mitiger l'hostilité.

Le docteur Raughty avait occasionnellement assisté à ces
conversations, et Nance sentait qu'elle serait toujours reconnaissante envers cet excellent homme pour la façon à la fois
simple et ironique dont il avait fait taire les deux autres. « Je
suis heureux, leur avait-il dit, que vous soyez nés si libres en
inventant une manière de vivre si avare. Encore un petit effort
d'indépendance, et la mort deviendra elle aussi une joie. »

Cet après-midi-là, cependant, Baltazar n'encourageait pas
Sorio à la misogynie. Au contraire, il tentait de calmer son ami,
qui était dans l'un de ses pires moments.

— Pourquoi ne vient-elle pas ? ne cessait-il de répéter. Elle sait parfaitement que je déteste attendre dans la rue.

— Asseyons-nous sous les arbres, suggéra Baltazar. Elle traversera sûrement le pré en te cherchant et nous la verrons d'ici.

Ils s'assirent ensemble sur le banc, à proximité d'un groupe de villageois sous les vieux sycomores. Au-dessus d'eux, l'Amiral sans nom regardait assidûment vers la mer et, à l'ombre des arbres, des petites filles en haillons jouaient d'un air endormi sur l'herbe brûlée.

— C'est extraordinaire, remarqua Sorio, le nombre d'êtres humains qui sont au monde et feraient mieux de ne pas y être ! Ils me portent sur les nerfs, ces gens. Il me semble qu'ici je les entends mieux et qu'ils sont plus proches de moi qu'ils ne l'ont jamais été dans ma vie. Dans un lieu comme celui-ci, chaque personne s'affirme et prend de plus en plus de place, et il en va de même de tous les bruits. Pour échapper à l'humanité, il n'y a vraiment que deux choses à faire : soit s'enfuir dans le désert où il n'y a pas une âme vivante, soit se fondre dans une grande ville où l'on est absolument perdu dans la foule. Cette existence entre deux chaises est terrible.

— Mon cher, mon cher, protesta Baltazar, tu ne cesses de te plaindre et de ronchonner, mais en ce qui me concerne je n'arrive pas vraiment à comprendre ce qui te tourmente. Une petite chose en passant : n'exprime pas tes sentiments à voix trop haute, ces honnêtes gens ne comprendraient pas.

— Ce qui me tourmente… tu ne comprends pas ce qui m'ennuie, marmonna l'autre d'un ton maussade. Ça m'ennuie qu'on me regarde. Qu'on me hèle au passage. Qu'on me reconnaisse. Je ne peux pas faire un pas sans voir un visage connu et, ce qui est encore pire, un visage qui me scrute d'un air moqueur, d'un air absurde et inquisiteur, comme pour dire : "Oh, oh ! Voilà de nouveau cet imbécile. Ce crétin qui vit aux crochets de M. Stork ! Voilà ce démon d'étranger qui espionne !"

— Adrian, Adrian, protesta son compagnon, tu deviens vraiment impossible. Je t'assure que ces gens ne disent ni ne pensent rien de pareil ! Ils te saluent quand ils te voient, te souhaitent le bonjour et pensent à leurs affaires.

— Oh que non, oh que non ! s'écria Sorio qui, dans son trouble, oublia de baisser la voix, provoquant un soudain silence dans la conversation des gens sous les sycomores. Ils ne pensent rien de tout cela ! Je connais bien l'humanité. Tout homme qui rencontre quelqu'un qu'il connaît parfaitement montre qu'il est de taille à lutter contre les petits tours que l'autre veut lui jouer, qu'il ne se laisse pas prendre à ses grands airs, qu'il sait d'où il tire ou ne tire pas son argent, quelle femme il désire ou ne désire pas, et quel membre de sa famille il souhaite voir mort et enterré ! Je te dis que tu n'as aucune idée de ce qu'est le genre humain ! Tu n'en as pas la moindre idée pour la simple raison que tu vis complètement replié sur toi-même. Tu vas ton chemin. Seules tes pensées t'accompagnent, et le monde imaginaire que tu crées. Le reste de l'humanité n'est rien… de simples pions ou des pantins ou des marionnettes de rêve… rien… absolument rien ! J'ai une nature complètement différente de la tienne, Tassar. J'ai mon idée… mon secret… Mais je ferais mieux de ne pas en parler et toi de ne pas écouter. À part cela, je suis complètement sans espoir. Je veux dire que je suis désespérément conscient de tout ce qui m'entoure ! Je suis poreux aux choses. C'est à mourir de rire. C'est comme si je n'avais pas de peau, comme si mon âme n'avait pas de peau. Tout ce que je vois et entends, Tassar — et entendre est pire, Tassar, pire encore que le reste —, me passe à travers le corps, à travers les fibres de mon être intime. Il me semble parfois que j'ai l'esprit comme un fragment de parchemin étalé, tendu à se rompre, et que tout ce qui m'approche tapote sur cette peau, *tip-tap*, *tip-tap*, *tip-tap*, comme si c'était un tambour ! Cela irait encore si je ne savais pas, avec une terrifiante clarté, ce que pensent les gens. Par exemple, quand je prendrai le chemin de la gare, comme je vais le faire tout à l'heure avec Nance, je sais parfaitement que les ouvriers sur le seuil de leur porte vont dire : "Tiens, revoilà cet abruti", ou : "Voilà encore l'idiot du cottage qui traîne les pieds", mais ce n'est pas tout, Tassar. Ils comprendront très vite que je suis le genre de personne qui déteste être remarquée. Ils l'ont déjà compris, cela les fait jubiler. Ils se poussent du coude et me regardent de plus près. Ils font tout ce qu'ils peuvent pour me faire comprendre qu'ils ont un pouvoir sur moi et ont l'intention d'en user, alors ils se font des clins d'œil et me regardent chaque fois que je passe. Je lis à livre ouvert dans leurs pensées. Ils se disent : "Il a beau raser les murs, il va revenir par le même chemin, et alors nous le verrons ! Nous le regarderons de plus près et nous découvrirons ce qu'il cherche dans le coin et pourquoi cette jolie fille est depuis si longtemps avec lui !"

Il fut interrompu par un éclat de rire venant du groupe de gens près d'eux, et Baltazar se leva pour l'entraîner plus loin.

— Sur mon âme, Adrian, murmura-t-il en lui faisant traverser le pré, comporte-toi mieux. Tu as donné à ces honnêtes gens de quoi cancaner pour huit jours. Ils vont penser que tu as vraiment quelque chose derrière la tête… Tu ne peux pas crier comme ça sans qu'on t'entende, ni te quereller avec le monde entier.

Adrian se tourna furieusement vers lui :

— Tu crois ? s'exclama-t-il. Tu crois que je ne peux pas me quereller avec le monde entier ? Attends, mon ami, attends que mon livre soit publié. Alors, tu verras ! Je donnerai un tel coup à cette maudite race humaine que je lui ferai regretter de ne pas avoir mieux traité un pauvre vagabond, regretter de l'avoir fait souffrir en l'épiant avec des yeux fureteurs.

— Ton livre ! s'écria Baltazar en riant. Tu crois qu'il va les empêcher de dormir, ton livre ! C'est toujours la même chose : vous êtes susceptibles, vous autres philosophes. Vous faites un sabbat de tous les diables avec votre mauvais caractère et transformez en ennemis les gens les plus inoffensifs, puis vous pensez arranger l'affaire en écrivant un livre qui prouve que vous avez raison et que tous les autres ont tort. Sur mon âme, Adrian, si je n'avais pas tant d'affection pour toi je t'abandonnerais dans la vie simplement pour voir qui, de toi ou d'elle, frapperait les coups les plus durs !

Sorio lui lança un regard curieusement désemparé. Il semblait abasourdi. Son visage romain au teint basané s'embruma d'une expression faite de lassitude et d'écrasement. Son front se plissa d'une ride d'angoisse et ses lèvres tremblèrent. Il avait, à cet instant, l'air d'un très jeune enfant qui découvre soudain que le monde est beaucoup plus dur que ce qu'il croyait.

Baltazar l'observa avec un secret plaisir. Il se sentait, en de tels moments, étrangement attiré vers lui. Ce regard incertain, dérouté, et cette faiblesse brusquement révélée dans un corps si fortement charpenté éveillaient en lui la plus délicate sensation de pitié protectrice. Il aurait pu étreindre cet homme qu'il observait, clignant des yeux dans le soleil de l'après-midi et jouant machinalement avec le pommeau de sa canne.

Mais à cet instant Nance apparut, marchant rapidement, tête baissée, dans la rue étroite. Un éclair de haine flamba dans les yeux couleur de mer de Baltazar. Elle allait lui voler l'un des moments les plus exquis de sa vie : le plaisir de réduire cette force de la nature à la soumission la plus humiliante, puis de la cajoler et de la dorloter jusqu'à lui faire retrouver le respect de soi. Savoir qu'il lui abandonnait Sorio dans cet état de faiblesse déprécatoire, aussi repentant et aussi doux qu'une bête sauvage rendue docile, lui causait la plus vive douleur. Avec un dard empoisonné sous la courtoisie de son accueil, il observa à la dérobée le regard rapide qu'elle lança à Adrian, puis la manière dont elle laissa traîner les yeux sur lui, cherchant à percer son humeur. Il chercha, pour gâcher le triomphe de la jeune fille, quelque chose qui pût semer entre eux un élément de discorde, car il savait parfaitement qu'après ce qui venait d'arriver l'état d'esprit d'Adrian était plus que réceptif à la sympathie fémi-nine. Nance, cependant, ne lui en laissa pas l'opportunité.

— Viens, dit-elle, nous avons juste le temps d'attraper le train de trois heures. Viens ! Je vous dis au revoir, Monsieur Stork. Je vous le ramènerai tôt ou tard sain et sauf. Viens, Adrian, nous devons vraiment faire vite !

Ils partirent ensemble et Baltazar retraversa lentement le pré. Il se sentait si seul que même la haine le quitta et se dissolut dans le néant sous la vague montante d'une amère solitude universelle. Près de son cottage, il s'arrêta, les yeux fixés sur le sol et les mains derrière le dos dans une immobilité de pierre. Sa frêle et gracieuse silhouette, élégamment vêtue d'une agréable tenue d'été, ses traits délicats, le naturel de sa mise donnaient sans aucun doute aux quelques spectateurs qui l'observaient l'impression d'un véritable bien-être. En fait, si le perspicace personnage historique qui s'exclama après un entretien avec Jonathan Swift : « C'est l'homme le plus malheureux qui ait jamais vécu » avait eu l'occasion d'exercer en cet instant sa pers-picacité, il aurait peut-être modifié sa conclusion en faveur de Baltazar Stork.

Il aurait certainement fallu un discernement sortant de l'ordinaire pour toucher la pointe du clou de fer qui venait de s'enfoncer dans le cerveau de ce gracieux personnage. Un regard en passant sur le visage de l'homme n'aurait rien détecté, excepté peut-être un sourire pensif, rêveur… un sourire un brin amer et teinté d'autodérision, mais pas particulièrement sinistre. Un regard plus pénétrant, cependant, aurait noté que les rides autour de la bouche étaient curieusement comprimées et que les lèvres avaient tendance à rentrer, comme si M. Stork se préparait à siffler. Sous les souriants miroirs des yeux, également, on aurait pu détecter les vacillants éclairs d'une douleur à donner le frisson, comme si M. Stork était en train de subir, sans la moindre anesthésie, une opération des plus sérieuses. Il n'avait plus de couleur sur les joues, comme si la souffrance qu'il endurait, quelle qu'elle fût, l'avait vidé de toute énergie. En passant rapidement près de lui, comme nous l'avons déjà remarqué, on aurait pu se dire : « Ah ! quel bel homme en train de rire tout bas d'une agréable plaisanterie ! », mais en s'approchant plus près on aurait instinctivement tendu la main, tant il était évident, quel que fût le sens de son expression, qu'il était sur le point de s'évanouir. Par un heureux hasard, alors qu'il se tenait toujours immobile, un petit gamin qu'il connaissait, le fils de l'un des pêcheurs de Rodmoor, vint lui demander s'il avait entendu parler de la pêche formidable que l'on avait faite ce jour-là.

— Y a tout un tas de poissons là-bas, m'sieur, remarqua le gamin. Des gros monstres qui s'débattent et un tas de Satans qui pissent de l'encre par le ventre !

Les lèvres pincées de Baltazar esquissèrent un franc sourire. Une expression d'une extraordinaire tendresse envahit son visage.

— Ah, Tony, mon garçon, dit-il, il y a donc du poisson là-bas ? Eh bien, allons-y ! Emmène-moi, veux-tu ? Je demanderai aux pêcheurs de t'en donner quelques-uns pour dîner.

Ils traversèrent ensemble le pré et descendirent la rue. La main de Baltazar demeura sur l'épaule du gamin et, tout en marchant, il écouta son bavardage. Mais, tout le temps, il vit mentalement une immense plaine vide... une plaine de glace d'un bleu d'acier sous un ciel gris... et au centre de la plaine une crevasse sans fond, également de glace et d'un bleu d'acier, et au bord de la crevasse, agrippées mais relâchant d'épuisement progressivement leur prise, deux mains humaines. Cette image ne cessa de se mêler aux petites choses que leurs yeux rencontraient en passant. Elle se mêla aux gâteaux dans la vitrine de la confiserie. Aux blouses de satin, beaucoup trop chères pour les gens du village, dans la boutique de Miss Pontifex. Elle se mêla aux lignes entrecroisées de briques et de silex de la maison du docteur Raughty. Aux eaux du port qu'ils entrevirent entre deux maisons délabrées aux toits en pignon. Et, lorsqu'ils se retrouvèrent au milieu d'une petite foule d'hommes et de gamins autour d'un cercle de paniers emplis de poissons, l'image ne manqua pas de s'associer à l'étendue bleue de la mer immobile qui s'étalait devant eux, aussi bien qu'aux coquillages, algues et créatures marines exposés au soleil, brillant de toutes leurs couleurs à mesure que les replis des filets qui les avaient tirés des profondeurs étaient explorés et hissés sur le rivage.

Pendant ce temps, Adrian et Nance, qui n'avaient pas manqué le train, étaient dans le tortillard qui allait de Rodmoor à Mundham. Serrés comme des anchois dans un compartiment empli de gens qui se rendaient au marché du samedi, ils n'eurent d'autre ressource, pendant le court voyage, que de regarder, entre leurs voisins en sueur, les fils du télégraphe qui montaient et descendaient sur un fond de ciel bleu. La façon particulière que ces fils, dans un train en marche, ont de descendre lentement, comme s'ils allaient toucher la terre avant de remonter soudain d'un brusque tressaut à l'approche du poteau suivant, était un phénomène qui avait toujours exercé une fascination singulière sur Sorio. Il l'associait à ses plus anciens souvenirs de voyage en train. Les fils réussiraient-ils à disparaître avant que le prochain poteau les fasse de nouveau rayer d'un bond la fenêtre ? Comme à l'enfance, la question le fascinait tandis qu'il les observait monter et descendre derrière le bord du chapeau joliment garni de sa compagne. Il y avait quelque chose d'humain dans la tentative des fils pour échapper en descendant, plus bas, plus bas, plus bas, au fardeau qui leur était échu, et il y avait certainement quelque chose de très semblable aux voies de la providence dans la manière dont ils étaient relancés dans l'espace, avec une impitoyable secousse, pour accomplir de nouveau leur devoir.

En descendant avec les autres passagers sur le quai de Mundham, Sorio et Nance ressentirent une sensation de bonheur et de soulagement. Ils avaient si longtemps été confinés dans les environs immédiats de Rodmoor que cette petite excursion en ville ressemblait un peu à une sortie de prison. Il est vrai qu'Adrian aurait pu tous les jours se payer cette escapade, mais il avait, ces derniers temps, les nerfs si à vif qu'il avait perdu ce genre d'initiative. Ils se promenèrent en ville sans se presser, et Sorio s'amusa à observer le sérieux et le sens pratique avec lesquels sa compagne réalisa les tractations qu'elle voulait faire dans les boutiques où elle entra. Il ne put s'empêcher d'éprouver de l'envie en observant la façon dont elle s'y prit, sans effort ni fatigue, pour atteindre les objectifs qu'elle s'était fixés et s'arranger pour que ses achats fussent emmenés le soir même dans la voiture du transporteur.

Il se demanda vaguement si toutes les femmes étaient comme elle et si, même à la mort de leur bien-aimé — leur tranquillité d'esprit mise en miettes quelques heures plus tôt par quelque fatale bouffée d'émotion —, elles étaient toujours capables de faire le vide pour discuter si âprement et astucieusement avec les commerçants roués. Il supposa qu'était à l'œuvre en elles quelque aveugle puissance atavique, résultat machinal de siècles de concentration mentale. Il s'amusa également à observer comment, après avoir fait, en un temps incroyablement court, tout ce qu'elle avait à faire, au lieu de l'entraîner aveuglément dans la promenade qu'ils avaient projetée le long des rives du fleuve, au-delà de l'abbaye, elle eut la bonne idée de l'emmener, pour calmer leur faim, grignoter des pains au lait dans un petit salon de thé. S'il avait été le cicérone de leur jour de vacances, il se serait précipité vers l'abbaye et les rives du fleuve, laissant les emplettes pour la fin, ce qui les aurait condamnés à la mauvaise humeur et aurait fait craquer leurs nerfs de fatigue. Jamais Nance n'avait paru plus attirante ni plus désirable que lorsqu'elle lui versa du thé, dans le petit salon, en badinant comme une jeune fille, des couleurs aux joues et avalant des petits pains avec l'avidité d'un enfant.

L'hypothèse de Baltazar Stork n'était pas fausse. Jamais, depuis leurs premières rencontres dans les rues et les parcs de Londres, Sorio n'avait été de meilleure humeur ni plus sensible au charme de la jeune fille. En la regardant et en écoutant son rire joyeux, il se dit qu'il avait été un idiot et un goujat de la traiter comme il l'avait fait. Pourquoi n'avait-il pas mis fin depuis longtemps à son flirt avec Philippa, qui ne menait nulle part et ne *pouvait* mener que nulle part ? Pourquoi n'avait-il pas cherché un emploi et tenté de la persuader de l'épouser dans les plus brefs délais ? Avec elle pour s'occuper de lui et lui enlever les épines du chemin, il n'aurait plus ressenti cette douleur lancinante derrière les pupilles ni cette tension nerveuse dans le cerveau. Il décida en hâte qu'il lui *demanderait* de l'épouser — pas aujourd'hui, peut-être, ni demain… car il serait absurde de se lancer avant d'avoir les moyens de la faire vivre, mais très bientôt, dès qu'il aurait trouvé quelque chose qui ressemblerait à une occupation ! Ce que serait cette occupation, il n'en avait pas la moindre idée. Il était difficile de penser à ce genre de choses dans l'instant. Cela demandait du temps. En outre, il faudrait que ce soit un travail qui lui laisse tout le temps nécessaire pour son livre. Après tout, son livre était prioritaire… son livre et Baptiste. Que penserait Baptiste s'il se remariait ? Serait-il indigné et blessé ? Non ! Non ! Il était inconcevable que Baptiste pût être blessé. Il aimerait Nance quand il la connaîtrait. Il en était certain. Oui, Baptiste et Nance étaient faits pour se comprendre. Ce serait différent si c'était Philippa qu'il songeait à épouser. Il était angoissé et troublé en imaginant Philippa et Baptiste ensemble. En tout cas, cela ne se produirait pas. Son fils ne rencontrerait jamais Philippa. Toutes ces idées tourbillonnaient à toute vitesse dans la tête de Sorio qui, à l'autre bout de la petite table de marbre, rendait à Nance son sourire et regardait la grosse vache de porcelaine bleue, au pis d'un bleu plus outremer que son dos rayé, qui, placidement, comme un animal sacré de Jupiter, contemplait l'univers. Il dut passer entre eux, à cet instant, un courant de sympathie télépathique, car Nance, avalant soudain un dernier pain au lait, hasarda une question qu'elle n'avait jamais osé poser :

— Cher Adrian, dis-moi une chose. Pourquoi as-tu laissé ton fils en Amérique quand tu es venu en Angleterre ?

Sorio fut lui-même surpris de recevoir la question sans se hérisser. À tout autre moment, elle l'aurait fatalement troublé. Il lui rendit son sourire avec le plus grand naturel.

— Comment aurais-je pu l'emmener ? dit-il. Il a trouvé une bonne place à New York et je n'ai rien. En fait, les Américains m'ont fichu dehors, "expulsé" comme on dit. Mais je n'ai pas pu emmener mon fils avec moi. Comment l'aurais-je pu ? Ce n'est pas qu'il n'était pas prêt à me suivre. Oh, non ! Les choses sont mieux ainsi… beaucoup beaucoup mieux !

Soudain grave et silencieux, il se mit à fouiller dans l'une de ses poches intérieures. Nance l'observait, le souffle coupé. Était-il vraiment en train de devenir plus tendre envers elle ?

Philippa n'avait-elle plus la main sur lui ? Il sortit soudain une lettre, écrite sur papier mince et portant un timbre américain. La tirant avec précaution de l'enveloppe, il la lui tendit en la posant sur la table. Le geste suggérait une telle intimité, un changement si nouveau et si heureux dans leurs relations, que la jeune fille, stupéfaite, eut les larmes aux yeux. Elle vit que l'écriture était claire et ferme, lut la première phrase, écrite dans un italien caressant, et, sans doute à cause de son étrangeté pour un œil européen, l'adresse — « quinze, Onzième Rue Ouest » — lui resta gravée en mémoire. Elle fut, dans l'instant, incapable de saisir autre chose à cause de la suffocante vague de bonheur qui la balaya et lui donna envie de pleurer.

Quelques instants plus tard, deux personnes de Rodmoor qu'ils connaissaient de vue entrèrent dans le salon de thé, et Sorio reprit rapidement la lettre qu'il enfouit au fond de sa poche. Il paya la note, qui s'élevait exactement à un shilling, et ils sortirent ensemble. Tandis que les nouveaux venus s'installaient à la table qu'ils venaient de libérer, la vache bleu outremer continua de contempler l'univers avec la même placidité. Sa mort, quelque cinquante ans plus tard, au milieu des débris d'un incendie, et le transport de son corps en miettes dans la décharge de Mundham n'altéreraient en rien sa contemplation. Bien des amants, plus heureux ou moins heureux que Nance et Sorio, s'assirent à cette table de marbre durant cette époque, et la vache bleue les écouta en silence. Peut-être qu'en son ultime lieu de repos les fragments de son corps brûlé devinrent plus volubiles tandis que les pluies ruisselaient sur les boîtes de conserve et les tessons de bouteille, ou peut-être que même en morceaux, tel un animal sacré de Jupiter, elle garda le silence et laissa les pluies tomber.

Toujours en délicate et parfaite harmonie, les deux amis se faufilèrent dans les rues les plus tranquilles de la ville et débouchèrent dans le square rêveur, semblable à une cathédrale, avec de grandes pelouses et des arbres, qui entourait l'abbaye. Un large sentier recouvert de gravier, ombragé de tilleuls aux épais feuillages, au sud arrêtait la pelouse la plus retirée devant le mur gris de l'ancien édifice. L'herbe était séparée du sentier par une barrière consistant en une chaîne bassement suspendue au-dessus du sol, l'une de ces barrières qui, loin d'être un obstacle, invitent le flâneur à franchir le pas et à prendre du plaisir sous les arbres accueillants. Ils s'assirent sur un banc désert et regardèrent les arcs-boutants, les gargouilles ravagées par les intempéries et les vitraux aux riches réseaux. Le soleil tombait sur le gravier en longs rayons de miel, qui devenaient de fraîches et profondes taches d'ombre veloutée aux endroits où les branches des tilleuls les interceptaient. Quelque part derrière eux, leur parvenaient des roucoulements de pigeons, et de plus loin encore, derrière les hauts murs des jardins à l'ancienne des maisons situées du côté le plus éloigné du square, des voix d'enfants qui jouaient. L'un des bras de Sorio était étendu sur le dos du banc, derrière la tête de Nance, l'autre posé sur le pommeau de sa canne. Il avait sur le visage une expression de profond contentement intérieur… un contentement si absolu qu'il en devenait une sorte d'apathie animale. Quiconque est familier de l'expression que l'on voit si souvent sur le visage des mendiants comme sur celui des cardinaux-princes dans la cité de Tibère aurait reconnu un signe typique dans la léthargie qui s'empara de Sorio. Nance, au contraire, se laissait aller à la douceur d'un bonheur passionné qu'elle n'avait pas connu depuis qu'ils avaient quitté Londres. Pendant qu'ils attendaient ainsi tous les deux, répugnant à briser, fût-ce d'un mot, le sortilège de cette heure bénie, la musique d'un orgue se fit entendre à l'intérieur de l'église. Nance se leva aussitôt.

— Entrons une minute, Adrian ! Tu veux bien… rien qu'une minute ?

Une ombre de contrariété passa sur le visage de Sorio, mais disparut avant que Nance ait pu renouveler sa requête.

— Bien sûr, dit-il en se levant à son tour, bien sûr ! Faisons le tour pour trouver la porte.

Ils n'eurent aucune difficulté à la trouver. La porte ouest de l'église était grande ouverte ; ils entrèrent et s'assirent au fond de la nef. Au-dessus d'eux, la grande voûte aux riches nervures en éventail semblait s'étendre dans l'espace et amplifier les échos de la musique comme un immense calice renversé répandant l'odeur du vin immortel. La fraîcheur et l'ombre incertaine du lieu les enveloppèrent tous les deux, et les mystérieux accords de la musique, qui montaient et descendaient sans qu'aucune présence humaine visible en fût la cause, de la tête aux pieds plongèrent Nance dans une ivresse qu'elle n'avait jamais connue de sa vie. Oh, il valait bien cela, ce moment… tout ce qu'elle avait souffert… tout ce qu'elle pourrait souffrir ! Si seulement elle pouvait ne jamais s'arrêter, cette musique divine, mais durer, durer, durer jusqu'à ce que le monde entier connût ce qu'était le pouvoir de l'amour ! Elle se sentit, à cet instant, comme sur le point de découvrir un signe, un signal, un indice qui clarifierait tout pour elle… qui rendrait les choses claires et ineffablement douces !

Les écarlates et les pourpres des vitraux, la froide odeur humide des pierres vieilles de plusieurs siècles, les grandes niches sombres des transepts ombreux, tout cela se mêlait pour la transporter dans un monde plus calme, plus doux, plus tendre que celui qu'elle connaissait.

« Et… il… nourrira… » — ils entendirent la voix flûtée d'un enfant de chœur répétant le service du lendemain — « …nourrira… son… troupeau. »

Les paroles de la célèbre antienne, même « défraîchies et rabâ-
chées » par tant de pathétiques répétitions balbutiantes, furent, en
ce moment particulier, plus que Nance ne pouvait en supporter.
Tombant à genoux, elle pressa son visage dans ses mains et éclata
en sanglots convulsifs. Sorio resta debout, et lui posa la main sur
l'épaule. Se remémorant des choses anciennes, il se signa deux ou
trois fois de l'autre main, puis demeura immobile. Lentement,
sous l'action de cette loi qui est peut-être la plus profonde de
l'univers, celle *du flux et du reflux*, une réaction commença de se
produire en lui. Si les mots prononcés par l'invisible petit chanteur
avaient été du latin, s'ils avaient eu cette réserve, cette distance
passionnée dans l'émotion, que l'instinct d'adoration des races
du Sud protège du sentiment, cette réaction ne se serait sans
doute pas produite. Mais la chose était trop simple, trop facile.
Le point d'orgue d'un mélodrame banal. Elle tombait trop à
pic. Et elle était insidieusement, traîtreusement, horriblement
humaine. Elle était trop humaine. Elle n'avait pas le panache du
style, la réserve de la grandeur. Elle gémissait et sanglotait. Elle
pleurnichait sur l'épaule du Tout-Puissant. Il lui fallait l'abandon
tragique du *Dies irae*, il lui manquait la dignité plus calme du
Tantum ergo. Elle faisait appel à ce qui était au-dessus du niveau
le plus élevé dans le pathétique religieux. Elle humiliait en réconfortant. La voix de l'enfant de chœur mourut et l'orgue s'arrêta.
Il y eut des bruits de pas traînants dans le chœur, un murmure
de voix et même un rire étouffé.

Sorio retira la main qu'il avait posée sur l'épaule de Nance et
se baissa pour ramasser sa canne et son chapeau. Puis il regarda
autour de lui. Une dame élégante, portant un bouquet d'œillets, les dépassa rapidement dans la nef, bientôt suivie de deux
femmes plus jeunes. Puis apparut un jeune prêtre, propret et
pimpant, qui rajusta ses lunettes. Il était évident que l'heure
du service de l'après-midi approchait. Le sortilège était brisé.

Mais la jeune fille à genoux ne savait rien, ne sentait rien de tout cela. Elle, en tout cas, était dans l'église de ses pères… l'église que ses plus anciens souvenirs d'enfance rendaient sacrée. Eût-elle été en mesure de comprendre le sentiment de Sorio qu'elle l'eût balayé d'un revers de main. « La musique était belle, aurait-elle dit, et les mots vrais. » Du cœur de l'univers, ils venaient droit dans son cœur. Leur beauté était-elle défigurée et leur vérité faussée parce que tant d'âmes simples avaient trouvé du réconfort en eux ?

« Ah, Adrian ! aurait-elle dit, si elle avait discuté avec lui. Ah, Adrian, c'est commun. C'est le cri commun de l'humanité, accordé à la musique du cœur commun du monde, et n'est-ce pas plus essentiel que le "latin", plus important que le "style" ? »

La seule controverse réelle qui s'éleva entre eux, lorsqu'ils quittèrent l'église, fut aussi brève que définitive.

— D'après ce que tu m'as dit, remarqua Sorio, j'imagine que c'est le genre de musique qui plairait à Mme Renshaw… je veux dire celle que nous venons d'entendre !

Nance rougit en lui répondant.

— Oui, tout à fait ! Tout à fait ! Et elle *me* plaît aussi. Elle me rend plus certaine que jamais que Jésus-Christ était vraiment Dieu.

Sorio inclina la tête et garda son calme, et ils se dirigèrent ensemble vers la rive de la Drôle.

Ils avaient particulièrement envie de voir, à un peu plus d'un kilomètre à l'est de la ville, une vieille maison au bord du fleuve qui avait été, quelque cent ans plus tôt, la demeure de l'un des plus célèbres peintres de l'East Anglia de l'école de Norwich… un peintre dont l'aplomb plein d'humeur et le riche coloris nourri aux sources de la terre rivalisaient avec les artistes les plus célèbres d'Amsterdam et de La Haye.

Comme le train de Rodmoor était à sept heures et demie et qu'il était à présent à peine cinq heures, ils avaient tout le temps nécessaire pour faire à loisir ce petit pèlerinage. Ils n'eurent aucune difficulté à atteindre le fleuve et, une fois là, il suffisait de suivre ses méandres pour arriver à la Grange de Ravelston. Le chemin fut au début plus ou moins barré par des entrepôts et une longue file de péniches amarrées à une série d'embarcadères jonchés de poussière, entre lesquels gisaient toutes sortes de ballots et de barriques, de bottes de foin et de végétaux. Il y avait aussi des places à charbon et des chantiers de bois, et en d'autres endroits de grosses piles de fûts de bière tous marqués *Keith Radipole* —, nom qui était depuis un demi-siècle le sigle commercial de la brasserie de Brand Renshaw. Ces obstacles surmontés, ils purent progresser sans interruption sur la rive du fleuve.

La journée, cependant, devenait moins prometteuse. Un banc de nuages menaçants, aux sombres bords déchiquetés, que le soleil s'efforçait de disperser mais ne faisait que rendre plus blafard, était apparu à l'ouest, et lorsqu'ils se retournèrent un instant pour regarder la ville ils virent les cheminées et les maisons lugubrement massées contre un sombre et immense bastion dont l'extrême frange avait des découpures de feu. Nance dit qu'il n'était peut-être pas très prudent de continuer avec cette redoutable phalange derrière eux, mais Sorio rit de ses craintes et lui assura qu'ils atteindraient d'ici peu la maison du grand peintre.

Il apparut, cependant, que le « kilomètre » auquel faisait allusion le petit livre d'histoire locale qui parlait de cet endroit ne commençait pas avant la sortie de Mundham, et Mundham semblait s'étendre interminablement. Ils traversaient à présent des faubourgs particulièrement sinistres. Des rangées inachevées de maisons mal construites traînaient leur peine vers la rive du fleuve au milieu de petites usines désertes dont les murs, noircis de fumée, tombaient lentement en ruine. Des parcelles de terrains désolés à moitié cultivés, où les plants de pommes de terre jaunissaient d'humidité, envahies par les herbes folles, incitaient à cette mélancolie sordide qui est la prérogative de ce genre de faubourg. De vieilles péniches pourrissantes, certaines à demi noyées, d'autres à la squelettique armature saillante et aux planches pourries, regardaient fixement le ciel pendant que le fleuve qui les dépassait en tourbillonnant gargouillait et marmonnait autour des quilles immergées. Dans ces environs déprimants, il fut impossible aux deux amis de garder longtemps leur magique harmonie d'humeur. Des bribes et des fragments de leur bonheur semblaient les quitter à chaque pas pour aller tristement battre des ailes au milieu des murs rongés de moisissures et des pilotis herbus du fleuve, tels des morceaux de vieux papiers ou de vieux chiffons voletant çà et là, ou retombant sur le sol au gré du vent. Le banc de nuages derrière eux avait à présent obscurci le moindre vestige de soleil, et une sorte de faux crépuscule était tombé sur la surface de l'eau et sur les champs de la rive opposée.

— Qu'est-ce que c'est que ça ? demanda soudain Nance, posant sa main sur le bras de Sorio et désignant une grosse bâtisse carrée qui venait d'apparaître sur la gauche.

Il y avait un moment que ce bâtiment était visible mais, distraits par une petite chose ou par une autre dans les environs immédiats, ils ne l'avaient pas vraiment vu. Dès qu'elle eut posé la question, Nance éprouva une répugnance inexplicable à pousser ses investigations plus loin. Sorio parut également disposé à ne pas chercher à en savoir plus. Il haussa les épaules comme pour dire : « Comment pourrais-je le savoir ? », et suggéra de se reposer un moment dans un chantier de bois aux piles éparses au bord de l'eau.

Ils descendirent la berge jusqu'au chantier, hors de vue de la bâtisse, et s'assirent. Les bras noués autour des genoux, ils contemplèrent le courant et la vase aux couleurs ternes de la rive opposée. Abandonné par quelque péniche, un rouleau de corde pourrissante gisait aux pieds de Sorio, et, assis dans un silence sinistre, il songea que cette corde était très semblable à celle qu'il avait un jour vue, lors d'une enquête, dans une maison à New York. Nance, de son côté, n'arrivait pas à quitter des yeux un informe ballot de grosse toile que charriait la marée. Il était parfois complètement immergé, puis réapparaissait à la surface.

« Comment se fait-il, pensa-t-elle, qu'il y ait toujours quelque chose d'horrible dans les fleuves sujets à la marée ? Est-ce parce qu'ils ne font que transporter des choses d'amont en aval, d'aval en amont, sans jamais leur permettre de remonter à l'intérieur des terres ou de disparaître en haute mer ? Un fleuve sujet à la marée, se dit-elle à elle-même, est-il la seule chose au monde où rien ne peut être perdu, ou caché, ou oublié ?

Ils éprouvaient une étrange difficulté et à quitter l'endroit où ils se trouvaient et à s'adresser un seul mot. Ils semblaient hypnotisés par quelque chose… hypnotisés par une pensée informulée qui leur trottait dans la tête. Ils éprouvaient une extrême répugnance à l'idée de revoir cette grande bâtisse carrée, entourée par un mur rongé par les intempéries et que le lierre avait envahi.

Lentement, insensiblement, le banc de nuages atteignit le zénith en répandant partout un crépuscule de plus en plus menaçant. Entre Nance et Sorio, le silence devint bientôt une chose presque palpable. Il paraissait flotter sur l'eau jusqu'à leurs pieds, s'insinuait entre eux comme une apparition, comme une brume, comme le spectre d'un enfant mort, et leur fouillait le cœur avec des phalanges moites.

— Je suis sûr, s'écria enfin Sorio en faisant un effort évident pour briser le mystérieux sortilège qui pesait sur eux, je suis absolument certain que la Grange de Ravelston doit se trouver après le second méandre... tu le vois ? là où sont les arbres ! Je suis sûr que c'est là ! Nous y arriverons *sûrement* si nous nous donnons la peine de partir d'ici.

Il consulta sa montre :

— Seigneur ! Il nous a fallu une heure pour venir jusqu'ici. Il est presque six heures. Comment diable avons-nous fait pour mettre si longtemps ?

— Sais-tu, Adrian, dit Nance (et elle ne put s'empêcher de remarquer que son compagnon, qui parlait si résolument d'aller de l'avant, n'avait pas fait le moindre mouvement pour se lever), sais-tu que j'ai l'impression que nous sommes dans un rêve ? J'ai le sentiment très étrange qu'à tout moment nous allons nous réveiller et nous retrouver à Rodmoor. Cher Adrian, faisons demi-tour ! Retournons en ville. Il y a ici quelque chose qui me déprime de manière indicible.

— Absurde ! cria Sorio avec colère en se levant d'un bond et en attrapant sa canne au passage. Viens, ma fille, viens, mon enfant ! Allons voir cette grange avant que la pluie nous tombe dessus !

Ils escaladèrent le talus et poursuivirent leur marche d'un pas rapide. Nance remarqua que Sorio ne quitta pas le fleuve des yeux, le regarda sans interruption et presque sans prononcer un mot jusqu'au moment où ils eurent largement dépassé les dernières maisons de Mundham. Ce fut pour la jeune fille un indicible soulagement lorsque, une fois franchi un petit pont au-dessus d'un déversoir, ils se retrouvèrent enfin dans l'étendue des marais.

— Derrière ces arbres, Nance, ne cessait de répéter Sorio, derrière ces arbres ! Je suis absolument sûr que j'ai raison et que la Grange de Ravelston est là. Au fait, ma fille, lequel de tes poètes a écrit ces vers :

Elle pousse sa plainte creuse
Et garde sa vache ombreuse
Ô, Keith de Ravelston
Quelle lignée de tristesse atone !

« Ils m'ont trotté dans la tête tout l'après-midi depuis que j'ai lu *Keith Radipole* sur ces fûts de bière.

Nance avait trop envie d'atteindre le Ravelston de la réalité pour accorder beaucoup d'attention à cette allusion poétique.

— Oh, cela ressemble… je ne sais pas… à du Tennyson, peut-être ! répondit-elle en le poussant en avant vers les arbres.

C'était un bouquet de grands peupliers d'Italie dont les feuilles, en cet instant, murmuraient avec volubilité dans le vent chargé d'odeur de pluie. Ils les dépassèrent en hâte et s'arrêtèrent devant une grille dans un très haut mur.

— Qu'est-ce que c'est que ça ? s'exclama Sorio. Impossible que ce soit Ravelston. On dirait plutôt une prison.

Il rencontra le regard de Nance qui, à l'expression qu'elle lut sur le visage de Sorio, détourna rapidement les yeux. Elle appela un vieil homme qui sarclait des pommes de terre derrière une grille de fer à l'endroit où le mur se terminait.

— Pouvez-vous me dire où se trouve la Grange de Ravelston ? demanda-t-elle.

Le vieillard ôta son chapeau et la regarda avec un sourire bizarre.

— Sur l'aut'e berge, Madame, et y a pas le moindre pont sur des kilomètres. Avec un peu de chance vous pourrez p't'êt' trouver une bétaillère pour traverser le fleuve, mais y a rien d'moins sûr.

— Qu'est-ce que c'est que cet endroit, alors ? demanda abruptement Sorio en s'approchant des barreaux de la grille.

— Ça, m'sieur ? Eh ben, c'est la maison du docteur de l'asile du comté. C'est là qu'on met le gratin, si qu'on peut dire, ceux qu'ont les sous pour payer, comprenez-vous, et qui sont qu'à moitié braques. Vous d'vez avoir vu l'asile du comté en passant. C'est une belle grande baraque, l'une des plus grandes, à c'qu'on dit, de c'côté-ci du royaume.

— Merci, dit brusquement Sorio. C'est ce que nous voulions savoir. Oui, nous avons vu la maison dont vous parlez. Elle est certainement très grande. Y a-t-il eu beaucoup d'internements nouveaux dernièrement ? Est-ce que c'est ce que l'on pourrait appeler "une bonne année" pour les effondrements mentaux ?

Tout en parlant, il jetait des regards curieux à travers les barreaux, comme s'il était anxieux d'apercevoir ceux qui n'étaient « qu'à moitié braques » et qui pouvaient payer pour leur entretien.

— J'comprends pas ce que vous voulez dire par "une bonne année", m'sieur, répondit l'homme qui le regarda en clignant des yeux, mais j'vois pas pourquoi les gens auraient moins perdu la boule cette année qu'les aut'es années. C'est point dans la saison, croyez-moi, c'est dans l'homme, ou, pour dire les choses comme elles sont (et il lança, en guise d'excuse, une œillade en direction de Nance), dans la femme.

— Viens, Adrian, intervint la jeune fille, tu vois bien que ce guide nous a induits en erreur. Nous ferions mieux de retourner à la gare.

Mais Sorio s'accrochait des deux mains aux barreaux.

— Ne m'agace pas, Nance, dit-il avec irritation. Je veux parler à cet excellent homme.

— Vous feriez mieux de faire ce que votre mam'zelle vous dit, m'sieur, observa le jardinier en retournant à son travail. Les autorités n'aiment pas qu'on traîne par ici.

Mais Sorio ne tint aucun compte de l'avis.

— À ce que je vois, remarqua-t-il, il doit être extrêmement difficile de s'échapper d'ici.

Il ne reçut aucune réponse et Nance le tira par la manche.

— S'il te plaît, Adrian, viens, plaida-t-elle, des larmes dans la voix.

Le vieil homme leva la tête.

— Retournez d'où que vous v'nez, observa-t-il, en r'merciant le Bon Dieu d'avoir une aussi jolie fille pour s'occuper d'vous. Y en a beaucoup qui vous envient et qu'aimeraient être à vot' place, v'là la vérité du Bon Dieu.

Sorio poussa un profond soupir et, lâchant les barreaux, se tourna vers sa compagne :

— Trouvons un autre chemin pour rentrer en ville, dit-il. Il doit bien y avoir une route par-là ; au pire nous suivrons la voie ferrée.

Ils s'éloignèrent rapidement en tournant le dos au fleuve, et le vieillard, après avoir fait dans leur dos un geste énigmatique, cracha dans ses mains et se remit à sarcler. Le ciel était à présent entièrement couvert de nuages, mais la pluie ne tombait toujours pas.

XXI

LE MOULIN À VENT

Avec la venue de septembre, il se produisit un notable changement de temps. L'air devint nettement plus froid, la mer plus houleuse, et il y eut des jours gris où l'on ne voyait pour ainsi dire pas le soleil. Parfois le vent d'ouest dominant apportait des averses, mais jusqu'ici, en dépit de la froidure, il n'y avait pas eu de grosses pluies. La pluie paraissait se rassembler et se masser de tous les côtés de l'horizon, mais, bien que l'on sentît sa présence, sa venue était retardée, et champs et jardins demeuraient secs et brûlés. Dans les canaux de drainage des marais, le niveau de l'eau était très bas... plus bas qu'il ne l'avait été depuis des années. Certains étaient carrément à sec, et dans d'autres il y avait si peu d'eau que les enfants y attrapaient les anguilles et les vairons à la main. En maints endroits des marais salants, il était possible de passer à pied sec, alors qu'au début du printemps on s'y serait enfoncé jusqu'à la taille, pour ne pas dire jusqu'au cou.

Chassés par la chaleur de l'aire où ils trouvaient habituellement leur nourriture, quelques rares et curieux oiseaux visitèrent les marais cette année-là. Les environs immédiats de Rodmoor leur étaient tout à fait propices, car peu de pêcheurs avaient un fusil et les habitants les plus riches ne se souciaient guère de chasse. Brand Renshaw, par exemple, comme son père avant lui, se refusait à élever du gibier, et qu'il fût si peu chasseur était l'une des principales raisons de son impopularité dans la *gentry* du voisinage.

Un autre visiteur de ce mois d'août exceptionnellement chaud eut moins de chance que les oiseaux. C'était un machaon, appartenant à la plus rare des deux espèces connues par les collectionneurs de la région. Le docteur Raughty devint comme fou lorsqu'il aperçut le beau voyageur. Il soudoya le premier gamin qu'il trouva en lui ordonnant de suivre partout le papillon, pendant qu'il se ruait chez lui pour aller chercher son filet. Au lieu de mettre le cap vers l'étendue des marais, le nomade au vol rapide persista hélas à rôder dans les dunes où poussait certaine petite plante glauque, et ce fut là que le docteur à bout de souffle réussit à le capturer, après une chasse harassante.

Fingal Raughty parut vraiment peiné lorsqu'il découvrit que ni Nance ni Linda n'étaient ravies par son exploit. En fait, ses amis ne le félicitèrent que du bout des lèvres. Avec Sorio, il faillit se quereller : l'Italien se mit à vitupérer lorsqu'une allusion à la capture du machaon fut faite en sa présence. Mme Renshaw exprima sa sympathie, regardant évidemment comme l'un des privilèges de la vigueur masculine le fait d'attraper et de tuer tout ce qui était beau et pourvu d'ailes, mais elle aussi gâcha la saveur de ses félicitations en les teintant d'une pointe d'ironie.

Les deux premières semaines de septembre étaient déjà passées lorsque Sorio, en réponse à une petite note manuscrite reçue la nuit précédente, se mit en route, au début de l'après-midi, pour rencontrer Philippa dans l'un des nouveaux repaires qu'ils venaient de découvrir. En dépit de la résolution qu'il avait prise dans le salon de thé de Mundham, il n'avait rien changé dans sa vie — ni en cherchant du travail, ni en rompant ses relations avec la fille de Chênegarde. L'excursion avec Nance, au cours de laquelle ils avaient si désastreusement essayé de trouver la maison du grand peintre, avait finalement installé un embarras cruel entre eux. Il lui devint difficile de ne pas sentir qu'elle l'observait avec appréhension, en ayant en tête une terrible angoisse, et comme il en avait conscience cela empoisonnait leurs relations et il n'était plus ni libre ni à l'aise avec elle. Il sentait que sa tendresse n'était plus naturelle, n'était plus une affection sans réserve, mais une sorte de pitié terrifiée, et cette impression lui mettait les nerfs à vif chaque fois qu'ils étaient ensemble.

Avec Philippa, d'un autre côté, il se sentait absolument libre. La jeune fille vivait elle-même de façon si anormalement solitaire — car Mme Renshaw n'aimait pas les visiteurs, et Brand décourageait les voisins — qu'elle n'avait rien du bon sens pratique ni du sens de la mesure qui formaient le fond du caractère de Nance. Pour la raison même, peut-être, qu'elle ne se souciait guère de lui, elle était capable d'exercer son humour à ses dépens. Elle piquait et stimulait aussi son intelligence, comme Nance ne l'avait jamais fait. Elle avait des éclairs d'intuition diabolique, toujours prêts à fulgurer et à le confondre. Quelque chose de radicalement froid et distant risquait de s'aliéner sa présence en lui portant des coups sauvages et en chatouillant son orgueil. Mais plus les pointes qu'elle lui lançait étaient empoisonnées, plus il s'accrochait à elle, comme s'il tirait un véritable plaisir de ce qu'elle lui faisait endurer. Désireux tous les deux d'éviter autant que possible les cancans du village, il avait continué de la voir dans des endroits éloignés, et le lieu de rendez-vous qu'elle lui avait indiqué pour l'après-midi, parmi les sanctuaires où ils se réfugiaient, était l'un des plus éloignés et des moins accessibles. Il s'agissait d'un vieux moulin à vent hors d'usage, qui se dressait dans les marais à environ trois kilomètres au nord du bosquet de saules où il avait, un jour fatal, fait tant de peine à Nance Herrick.

Philippa était une marcheuse exceptionnelle. Elle avait été habituée depuis l'enfance à parcourir seule de longues distances, aussi Sorio ne fut-il pas étonné qu'elle eût choisi comme lieu de rendez-vous un endroit situé si loin de Chênegarde. L'une des particularités marquantes de Philippa était une certaine outrance d'imagination en ce qui concernait le *décor* où elle le rencontrait. C'était l'un des moyens par lesquels elle le tenait. Elle avait une sorte de génie pour éliminer de leurs relations tout ce qui appartenait aux lieux « familiers » ou communs. Elle gardait, pour ainsi dire, ses distances, ne s'approchant de lui que lorsque tous les accessoires du drame étaient en place, et s'évanouissant avant qu'il ait eu le temps de percer son évasive humeur.

Ce jour-là, Sorio marchait d'un bon pas, et même assez gaiement, vers leur lieu de rendez-vous. Il suivit d'abord le sentier que les deux sœurs avaient emprunté la veille de leurs vacances mouvementées, mais, lorsqu'il atteignit l'oseraie de Nance, il prit à gauche et plongea droit dans les marais. Le sentier qu'il suivait à présent était rarement emprunté, même par les propriétaires de bétail, et devant lui, aussi loin que s'étendait la vue, seuls quelques peupliers solitaires et un petit nombre de barrières isolées marquant l'emplacement des ponts qui enjambaient les canaux brisaient l'étendue grise de l'horizon. Le moulin abandonné vers lequel il se dirigeait était beaucoup plus grand que tous les autres, mais, tandis que dans la brise qui soufflait en douceur les ailes des autres moulins accomplissaient leur lente révolution rythmique, les énormes bras du géant demeuraient immobiles, comme s'ils obéissaient à un ordre solennel des éléments, ou comme si, à l'instar du chef biblique, ils menaçaient d'écraser une armée hostile.

Tout en marchant, Sorio remarqua que les asters étaient en fleur, les feuilles grises et les floraisons d'automne s'accordant parfaitement avec l'eau sombre et les tiges noircies des roseaux dans les mares stagnantes. Le ciel au-dessus de lui était couvert d'un fin voile de nuages plombés contre lesquels, volant si haut qu'il était difficile de les identifier, une ligne ténue de gros oiseaux — Sorio décida que c'étaient des cygnes sauvages — s'éloignait rapidement vers l'ouest. Il parvint enfin au moulin et pénétra dans l'intérieur caverneux. Elle se leva pour l'accueillir, secouant la poussière de ses vêtements. Dans la pénombre de l'endroit, ses yeux brillaient d'un éclat dangereux comme les yeux d'un animal.

— Veux-tu que nous restions où nous sommes ? dit-il après avoir fait le geste de lui baiser la main, avec l'exagération d'un étranger.

Elle lui répondit d'un petit rire moqueur :

— Quelle autre alternative, *Adriano mio* ? Même *moi* je ne puis marcher indéfiniment, et il n'est guère agréable de s'asseoir au bord d'un fossé à moitié à sec.

— Bon, dit-il. Alors, restons ici. Où étais-tu assise avant que j'arrive ?

Elle pointa le doigt vers un tas de paille, dans le coin le plus reculé de la pièce, sous l'ombre d'un escalier en ruine menant à l'étage supérieur. Adrian observa l'endroit d'un air morne.

— Il serait beaucoup plus intéressant, dit-il, d'essayer de grimper à cette échelle. Je crois que nous pourrions y arriver. Je m'y suis pris maladroitement l'autre jour quand j'ai cassé ce barreau.

— Mais comment savoir si le plancher tiendra quand nous serons là-haut ?

— Oh, il supportera très bien notre poids ! Regarde ! Tu n'as qu'à voir. Les poutres maîtresses ne sont pas pourries et le trou qu'on aperçoit ici est un trou de rat. Il n'y a aucune fissure dangereuse.

— Ce serait si horrible de passer à travers, Adrian.

— Nous ne passerons pas à travers. Je te jure que ça tiendra, Phil. Nous n'allons pas danser là-haut, n'est-ce pas ?

La jeune fille posa la main sur la balustrade délabrée et la secoua. L'échelle tout entière trembla de haut en bas et un nuage gris de vieille farine moisie leur tomba sur la tête.

— Tu vois, Adrian ? dit-elle. On ne peut pas dire que ce soit vraiment sûr !

— Je m'en fiche ! répondit-il avec entêtement. Qu'est-ce que ça peut faire ? Il fait sombre et on étouffe ici. Je vais tenter ma chance.

Il se mit à grimper avec précaution sur les barreaux intacts de l'échelle abandonnée. La chose craquait de manière menaçante sous son poids. Il réussit cependant à monter suffisamment haut pour saisir la poutre au seuil du plancher, puis, prenant appui sur une planche qui dépassait dans le mur latéral, réussit à assurer son équilibre et, après un bref rétablissement, disparut hors de la vue de sa compagne.

Sa voix lui parvint d'en haut, légèrement assourdie à travers le bois du plancher :

— C'est formidable, en haut, Phil ! Il y a deux petites fenêtres et on voit toute l'étendue des marais. Attends une minute, je vais te faire monter.

Il y eut un silence et elle l'entendit marcher au-dessus de sa tête.

— Tu ferais mieux de descendre, cria-t-elle. Je ne vais pas monter là-haut. Il n'y a aucun moyen.

Il ne répondit pas et, pendant quelques minutes, régna un silence de mort. Elle gagna l'entrée du moulin et sortit à l'air libre. Le large horizon autour d'elle paraissait absolument vide. Seuls quelques objets visibles sur l'immense plaine rompaient la pesante monotonie. Au sud et à l'est, elle apercevait juste un ou deux points de repère familiers, mais à l'ouest il n'y avait rien… rien qu'une ligne éternellement désolée qui se perdait dans le ciel. Haussant involontairement les épaules, elle s'éloigna du moulin jusqu'au bord d'un fossé bordé de roseaux. Il y avait une mare d'eau noirâtre au milieu des roseaux et, traversant cette mare ou tournant autour d'elle à une incroyable vitesse, une bonne vingtaine de petits dytiques, qui ne quittaient jamais la surface et n'interrompaient jamais leur danse folle. Une malheureuse phalène, dont les ailes étaient inutiles au contact de l'eau, luttait faiblement au centre de la mare, mais les dytiques aux brillantes cuirasses poursuivaient leur ronde folle comme si ce drame n'avait pas plus de signification que l'ombre d'une feuille. Philippa sourit et revint au moulin.

— Adrian ! cria-t-elle en entrant dans l'obscurité poussiéreuse et en levant les yeux vers le trou carré dans le plafond, d'où pendait toujours un morceau de bois brisé.

— Hein ? Qu'y a-t-il ? répondit la voix de son ami. Tout va bien. Tu vas pouvoir bientôt monter !

— Je n'ai aucune envie de monter, cria-t-elle en retour. Je veux que tu descendes. S'il te plaît, descends, Adrian ! Tu gâches tout notre après-midi.

Une fois de plus régna un silence mortel. Alors elle appela de nouveau.

— Adrian, dit-elle, il y a une phalène en train de se noyer dans la mare dehors.

— Quoi ? Où ? Qu'est-ce que tu dis ? répondit la voix de l'homme, accompagnée de plusieurs mouvements violents.

Puis une corde descendit du trou et se balança dans l'air.

— Attention ! cria Sorio.

Quelques instants plus tard, il descendit en se balançant le long de la corde, une main après l'autre, et atterrit près d'elle.

— Qu'est-ce que c'est ? haleta-t-il, hors d'haleine. Qu'est-ce que tu as dit ? Une phalène dans l'eau ! Montre-la-moi, montre-la-moi !

— Oh, ce n'est rien, Adrian ! répondit-elle avec irritation. Je voulais simplement que tu descendes.

Mais il s'était précipité dehors et se penchait au bord de la mare.

— Je la vois ! Je la vois ! lui cria-t-il. Vite, ma canne !

Il revint en courant, la bouscula au passage, saisit son bâton sur le sol et reprit le chemin de la mare. Il lui fut facile de sauver la phalène. La même viscosité duveteuse qui paralysait dans l'eau les ailes humides du papillon adhéra facilement au bout de la canne. Il libéra la phalène en essuyant la canne sur l'herbe et poussa de nouveau Philippa vers le moulin.

— Je suis heureux d'être descendu, dit-il. Je sais qu'elle tiendra, maintenant. Tu ne verras pas d'inconvénient à ce que je l'enroule autour de toi, n'est-ce pas ? Je l'ai nouée à un fort crochet. Ça tient parfaitement. Ensuite, je te ferai grimper.

Philippa le regarda avec un effarement teinté de colère. Tout ce tapage à propos d'une entreprise si enfantine l'irritait au plus haut point. La proposition de Sorio eut un curieux et subtil effet sur elle. Elle changea les relations entre eux. Elle la réduisit à n'être qu'une petite fille jouant avec un grand frère. Elle défigura, en y injectant un élément comique, le sens de ses mises en scène dramatiques. Elle humilia son orgueil et brisa la délicate et complexe toile, tissée d'une multitude de fils, dans laquelle elle avait décidé de le prendre. Elle fit d'elle une faible femme timide en face d'un homme fort, plein de volonté. Philippa savait parfaitement que l'ascendant qu'elle avait sur lui dépendait de l'incertitude qu'il avait à percer ses pensées… d'une certaine mystérieuse et torturante réserve. Elle dépendait — c'était en tout cas ce qu'elle s'imaginait — du regard inscrutable qu'elle savait faire briller dans ses yeux, et du charme tragique de ses lèvres rouges ambiguës et de ses joues blanches. Comment pourrait-elle jouer de tous ces atouts en se balançant au bout d'une corde ?

La proposition outrageait en elle quelque chose qui atteignait la racine même de sa personnalité. Quand elle marchait avec lui, nageait avec lui, ramait avec lui dans une barque, elle accomplissait des actes qui étaient en harmonie avec son esprit et en accord avec son charme personnel. Aucune de ces actions n'interférait dans le jeu de son intelligence, dans l'équilibre, la réserve, l'indépendance de son défi spirituel. Elle pratiquait ces sports de garçon sans éprouver la moindre peur et elle se sentait, lorsqu'elle s'y adonnait en compagnie d'Adrian, libérée des contraintes de son sexe. Elle gardait complètement, dans ces pratiques, l'équilibre de son être et le rythme de son identité. La proposition de Sorio non seulement introduisait un élément discordant qui avait une fine touche de comique, mais la jetait, physiquement, dans une peur panique. Elle jouait et tambourinait sur les fibres les plus intimes de l'empire qu'elle avait sur elle-même. Elle lui donnait une envie folle de s'asseoir sur le sol et de pleurer comme un enfant. Elle se demanda vaguement si Adrian n'était pas en train de se venger sur elle d'une accumulation d'outrages, plus ou moins physiques, subis dans son état névrotique jusqu'à ces derniers temps. Quant à savoir s'il était sain d'esprit, elle ne se posait jamais cette question-*là*. Elle était elle-même trop capricieuse et trop fantasque, tant dans ses réactions nerveuses que dans sa manière de penser, pour trouver bizarre, dans ce sens-*là*, ce qu'il lui proposait à présent. C'était simplement que cela changeait leurs relations… détruisait son ascendant, réduisait les choses à la force brute, faisait d'elle une simple femme.

Elle revit, tout en continuant d'hésiter, l'incident de la phalène. Ce genre de situation — la fantastique manie qu'Adrian avait de sauver les bestioles en détresse — produisait sur elle exactement l'effet inverse. Il pouvait plonger sa canne dans la moitié des mares de Rodmoor et sauver de la noyade d'innombrables phalènes, le seul effet que *cela* avait sur elle était qu'elle se sentait supérieure à lui, mieux adaptée que lui pour faire face aux réalités essentielles de la vie : à la cruauté qui lui était inhérente, par exemple. Mais à présent — voir cet horrible bout de corde qui se balançait en sortant de ce trou béant, et ce regard avide, violent, masculin, dans les yeux de son ami —, c'était insupportable. Cela la jetait contre le mur brut du monde aux bords déchiquetés.

Danser au son des flûtes, au son des luths
Est rare et délicat…

se surprit-elle à citer, avec l'horrible sensation que l'humour de la parodie ne faisait qu'aiguiser la pointe de son dilemme.

— Je ne le ferai pas, dit-elle enfin d'un ton résolu en essayant de le braver d'un sourire. C'est une idée ridicule. En outre, je suis beaucoup trop lourde. Tu ne pourrais pas me soulever, même si tu essayais jusqu'à la tombée de la nuit ! Non, non, Adriano, ne sois pas si absurde. Ne gâche pas le temps que nous avons à passer ensemble avec ces idées folles. Asseyons-nous et parlons. Pourquoi ne pas allumer un feu ? Ce serait très excitant, tu ne trouves pas ?

Son visage, tandis qu'il l'écoutait, fut envahi par une sombre et sauvage furie. Ses traits despotiques et impérieux s'accentuèrent jusqu'à un degré terrifiant.

— Tu ne veux pas ? s'écria-t-il, tu ne veux pas, tu ne veux pas ?

La saisissant brutalement par l'épaule, il commença à lui enrouler la corde autour du corps.

Elle résista désespérément, en le repoussant de toute la force de ses bras. Dans la lutte, qui devint bientôt dangereuse, elle le blessa sans le vouloir, en lui repoussant la tête de la main, d'un coup de ses ongles délicats, à la lèvre supérieure. Le goût du sang qui lui coula dans la bouche le rendit fou : la relâchant, il saisit le bout de la corde et lui fouetta la poitrine. Le coup parut la sidérer. Cessant toute résistance, elle devint docile et passive entre ses mains.

Poursuivant machinalement la tâche qu'il s'était assignée, il lui passa la corde sous les aisselles et fit un nœud. Mais l'absolue soumission de la jeune fille semblait à présent le paralyser, autant que la violence qu'il venait de manifester l'avait désarmée et paralysée. Il défit le nœud qu'il était en train de faire et, d'un geste brusque, repoussa loin d'elle la corde qui reprit sa position première, pendant et se balançant doucement dans l'air. L'un et l'autre éberlués, ils se regardèrent en silence, puis la jeune fille avança soudain et lui jeta les bras autour du cou.

— Je t'aime ! murmura-t-elle d'une voix qu'il ne lui avait jamais entendue. Je t'aime ! Je t'aime !

Et ses lèvres s'unirent aux siennes en un long baiser passionné.

Si elle avait connu les émotions de Sorio, en cet instant, elle aurait été encore plus choquée qu'elle venait de l'être. Pour dire la vérité, il n'éprouva pas la moindre émotion. Il lui rendit machinalement ses baisers et machinalement l'étreignit. Tout le temps, il pensa aux dytiques pourvus de brillants élytres métalliques qui poursuivaient leur ronde autour de la mare bordée de roseaux.

« Des dytiques », pensa-t-il tandis que sa lèvre ouverte lui faisait mal sous les baisers convulsifs de la jeune fille, salés de larmes passionnées, « des dytiques ! Le monde est comme cela. Nous sommes tous comme cela. Des dytiques sur un courant sombre. »

Elle dénoua enfin l'étreinte et ils sortirent, main dans la main, à l'air libre. Au-dessus d'eux, l'énorme moulin à vent brandissait toujours ses bras immobiles, et quelque part dans les marais, derrière lui, parvint un étrange sifflement, le cri de l'un de ces visiteurs ailés des lointaines rives, qui disait peut-être adieu aux régions où il s'était exilé ou appelait un compagnon pour entreprendre le voyage au-dessus de la mer du Nord.

La main de Sorio serrant fortement la sienne, Philippa marcha silencieusement près de lui à travers champs et fossés. Prenant avantage de l'humeur exceptionnellement douce de la jeune fille, Adrian commença de se plaindre en lui racontant tout ce qu'il endurait nerveusement à Rodmoor, et combien il haïssait les villageois qui selon lui prenaient plaisir à le tourmenter. Puis, petit à petit, encouragé par le silence compréhensif de sa compagne, il se mit à lui jeter en pâture — en petites phrases courtes, nerveuses et disconti-nues —, comme si chaque mot était arraché avec la racine du terreau même de son âme, des bribes d'histoires concer-nant Baptiste. Il avait plutôt l'air de s'adresser à lui-même que de lui parler. Il ne cessa de répéter une phrase en marmon-nant, concernant l'affection anormale qui les liait. Puis il se mit soudain à décrire Baptiste. Il divagua longtemps sur le sujet, n'esquissant finalement qu'un très vague portrait. Tout ce que Philippa put en conclure, c'était que Baptiste ressem-blait à sa mère — une Française des côtes de Bretagne —, qu'il était grand, et avait des yeux bleu sombre.

— Avec des cils plus longs, ne cessait de répéter Sorio comme s'il lui décrivait quelqu'un dont il était important qu'elle se souvînt, avec des cils plus longs que toi ou n'importe qui d'autre ait jamais vus ! Ils reposent sur sa joue quand il dort comme... comme...

Il tripota le plumet d'un roseau qu'il avait arraché en marchant, mais parut incapable de trouver une comparaison adéquate. C'était curieux de voir la façon honteuse et embarrassée avec laquelle il lançait, une par une, et comme si chaque mot prononcé le faisait souffrir, ces allusions à son fils.

Philippa le laissa divaguer à son aise, l'interrompant à peine d'un geste et l'écoutant, en fait, comme si elle écoutait quelqu'un parlant dans son sommeil. Elle apprit qu'il avait eu les plus grandes difficultés à persuader Baptiste de rester à New York et à ne pas tout envoyer promener pour le suivre à Londres. Elle apprit que Baptiste avait copié de sa propre main la plus grande partie du livre de Sorio et qu'à présent, à mesure qu'il achevait chaque nouveau chapitre, il l'envoyait directement au garçon, par pli recommandé, à l'adresse de la « Onzième Rue ».

— Il expliquera ma vie, toute ma vie, ce livre, marmonna Adrian. Tu n'en connais que quelques idées, Phil, seulement quelques-unes. Que le secret des choses soit non dans l'instinct de création, mais dans celui de destruction, n'est que le début du livre. Je vais plus loin… beaucoup plus loin. Ne te moque pas de moi, Phil, si je te dis ceci… seulement ceci : je démontre dans mon livre que le véritable but de toute chose vivante est d'échapper à soi-même… d'échapper à soi-même en se détruisant soi-même. Tu comprends ce que cela veut dire, Phil ? Dans le monde, tout est… — comment dirais-je ? ces idées ne sont pas faciles à exprimer, elles déchirent le cerveau avant de devenir claires ! — … tout dans le monde est sur le point, est au bord de se dissoudre dans ce que les gens appellent le "néant". C'est ce que Shakespeare avait en tête lorsqu'il a dit : "le grand globe lui-même, oui ! tout ce qui est son héritage se dissoudra et…", et… j'ai oublié la suite, mais cela finit par : "sans laisser la moindre ruine derrière". Ce que je démontre dans mon livre, c'est que ce "néant", cette "mort", si tu veux, vers laquelle toute chose tend n'est qu'un nom pour *ce qui gît au-delà de la vie*… je veux dire pour ce qui gît au-delà de l'extrême limite de la vie de toute chose individualisée. Nous reculons devant cela, tout le monde recule devant cela parce que c'est l'anéantissement de toutes les associations d'idées familières, la destruction de l'instinct qui nous pousse à être nous-mêmes ! Mais, bien que nous reculions devant cela, quelque chose en nous, quelque chose qui est plus profond que nous-mêmes nous pousse à cette destruction. C'est pourquoi, quand les gens ont été outragés dans les racines mêmes de leur être, lacérés et écorchés au-delà du supportable, quand ils ont été, pour ainsi dire, passés à la roue et mis en pièces, ils sont souvent emportés par la douce et délicieuse marée d'un immense bonheur profond, indescriptible par des mots.

Il était trop absorbé par ce qu'il disait pour remarquer que, lorsqu'il fit cette remarque, sa compagne murmura un assentiment passionné.

— C'est vrai ! C'est vrai ! C'est vrai ! répéta la jeune fille avec une irrépressible émotion.

— C'est pourquoi, poursuivit-il sans prendre garde à elle, il y a toujours un violent plaisir dans ce que les imbéciles appellent le "cynisme". Le cynisme est vraiment la seule philosophie digne de ce nom parce qu'elle est la seule à reconnaître "que tout ce qui existe doit être détruit". Ce sont les paroles même du diable dans *Faust*, tu te rappelles ? Et Goethe lui-même savait au fond du cœur que le cynisme était vrai, seulement il aimait tant la vie… ce grand enfant !… qu'il ne *pouvait* supporter la pensée de la destruction. Cependant il la comprenait, et il l'avouait aussi. Spinoza l'a aidé à la discerner. Ah, Phil, ma fille, *voilà* un philosophe ! Le seul… l'unique ! Regarde combien la racaille a peur de Spinoza ! Regarde comment elle se tourne vers le méprisable Hegel, cet épicier de la philosophie avec sa précieuse "affirmation de soi", et non moins précieuse "réalisation de soi" ! Et il y a des crétins qui ne voient pas que Spinoza était un cynique, qui détestait la vie et souhaitait la détruire.

Ils prétendent qu'il adorait la Nature. La Nature ! Il en niait l'existence. Il souhaitait l'anéantir, et dans sa terrible logique il l'a anéantie. Il n'adorait qu'une chose, celle qui est au-delà de la limite, au bord du bord le plus extrême, au-delà du point où toute chose vivante cesse d'exister et *devient le rien* ! Voilà ce qu'adorait Spinoza et voilà ce que j'adore, Phil. J'adore l'aveuglante lumière blanche qui éteint toutes les bougies et efface toutes les ombres du monde. Elle vous aveugle et vous achève et vous l'appelez donc "ténèbres". Mais elle commence seulement lorsque les ténèbres sont détruites avec tout le reste ! La noire est semblable à la cruauté. C'est le contraire de l'amour. Mais ce que j'adore est aussi loin au-delà de l'amour que loin au-delà du soleil et de toutes les ombres que le soleil projette !

Il s'arrêta pour observer un rat d'eau qui courait nerveusement au bord de l'eau du fossé qu'ils longeaient, cherchant désespérément son trou.

— Je l'appelle "lumière blanche", poursuivit-il, mais en réalité ce n'est pas plus lumière que ce n'est ténèbres. C'est quelque chose qu'on ne peut pas nommer, quelque chose d'inexprimable, mais qui est grand et froid et profond et vide. Oui, vide de tout ce qui vit ou émet un son ! Quelque chose qui fait cesser la souffrance dans la tête, Phil. Qui arrête la persécution des gens qui vous regardent ! Qui arrête l'écœurante fatigue d'avoir à détester les choses. Qui arrêtera tout mon désir de Baptiste, car Baptiste est *là*. Baptiste est l'ange de ce grand lieu tranquille et frais. Quand j'aurai tout détruit sur mon passage, je serai avec Baptiste… et rien ne pourra plus nous séparer !

Il balaya des yeux la monotonie grise, çà et là rayée d'automnales bandes jaunes, aux endroits où les chaumes coupaient les marais.

— Je prouve que le principe de destruction est fondé, Phil, poursuivit-il, en montrant par exemple que les êtres humains sont instinctivement ravis de faire tomber les illusions ou de mettre en doute la sincérité de l'autre. Nous faisons tous cela. Tu le fais, Phil, plus que quiconque. Tu me l'as fait. Et tu as raison de le faire. Nous avons parfaitement raison de le faire ! Cela explique la secrète satisfaction que nous éprouvons tous lorsqu'une chose ou une autre brise la vie de quelqu'un. Cela explique le désir fou que nous avons de détruire le contentement de notre propre vie. Ce que nous cherchons, c'est la *ligne de fuite*... c'est la phrase même de mon livre. La ligne de fuite de nous-mêmes. C'est pourquoi nous ne faisons que tourner, tourner, tourner, comme des poissons étouffant sur la terre, ou comme les dytiques que nous avons vus tout à l'heure, ou comme ce rat d'eau.

Ils avaient atteint les abords de l'oseraie de Nance. Le sentier par lequel Sorio était venu obliquait, à cet endroit, brusquement vers l'est, en direction de la mer, alors qu'un autre sentier, plus large et plus fréquenté, menait à travers champs jusqu'à la berge de la Drôle, où le toit et les cheminées de la Maison sur la digue étaient vaguement visibles. Le crépuscule de septembre avait déjà commencé à tomber et, dans le lointain, les objets avaient l'air de spectres incertains. Des brouillards humides, sentant l'eau stagnante, sortaient des marais en longues traînées moites et s'avançaient sur la rive du fleuve en une blanche procession spectrale. S'arrêtant à ce croisement de chemins, Sorio observa la ligne sombre du chemin de halage au loin et la silhouette plus obscure encore de la Maison sur la digue. Il regarda le chaume, puis le petit bois où les aulnes se différenciaient des saules par leur feuillage plus sombre et plus mélancolique.

— Quelle allure sinistre a la Maison sur la digue, vue d'ici, remarqua Philippa, on dirait une maison hantée.

Une idée soudaine traversa l'esprit de Sorio.

— Phil, dit-il en abandonnant la main de sa compagne et en désignant du bout de sa canne la maison près du fleuve, tu m'as souvent dit que rien de ce qui était étrange ou surnaturel ne t'effrayait. Tu m'as souvent dit qu'en cette matière tu ressemblais plus à un garçon qu'à une fille. Alors, écoute ! Cours jusqu'à la maison et va prendre des nouvelles de Rachel Doorm. Je pense souvent à elle… seule dans cet endroit, maintenant que Nance et Linda sont parties. J'ai tout particulièrement pensé à elle aujourd'hui en venant jusqu'ici. Il m'est impossible d'y aller. Il m'est impossible de voir quiconque. Mes nerfs ne le supporteraient pas. Mais je dois dire que je serais heureux de savoir qu'elle n'a pas complètement perdu la tête. Ce n'est pas très agréable de penser à elle, toute seule dans cette grande maison, la maison où son père est mort. Nance m'a dit qu'elle craignait que Rachel ne se fût mise à boire, comme le vieux l'avait fait. Nance dit que c'est dans la famille Doorm, ce genre de choses — je veux dire la boisson ou la folie… ou les deux peut-être !

Il éclata d'un rire amer. Retenant son souffle, Philippa regarda le brouillard blanc qui couvrait le fleuve et les contours spectraux du royaume Doorm.

— Tu m'as toujours dit que tu étais comme un garçon, répéta Sorio en se laissant tomber à l'endroit où, quatre mois plus tôt, il s'était assis avec Nance, eh bien, prouve-le ! Cours jusqu'à la Maison sur la digue, et fais mes amitiés à Rachel Doorm. Je t'attendrai ici. Promis juré. Tu n'as rien d'autre à faire qu'à souhaiter le bonjour à la vieille. Elle vous aime tous, vous les Renshaw. Elle vous idéalise.

De nouveau il éclata de rire. Philippa le regarda en silence. Un instant, la vieille lueur diabolique de subtile moquerie parut sur le point de traverser son visage. Mais elle disparut instantanément et ses yeux s'emplirent d'un désenchantement enfantin.

— Je ne suis pas un garçon, je suis une femme, murmura-t-elle à voix basse.

Sorio fronça les sourcils.

— Eh bien, qui que tu sois, vas-y, s'écria-t-il d'un ton brutal.

Puis il ajouta, plus gentiment :

— Tu n'es pas fatiguée, n'est-ce pas ?

La question la fit sourire.

— D'accord, Adrian, dit-elle. Je vais y aller. Donne-moi d'abord un baiser.

Elle s'agenouilla rapidement et lui passa les bras autour du cou. Le dos appuyé contre le tronc d'un aulne, Sorio lui rendit son baiser pour la forme, d'un air absent, comme si précisément elle était un enfant importun.

— Je t'aime ! Je t'aime ! murmura-t-elle, puis bondissant sur ses pieds : Au revoir ! Je ne te pardonnerai jamais si tu m'abandonnes.

Elle partit en courant dans le crépuscule grandissant, silhouette agile se mouvant comme le balancement d'un bouleau entrevu dans la brume. L'esprit de Sorio l'abandonna bientôt. Un immense besoin de son fils prit possession de lui et il s'efforça de se rappeler tous les incidents de leur séparation. Il se revit accoudé au bastingage du paquebot, au milieu de la foule. Il vit les gens agiter la main en criant sur la jetée de bois de l'immense bassin. Il vit Baptiste, se tenant à part, incapable d'agiter la main, paralysé par la douleur du départ. Il était lui-même malade de douleur, alors. Il s'en rappela l'exacte sensation, et comment il avait envié les goélands, qui ignoraient les souffrances humaines, et les gens allègres du navire qui paraissaient avoir tout ce qu'ils aimaient avec eux.

— Oh, Dieu, se murmura-t-il, rends-moi mon fils et je Te donnerai tout… mon livre, ma fierté, mon cerveau… tout ! Tout !

Cependant, Philippa approchait rapidement de la Maison sur la digue. Un air froid et humide l'accueillit, montant avec les brouillards blancs de la surface du fleuve.

Elle fit le tour de la maison, et poussa la petite barrière de bois. Dans le jardin abandonné, le visage de la désolation la regarda dans les yeux. Quelques dahlias aux têtes sombrement vineuses s'élevaient au milieu d'un fouillis d'orties étouffant et d'euphorbes malingres aux feuilles pâles. Un entrelacs de tiges de framboisiers et de menthes envahissantes se mêlait aux ivraies et aux géraniums sauvages. Une herbe épaisse poussait sur le gravier du sentier, et des plaques de mousse verte humide s'accrochaient à la maçonnerie de l'entrée. Les fenêtres, à mesure qu'elle s'approchait de la maison, la regardaient fixement comme des yeux… des yeux qui avaient perdu le pouvoir de fermer les paupières. Aucun store n'était baissé, aucun rideau tiré, toutes les fenêtres étaient sombres. Aucune fumée ne sortait de la cheminée et aucune lumière ne filtrait nulle part dans la maison. Silencieuse, froide et muette, elle semblait avoir attendu l'apparition de la jeune fille pour disparaître comme un fantôme dans la terre brumeuse. Le cœur battant, Philippa monta les marches du perron et sonna. Avec un bruit strident, le son résonna horriblement dans les couloirs vides. Il y eut un mouvement à peine perceptible, semblable, aurait-on pu imaginer, à une chute de poussière ou au bruissement d'une feuille de papier, mais ce fut tout. Un silence de mort envahit de nouveau toute chose, comme le flux de l'eau sur une épave immergée. Il n'y avait même pas, pour briser le calme, le tic-tac d'une horloge. C'était plus qu'une simple absence de tout bruit, ce silence qui régnait sur la maison Doorm. C'était un silence qui possédait une individualité propre. Tandis que Philippa attendait, il prit les contours ombreux et tremblants d'une forme tangible. Il accueillit la jeune fille, lui souhaita la bienvenue, la supplia d'entrer et de le laisser l'embrasser. Avec une sorte de panique, Philippa saisit la poignée de la porte et la secoua violemment. Elle fut plus terrifiée que rassurée quand la porte s'ouvrit et qu'une vague d'air froid, plus froid que la brume sur le fleuve, lui frappa le visage. Elle avança lentement, la main pressée sur le cœur, avec la sensation que quelque chose lui tambourinait dans les oreilles.

La porte du salon était grande ouverte. Elle entra dans la pièce. Une poignée de fleurs mortes — des fleurs sauvages trop fanées pour qu'elle pût les identifier —, sèches et privées de sève, pendaient au bord d'un vase rempli d'eau croupie. À part cela, la table était nue et la pièce en ordre. Elle la quitta pour entrer dans la cuisine. Ici, la présence d'objets plus familiers et moins sentimentaux soulagea un peu la tension de ses nerfs. Mais la pièce était absolument vide... à part un papillon emprisonné, de cette espèce que l'on appelle la « tortue », qui battait languidement des ailes contre la vitre, comme s'il avait fait la même chose pendant des jours.

Se souvenant de l'habitude de Sorio, et même avec l'ombre d'un sourire, Philippa ouvrit la fenêtre pour libérer le prisonnier. Elle fut soulagée de sentir l'odeur du fleuve qui lui parvint lorsqu'elle ouvrit. Elle sortit de la cuisine et de nouveau retint son souffle, l'oreille aux aguets dans le vestibule silencieux. L'obscurité tombait rapidement. Elle avait une envie folle de fuir cet endroit et de retrouver Sorio, mais une indicible puissance la retint, plus forte que sa volonté. Elle poussa soudain un petit cri involontaire. Ouverte par une légère rafale de vent, la porte d'entrée, qu'elle avait laissée à demi fermée, tourna lentement sur ses gonds et claqua avec un bruit sec. Courant vers l'arrière de la maison, elle ouvrit la porte qui donnait sur la cour. Là, elle fut franchement soulagée d'entendre des frôlements dans la petite baraque en bois, et d'apercevoir, par la fenêtre poussiéreuse, comme une buée de plumes blanches endormies. Il y avait des volailles vivantes autour de la maison. C'était au moins une satisfaction. Calant la porte avec un grattoir de fer, elle retourna dans le vestibule et leva craintivement les yeux vers l'escalier. Oserait-elle monter dans les pièces du haut ? Oserait-elle entrer dans la chambre à coucher de Rachel Doorm ? Elle avança jusqu'au pied de l'escalier et posa la main sur la rampe. Une faible étincelle de lumière déclinante entra par la porte ouverte, qu'elle avait calée, et tomba sur les lourdes chaises du vestibule ainsi que sur une gravure fantastique représentant l'éruption du Vésuve. Le coloris démodé de cette gravure était passé, mais on voyait toujours les contours de la montagne et la colonne de fumée. Elle écouta de nouveau. Pas un bruit ! Elle grimpa quelques marches et s'arrêta. Puis quelques autres avant de faire une nouvelle pause. Alors, serrant les poings et parcourue d'un frisson de froid qui lui donna une sensation de vertige, elle grimpa en courant le reste des marches et se retrouva appuyée contre le montant de la rampe, le souffle coupé par la faiblesse, fixant avec des yeux écarquillés par la peur une porte à demi ouverte.

Le pouvoir des morts sur les vivants est quelque chose d'extraordinaire ! Philippa savait que dans cette chambre, derrière cette porte, était la chose qui autrefois avait été une femme, qui avait parlé et ri, et mangé et bu avec d'autres femmes. Elle se rappelait que, quand elle était petite fille, Rachel Doorm, qui devait avoir environ l'âge qu'elle avait elle-même à présent, lui avait bâti des châteaux de sable sur la plage et chanté de vieilles chansons de Rodmoor, parlant de marins noyés, de pirates et d'enfants perdus. Et à présent elle savait — aussi sûrement que si elle avait posé la main sur le front froid — que derrière cette porte, probablement dans une effroyable posture d'éternelle écoute, le cadavre de tout cela, de tous ces souvenirs et de

bien d'autres dont elle ne savait rien, attendait d'être découvert, d'avoir les yeux fermés et la mâchoire bandée, et d'être
préparé pour le cercueil. La jeune fille s'agrippa de toutes ses
forces à la rampe. La terreur qui s'empara d'elle n'était pas que
Rachel Doorm fût morte… morte et si près d'elle, mais qu'elle
ne fût *pas* morte !

À cet instant, si elle avait pu se résoudre à pousser la porte
et à entrer, il aurait été beaucoup plus choquant, beaucoup plus
terrifiant de trouver Rachel Doorm vivante, de la voir se lever
pour l'accueillir et de l'entendre parler ! Après tout, qu'est-ce
que cela pouvait faire si le corps de la femme était plié ou tordu
de quelque effrayante façon… ou *debout* peut-être — Rachel
Doorm était tout à fait du genre à mourir debout ! —, ou si son
visage, contre le parquet, regardait fixement en l'air ? Qu'est-ce
que cela pouvait faire, si elle se *décidait* à entrer, de tâtonner
dans l'obscurité au risque de poser la main sur la bouche de la
morte ? Qu'est-ce que cela pouvait faire, si elle la *voyait*, à la
faible lumière de la fenêtre, pendue à un crochet au-dessus du
rideau, la tête curieusement inclinée de côté et une mèche de
cheveux défaite ? Aucune de ces choses n'importait. Aucune
d'elles ne l'empêchait de pénétrer dans cette chambre ! Ce qui l'en
empêcha, ce qui la fit voler dans l'escalier et sortir de la maison
en poussant un hurlement soudain d'intolérable terreur, ce fut
qu'à cet instant elle entendit très distinctement le bruit d'une
respiration venant de la chambre qu'elle regardait. C'était une
chose toute simple, toute naturelle pour une vieille femme de
se retirer tôt dans sa chambre à coucher et de s'étendre — peut-
être avec ses vêtements — sur son lit pour se reposer un peu
avant de se déshabiller. Une chose simple et naturelle ! Il n'en
reste pas moins que, lorsqu'elle entendit le bruit d'une respiration dans cette chambre, Philippa poussa un hurlement et,
prise de panique, s'enfuit dans la nuit. Elle ne cessa pour ainsi

dire pas de courir jusqu'au bouquet de saules, où elle retrouva Sorio à l'endroit où elle l'avait laissé. Il ne lui refusa pas, lorsqu'elle l'en implora hors d'haleine, de l'accompagner jusqu'à la maison. Ils se hâtèrent d'y retourner ; Adrian, en dépit d'une certaine appréhension, souriait dans l'obscurité de la certitude qu'avait sa compagne à la fois que Rachel Doorm était morte et qu'elle l'avait entendue respirer.

— Mais je comprends ce que tu as ressenti, Phil, dit-il. Je le comprends parfaitement. J'ai souvent éprouvé la même sensation, la nuit, dans un grand jardin de La Campagna : la peur de rencontrer le garçon avec lequel je jouais avant de *m'attendre* à le rencontrer ! Je l'appelais et le suppliais de me répondre afin d'être sûr qu'il était là.

Philippa refusa d'entrer de nouveau dans la maison et l'attendit dehors près de la grille du jardin. Il fut long à revenir, si long qu'elle fut la proie des plus étranges pensées. Mais il revint enfin, portant une lanterne à la main.

— Tu avais raison, Phil, dit-il. Les dieux l'ont emportée. Elle est raide morte. Et, qui plus est, depuis longtemps ; je dirais plusieurs semaines.

— Mais la respiration, Adrian, la respiration ? Je l'ai entendue distinctement.

Sorio posa la lanterne et s'appuya contre la grille. En dépit du calme de son compagnon, Philippa comprit qu'il avait découvert quelque chose de plus que le corps de Rachel.

— Oui, dit-il, là aussi tu avais raison. Devine ce que c'était, mon enfant !

Tout en parlant, il posa la main sur son manteau, étroitement boutonné sur le devant. Philippa prit immédiatement conscience du bruit stertoreux qu'elle avait entendu dans la chambre de la morte.

— Un animal ! s'écria-t-elle.

— Une chouette, répondit-il. Une jeune chouette. Elle doit être tombée d'un nid dans le toit. Je ne te la montre pas maintenant, car elle pourrait s'échapper et un chat la dévorer. Si Tassar me le permet, je vais essayer de l'élever. Baptiste sera ravi de me trouver avec une chouette apprivoisée ! Il a une vraie manie de ce genre de choses. Dans un parc, il fait venir à lui les oiseaux en sifflant. Bon ! Je suppose qu'il nous faut rentrer le plus vite possible à Rodmoor et signaler l'affaire à la police. Il y a peut-être plus d'une semaine qu'elle est morte ! J'ai peur que cela ne cause un grand choc à Nance.

— Dans quelle position l'as-tu découverte ? s'enquit la jeune fille comme ils suivaient la route qui menait au Nouveau Pont.

— Ne me le demande pas, Phil… ne me le demande pas, répondit-il. Elle en a fini avec ses peines et elle avait une chouette pour s'occuper d'elle.

— Aurais-je été…, commença-t-elle.

— Ne me le demande pas, ma fille ! répéta-t-il. Tout cela est passé. Rachel Doorm sera enterrée dans le cimetière de Rodmoor et j'aurai la chouette. Une vieille femme cesse de respirer et une chouette commence à respirer. C'est tout à fait naturel.

XXII

LE VENT DU NORD-OUEST

Les funérailles de Rachel Doorm furent un jour sombre et tourmenté tant pour Nance que pour Linda. Même la sympathie de M. Traherne parut incapable de les consoler ou de soulever le voile de ténèbres installé dans leur esprit. Nance surtout était assommée par une inconfortable déprime. Elle se sentait doublement coupable : d'abord d'avoir acquiescé au désir de Rachel de les avoir toutes les deux avec elle à Rodmoor, ensuite de l'avoir négligée au cours des dernières semaines de sa vie. En ce qui concernait la cause immédiate de sa mort, ou du désespoir qui y avait préludé — leur départ de la Maison sur la digue pour aller habiter au village —, elle n'éprouvait aucun remords. C'était inévitable après ce qui s'était passé. Mais cela n'atténuait en rien sa responsabilité dans les deux autres cas. Eût-elle fermement résolu de ne pas quitter Londres, il est probable que Rachel se serait laissé persuader de continuer à vivre avec elles, comme elle l'avait toujours fait. Elle aurait même pu vendre son domaine et, avec l'argent, acheter un cottage pour elles trois dans les faubourgs de la ville. C'était sa passion fatale pour Sorio, elle l'admettait parfaitement, qui était la cause de tous les désastres qui leur étaient tombés dessus.

Le sentiment de Linda à l'égard de la mort de Rachel était tout à fait différent. Elle devait s'avouer au fond du cœur qu'elle en était heureuse, heureuse d'être débarrassée de la présence constante, aux lisières de sa vie, de quelque chose de menaçant et de vindicatif. Ce qui la tourmentait était d'un genre plus morbide : c'était la sensation que, en dépit de sa mort, elle n'en avait pas *vraiment* fini avec Rachel Doorm. La nuit qui précéda les funérailles, elle rêva presque continuellement d'elle, rêva qu'elle était de nouveau enfant et que Rachel la menaçait d'une mystérieuse punition inconnue. La nuit suivante fut pire encore. Une sauvage explosion de sanglots désespérés réveilla Nance, qui essaya en vain de découvrir la nature de ce tourment : Linda devint taciturne, réservée, et refusa de donner la moindre explication. Toute la semaine suivante, elle vaqua à ses occupations d'un air absorbé et lointain, comme si sa vie réelle se déroulait sur un autre plan. M. Traherne, qui faisait tout ce qu'il pouvait pour fixer l'attention de la jeune fille sur l'orgue dont elle jouait, avoua à Nance que Linda, après s'être exercée quelques minutes, sortait fréquemment de l'église et restait pendant de longues périodes près de la tombe de Rachel. Le prêtre confessa qu'en l'une des occasions où il l'avait ainsi surprise elle s'était sauvagement retournée vers lui et lui avait parlé sur un ton tout à fait différent de l'ordinaire.

Il était affreux pour Nance de se sentir éloignée, exclue de quelque mystérieuse manière, de la confiance de sa sœur.

Un matin, vers la fin de septembre, alors qu'elles s'habillaient ensemble dans la brumeuse lumière automnale en écoutant les cris des goélands venant du port, Nance retrouva sur le visage de sa sœur, à l'instant où leurs yeux se rencontrèrent dans le miroir qu'elles partageaient, l'inscrutable regard qu'elle avait surpris cinq mois plus tôt, dans la chambre de la Maison sur la digue, quand elles avaient écouté pour la première fois l'éternelle répétition des vagues de la mer du Nord. Nance essaya en vain, tout le reste de la journée, de découvrir un indice qui pût la mettre sur la voie de ce que ce regard signifiait. Il la hantait et la torturait. Linda avait toujours eu quelque chose d'un peu suppliant et de triste dans les yeux. C'était sans aucun doute la présence de cette nostalgie tenace qui avait dès l'abord attiré Brand. Mais il y avait quelque chose d'autre dans ce regard. Nance élimina la comparaison comme inadéquate dès qu'elle l'eut formulée, mais il lui suggéra le cri d'une âme *tirée en arrière* vers quelque ténèbre intérieure, et gémissant tout le temps une prière désespérée pour qu'on la laisse seule, comme si la moindre interférence avec ce que la destinée était en train d'accomplir n'eût pu qu'être la cause d'un péril encore plus grand.

La nuit suivante, observant de son lit une mince traînée de nuages vaporeux voguant devant une lune hagarde au rebut, une lune qui, comme le fait rarement cet orbe brillant, semblait trahir le fait qu'elle n'était qu'un monde-cadavre suspendu là dans une posture indécente et presque sacrilège, sous les étoiles attentives, Nance aperçut avec effroi la silhouette blanche de sa sœur qui se levait de son lit et, d'un pas léger, traversait la chambre jusqu'à la fenêtre ouverte. Nance retint son souffle et l'observa avec angoisse. Linda était-elle endormie ou éveillée ? Elle se pencha par la fenêtre, ses longs cheveux lui tombant lourdement d'un côté. Nance crut l'entendre marmonner quelque chose, mais le bruit de la mer — car la marée était haute au petit matin — l'empêcha de saisir les mots. Rejetant les couvertures, Nance se glissa sans bruit près de sa sœur. Aucun doute, elle parlait. Les paroles ressemblaient à un murmure plaintif, comme si elle suppliait quelqu'un dehors dans la nuit brumeuse. S'approchant sans bruit, Nance écouta, sans oser la toucher de peur de provoquer un dangereux choc nerveux, mais soucieuse d'être le plus près possible de Linda.

— Je suis sage, maintenant, lui entendit-elle dire, je suis sage, maintenant, Rachel. Laisse-moi partir, maintenant ! Je peux le dire : je suis sage. Je ne te désobéirai plus.

Il y eut un long silence, seulement coupé par le bruit de la mer et les battements du cœur de Nance. Puis, de nouveau, la voix s'éleva :

— C'est beaucoup trop profond, Rachel, tu n'y arriveras pas avec ça. Mais je vais y aller. Je n'ai plus peur ! Si seulement tu me laissais partir. Mais je vais descendre… loin… loin… et je te le ramènerai. Elle ne peut pas le tenir serré. L'eau est beaucoup trop houleuse. Oh, je serai sage, Rachel ! Si tu me laisses partir, je te le ramènerai !

Incapable de supporter cela plus longtemps, Nance entoura gentiment de ses bras le corps de sa sœur et la fit reculer dans la chambre. La jeune fille n'opposa aucune résistance. Les yeux grands ouverts, mais totalement inconsciente, elle se laissa guider à travers la pièce. Cependant, elle s'arrêta près de son lit et se raidit.

— Ne me remets pas là, Rachel. Tout, mais pas ça !

— Chérie ! s'écria désespérément Nance, tu ne me reconnais pas ? Je suis avec toi, ma chérie. Nance est avec toi. Personne ne te fera de mal !

La jeune fille frissonna et regarda sa sœur sans la voir, avec un regard hébété comme si tout était vague et obscur. À cet instant, Nance éprouva la terreur mortifère que l'on ressent devant l'inconscient, devant l'*infra-humain*, un des dangers particuliers qui guettent ceux qui ont la charge d'un aliéné mental ou qui suivent les mouvements d'un somnambule. Mais les frissons disparurent et l'hébétude laissa place à un regard où se lisait une inconscience progressive. Le corps de la jeune fille se détendit ; debout, elle vacilla. Avec un violent effort, Nance la prit dans ses bras et l'allongea sur le lit. La jeune fille murmura quelques mots et se tourna sur le côté. Nance, qui l'observait anxieusement, fut bientôt soulagée de l'entendre respirer avec calme. Linda dormait paisiblement. Elle était d'une beauté si émouvante, étendue là dans une attitude enfantine d'abandon total, que Nance ne put s'empêcher de se pencher vers elle et de déposer un léger baiser sur sa joue. « La pauvre chérie, se dit-elle, quel aveuglement de ma part ! Quel vilain aveuglement ! »

Elle prit la couverture de son propre lit et en couvrit sa sœur afin de ne pas la déranger en la mettant entre les draps. Puis, emmitouflée dans sa robe de chambre, elle s'adossa contre ses oreillers, résolue à demeurer éveillée le restant de la nuit.

Le lendemain, elle ne constata aucune différence dans l'humeur de Linda. C'étaient la même absence, le même désin-térêt distrait envers tout ce qui l'entourait, et — pire que tout cela — ce même regard insondable qui jetait Nance dans des imaginations folles. Elle cherchait désespérément un moyen de briser le charme maléfique qui tenait la jeune fille en son pouvoir. Elle se rendit à maintes reprises chez M. Traherne, et le brave homme consacra une bonne partie de son temps à étudier le problème avec elle, mais rien de ce à quoi l'un et l'autre pensaient ne semblait être une solution possible.

Finalement, un matin, quelques jours après cette nuit terri-fiante, elle rencontra dans la rue le docteur Raughty. Elle marcha longuement avec lui, jusqu'au pont, lui expliquant du mieux qu'elle pouvait ce qu'elle craignait pour sa sœur, et lui demanda son avis.

— Ce qu'il faut à Linda, c'est une mère, dit-il laconiquement.

Nance ouvrit de grands yeux.

— Oui, je sais, dit-elle, je le sais bien, la pauvre chérie ! Mais le plus terrible, Fingal, c'est que sa mère est morte il y a des années et des années.

— Mais il y a d'autres mères à Rodmoor, n'est-ce pas ? lui fit-il remarquer.

Nance fronça les sourcils.

— Vous pensez que je ne m'occupe pas d'elle comme il le faudrait, murmura-t-elle. Oui, je suppose que vous avez raison. Et pourtant, je m'y efforce, je fais de mon mieux.

— Vous êtes aussi désespérante qu'Adrian avec sa chouette, s'écria le docteur. L'autre jour, il la nourrissait de cake. Du cake ! Mieux vaut que la chouette et le rat de notre ami ne se rencontrent pas ! Il ne resterait pas grand-chose du rat. Du cake !

Le docteur renversa la tête et partit d'un immense éclat de rire gargantuesque. Nance parut un peu décontenancée, et même un peu heurtée par son hilarité.

— Que voulez-vous dire par "d'autres mères" ? demanda-t-elle.

Ils venaient d'atteindre le pont, et le docteur Raughty l'invita à regarder de l'autre côté du parapet.

— Ah, l'exquise beauté du ventre de ces vandoises ! fit-il observer tout en humant l'air. Il va pleuvoir avant la nuit. Vous sentez la pluie ? Je le sais à la manière dont ces poissons montent à la surface. La mer aussi prend une voix différente quand le vent amène la pluie — vous avez remarqué ? Ces vandoises sont des finaudes. Elles attendent la fiente que les mouettes laissent tomber en remontant le fleuve. On pourrait croire qu'elles chassent les mouches, mais pas du tout. J'imagine que George Crabbe ou George Borrow en sortiraient quelques-unes avec des appâts comme on n'en a jamais encore rêvé, des crottes de lapin, ou des larves de coccinelle. Je vois bien le vieux docteur Johnson dans l'eau jusqu'aux genoux en train d'essayer de les pêcher à la main. En voilà une énorme ! Vous la voyez ? Elle agite la queue et se met sur le côté. Elle doit bien faire une demi-livre, peut-être plus. C'est beau les poissons, surtout les vandoises. C'est extraordinaire : pensez que si vous poussiez ces animaux en arrière à contre-courant, ils se noieraient tout simplement à cause de l'eau qui s'engouffrerait dans leurs ouïes ! Regardez celle-ci, Nance ! Quel ventre argenté ! et l'exquise délicatesse de la queue ! Quelle plaie, les adorateurs de chouettes ou de rats ! Parlez-moi d'un poisson, s'il faut vraiment avoir le culte d'un animal. (Il baissa la voix jusqu'au murmure.) Je crois que Lubric de Lauzière devait avoir un poisson apprivoisé dans son bassin !

— Au revoir, Fingal, dit Nance en lui tendant la main.

— Qui ? Que ? Quoi ? Dieu nous aide ! Qu'est-ce qui ne va pas, Nance ? Vous êtes en colère contre moi, n'est-ce pas ? Vous pensez que je parle à tort et à travers ? Pas du tout. Voilà où je veux en venir : une mère… c'est ce dont elle a besoin. Elle en a autant besoin que ces vandoises ont besoin que l'eau leur irrigue la gueule et ne leur remonte pas dans les ouïes à contre-courant. Elle est tirée en arrière… voilà son problème. Elle a besoin de son élément naturel, et il doit couler dans la bonne direction. *Vous* ne faites pas l'affaire. Traherne non plus. Il lui faut une mère ! Une femme qui a porté des enfants, Nance, sait d'instinct comment traiter les jeunes filles et fait paraître petits les plus grands médecins du monde !

Nance lui sourit faiblement.

— Mais, cher Fingal, dit-elle, comment faire ? Je ne peux pas faire appel à Mme Raps… ou à votre amie Mme Sodderley ? Quand on y pense, il y a très peu de mères à Rodmoor !

Le docteur soupira.

— Je le sais, dit-il d'un air morne, je le sais. Dans cinquante ans, il n'y aura plus personne. C'est aussi désastreux que les dunes de sable avec leur flore stérile. Les femmes enceintes sont les seules personnes au monde qui sont vraiment saines.

Tout en parlant, il caressait du pouce une petite plaque de mousse, d'un vert vif, qui poussait entre les pierres du parapet. Chargé de cette vague odeur d'herbes en train de brûler qui, plus que tout autre chose, évoque les faubourgs d'une petite ville à la fin de l'été, l'air, automnal et frisquet, les entourait tous les deux, et Nance eut l'impression qu'il lui lançait un appel muet, celui de laisser toutes choses aller leur train et de se soumettre à la destinée. Elle regarda le docteur d'un air rêveur, en proie à l'une de ces étranges éclipses de la conscience où nous nous retrouvons, pour ainsi dire, à côté de notre destin et où nous écoutons le flux de l'éternelle marée.

Un petit peuplier, poussant au bout du pont du côté du village, avait déjà perdu quelques feuilles, et certaines volaient, l'une après l'autre, sur le sentier de pierres jusqu'aux pieds de la jeune fille. De l'autre côté, au-dessus des marais brumeux, elle apercevait le clocher bas de l'église. La girouette dorée qui le couronnait miroitait et chatoyait dans un vaporeux rayon de soleil qui ne semblait toucher rien d'autre.

Rêveusement, elle regardait le docteur, trop lasse du combat de la vie pour faire l'effort de le quitter, et sans espoir sur les capacités qu'il avait de l'aider. Fingal Raughty continua de discourir sur la sagesse instinctive de la maternité.

— Les femmes qui ont eu des enfants, poursuivit-il, sont les seules personnes au monde à connaître le secret de Polichinelle. Elles savent ce que signifie trouver l'ultime vertu dans une résignation exquise. Elles ne font pas que se soumettre au destin… elles l'embrassent joyeusement. Je suppose que nous pourrions maintenir qu'elles vont jusqu'à l'aimer… mais j'avoue que cette idée d'"aimer" le destin m'a toujours paru inquiétante et fantastique. Mais je ris, et vous aussi j'espère, quand nos amis Sorio et Tassar parlent aussi absurdement des femmes. Que savent-ils des femmes ? Ils n'ont rencontré, dans leur vie entière — pardonnez-moi, Nance —, qu'une poignée de petites oies blanches. Ils n'ont aucun droit de parler de la vie, ces enfants dépravés ! Ils sont hors de la vie, ignorants du mystère essentiel. Le père Goethe comprenait ces choses, et savez-vous le nom que *lui* a donné à l'indicible secret ? *Les Mères.* C'est un beau nom, n'est-ce pas ? Les Mères ! Écoutez, Nance ! Tous les gens ici souffrent d'astigmatisme ou d'asymétrie. Ce sont les signes extérieurs de leur dérangement mental. Les plus intelligents parmi eux en sont fiers. Vous connaissez la façon dont ils parlent ! Ils pensent que l'anormalité est la seule forme de la beauté. Nance, ma chère, pour vous dire la vérité, ils me fatiguent. *Mon* idée de la beauté est le parfait type masculin, comme le Thésée des marbres d'Elgin... ou le parfait type féminin tel qu'on le voit chez la grande Déméter. Pensez-vous qu'ils puissent esquiver cela ? Pensez-vous qu'ils puissent lutter contre le rythme de la Nature ?

Sortant sa blague à tabac, il alluma sa pipe en balançant la tête d'avant en arrière. Nance ne put s'empêcher de remarquer la sagace et facétieuse *animalité* de son regard pendant qu'il accomplissait cette fonction.

— Mais que faire ? Oh, Fingal, que *faire* avec Linda ? demanda-t-elle en soupirant profondément.

Calant sa pipe au coin de sa bouche, il souffla violemment dans le tuyau, ce qui fit monter un nuage de fumée dans l'air de septembre.

— Confiez-la à Mme Renshaw, dit-il d'un ton solennel. C'est ce que je pense depuis le début. C'est ma conclusion. Confiez-la à Mme Renshaw.

Nance le regarda bouche bée.

— Vraiment ? murmura-t-elle. Vous pensez vraiment qu'*elle* pourrait l'aider ?

— Essayez... essayez... essayez ! s'écria le docteur Raughty en jetant un brin de mousse aux poissons. C'est extraordinaire, ajouta-t-il, que ces vandoises descendent aussi bas ! L'eau doit être presque entièrement salée ici.

Dans l'après-midi, Nance se rendit aux vêpres de M. Traherne. Elle trouva Mme Renshaw à l'église et les invita, elle et le prêtre, à l'accompagner jusqu'à son logis. Elle prit prétexte de leur montrer les nouveaux modèles fascinants qu'elle venait de recevoir de Paris. Les sortilèges circéens de la mode française n'étaient peut-être pas spécialement du goût de Mme Renshaw ou de Hamish Traherne, mais c'était un prétexte acceptable et ils le prirent tous les deux comme tel. Nance eut soin de se hâter en avant en compagnie de M. Traherne, afin de rendre inévitable que Linda marchât aux côtés de Mme Renshaw. Cet après-midi-là, la maîtresse de Chênegarde avait l'air inhabituellement pâle et lasse. Elle retint Linda dans le cimetière jusqu'à ce que les autres se fussent éloignés, puis la mena droit à la tombe de Rachel Doorm. On avait enterré la malheureuse à la limite du jardin du prêtre. Seule une mince bande d'herbe unie la séparait d'une haute rangée de roses trémières pourpres. La fosse n'avait pas de pierre tombale. Il n'y avait au pied de la tombe qu'un bouquet d'asters, déposé par Linda, dans un vase de verre. Quelques guêpes bourdonnaient autour du vase, attirées par la vague odeur qui flottait autour de lui, relent de son contenu premier. Mme Renshaw était debout, la main lourdement posée sur l'épaule de Linda. Elle paraissait tirer du fond de son insondable morbidité la connaissance exacte de ce qu'éprouvait la jeune fille.

— Nous agenouillerons-nous ? demanda-t-elle.

Linda se mit à trembler, mais, avec une simple et enfantine docilité, elle s'agenouilla sans le moindre embarras aux côtés de sa compagne.

— Il ne faut pas prier pour les morts, murmura Mme Renshaw. *Lui* (elle voulait dire M. Traherne) nous le recommande dans ses sermons, mais cela me blesse chaque fois qu'il le fait, car on nous a appris que tout cela est mal… mal et contraire à la simple foi ! On ne doit pas oublier les Martyrs… n'est-ce pas, Linda ?

Mais l'esprit de Linda était loin des martyrs. Il était entièrement occupé par la chose qui gisait sous elles, dans la terre fraîchement remuée.

— Mais nous pouvons prier Dieu pour que Sa volonté soit faite sur la terre comme au ciel, murmura Mme Renshaw.

Elle resta silencieuse après cela et les deux femmes, la jeune comme la vieille, demeurèrent agenouillées, la tête inclinée. Puis la voix de Mme Renshaw s'éleva de nouveau en un murmure :

— Il y a des vers que j'aimerais vous réciter, ma chère, si vous le permettez. Je les ai recopiés la semaine dernière. Ils étaient à la fin d'un livre de poèmes que j'ai trouvé dans la chambre de Philippa. Un achat récent ou un cadeau. Je pensais qu'elle ne se souciait plus de poésie. Les pages n'étaient pas coupées et je n'ai pas voulu le faire sans sa permission, mais j'ai copié ceci sur la dernière page. C'étaient les derniers vers du livre.

Elle hésita un moment, Linda immobile près d'elle, tremblant encore un peu et observant les mouvements d'un paon-de-jour qui partageait l'intérêt des guêpes pour le vieux pot de miel.

Mme Renshaw récita les vers suivants d'une voix claire, exquisément modulée, qui flotta sur les marais environnants :

Car même le plus pur délice pâlit
L'orgueil se brise et la puissance faiblit
Et l'amour des plus chers amis s'amenuise
Mais la gloire du Seigneur dans tout cela s'irise.

La voix s'éteignit. Une légère bouffée de vent fit soupirer les arbres au-dessus de leurs têtes, comme si les paroles de la femme à genoux étaient en harmonie avec le cœur inarticulé de la terre.

Linda cessa de trembler. Un calme indescriptible commença lentement à l'envahir. Gentiment, comme une enfant, elle glissa sa main dans celle de sa compagne.

— Vous rappelez-vous le quarante-troisième Psaume, Linda ?

Avec un pouvoir égal à celui d'une grande actrice, la voix nette et dramatique de Mme Renshaw s'éleva de nouveau :

Pas plus que nos cœurs, nos pas ne se sont détournés de toi,
Quoique tu nous aies livrés aux dragons et couverts de l'ombre de la mort.

Une fois de plus, elle demeura silencieuse, mais comme le vent avait légèrement tourné elles entendirent avec une impitoyable clarté le bruit des vagues au-delà des dunes. Elle semblait se moquer, cette voix de l'ennemi de la terre — se moquer avec une triomphante dérision de la flamme d'espoir que l'invocation solennelle avait fait naître dans le cœur de la jeune fille. Mais, en combattant le savoir que Mme Renshaw avait des Psaumes, même la mer du Nord avait trouvé à qui parler. Pâle, le visage tourné vers le ciel et les yeux habités par une lumière sauvage, elle continua à marmonner les vieilles incantations mélodieuses qui parlaient sans cesse d'un Pouvoir plus formidable que celui des vagues et des tempêtes. On aurait dit l'une des premières adeptes de la foi qui venait du Désert sacré, plongée dans une extase spirituelle, aux prises avec les dieux et les puissances de ces eaux païennes.

Par l'une de ces heureuses coïncidences, qui vont parfois jusqu'à démentir l'ironie de la nature, ou, comme l'aurait prétendu Mme Renshaw, telle une réponse directe à la prière qu'elle venait de faire, la girouette du clocher de l'église se remit à tourner. Nord-est, puis nord-nord-est, puis plein nord. Enfin, pendant que la femme murmurait sa dernière antienne, elle se tourna vers le nord-ouest, le secteur le plus étranger et le plus contraire à la mer de Rodmoor, la partie de l'horizon d'où soufflait le grand vent des marais.

Dans une région comme l'East Anglia, tellement à la merci des éléments, chacun des vents est chargé d'une vertu particulière et apporte avec lui quelque chose d'apaisant et de fortifiant, ou de néfaste et de maléfique. Le vent d'est est ici souverainement le vent mauvais, le complice et l'acolyte des profondeurs salées, le chameau des espérances, le héraut du désastre. Le vent du nord-ouest, au contraire, est le vent qui donne la sensation des grands espaces, celui qui apporte l'odeur de la terre chaude et humide, ainsi que la fragrance des feuilles tombées dans les bois qui respirent doucement. C'est le vent qui emplit les rivières et les puits, qui apporte la pluie fraîche et purifiante. C'est un vent plein de souvenirs, dont le cœur déborde de la puissance d'amours anciennes, plus fortes que la tombe et le sépulcre. Les habitants de la côte est, sensibles aux influences de la terre les plus délicates et les plus rares, arrivent même parfois à sentir dans le vent du nord-ouest l'odeur des bois de pins et des landes de bruyère. Car il vient de l'autre bout de la grande plaine, de la lande de Brandon et même au-delà, et rien dans les vastes marais ne fait obstacle à son passage ni n'interrompt la course de son souffle vers la mer.

À l'instant où les deux femmes se relevaient enfin, elles furent accueillies par un souffle frais autant qu'apaisant, qui courba les rangs de roses trémières et rendit bruissants les feuillages des arbres, porteur d'une délicieuse odeur de ruisseau et annonçant la pluie prochaine.

— Écoute-moi, mon enfant, dit Mme Renshaw lorsqu'elles sortirent du cimetière. Je veux te dire ceci : tu ne dois pas croire que Dieu permet le moindre échange entre les vivants et les morts. C'est une invention diabolique de nos cœurs souillés de péché. C'est une tentation, chérie… une ruse du démon… et nous devons lutter contre elle. Chaque fois que nous l'éprouvons, nous devons lutter contre elle et prier. Il est parfaitement normal que tu aies une douce pensée de pardon envers la pauvre Miss Doorm. Il serait mal de penser autrement. Mais tu ne dois pas penser à elle comme étant quelqu'un près de nous ou autour de nous maintenant. Elle est entre les mains de Dieu, dans le pardon de Dieu, et nous devons l'y laisser. Tu entends ce que je te dis, Linda ? Est-ce que tu me comprends ? Tout le reste est maléfices. Nous sommes tous des pécheurs et tous entre les mêmes mains miséricordieuses.

Jamais exorcisme d'une puissance blessant l'âme humaine ne fut plus efficace. Linda pencha la tête pendant que la vieille dame parlait, puis elle la releva libérée et marcha d'un pas plus léger qu'elle ne l'avait fait depuis sept longs jours. Elle souhaita au fond du cœur avoir le courage de parler à Mme Renshaw d'une angoisse beaucoup plus terrestre, beaucoup moins facile à faire disparaître que l'influence de Rachel Doorm, vivante ou morte, mais dans l'instant, si immense était le soulagement qu'elle éprouvait à être libérée du spectre tenace qui n'avait cessé de la pousser vers ce tertre, dans le cimetière, qu'elle se sentit intérieurement pleine d'espoir, et même insouciante, tout en sachant que, quoi qu'il arrivât, elle aurait encore à supporter un fardeau de douleur et d'angoisse dans un avenir proche.

XXIII

GARDIEN DES POISSONS

On trouve, bien que cela paraisse superficiellement fantastique, un étrange fond de vérité dans le fait qu'il y a certaines saisons climatériques dans l'histoire des lieux, saisons qui attirent infailliblement les événements d'importance rôdant à l'horizon. En ce qui concerne Rodmoor, ou du moins les habitants qui nous intéressent ici, on peut dire que cela se produisit au début de l'automne, à l'arrivée du mois d'octobre.

Les premières semaines de ce mois furent pour Nance aussi passionnantes que fatales. Quelque chose dans le changement du temps — car les pluies étaient arrivées — affecta Sorio de façon marquante. Tout son être parut en proie à un curieux processus de désintégration, aussi difficile à analyser que la force qui, dans la nature, était cause de la chute des feuilles. C'est en tout cas ce que l'on pourrait tirer de la théorie de Sorio concernant l'universel élan d'autodestruction... à savoir la possible présence d'un principe sinon individualisé et conscient, du moins positif et actif dans le processus du pourrissement naturel. Quand la vie se corrompt et se désintègre, quand elle fait brusquement défaut et devient ce qu'on appelle la « mort », elle le fait parfois, ou semble le faire, avec une véhémence et une impétuosité qui rendent difficile de ne pas sentir, chez l'être qui plonge ainsi vers la dissolution, le poids de quelque « volonté de périr » à moitié consciente. La couleur brillante dont se parent la plupart des fleurs avant de se faner appuie cette théorie. C'est ce que le poète appelle « un éclair avant la mort », et tant les riches teintes du feuillage automnal que les gloires phosphorescentes (qui ne répugnent à nos sens que par association) de la mortalité physique sont elles-mêmes des symboles — et peut-être plus que des symboles — du même splendide élan impétueux vers le néant.

Superficiellement, ce changement en Sorio ne fut pas au désavantage de Nance. Au contraire, elle en arriva à anticiper, avec une excitation tremblante, ce qui avait commencé à paraître un bonheur presque impossible. Car Sorio, dans un accès de suppliante impatience, lui avait sans équivoque demandé de l'épouser. À un niveau plus profond et plus spirituel, le changement qui s'opérait en lui fut beaucoup moins heureux en ce qui concernait leurs relations. Nance ne pouvait s'empêcher de sentir qu'il y avait quelque chose d'aveugle, d'enfantin, d'égoïste, de discourtois — et même de téméraire et de sinistre — tant dans sa demande que dans l'impatience passionnée avec laquelle il faisait pression sur elle, considérant qu'il n'avait toujours fait aucun effort pour trouver un emploi et paraissait tenir pour acquis que, soit elle-même, soit Baltazar Stork, soit son fils en Amérique, soit quelque vague manne providentielle, fournirait l'argent pour cette époustouflante aventure. Tout autant que la surprise qu'elle éprouva devant son mépris de toutes les considérations pratiques, Nance sentit monter en elle une inquiétude, qu'elle se garda bien de tirer au clair, liée à l'humeur et au comportement d'Adrian pendant ces jours. Il paraissait se remettre passivement, pieds et poings liés, entre ses mains. Il s'accrochait à elle comme un enfant malade à sa mère. Ses vieux accès sauvages d'humour cynique semblaient avoir disparu, remplacés par une maussaderie et une mauvaise humeur qui rendaient les heures qu'ils passaient ensemble beaucoup moins calmes et heureuses qu'elles auraient dû l'être. Toutes sortes de petites choses l'irritaient… l'irritaient même en elle. Il s'accrochait à elle — ne pouvait-elle s'empêcher d'imaginer — non vraiment par amour, mais par un étrange instinct de conservation. Elle se demandait parfois comment les choses se passeraient quand ils seraient vraiment mariés. Il semblait à la fois trouver difficile de supporter sa compagnie et impossible de s'en passer. Il aurait pu faire sienne l'amère affirmation du vieux poète latin : *Nec sine te nec tecum vivere possum.*

Et pourtant, en dépit de tout cela, ces premiers jours d'octobre furent des jours de bonheur exquis pour Nance. La longue épreuve qu'avait subie son amour l'avait purgé de toute impureté. L'instinct maternel, qui était toujours la note dominante de ses émotions, était à présent comblé comme il ne l'avait jamais été et ne le serait peut-être jamais si elle n'avait pas d'enfant.

En ces jours d'espoir et de vie nouvelle, sa jeunesse semblait revivre et faire éclore d'exquises floraisons de gaieté et de tendresse. Physiquement, elle revivait vraiment, bien que cela pût être en partie dû à l'air revigorant qui soufflait sans cesse à travers les marais, et Linda, qui observait le changement avec une affectueuse sympathie, déclara qu'elle était deux fois plus belle qu'avant.

Nance ne fit aucune objection lorsque Sorio insista pour que les bans fussent publiés à l'église, devoir qu'avec empressement se hâta d'accomplir Hamish Traherne. Elle ne protesta même pas lorsqu'il lui annonça qu'ils seraient mariés avant la fin d'octobre, sans lui dire où ils vivraient, ni sous quel toit et avec quel argent !

Elle répugnait à lui faire remarquer ces détails pratiques. Le lien qui les unissait était trop délicat, trop ténu et trop précaire pour qu'elle osât tirer dessus, et les quelques timides suggestions qu'elle avança en hésitant ne reçurent aucune réponse. Il les balaya. Il les écarta d'une raillerie, ou d'un enfantin grognement de dégoût, ou d'un vague : « Oh, ça marchera ! Ça ira très bien. Ne t'inquiète pas de *ça* ! J'écris à Baptiste. »

En dépit de toutes ces difficultés et du trouble profondément enfoui que suscitait en elle l'état nerveux maussade de Sorio, Nance éprouva, durant ces jours d'automne, un inexprimable et palpitant bonheur. Elle aimait le rugissement du grand vent — le vent du nord-ouest —, la nuit, dans les cheminées et les toits. Elle aimait voir les feuilles mortes voler sur les routes boueuses. Elle aimait, au bord des chemins de halage, le long murmure bruissant des roseaux qui baissaient leurs têtes plumeuses au-dessus des berges humides ou s'inclinaient avec un rythme mélancolique dans les fossés débordant de pluie.

L'automne était sans l'ombre d'un doute la saison climatérique des marais de Rodmoor. Ils cédaient pied à pied au printemps. Ils enduraient l'été, et l'hiver les gelait, les transformant en une mortelle et stoïque inertie. Mais quelque chose dans l'automne faisait jaillir les qualités natives, l'essence même de l'âme du lieu. Les marais s'en allaient à la rencontre de l'automne pour de joyeuses noces de tempête. Entre les berges boueuses, les ruisseaux bruns atteignaient en chantant leur plus haut niveau. Au bord du fleuve, les mauves fanées et les millepertuis dédorés dans les haies trempées prenaient une pathétique et noble beauté... une beauté, pour les âmes sensibles, pleine de vagues et lointaines associations. Les goélands, comme les oiseaux des marais, les poissons, les anguilles, les rats d'eau dans les ruisseaux débordants, semblaient partager l'épanouissement de la vie avec le bétail noir et blanc, les vaches sans cornes des marais, qui commençaient à donner le plus riche des laits. De longs jours glacés et pluvieux s'achevaient en somptueux couchers de soleil... des couchers de soleil magnifiques où le ciel, du zénith au nadir, devenait une immense rose de feu céleste. D'une centaine de cheminées de Rodmoor s'élevait l'odeur de la tourbe en train de brûler, si caractéristique d'un pays où le sol même était formé par la végétation des siècles oubliés.

Les imposantes granges sombres contenaient jusqu'au toit des piles de grains jaunes, tandis que dans tous les appentis de la région étaient étalées des prunes de Damas, des poires et des pommes de terre, comme pour s'attirer la faveur du rassemblement dionysiaque des dieux de la terre.

Les pêcheurs, surtout, profitaient de la chance offerte par la saison : ils sortaient tôt le matin jusqu'aux endroits marqués par des bouées à l'horizon, là où de vieilles épaves sur les fonds de sable attiraient les bancs de poissons et les retenaient quelques semaines comme sous l'effet d'un sortilège marin.

Mais, si les jours avaient leur charme, les nuits de ce mois d'octobre furent encore plus envoûtantes. Le ciel semblait se retirer, se retirer très loin, jusqu'à un niveau plus pur, plus clair, plus éthéré, laissant grandes et petites étoiles verser, avec un tendre éclat solennel, leur influence magique. Les planètes, surtout Vénus et Jupiter, devinrent si grosses et si lumineuses qu'elles rivalisèrent avec la Lune. Et la Lune elle-même, la mystique Lune rouge de l'après-moisson, la Lune d'équinoxe, attira vers elle les marées, les rendant plus hautes et plus pleines, et, dans leur flux et reflux, résonnant d'une note plus profonde qu'en toute autre saison de l'année.

Partout les hirondelles s'attroupaient pour leur long voyage, partout les oies sauvages et les hérons montaient dans le ciel, jusqu'à d'incroyables hauteurs, vers le nord et l'ouest. Et, pendant tout ce temps, Nance put se donner entièrement, put enfin donner libre cours à sa passion pour l'homme qu'elle aimait.

C'était une passion épurée par l'attente et la souffrance, une passion que les épreuves avaient transformée en pure flamme, mais c'était une passion tout de même... une longue passion exclusive... l'amour d'une vie. Il lui faisait parfois, ce grand amour, éprouver des vertiges et craindre qu'au dernier moment quelque chose vînt s'interposer entre eux. Parfois, il la rendait étrangement timide, timide et réservée, comme s'il n'était pas facile, bien que si glorieusement doux, de se remettre corps et âme entre des mains qui, après tout, étaient les mains d'un étranger !

Sorio ne comprenait rien à tout cela. Quand il arrivait à Nance de le repousser, comme si l'émoi de ses caresses était plus qu'elle ne pouvait supporter ou comme si quelque incalculable orgueil, quelque inaliénable chasteté, plus forte que ses sens, lui interdisait d'aller plus loin, il se mettait en colère, ou devenait morose et l'accusait de jalousie et de froideur. Il lui aurait été plus difficile de le supporter s'il n'y avait eu, dans le cœur de Nance, une étrange pitié maternelle, une pitié teintée d'un brin d'ironie... l'éternelle ironie de la femme à l'instant où elle se soumet à l'éternelle incompréhension de l'homme qui l'étreint sans savoir ce qu'il fait. Il lui apparaissait parfois, dans la simple tension physique de l'amour, presque comme un garçon enivré et vicieux. Elle avait conscience que la connaissance qu'elle avait du mystère du sexe — dans ses profondeurs subtiles non moins que dans l'intensité de sa flamme — était quelque chose qui allait bien au-delà, qui était beaucoup plus complexe que tout ce qu'il éprouvait, parce que cela concernait son être entier. Elle souriait intérieurement de la manière bizarre qu'il avait de tenir pour acquis qu'il était en train de la « séduire », de tirer de cette idée une sorte de plaisir de satyre et, parfois, un violent accès de remords. Quand il était dans l'une ou l'autre de ces humeurs, elle éprouvait envers lui ce qu'une mère éprouve pour un fils qui, par égoïsme ou ignorance, a une vision disproportionnée du monde. Et pourtant, Sorio avait quelque vingt ans de plus qu'elle.

À mesure que glissaient les semaines, leurs deux noms ayant déjà été réunis dans les offices du dimanche, Nance pensait à ce qu'elle ferait, dans la réalité, de cet homme-enfant, quand le grand jour serait venu. Il lui faudrait quitter son logement. *Cela* semblait certain. Il était non moins sûr que Linda continuerait de vivre avec elle. Tout autre arrangement était évidemment impensable. Mais où vivraient-ils ? Et pourrait-elle, avec l'argent dont elle disposait, faire vivre trois personnes ?

Les deux problèmes furent résolus par M. Traherne. Il existait à Rodmoor, comme dans bien d'autres bourgs qui se mouraient sur la côte est, des charges officielles pratiquement tombées en désuétude, mais dont le prestige local comme les émoluments avaient survécu au changement des conditions. L'incessant empiétement de la mer sur les terres en était le principal responsable. Dans certains villages presque inhabités, il existait des fonctions dont la vraie raison d'être gisait au fond de la mer avec les habitations immergées.

Cette sensation de vivre sur le bord, si l'on peut dire, des tombes englouties des ancêtres était l'une des particularités essentielles de l'existence sur ces étranges rivages. Peut-être était-ce ce savoir à demi inconscient qui, inculqué depuis l'enfance dans leurs veines, donnait aux natifs de ces lieux tant de bizarres et peu séduisantes qualités. Ailleurs, les demeures humaines reposent en sécurité sur les racines immémoriales du passé, racines qui, couche après couche, forment un riche terreau historique assurant aux usages et aux coutumes du présent la consécration d'une tradition ininterrompue. Mais, dans les villages de cette côte, tout est différent. La tradition demeure, passée de génération en génération, mais la chaîne physique est rompue. Les habitants de la côte est ressemblent à ces corps stellaires, dans les espaces sidéraux, qui gardent leur identité et leur nom, mais qui, attirés par un lent mouvement perpétuel, changent constamment de position. Ils n'ont, selon la phrase biblique, « ni séjour, ni demeure ».

Les barques de la présente génération, pour filer sur l'eau, déploient leurs voiles brunes à l'endroit où, quelque cent ans plus tôt, une génération précédente marchait dans les rues pavées. Les balises de tempête dansent et sonnent, les lanternes des bateaux émettent leurs signaux d'alarme au-dessus des fondations englouties de ce qui fut l'hôtel de ville, le clocher de l'église, la place du marché, et la taverne du village. C'est ce long combat séculaire contre l'envahissement du flot qui explique que, sur la côte de l'East Anglia, il y a souvent, pour la même paroisse, deux églises, parfois encore fréquentées toutes les deux mais la dernière construite suivant le cœur de la communauté dans sa retraite forcée. On peut donc en déduire que, dans ces localités singulières, la loi même des dieux, la loi qui ordonne aux éléments le solennel « jusqu'ici et pas plus loin », est tous les jours et à tout moment défiée et outrepassée.

Il ne faut pas s'étonner si, parmi les comtés d'Angleterre, ces régions ont acquis une sinistre réputation d'impiété et de perversité. Rien ne garde ni ne garantit mieux la vertu d'une communauté que la présence, en son milieu, des cendres des générations passées. Avec conscience et à travers une multitude de rites pieux, « elle adore ses morts ». Mais, en East Anglia, les habitants de la côte n'ont pas ce privilège. Leurs pénates et leurs dieux lares ont été engloutis. Les feux de leurs autels ont été noyés et, sur les tombes de leurs pères, les marées sans dieux vont et viennent avec irrévérence. Les poissons nagent là où les nouveau-nés étaient amenés sur les fonts baptismaux ; là où les couples étaient mariés, le cormoran se moque des hippocampes avec son cri désolé. Il est facile de se persuader que les lointains descendants d'une population qui marchait, commerçait, aimait, philosophait en des lieux à présent recouverts d'algues se balançant dans le courant, sous de gémissantes et murmurantes brasses d'eau, transgresseront à leur tour la stabilité bienveillante des lois de la rectitude humaine ! Avec un sol aussi littéralement *mouvant* — quoique cela prît des siècles — *sous leurs pas*, comment pourraient-ils respecter aussi loyalement que d'autres communautés ce qui est permanent dans les institutions humaines ? Il y avait peut-être une certaine conformité dans le fait qu'aujourd'hui, après tous ces siècles de mauvais tours joués par les marées, la survivance d'anciennes charges, dont la raison d'être avait été noyée par la mer, demeurât caractéristique de l'endroit et pût servir les intérêts d'un étranger aussi singulier que Sorio, dont la philosophie même était une philosophie de la destruction. Mais c'est précisément ce qui arriva.

Il y avait à Rodmoor une charge officielle, rémunérée par le conseil municipal et intitulée le « gardien des poissons », qui rappelait que le bourg, autrefois beaucoup plus important, avait été un grand centre industriel de pêche. Cette charge, où l'on était nommé à vie, n'impliquait aujourd'hui qu'un minimum de devoirs, mais elle assurait une rente modeste et surtout la jouissance gratuite de l'une des plus pittoresques maisons de l'endroit : une vieille bâtisse pré-élisabéthaine, de taille incommode mais d'apparence romantique, sise sur le port.

Le dernier tenant de cette charge baroque et historique, dont les devoirs étaient si peu pénibles qu'un homme très vieux ou très faible aurait pu les accomplir, était John Peewit Swinebitter, notable personnage du bourg qui n'atteignit la gloire que le jour de sa mort, en s'écroulant sous la table à la Tête de l'Amiral après avoir noyé un festin de poissons — dont il était le « gardien » — dans des flots de bière Keith-Radipole.

Après la mort de M. Swinebitter, en juin, deux factions s'étaient disputées, tout au long des mois de juillet et d'août, le choix de son successeur, et M. Traherne eut l'idée géniale de profiter de cette division pour faire offrir le poste au futur mari de Nance.

Bien que de sang étranger, Sorio était de naissance et de nationalité anglaises, et il s'était, au cours de son séjour à Rodmoor, suffisamment familiarisé avec les habitudes et les mœurs des poissons pour en savoir assez. Si un événement imprévu demandait un savoir plus intime ou plus scientifique que celui qu'il avait, il pourrait toujours consulter le docteur Raughty, véritable orfèvre en la matière. M. Traherne se chargea de convaincre les factions de renoncer à leurs dissensions en faveur de quelqu'un qui était étranger au conflit et, cela fait, les derniers obstacles ne furent pas difficiles à aplanir. Heureusement pour les conspirateurs, Brand Renshaw, bien qu'étant le plus gros propriétaire terrien de l'endroit et juge de paix, n'appartenait pas au conseil de Rodmoor.

M. Traherne manœuvra avec tant de subtilité, Nance se montra si prudente et si réservée que ce ne fut qu'après la lecture finale des bans à l'église des marais et l'arrangement des derniers préparatifs pour le mariage, la semaine suivante, que Baltazar Stork eut vent de ce qui se tramait.

Sorio lui-même avait été extrêmement surpris par cette faveur inattendue que lui faisaient les commerçants. Il avait si longtemps et si morbidement ruminé l'idée d'une persécution universelle qu'il lui parut incroyable, au vu des quelques conversations qu'il avait eues avec ces gens, qu'ils le traitassent de manière aussi gentille et courtoise. En fait, leurs querelles étaient si furieuses et si obstinées qu'ils éprouvèrent un réel soulagement à traiter avec un étranger. Il ne faut pas non plus oublier qu'en offrant ce poste si convoité au mari de Nance ils honoraient la mémoire du père de la fiancée — car le capitaine Herrick avait été en son temps de loin le plus populaire de tous les visiteurs de Rodmoor. La plupart des vieux membres du conseil se rappelaient parfaitement l'affable marin. Ils étaient nombreux à être souvent sortis pêcher avec lui, en ce bon vieux temps où il y avait davantage de poissons, et des espèces plus rares qu'aujourd'hui… « bon vieux temps » qui, dans les villages les plus reculés, est associé à des trophées empaillés dans la salle des tavernes aux fins de bons mots des héros à demi légendaires de la Pêche et de la Boisson.

C'était revenir au « bon vieux temps » que d'avoir un gentleman comme « gardien des poissons ». Et puis c'était une gifle aux Renshaw, qui avaient avec le conseil une vieille inimitié. Car il était bien connu des commères de Rodmoor que les relations entre Nance et la famille de Chênegarde étaient plus que tendues, et les plus avisées n'hésitaient pas à chuchoter de sombres et sinistres cancans sur la nature de cette brouille.

Baltazar Stork accueillit la nouvelle du prochain mariage de Sorio avec une sorte de fureur muette. Le matin où Sorio le lui annonça était vraiment lugubre. La mer était haute et mauvaise. Le vent gémissait dans les sycomores — dont les feuilles étaient presque toutes tombées — et faisait grincer dans son cadre de fer l'enseigne qui portait la tête de l'Amiral. Il avait plu toute la nuit mais, si la pluie avait cessé, aucun rayon de soleil ne séchait les flaques d'eau dans les endroits du pré où l'herbe était piétinée, ni les ornières étouffées sous les feuilles mortes qui, au bord de la route, regardaient le ciel sombre avec désolation. Sorio, après avoir négligemment annoncé la nouvelle d'un ton désinvolte, comme s'il s'agissait d'un sujet sans importance, sortit en vitesse pour retrouver Nance à la gare et l'accompagner à Mundham.

C'était un samedi, la jeune fille n'avait donc aucun scrupule à quitter son travail. Comme le reste des employées de Miss Pontifex, elle aurait de toute façon été libre en début d'après-midi. Elle voulait absolument passer le plus de temps possible pour parfaire les derniers achats en vue de leur installation au « Pavillon du bac ». Le simple nom de cette relique de la gloire ancienne de Rodmoor indiquait combien les temps avaient changé. Ce qui autrefois avait été un gué — à plusieurs kilomètres du rivage — était à présent l'embouchure du fleuve, et à l'endroit où les fermiers abreuvaient leur bétail les bateaux de pêche déployaient leurs voiles vers la haute mer.

Nance s'était débarrassée des meubles de leur prédécesseur, quelque chose dans la réputation de M. Peewit Swinebitter l'empêchant, de manière exagérée peut-être, d'en acheter une partie. Se montrer exigeante, cependant, n'arrangeait pas les difficultés matérielles de la situation, Sorio étant à peu près nul dans le rôle de marchand d'ameublement.

Pendant ce temps, le chapeau enfoncé sur le front et la canne cinglant l'herbe trempée de pluie, Baltazar Stork allait et venait devant son cottage. Lorsqu'il fut fatigué d'aller et venir, il se campa au bord du pré, les yeux fixés sur sa maison vide et sur les ornières de la route. Fourrant le bout de sa canne dans la plus grosse ornière, il en retira le bord d'une feuille à moitié immergée et la fit flotter dans l'eau boueuse. Sans qu'il y prît garde, des enfants le dépassèrent, portant chopes et bouteilles pour qu'on les remplît à la taverne. Pleins de joie et de malice, des petits garçons qu'il connaissait vinrent à lui, mais quelque chose dans son visage les découragea et ils s'éloignèrent. Jamais, dans toutes ses relations avec son ami, Baltazar n'avait tiré autant de plaisir de sa compagnie que dans les quelques semaines qui venaient de s'écouler. L'incompétence et le désenchantement de Sorio, que Nance trouvait si éprouvants, causaient à Baltazar les sensations les plus délicates et les plus exquises. Jamais il n'avait tant aimé son ami… jamais il ne l'avait trouvé si fascinant. Et voilà que, juste au moment où lui, un adepte initié dans l'art de l'amitié, allait enfin cueillir les fruits d'une longue patience et où, après avoir supporté tous les caprices de Sorio, il allait vraiment réussir à le faire dépendre de lui de la façon qu'il prisait le plus, cette maudite fille surgissait pour lui ravir sa proie !

La haine qu'il éprouvait envers Nance en cet instant était si extrême qu'elle balayait et submergeait toute autre émotion. Baltazar Stork était ainsi fait qu'il était capable de haïr avec une violence d'autant plus vindicative que son humeur normale était un tissu d'urbanité et d'indifférence tolérante. La patiente courtoisie de toute une vie, l'art expiatoire d'un long refoulement se vengeaient de tout ce qu'ils lui avaient fait subir. En un sens, il était bon pour lui qu'il *pût* haïr. C'était, dans une certaine mesure, l'instinct de conservation qui lui permettait d'éprouver une telle sensation. Car sous la haine, enfoui dans les profondeurs de son âme, bâillait un gouffre dont le vide semblable à la désolation était pire que la mort. Il ne le voyait pas avec la netteté concrète qui s'était imposée à lui en une occasion, mais il n'en avait pas moins conscience. C'était, en réalité, quelque chose qui était demeuré obscurément caché pendant de longues années sous la dure et joyeuse surface de ses jours. Quelque chose qu'il enfouissait sous les distractions, et dont la présence lointaine avait rendu plus intense son goût pour les petits plaisirs variés, esthétiques ou autres, qu'il avait l'habitude de goûter. Mais cela avait fait plus encore : cela avait rendu insignifiants les réactions morbides et les fantasmes dont son ami souffrait. Baltazar réussissait à paraître calme et d'une froideur de cristal, il semblait capable de faire face avec équanimité à toutes sortes d'horreurs terrifiantes.

Et il était *capable* de les affronter. À l'ombre d'un tel gouffre — pire que les obsessions les plus maladives (car il s'analysait avec une remarquable lucidité) — il était capable de regarder avec mépris le visage de Gorgone de n'importe quelle terreur. Quand il le voulait, il apercevait toujours le gouffre tel qu'il était : comme la désolation du vide, un espace profond et glacial, dépourvu de bruit et de mouvement, de vie et d'espoir et de fin. Il n'y avait pas la moindre touche de folie dans la vision.

Ce qu'il lui était permis de voir, en raison d'une diabolique clarté d'esprit refusée à la majorité de ses amis, c'était simplement l'absurde vérité de la vie, son alchimie glaciale et son inutilité mortelle. La plupart des hommes voient l'existence à travers le flou d'un nuage de passion soit érotique, soit imaginative. Ils souffrent, mais ils souffrent d'une illusion. Ce qui séparait Baltazar du commun des mortels, c'était cette faculté de voir les choses dans une transparence absolue… sans qu'elles soient brouillées par aucun mirage déformant. Ce qu'il voyait ainsi, avec les yeux de l'âme, était l'effroyable solitude de la sienne. Il voyait cet espace vide, creux, glacial, et il savait que c'était la région où habitait son âme, son indicible réalité, sa vérité d'épouvante. C'est pourquoi aucune idée de suicide ne lui vint jamais à l'esprit. Le gouffre était trop profond. En se tuant, il ne ferait que détruire les quelques distractions qui lui assuraient une liberté temporaire. Le suicide ne ferait que le précipiter — telle était, du moins, la conclusion à laquelle il était parvenu — dans les profondeurs de son âme, c'est-à-dire au plus profond de l'abîme auquel il échappait en vivant à la surface de lui-même. Ce dont il avait conscience, sous ses cristallines aménités, c'était d'une sorte de mort vivante ; et on ne se réfugie pas dans la mort pour échapper à la mort.

On comprendra aisément combien lui semblaient risibles les réactions névrotiques de Sorio aux êtres et aux choses. Êtres et choses étaient précisément ce à quoi Baltazar s'accrochait pour échapper à la mer glacée qui s'étendait sous la surface de toutes choses. On imaginera aussi volontiers combien absurdes, fantastiques et irréels lui semblèrent les quelques aperçus que Sorio lui avait donnés de ce qu'il appelait sa « philosophie de la destruction ». Qu'il était pathétique, lamentable et enfantin de vouloir bâtir une philosophie fondée sur l'effort fait pour atteindre l'ultime horreur de cette « mer glaciale » ! Aucun homme sain d'esprit ne voudrait contempler une telle horreur, et la tentative de Sorio prouvait simplement qu'il était fou. Quant aux suggestions vaguement prophétiques de l'Italien en ce qui concernait l'existence possible de quelque chose — les philosophes parlent toujours de *quelque chose* quand ils approchent du *rien* ! — au-delà de « ce qu'on appelle la *vie* », cela semblait à Baltazar pures fadaises poétiques et mysticisme de toqué. Mais il avait toujours patiemment écouté les incohérences de Sorio. Le bonhomme n'aurait pas été lui-même sans sa philosophie démente ! Elle était l'une des charmantes faiblesses qui plaisaient tant à Baltazar. Elle était absurde, évidemment, cette idée d'écrire des livres philosophiques, mais il était prêt à lui pardonner, prêt à écouter jour et nuit les diatribes dithyrambiques de son ami, du moment qu'elles produisaient ce regard d'exultation qu'il trouvait si touchant sur ce visage classique !

Ce « regard d'exultation » sur les traits de Sorio, ce dernier mois, avait été accompagné par une expression d'impuissance à la fois hagarde et désenchantée, et c'était l'union de ces contraires que Baltazar trouvait si irrésistiblement attirante. En fait, durant ces jours d'automne, il se sentit plus près d'Adrian qu'il ne l'avait jamais été de quiconque. Et c'était juste à ce moment, juste quand il était le plus heureux avec son ami, que Nance Herrick avait choisi d'imposer sa maudite influence féminine, et avec ce résultat ! Aussi, il donna libre cours, sans le moindre frein, à sa haine envers la jeune fille. C'était une haine froide, calculée, délibérée, épurée de toute scorie volcanique, mais, telle qu'elle était, elle le possédait en cet instant à l'exclusion de toute autre chose. Tout en guidant, du bout de sa canne, la feuille de sycomore dans la flaque d'eau, il imaginait Nance en train de faire ses achats dans les boutiques de Mundham, le plaisir qui brillait dans ses yeux gris, le plaisir particulier, qui ne ressemble à rien d'autre, qu'une femme éprouve quand elle satisfait à la fois sa passion pour les détails domestiques et sa passion pour son amant !

Il vit, dans les yeux sereins de la jeune fille, un regard de *possession*, le regard de quelqu'un qui, après une longue attente, touche enfin au but désiré.

Il vit les petits éclats d'humour féminin — oh, il les connaissait si bien, ces petits éclats ! —, les bouffées de pudeur, naturelle ou feinte, qu'elle allait avoir, la douce tendresse rêveuse qui passerait dans ses yeux pendant qu'elle achèterait avec Adrian une chose ou une autre délicatement associée à leur nouveau logis. Son imagination alla même au-delà. Il lui sembla entendre Nance parler de lui avec une touche de sympathie et de pitié dans la voix. Il était sûr qu'elle le ferait ! Cela viendrait si à propos et ferait tellement plaisir à Adrian ! Elle lui murmurerait par-dessus la table, dans quelque petit salon de thé — il le voyait comme s'il y était —, combien elle était triste de lui enlever son vieil ami, qui serait seul désormais. Et il voyait le bizarre sourire désorienté, mi-repentant, mi-joyeux, avec lequel Sorio accueillerait cette sympathie désintéressée et penserait en lui-même quelle noble et affectueuse créature c'était, et quelle chance il avait eue de la conquérir. Il vit le soin qu'elle prendrait à ne pas le fatiguer ou l'énerver avec ses achats, coupant l'ennui de la journée par quelques petites promenades autour des pelouses de l'abbaye, peut-être même jusqu'aux péniches et aux quais.

Oui, elle avait gagné. Elle rassemblait le butin, amassait ses possessions ! Était-il possible qu'un sentiment humain, se demanda-t-il un sourire mortel aux lèvres, pût être plus maladivement et plus douloureusement intense que la haine qu'il éprouvait pour cette femme amoureuse, qui n'était que simplicité et naturel ?

Il plongea sa canne dans l'eau boueuse qu'il fit jaillir rageusement de tous les côtés puis, s'avançant jusqu'au milieu de la route, il regarda sa maison vide. C'était donc là qu'il devrait de nouveau vivre seul ! Seul avec lui-même, seul avec son âme, seul avec la vérité de la vie !

Non, c'était trop. Il ne s'y plierait jamais. Autant avaler tout de suite et sans plus divaguer la petite fiole au breuvage soigneusement concocté qu'il gardait sous clé depuis si long-temps ! Après tout, il lui aurait fallu tôt ou tard en venir à cela. Il y avait beau temps qu'il avait décidé que si les choses et les personnes… « les-choses-et-les-personnes » qui lui servaient de drogue quotidienne venaient à lui manquer ou perdaient leur saveur, il franchirait l'irrévocable pas pour mettre fin à la farce. Toutes choses étaient semblables. Toutes choses étaient égales. Il ne ferait que descendre d'un degré vers l'horreur centrale… le grand champ glacé de l'éternité… la plaine sans commence-ment ni fin, glaciale et vide, vide et glaciale ! Il regarda fixement les fenêtres de son cottage. Non, il était impensable d'y vivre de nouveau sans Adrian. Mille petites choses, tirées au hasard de la douce monotonie des jours qu'ils avaient passés ensemble, lui traversèrent l'esprit. Le regard particulier d'Adrian lorsqu'il s'éveillait le matin… l'appétit féroce avec lequel il dévorait les tartines au miel… les intonations brisées, enfantines, suppliantes de sa voix lorsque, après quelque querelle, il le suppliait de lui pardonner… tout cela déferla sur lui en une énorme vague de misère et d'apitoiement. Non… elle ne pouvait pas vaincre. Elle ne pouvait pas triompher. Elle ne pouvait pas, cette sale bête de femme, cueillir les fruits de sa victoire ! Il la tuerait plutôt, puis se tuerait pour éviter les galères. Mais tuer était une revanche niaise et futile. Dans l'art de la haine, seuls les néophytes *tuaient* leurs ennemis. S'il la tuait, cependant, elle ne s'installerait jamais dans sa jolie maison nouvelle avec son cher mari ! Mais, d'un autre côté, ce serait elle qui serait le vainqueur final. Elle n'éprouverait jamais ce qu'il éprouvait à présent. Elle ne le regarderait jamais dans les yeux pour y lire qu'il savait qu'il l'avait vaincue. Il ne *verrait* jamais sa déception. Non… tuer était une erreur, un moyen stupide et mélodramatique à éviter. Les artistes devaient avoir une imagination plus subtile ! Bon, il fallait faire quelque chose, et vite. Peu importait ce que Sorio endurerait, plus il souffrirait mieux ce serait, si seulement lui, Baltazar, pouvait voir, dans les yeux gris de Nance, le regard qui avouait qu'elle était vaincue !

Très tranquillement, très calmement, il rassembla toutes ses forces pour atteindre ce but unique. Sa haine monta jusqu'au niveau de la passion. Il fit le vœu que rien ne l'arrêterait — ni scrupule ni obstacle — jusqu'à l'instant où il verrait le regard de la défaite sur le visage de Nance. Comme toutes les obsessions majeures, comme toutes les grandes pulsions érotiques, son but était lié à une image concrète : l'image de l'expression d'une jeune fille qui, dans l'ultime face-à-face, saurait qu'elle était brisée, réduite à l'impuissance et à sa merci. Enfilant rapidement la Grand-Rue, il traversa l'espace libre près du port et parvint au bord des vagues. Nul doute que la marée venimeuse allait lui donner quelque triomphale idée. La mer — la mer stérile, jamais moissonnée — depuis le commencement du monde était l'ennemi de la femme. Gardien des poissons ! Il éclata de rire à l'idée de Sorio remplissant une telle charge.

— Pas encore, mon ami… pas tout à fait ! murmura-t-il en balayant du regard la tempétueuse étendue des eaux.

Gardien des poissons ! Avec une femme solide, douce et affectueuse pour veiller sur lui ?

— Non, non, Adriano ! s'écria-t-il d'une voix rauque, nous n'y sommes pas encore… nous n'y sommes pas encore tout à fait !

Par un processus mental complexe, il crut apercevoir, pendant qu'il regardait les crinières fumantes des chevaux marins, le visage muet de son ami Flambard, flottant au milieu de la brume de sa chevelure féminine, dans les creux verts de la houle. Il se demanda vaguement ce qu'aurait fait l'hypersubtil Vénitien s'il avait été dupé jusqu'à la garde par une jeune fille comme Nance, et trahi dans la plus profonde passion de son âme. Et soudain surgit à son esprit, non comme une idée claire et distincte, mais dans un obscur lointain, comme à travers une buée venue de très loin — de plus loin même que les perspectives du temps —, ce que Flambard aurait fait.

Il se baissa pour ramasser une longue algue humide et glissante, semblable à un fouet de cuir, et se mit à la caresser. À cet instant, il éprouva la bizarre impression d'avoir fait les mêmes gestes — lui et non Flambard — sur le rivage d'une autre mer, il y avait des années, et même des siècles, et d'être parvenu à la même conclusion. La sensation s'évanouit rapidement, et avec elle l'image de Flambard, mais ce qui lui restait à faire continua de rôder comme un nuage dans sa tête. Il se garda bien de faire sortir l'idée de sa cachette. Il ne l'accepta jamais nettement. C'était un projet si sombrement hideux, qui appartenait à une époque où les « crimes passionnels » étaient beaucoup plus communs et impitoyables qu'aujourd'hui, que même Baltazar, en dépit de la malignité glaciale de sa haine, avait scrupule à le regarder au grand jour. Mais il ne l'écarta pas. Il le laissa s'insinuer en lui et le dominer. C'était comme si un « autre Baltazar », surgi d'un passé aussi lointain que celui de Flambard — et peut-être plus lointain encore —, en lui s'était levé en réponse à cette prière aux eaux inhumaines. Son esprit travaillait avec une extrême et complexe concentration. Il y avait des moments de flottement… des moments où il se retirait sur la frange de l'incertitude. Mais ils étaient de plus en plus rares. Plus que toute autre chose, l'image précise des yeux gris de Nance, emplis d'une douleur infinie, lui avouant sa défaite, et même le suppliant d'avoir pitié, chassait ces moments d'hésitation. Il était prêt à tout, à n'importe quelle horreur, pour

savourer sa vengeance en voyant l'expression qu'elle aurait lorsqu'il la regarderait dans les yeux. Et, après tout, ce qu'il projetait,
tôt ou tard, serait arrivé. C'était en route. Le destin le demandait. La nature de la vie l'exigeait. Les éléments conspiraient
pour que cela fût révélé. Avec une sorte de véhémence — sous
la chute et l'errance des feuilles d'automne — le destin fatal de
Sorio s'y précipitait déjà, la tête la première, prêt à accueillir
la chose et à l'étreindre ! Tout ce que Stork aurait à faire serait
de mettre en branle la roue du destin, de lui donner, du petit
doigt, l'impulsion la plus légère !

Peut-être qu'en agissant de la sorte il sauverait, en fin de
compte, son ami. Si l'esprit d'Adrian sombrait brusquement
maintenant, et que l'on dût, selon cette expression d'épouvante,
le « placer d'office », cela pourrait peut-être sauver son esprit du
désastreux naufrage final. Cet aspect de son projet était certes
trop fantastique, trop ironiquement retors pour qu'il pût l'envisager avec quelque clarté logique, mais il tournait, comme
un oiseau sombre rôdant autour d'une carcasse flottante, à la
lisière de son ignoble intention. Ce qu'il acceptait plus clairement, tandis qu'il retournait vers l'embouchure du port à travers
des monticules de sable jonchés de débris, c'était l'idée qu'après
tout il ne ferait que précipiter une crise inévitable. Sorio était
au bord d'une attaque de monomanie, et peut-être même au
bord de la folie. Tôt ou tard, la crise éclaterait. Alors pourquoi
ne pas anticiper les événements en faisant éclater une crise
qui le sauverait de cette intolérable folie — bien pire que la
démence — qui consistait à se livrer à la femme qui le pour-
suivait ? Et, tandis qu'il remontait dans la petite rue animée, la
dernière image qui persista dans son esprit fut celle du visage
de Nance Herrick, pâle, défaite et impuissante, qui levait les
yeux du sol sous ses pieds pour le regarder fixement.

XXIV

LE VINGT-HUIT OCTOBRE

Baltazar ne fut pas long à mettre en pratique ce qu'il appelait amèrement sa « campagne flambardienne ». Il déserta délibérément son bureau de Mundham et consacra tout son temps à Sorio. Il l'encouragea dans ses plus dangereuses manies, remettant constamment sur le tapis les sujets qu'il savait être pour lui source de trouble et d'agitation, et revenant sans cesse sur les points qui l'ennuyaient ou l'irritaient.

Cependant les jours passaient rapidement et Adrian, bien qu'en proie à une étrange agitation, n'avait publiquement donné aucun signe de folie — et, faute de manifestation publique, le plan diabolique conçu par son ami de le faire interner tomba à l'eau.

Pendant ce temps, les préparatifs de Nance quant à leur mariage et à leur nouvelle installation touchaient presque à leur fin. Trois jours avant la date fixée pour les noces, Nance, qui n'avait disposé que de très peu de temps pour observer l'humeur de sa sœur, s'aperçut soudain, par un furieux après-midi de tempête où elle la raccompagna de l'église à leur logis, que quelque chose clochait sérieusement.

Lorsqu'elles quittèrent le cimetière et se mirent à marcher en direction du pont, Nance crut d'abord que le silence désespéré de Linda était lié à l'aspect sinistre de l'après-midi, mais tandis qu'elles marchaient, le visage battu par le vent et les oreilles emplies par le rugissement de la mer derrière les dunes, elle parvint à la conclusion qu'il y avait une cause plus profonde.

RODMOOR

Mais ce soir-là — le vingt-huit octobre — était certainement suffisamment désolé pour causer une dépression à n'importe qui. Le soleil se couchait au moment où les deux sœurs prirent le chemin de leur logis. Une bande rouge sang, livide et déchiquetée, comme le dos mutilé d'un monstre ensanglanté, barrait l'horizon au-dessus des marais. Le vent gémissait dans les peupliers, sifflait à travers les roseaux et, dans les fossés comme dans les digues, poussait de longs soupirs haletants et mélancoliques, tel un malheureux esprit de la terre. Comme les jeunes filles approchaient du fleuve, quelques lampes vacillantes apparurent l'une après l'autre dans les maisons du bourg, mais les longs traits de lumière tremblants qu'elles projetèrent dans les champs ne firent que renforcer les ténèbres.

— Ne traversons pas tout de suite, dit soudain Linda quand elles atteignirent le pont. Marchons le long de la rive… juste un petit bout de chemin ! Je me sens bizarrement excitée, ce soir. Je suis restée trop longtemps à l'église. S'il te plaît, faisons un petit détour.

À cette heure, la berge était étrangement sombre et mélancolique, mais Nance se dit qu'il valait mieux céder au caprice de sa sœur. Quittant la route, elles s'engagèrent lentement dans le chemin de halage en tournant le dos au bourg. Des bestiaux qui se tenaient serrés près du sentier s'enfuirent au milieu du champ.

Les eaux de la Drôle étaient hautes — la marée remontant vers la mer — et, çà et là, de faibles lumières se reflétaient sur la surface du fleuve, venant des fenêtres de quelques maisons éparpillées sur la rive opposée. Une forte odeur d'algues et de boue saumâtre montait du courant sombre.

— Quels secrets, dit soudain Linda, raconterait cette vieille Drôle si elle pouvait parler ! Pour moi, c'est un fleuve hanté.

Pour toute réponse, Nance se contenta d'ajuster plus étroitement le manteau de sa sœur aux épaules.

— Je ne veux pas dire : dans le sens où il a noyé beaucoup de gens, poursuivit Linda, je veux dire qu'il est lui-même à demi humain.

Elle n'avait pas plus tôt prononcé ces mots qu'une mince silhouette sombre, auparavant appuyée contre la rampe de l'un des nombreux déversoirs qui reliaient les trop-pleins du fleuve aux ruisseaux et aux champs inondés, s'avança soudain vers elles et se révéla être la silhouette de Philippa Renshaw.

Une crainte instinctive fit reculer les deux jeunes filles. Nance fut la première à reprendre ses esprits.

— Vous êtes également dehors, ce soir, dit-elle. Comme Linda était fatiguée d'avoir joué de l'orgue, nous…

Philippa l'interrompit :

— Puisque nous nous sommes *rencontrées*, Nance Herrick, il n'y a aucune raison que nous ne fassions pas un brin de causette. Ou pensez-vous que les gens d'ici trouveraient cela absurde, puisque nous aimons toutes les deux le même homme et que vous allez l'épouser ?

Elle prononça si calmement ces paroles, et d'une voix si étrange, que Nance fut, dans l'instant, trop saisie pour répliquer. Cependant, elle se reprit vite et, saisissant Linda par le bras, fit comme si elle allait passer sans plus lui dire un mot. Philippa ne le permit pas. Avec ce sens du mélodrame qui n'appartenait qu'à elle, elle s'avança lentement et se planta au milieu du chemin. Linda renâcla et tenta de tirer sa sœur en arrière.

Les deux femmes se firent face dans un fiévreux silence. Il faisait trop sombre pour que chacune pût discerner autre chose que les vagues contours du visage de l'autre, mais elles avaient toutes les deux conscience de l'extrême tension qui, telle une vague de force magnétique, à la fois les unissait et les divisait. Nance fut la première à rompre le sortilège.

— Je suis surprise, dit-elle, de vous entendre parler d'amour. Je croyais que cela n'était pour vous qu'un tas d'idioties sentimentales.

La main de Philippa se leva, esquissant un geste rapide et désespéré, presque implorant.

— Miss Herrick, murmura-t-elle d'une voix très basse mais très nette, ce n'est pas la peine. Pas la peine de dire ce genre de choses. Pas la peine de me blesser plus qu'il n'est nécessaire.

— Pars, Nance. Oh, pars, s'il te plaît, ne l'écoute pas ! intervint Linda.

— Miss Herrick, écoutez-moi une seconde ! poursuivit Philippa d'une voix si basse qu'elle en devint presque inaudible. J'ai quelque chose à vous demander, quelque chose que vous pouvez faire pour moi. Ce n'est pas grand-chose. Rien qui puisse vous sembler suspect. C'est une toute petite chose. Rien qui puisse vous contrarier.

— Ne l'écoute pas, Nance, s'écria de nouveau Linda. Ne l'écoute pas.

Philippa poursuivit d'une voix tremblante :

— Je vous supplie, je vous supplie à genoux de m'écouter. Nous ne nous rencontrerons peut-être plus jamais, après. Voulez-vous, Nance Herrick, voulez-vous me laisser parler ?

Linda fit un bond en avant, tremblant de la tête aux pieds de peur et de rage.

— Non, cria-t-elle, elle ne vous écoutera pas. Elle ne le fera pas, elle ne le fera pas.

En proie à un sentiment de lassitude et de dégoût, Nance hésita. Elle avait tellement espéré, tellement prié pour en finir avec ces discussions profondément blessantes.

— Je pense que vous devez comprendre, dit-elle enfin, que vous devez sentir qu'entre vous et moi il ne peut rien y avoir… rien de plus… rien d'autre. Il me semble que la meilleure chose à faire — et vous le reconnaîtrez plus tard — serait de me laisser passer, de me laisser passer et de nous laisser seules. (Tout en parlant, elle s'écarta de Philippa et entoura du bras la taille de Linda.) Dans tous les cas, ajouta-t-elle, il m'est impossible de vous écouter devant cette enfant. Peut-être — mais je ne vous promets rien —, peut-être un autre jour, quand je serai seule.

Elle lança un regard triste, mi-compatissant, mi-réproba-teur, à la frêle silhouette sombre, muette et silencieuse, puis, se détournant rapidement, elle se laissa emmener.

Lorsqu'elles se furent éloignées de quelques pas, Linda fit volte-face.

— Elle ne vous écoutera jamais ! s'écria-t-elle d'une voix perçante, je ne la laisserai jamais vous écouter.

L'obscurité tombante, rendue plus épaisse par les brumes du fleuve, se referma sur elle, et le bruit de leurs pas cessa bientôt d'être perceptible. Philippa, laissée seule, regarda autour d'elle. Du côté des marais, il n'y avait rien qu'une ombre lourde et fluc-tuante d'où émergeaient les formes de quelques saules étêtés, semblables à des spectres frappés de panique. Sur le fleuve lui-même, une faible lueur blanchâtre miroitait à intervalles, comme si quelques tardives dépouilles du jour évanoui, lentes à se noyer, luttaient pour remonter à la surface.

Elle revint s'accouder au parapet du déversoir. Penchée au-dessus de la planche usée par le temps et pourrie par les pluies d'automne, elle scruta le gouffre d'un noir intense. On ne voyait rien que ténèbres. Elle aurait pu aussi bien plonger le regard dans quelque insondable puits menant aux cavernes du centre de la terre.

Une vague humide d'air mortellement froid lui frappa le visage et, du lourd volume d'eau tourbillonnant dans les ténèbres, monta un rugissement qui gargouilla dans le vide et lui emplit les oreilles. Elle sentit l'odeur de l'eau invisible, semblable à

379

celle de feuilles mortes noires chassées d'une flaque d'eau vers le cœur d'une forêt.

Tandis qu'elle était penchée en avant, la poitrine pressée contre la barre de bois dont elle étreignait l'extrémité de ses longs doigts minces, un vers, lu quelque part — elle ne se rappelait pas où —, lui traversa l'esprit et ses lèvres lui firent machinalement écho. « Comme un loup, aspiré dans un déversoir », disait le vers, et elle le répéta encore et encore.

Cependant, de retour sur le pont, Nance faisait de son mieux pour apaiser et calmer sa sœur. La soudaine apparition de Philippa semblait avoir plongé la cadette dans un paroxysme de furie.

— Oh, je la hais, ne cessait-elle de crier, je la méprise et je la hais !

Nance était sidérée par le comportement de Linda. Elle ne l'avait jamais vue donner libre cours à de tels accès. Lorsque, enfin de retour à leur logis, Nance la vit se déshabiller et se préparer comme d'habitude pour le repas du soir, elle lui demanda de but en blanc ce qu'elle avait et pourquoi aujourd'hui, en ce vingt-huit octobre, elle s'était soudain comportée de manière si différente.

Linda, qui se tenait bras nus devant le miroir et passait un peigne dans son opulente chevelure, fit une brusque volte-face.

— Tu veux le savoir ? Tu veux vraiment le savoir ? s'écria-t-elle en rejetant la tête en arrière et en se tenant les cheveux dans les mains. C'est à cause de Philippa *qu'il* m'a abandonnée ! À cause de Philippa qu'il ne me voit ni ne me parle plus depuis un mois ! À cause de Philippa qu'il ne répond pas à mes lettres et ne me donne plus rendez-vous ! À cause de Philippa que maintenant… maintenant que j'ai le plus besoin de lui (et elle flanqua le peigne par terre et se jeta sur le lit), il refuse de me voir ou de me parler.

— Comment sais-tu que c'est à cause de Philippa ? demanda Nance, indiciblement peinée de découvrir qu'en dépit de tous ses efforts Linda était toujours aussi obsédée par Brand.

— C'est *lui* qui me l'a dit, répondit la cadette. Ce n'est pas la peine de me questionner davantage. Elle le tient en son pouvoir et s'en sert contre moi. Si ce n'était elle, il m'aurait déjà épousée.

Elle s'assit au bord du lit et regarda sa sœur avec de grands yeux tragiques, profondément enfoncés dans les orbites.

— Oui, reprit-elle, si elle n'était pas là, il m'épouserait sur-le-champ... aujourd'hui... et, oh, Nance, je le veux tellement ! Tellement !

En présence de ce cri du cœur, Nance se sentit oppressée et misérablement impuissante. Faisant des yeux le tour de la chambre, où les divers préparatifs attestaient qu'elle allait la quitter pour assurer son propre bonheur, elle eut l'impression subtile d'avoir, une fois de plus, trahi la malheureuse enfant. Elle ne le connaissait que trop bien, ce manque qui est une faim torturante... ce cri de la chair et du sang, et du cœur et de l'amour, pour ce que la destinée éternelle a mis hors de notre atteinte !

Et elle ne pouvait rien faire pour l'aider. Que *pouvait*-elle faire ? Pour la première fois de sa vie, tandis qu'elle regardait cette jeune silhouette misérable l'implorant muettement d'accomplir un miracle, Nance ressentit une vague indignation informulée contre l'ordre d'un monde qui rendait possible ce genre de souffrance. Si seulement *elle* était une puissante et tendre déesse, combien elle se hâterait de mettre fin à toutes ces affaires de sexe qui rendaient l'existence si intolérable !

Pourquoi les gens ne pouvaient-il pas naître dans un monde semblable à celui des arbres ou des plantes ? Et, une fois né, pourquoi l'amour ne pouvait-il pas créer d'instinct la réponse à la passion qui le consumait, au lieu de se cogner la tête contre des murs cruels ou de se brûler à l'irrésistible flamme ?

— Nance ! s'écria soudain la jeune fille. Nance ! Viens ici. Viens près de moi, je voudrais te dire quelque chose.

L'aînée obéit. Elle ne mit pas longtemps — car, quoiqu'il soit difficile de briser le silence, ces choses-là sont vite dites — à apprendre le pire. Linda, qui avait serré sa sœur dans ses bras et caché contre elle son visage, lui avoua qu'elle attendait un enfant. Nance bondit.

— Je vais aller le voir ! s'écria-t-elle. Je vais aller le voir sur-le-champ ! Bien sûr qu'il doit t'épouser. Il le faut ! Il le faut ! J'irai le voir. J'irai chez Hamish. J'irai chez Adrian… chez Fingal ! Il *doit* t'épouser, Linda. Ne pleure pas, petite fille. Je vais tout arranger. Il *faut* que tout s'arrange ! J'irai le voir ce soir même.

Une légère rougeur envahit les joues pâles de Linda et une lueur d'espoir apparut dans ses yeux.

— Crois-tu vraiment qu'il y a une chance ? Est-il *possible* qu'il y ait une chance ? Non, non, chérie, je sais qu'il n'y en a pas… je sais qu'il n'y en a aucune.

— Qu'est-ce qui t'en rend si sûre, Linda ? demanda Nance en changeant rapidement de robe et en se versant un verre de lait.

— C'est Philippa, répliqua l'autre à voix basse. Oh, combien je la hais ! Combien je la hais ! poursuivit-elle en une sorte de refrain gémissant, tout en tordant ses longs cheveux entre ses doigts et en faisant de petits nœuds avec le bout des mèches.

— Bon, je sors, ma chérie, s'écria enfin Nance en terminant son verre de lait et en ajustant ses épingles à chapeau. Je vais chez lui de ce pas. Je passerai peut-être prendre Adrian, ou pas. Je verrai. Et il est *possible* que j'aie un ou deux mots avec Philippa. J'ai des chances de la rattraper si j'y vais maintenant. Elle n'a pas dû rester très longtemps au bord du fleuve.

Linda se précipita sur elle et la serra dans ses bras.

— Ma chérie à moi ! murmura-t-elle, que tu es bonne… que tu es bonne ! Tu sais, j'avais *peur* de te le dire… peur que tu sois fâchée et honteuse, et que tu ne me parles pas pendant des jours. Mais, oh, Nance, je l'aime tellement ! Je l'aime plus que ma vie… plus que ma vie *même maintenant* !

Nance l'embrassa tendrement.

— Tu te feras du thé, n'est-ce pas, ma chérie ? Nous dînerons quand je reviendrai et ce sera… j'espère… avec de bonnes nouvelles pour toi ! Au revoir, ma douce ! Fais des prières pour moi, ne t'inquiète pas si je reviens tard, et prends ton thé tranquillement !

Elle l'embrassa de nouveau et, après un ultime petit signe d'adieu accompagné d'un sourire encourageant, elle quitta la pièce et descendit l'escalier en courant. Elle marcha lentement jusqu'au bout de la rue, la tête penchée, se demandant si elle prierait Adrian de l'accompagner chez les Renshaw ou si elle irait seule.

Les événements décidèrent pour elle. En débouchant sur le pré, elle tomba soudain sur Sorio et sur Philippa. Ils se retournèrent tous les deux quand ils perçurent son approche dans la flamme vacillante d'un réverbère balayé par le vent. Ils se retournèrent et l'attendirent sans prononcer un mot.

Et sans un mot — comme dans un rêve, ce qui est la façon d'être des humains quand survient une crise dans leur vie, quand le destin, telle une présence tangible, les fait se mouvoir en les tenant par la main — ils se dirigèrent tous les trois vers les grilles du parc. Et aucun d'eux ne prononça la moindre parole avant d'avoir franchi les grilles et cheminé longtemps dans cette allée sombre et solitaire.

Alors Philippa rompit le silence :

— Je peux lui répéter ce que je viens de te dire, Adrian… n'est-ce pas ?

Sorio marchait entre elles dans l'obscurité épaisse, pleine de l'odeur lourde des feuilles trempées par la pluie. Nance lui tenait déjà le bras et, lorsqu'il parla, les doigts de Philippa cherchèrent les siens et elle lui saisit fiévreusement la main.

— Tu peux dire ce que tu veux, Phil, marmonna-t-il, mais tu vas voir qu'elle va te répondre… exactement ce que je viens de te dire.

Leur ton d'intimité frappa Nance au cœur comme un coup de poignard. Depuis un moment — en fait, depuis qu'elle l'avait laissée près du déversoir — elle éprouvait moins d'antagonisme que de pitié envers sa rivale vaincue. Mais ce *elle* dont ils la gratifiaient tous les deux semblait la repousser et la faire sortir du cercle mystérieux de leur complicité. Le cœur de Nance se durcit violemment. Est-ce que cette fille possédait un pouvoir menaçant et inconnu ?

— Je demandais à Adrian, dit Philippa d'une voix posée tandis que la brûlante pression de ses doigts sur la main de l'homme indiquait l'effort que lui coûtait ce calme, si vous seriez suffisamment généreuse et noble pour me le laisser pendant son dernier jour de liberté… le dernier jour avant votre mariage. Seriez-vous assez magnanime pour le faire ?

— Que voulez-vous dire par "me le laisser" ? murmura Nance.

Philippa éclata d'un rire perçant, qui avait quelque chose de surnaturel.

— Oh, vous n'avez pas besoin d'avoir peur ! s'exclama-t-elle. Pas besoin d'être jalouse. Je voulais seulement dire : le laisser m'accompagner toute la journée… pour une longue promenade, vous voyez… ou quelque chose dans le genre… peut-être un tour en barque sur le fleuve. Peu importe quoi, du moment que je sais que ce jour est *le mien*, mon jour *avec lui*… le dernier, et le plus long !

Elle se tut, fiévreuse, se détortillant et s'entortillant les doigts dans ceux de son compagnon, le souffle semblable à un halètement rapide. Nance demeura également silencieuse et ils s'avancèrent tous les trois dans la lourde obscurité fragrante.

— Vous avez tous les deux l'air de vous être mis parfaitement d'accord, fit enfin remarquer Nance. Je ne vois vraiment pas pourquoi vous avez besoin de mon avis. Adrian, bien sûr, est entièrement libre de faire ce qui lui plaît. Je ne vois pas ce que j'ai à y voir !

Les doigts brûlants de Philippa serrèrent plus fort ceux de Sorio lorsqu'elle essuya cette rebuffade.

— Tu vois ! murmura-t-elle sur un ton qui mordit la chair de Nance comme les crochets d'une vipère. Tu vois, Adriano !

Haussant les épaules, elle partit d'un rire bas et vengeur.

— Elle est une femme accomplie, ajouta-t-elle avec une cinglante emphase. Elle est ce que ma mère appelle une "bonne fille" : douce, tendre et sensible. Mais nous ne devons pas trop en attendre, n'est-ce pas, Adrian ? Je veux dire : en ce qui concerne la générosité.

Nance lâcha le bras de son promis et ils continuèrent à marcher en silence.

— Tu vois ce qui t'attend, mon ami, reprit Philippa. Une fois marié, ce sera toujours comme ça. C'est ce que tu ne sembles pas comprendre. C'est une erreur, je l'ai souvent dit, ce mélange des classes.

Nance ne put se retenir plus longtemps.

— Puis-je vous demander le sens de cette dernière remarque ? murmura-t-elle.

Philippa éclata d'un rire léger.

— Il n'y a pas besoin de faire un dessin. Adrian, bien sûr, est d'un très vieux sang, et vous… vous vous trahissez tout naturellement par ce manque de noblesse, cette jalousie des classes moyennes !

Nance se retourna fièrement vers eux et, saisissant le bras de Sorio, explosa sur un ton passionné.

— Et *vous* ! Pour qui vous prenez-vous, *vous* qui êtes prête à faire n'importe quoi comme une fille des rues pour attirer l'attention d'un homme, et le séduire en jouant d'une simple attraction physique morbide ? Pour qui vous prenez-vous, *vous* qui êtes prête, comme vous l'avez dit vous-même, à *partager* un homme avec quelqu'un d'autre ? Croyez-vous que *cela* soit un signe de bonne éducation ?

Philippa rit de nouveau.

— C'est le signe en tout cas que je suis libérée de cette stupide respectabilité bourgeoise collet monté dont Adrian va connaître le goût ! Votre sarcasme — "une fille des rues" — montre la classe à laquelle vous appartenez, Nance Herrick ! Nous ne disons pas de telles choses. C'est ce que l'on entend chez les gens du peuple.

Les doigts de Nance s'enfoncèrent de façon presque blessante dans le bras de Sorio.

— C'est mieux que d'être ce que *vous* êtes, Philippa Renshaw, éclata-t-elle. Mieux que d'aider délibérément son frère à déshonorer d'innocentes jeunes filles — oui, et à prendre plaisir à le voir les déshonorer —, à se moquer d'elles avec cruauté en leur faisant honte et à l'empêcher de leur rendre justice ! C'est mieux que ça, Philippa Renshaw, bien que ce soit *sans doute* ce qu'éprouvent les femmes simples de cœur comme d'esprit. C'est mieux que d'en être réduite par une passion aveugle à venir mendier à genoux "un dernier jour" comme vous l'avez fait ! C'est mieux que *cela*... bien que ce soit *sans doute* ce qu'éprouvent les gens primaires !

Dans la main de Sorio, les doigts de Philippa devinrent soudain raides et gourds.

— Savez-vous, murmura-t-elle, vous la femme "convenable" — si c'est ainsi que vous vous définissez —, qu'il y a moins de deux heures, quand vous m'avez laissée au bord du fleuve, j'ai été à deux doigts de me noyer ? Je suppose que les femmes "convenables" ne courent jamais un tel risque ! Elles le laissent aux "filles des rues" et... et... et à nous autres !

Nance se tourna vers Sorio :

— Ainsi, elle t'a dit qu'elle avait voulu se noyer ? J'étais sûre qu'il s'agissait de quelque chose de ce genre ! Et je suppose que tu l'as crue. Je suppose que tu la crois toujours !

— Et il *vous* croit toujours ! s'écria Philippa. Oui, il est toujours trompé, ce grand niais, par vos manières sensibles et votre touchante pureté ! Ce sont des femmes comme vous, sans imagination ni intelligence, qui sont la mort des hommes de génie. Car vous vous en *souciez*, de son travail ! Car vous les *comprenez*, ses pensées ! Oh oui, vous pouvez le prendre et le cajoler et le gâter, mais, pour l'essentiel, *vous* n'êtes pour lui qu'une Cendrillon du foyer ! Et pas seulement une Cendrillon ! Vous êtes un boulet, un fardeau, un poids mort ! Une masse de décence et de bons sentiments qui l'attire vers le bas. Il ne sera plus capable d'écrire la moindre ligne dès que vous aurez mis le grappin sur lui !

Nance savait que répondre à cela.

— Je préférerais qu'il n'écrive jamais une autre ligne, s'écria-t-elle, et garde toute sa tête, plutôt que de le laisser sous *votre* influence et vous voir le rendre fou... vous et votre maladive, morbide et perverse imagination !

Les deux voix, montant et retombant en une lamentable litanie d'antagonisme primordial — aussi cruel que la vie et plus profond que la mort —, flottaient autour de la tête de Sorio, dans l'obscurité parfumée, comme deux courants contraires de poison. Harassé par de longs débats irritants avec Baltazar, il était trop obsédé, trop troublé par mille doutes confus, pour avoir l'énergie ou la présence d'esprit de mettre fin à cette querelle qu'autrement il n'aurait pas pu supporter jusqu'à ce point. Les nerfs ébranlés par les artifices corrosifs de Baltazar, il se sentait, sous le poids de ces arbres lourds de pluie et dans ces épaisses ténèbres, comme dans une sorte de transe, qui le paralysait et lui interdisait de lever le petit doigt. Lui revint, de façon mi-sauvage, mi-teintée d'humour, le souvenir d'une conversation qu'il avait eue — avec qui et en quelle occasion, il avait l'esprit trop confus pour s'en souvenir — et au cours de laquelle il avait soutenu la théorie idéaliste qu'un jour viendrait où il n'y aurait plus de jalousie sexuelle sur la terre.

Mais, tandis que les deux femmes continuaient à se blesser dans leurs sentiments les plus intimes, chacune pressant inconsciemment le pas en crachant ses sarcasmes et l'entraînant dans leur sillage, Sorio eut l'impression d'assister à un combat cosmique, à sa manière aussi inhumain et aussi primordial que celui du vent et de l'eau. Avec cette idée en tête, la façon qu'elles avaient de se déchirer commença à lui procurer un plaisir sauvage et fantastique. Ce n'était pas de l'esthétisme — il était trop pris et avait l'esprit trop secoué. Mais il y avait dans l'instant comme une sorte d'exultation sinistre, comme une sorte de coup d'œil glissé en passant dans la « cave » interdite de la Nature, où les éléments premiers s'affrontaient en un conflit éternel.

Inspiré par cette étrange idée, il répondit à la pression des doigts de Philippa, entoura du bras la silhouette tremblante de sa promise et, attirant les deux filles à ses côtés, les mit pour ainsi dire face à face.

Elles poursuivirent leur impitoyable querelle, presque inconscientes, à ce qu'il semblait, de la présence de l'homme qui en était la cause, et sans forces pour résister à celle avec laquelle il les rapprochait progressivement.

Soudain, le vent, qui était un peu tombé depuis une heure, se leva de nouveau en une violente et furieuse rafale. Il tira de toutes ses forces sur les branches au-dessus de leurs têtes, puis gémit et pleura dans les buissons qui les entouraient. Des gouttes de pluie, retenues dans l'épaisseur des feuillages, leur éclatèrent soudain au visage et, dans le lointain, avec un long grondement menaçant qui semblait venir d'une région inconnue livrée à la panique et au désastre, leur parvint le roulement du tonnerre.

Sorio, lâchant la main de Philippa, lui entoura les épaules et la rapprocha, elle aussi, de lui. Les deux jeunes filles enlacées dans les bras de l'homme, le trio poursuivit sa marche titubante, fouetté par le vent et entouré par les bruits vagues des bois, qui montaient et retombaient mystérieusement dans les impénétrables ténèbres.

Les puissances de la terre paraissaient lâchées, et d'étranges courants magnétiques, se heurtant violemment aux antipodes, se déchaînaient autour d'eux, leur tirant le cœur à hue et à dia. Le roulement du tonnerre, les bruits sauvages de la nuit, l'étrange et noire houle de la haine primitive qui, à la fois, divisait et unissait ses compagnes firent irruption dans le cerveau de Sorio et l'emplirent d'une sorte de poison.

On aurait pu les prendre, tous les trois, si l'horloge du temps avait donné l'heure d'il y a deux mille ans, pour des adorateurs déments de Dionysos suivant leur dieu dans quelque folle et inhumaine bacchanale.

Sous l'empire d'une sorte de frénésie inspirée par la tempête, tandis que le vent sifflait en poussant des cris perçants dans l'allée et, en gémissant, leur soufflait au visage, Sorio fit soudain halte.

— Venez, petites folles, s'écria-t-il, cessez d'être absurdes ! Allez… embrassez-vous. Embrassez-vous et priez Dieu d'être vivantes et libres et conscientes, et non simple matière inerte comme ces feuilles mortes qui s'envolent !

Tout en parlant, il recula d'un pas et, d'un mouvement de ses bras puissants, mit les deux jeunes filles face à face. Nance résista de toutes ses forces en se débattant violemment. Secouée par un étrange petit rire, Philippa demeura passive.

— Embrassez-vous ! s'écria-t-il de nouveau. Êtes-vous en train de le faire ou non ? Il fait trop sombre, je n'y vois goutte !

Perdant soudain sa passivité, Philippa glissa comme un serpent entre les bras de Sorio et s'enfuit parmi les arbres.

— Je te la laisse ! leur cria-t-elle dans l'obscurité. Je te l'abandonne ! Tu ne la supporteras pas longtemps. *Et que fera Baptiste*, Adriano ?

Ce dernier mot calma Sorio et lui fit reprendre ses esprits. Il poussa un profond soupir.

— Eh bien, Nance, dit-il, nous rentrons ? Ce n'est pas la peine de l'attendre. Elle trouvera son chemin jusqu'à Chênegarde. Elle connaît ces bois par cœur.

Il soupira de nouveau, comme si, en cet instant fatal, il disait adieu à ces bois et à la jeune fille qui les connaissait.

— *Tu* peux rentrer si tu veux, répondit sèchement Nance. Moi, je dois parler à Brand.

Et elle l'informa brièvement de ce que Linda lui avait appris. Sorio lui saisit la main et la serra furieusement.

— Oui, oui, s'écria-t-il, oui, oui, allons-y ensemble. Il a besoin d'une leçon… ce Brand ! Viens, allons-y ensemble.

Marchant d'un pas rapide, ils virent bientôt la fin de l'allée et l'entrée du jardin. Comme Sorio ouvrait les grilles de fer, un coup de tonnerre, suivi de plusieurs détonations lumineuses, éclata au-dessus de leurs têtes. L'éclair qui succéda au bruit illumina de façon saisissante la silhouette sombre de la maison, ainsi qu'une longue et spectrale rangée de dahlias aux tiges courbées par la pluie et dont les fleurs étaient en train de se faner.

Nance eut le temps de saisir, sur le visage d'Adrian, un regard qui lui donna la prémonition d'un danger. Si elle n'avait pas été elle-même sous le coup de son altercation avec Philippa, elle aurait probablement été avertie à temps et aurait fait marche arrière, remettant à plus tard son entretien avec Brand, lorsqu'elle pourrait le voir seule à seul. Mais elle se sentit poussée en avant par une force à laquelle elle fut incapable de résister. C'était maintenant… c'était tout de suite qu'elle devait voir celui qui avait séduit sa sœur.

Une lumière, brûlant derrière de lourds rideaux à l'une des nombreuses fenêtres à meneaux de la façade, leur permit de monter les marches. À l'instant où Nance sonna, un second coup de tonnerre, plus lointain cette fois, fut suivi d'un éclair fulgurant, qui mit en relief les grands espaces du parc et les bosquets de chênes monumentaux. Par quelque étrange disposition mentale, inexplicable par l'analyse, Nance vit clairement devant ses yeux le petit almanach religieux que Linda avait épinglé au-dessus de la coiffeuse, et, sur cet almanach, elle lut la date — le vingt-huit octobre — imprimée en chiffres romains.

Nance donna leurs noms au serviteur qui ouvrit la porte et demanda à être reçue par M. Renshaw.

— *Monsieur* Renshaw, ajouta-t-elle avec emphase, et dites-lui s'il vous plaît que c'est urgent et très important.

L'homme les fit courtoisement entrer et leur demanda de s'asseoir dans le vestibule pendant qu'il allait chercher son maître. Il revint quelques instants plus tard et les introduisit dans la bibliothèque, où Brand vint bientôt les rejoindre.

Pendant qu'ils attendaient, tant dans le vestibule que dans la pièce, Sorio était resté taciturne et inerte, plongé dans un noir accès de mélancolie, le menton appuyé contre le pommeau de sa canne. Il avait refusé que le serviteur lui prît et sa canne et son chapeau, et il les avait toujours, assis près de Nance, broyant du noir d'un air maussade, en face de la cheminée sculptée.

Ils se levèrent tous les deux à l'entrée de Brand, mais il les pria de demeurer assis et, tirant une chaise près de l'âtre, les dévisagea d'un air grave.

À cet instant ils entendirent un autre roulement de tonnerre, cette fois-ci très lointain, à plusieurs kilomètres en direction de la mer.

Les premiers mots de Brand furent accompagnés par une rafale de pluie contre la fenêtre et par les sifflements de quelques lourdes gouttes de pluie qui, tombant dans la vieille cheminée, crachèrent en sifflant sur les braises.

— Il me semble deviner, dit-il, pourquoi vous êtes venus me voir. Je suis content que vous soyez venus — surtout vous, Miss Herrick —, car cela simplifie grandement les choses. Il est devenu nécessaire que nous ayons, vous et moi, une explication. Je me la dois à moi-même autant qu'à vous. Bah ! Quelle absurdité ! Il ne s'agit ni de "devoir", ni d'"expliquer". Je le lis très clairement (il éclata d'un joyeux rire d'enfant) sur vos visages ! Il s'agit de décider, en voyant nettement toutes les conséquences, ce qui sera le mieux pour le bonheur de votre sœur.

— Elle ne m'a pas envoyée…, se hâta de dire Nance.

— Ce qu'il faut que vous compreniez, vous, Renshaw…, marmonna Adrian d'une étrange voix rauque, en se nouant et se dénouant les doigts.

Brand les interrompit tous les deux.

— Excusez-moi, s'écria-t-il, mais vous ne voudriez pas, je suppose, ni l'un ni l'autre, causer de choc à ma mère ? C'est absurde, évidemment, et démodé, et tout ce que vous voudrez, mais cela la *tuerait*.

Il se leva tout en parlant et détacha nettement chaque syllabe.

— Si elle avait le moindre soupçon de ce dont nous sommes en train de parler, elle recevrait un choc qui la tuerait. Aussi, si vous n'y voyez pas d'objection, nous poursuivrons cette discussion dans l'atelier.

Il se dirigea vers la porte. Sorio le rejoignit en quelques enjambées.

— Vous devez comprendre, Renshaw…, commença-t-il.

— Si cela blesse tant votre mère, se hâta de dire Nance, qu'est-ce que Linda doit souffrir ? Vous n'avez pas pensé à cela, Monsieur Renshaw, quand vous…

Brand pivota sur les talons.

— Vous me direz tout cela, tout ce que vous souhaitez me dire… tout, vous m'entendez, tout ! Seulement il faut que ce soit, *et ce le sera*, dans un endroit où elle ne puisse pas nous entendre. Attendez que nous soyons seuls. Nous le serons dans l'atelier.

— Si cet "atelier", marmonna Sorio en l'empoignant sauvagement par le bras, n'est qu'un attrape-nigaud, vous feriez mieux de…

— Silence, espèce d'idiot ! chuchota l'autre. Ne pouvez-vous pas l'arrêter, Miss Herrick ? Si ma mère entend, c'est du meurtre !

Nance s'interposa rapidement.

— Guidez-nous, Monsieur Renshaw, dit-elle. Nous vous suivons.

Il leur fit traverser le vestibule, puis un long couloir faiblement éclairé. Au bout du couloir, il y avait une lourde porte lambrissée. Brand sortit une clé de sa poche et, après quelques tentatives infructueuses, fit tourner la serrure et s'effaça pour les laisser entrer. L'« atelier » dont il avait parlé n'était ni plus ni moins que la vieille chapelle privée de Chênegarde, dissociée depuis des siècles de tout usage religieux.

Nance jeta un coup d'œil sur le plafond sculpté soutenu par des encorbellements en lobes. Les vitraux, situés à une grande hauteur au-dessus du sol, étaient emplis de croisillons gothiques, mais à la place des scènes bibliques les losanges portaient les armoiries de générations de Renshaw. Au bout de la chapelle était aménagé un espace un peu surélevé, où autrefois se trouvait l'autel mais qui était à présent occupé par une table de menuisier couverte de lattes et de copeaux de bois.

Au milieu de la chapelle, l'espace était nu, à l'exception de quelques chaises cannées disposées en cercle, comme les sièges d'un Colisée miniature.

Brand les désigna à ses visiteurs, mais pas plus Nance que Sorio ne semblaient disposés à saisir l'occasion de s'asseoir. Ils restèrent donc debout tous les trois sur le sombre parquet de chêne poli. En entrant dans la chapelle, Brand avait allumé un cierge dans la longue file de chandeliers de bois au bord de ce qui ressemblait à des stalles. À présent, quittant ses compagnons, il se mit délibérément à les allumer les uns après les autres. Ainsi illuminé, l'endroit avait une inquiétante et confuse étrangeté.

Des pots de fleurs brisés sur le sol, ainsi qu'un ou deux outils de jardinage rouillés, s'associaient à la présence des chaises cannées pour donner l'impression d'une sorte de « Petit Trianon », ou de pavillon seigneurial, où avait abouti, au fil des années, une foule d'objets mis au rebut.

Dans les vitraux, à la lumière des cierges, les armoiries avaient un air presque « collégial », comme si la pièce était la vieille salle à manger d'un ordre monastique. La table de menuisier, qui était surélevée, avec derrière elle un tableau à l'italienne aux couleurs vagues inséré dans le lambris, procura à Nance une sensation très étrange. Où avait-elle déjà vu un effet semblable ? Dans un tableau... ou dans la réalité ?

Mais la jeune fille n'avait pas le cœur à analyser ses émotions. Il y avait trop de choses en jeu. La pluie, qui tambourinait bruyamment sur le toit de la bâtisse, parut lui rappeler sa tâche. Elle fit résolument face à Brand, qui revenait vers eux sur le parquet luisant.

— Linda m'a tout raconté, dit-elle. Elle va avoir un enfant, et vous, Monsieur Renshaw, vous en êtes le père.

Avec une sourde exclamation, Sorio s'approcha de Brand d'un air menaçant. Sans y prêter attention, ce dernier continua de regarder Nance droit dans les yeux.

— Miss Herrick, dit-il calmement, vous êtes une femme intelligente, pas du genre, je crois, à céder à un sentimentalisme hystérique. Je veux discuter cette affaire avec vous en toute liberté et en toute franchise, mais je préférerais de loin que votre mari... je vous demande pardon... que M. Sorio nous laisse parler sans nous interrompre. Je n'ai pas un temps illimité. Ma mère et ma sœur vont m'attendre pour dîner ou envoyer des gens me chercher, peut-être même venir elles-mêmes. Il est donc évident qu'il est dans notre intérêt commun — particulièrement dans celui de Linda — de ne pas perdre notre temps à bluffer.

Nance se tourna rapidement vers son fiancé :

— Tu entendras tout ce que nous dirons, Adrian, mais si cela doit rendre les choses plus faciles peut-être que...

Sans un mot, obéissant muettement au sourire triste de la jeune fille, Sorio se retira et s'assit sur l'une des chaises d'osier, serrant sa lourde canne entre ses genoux.

La pluie continuait sans interruption de tomber sur le toit plombé et, au-dessus d'une fenêtre, ils entendaient un grand jet d'eau dégouliner d'une gouttière le long du mur.

Brand parla à voix basse sur un rythme rapide, sans le moindre embarras ni la moindre honte :

— Oui, Miss Herrick, ce qu'elle dit est parfaitement vrai. Mais venons-en tout de suite aux faits, sans nous embarrasser de ces vitupérations morales qui ne font que boucher les issues. Vous êtes, sans aucun doute, venue ici avec l'idée de me demander d'épouser Linda. Non ! Ne m'interrompez pas. Laissez-moi finir. Je veux vous dire ceci : comment savez-vous, si j'épouse Linda, qu'elle sera *vraiment* plus heureuse qu'elle l'est aujourd'hui ? Supposez que je vous dise que je vais l'épouser... disons, demain... est-ce que *cela*, en y réfléchissant de sang-froid, vous rendrait vraiment heureuse pour son avenir ?

« Allons, Miss Herrick ! Oubliez un moment votre colère contre moi. Si vous pensez que je suis un être dangereux et un homme mauvais, cela fera-t-il de moi un mari acceptable pour votre sœur ? Votre réaction est très compréhensible — c'est la réaction naturelle de quiconque protège une jeune fille blessée —, mais persistera-t-elle à la lumière d'une réflexion plus posée ? Disons que je suis un homme égoïste et sans scrupule qui a séduit une jeune fille. Très bien ! Vous voulez me punir de ma mauvaise conduite. Et comment vous y prenez-vous ? En me jetant votre sœur dans les bras ! En me livrant de votre propre initiative — à moi qui, comme vous avez pu le voir, suis un scélérat sans scrupule — l'être auquel vous tenez le plus au monde ! Est-ce là la punition que je mérite ? En un instant vous m'ôtez tout remords, car personne n'éprouve plus de remords *après* avoir été puni. Et vous me livrez la victime, pieds et poings liés, entre les mains.

« Linda peut avoir suffisamment d'amour pour moi pour être heureuse de m'épouser indépendamment du problème de sa réputation. Mais vous, qui me connaissez sans doute mieux que Linda, serez-vous heureuse de la laisser entre mes mains ? Votre idée est sans doute que je l'épouse et que je me sépare d'elle. Mais supposez que je ne veuille pas me séparer d'elle ? Et supposez qu'elle ne veuille pas se séparer de moi ?

« Nous y voilà — liés ensemble pour la vie — et elle, qui est la plus faible des deux, devra supporter les conséquences du pacte maudit ! *Cela* ne sera pas me punir, Nance Herrick, pas plus que ce ne sera pour elle une compensation. Ce sera simplement pour l'un de nous un ennui temporaire et un misérable malheur pour l'autre !

« Est-ce cela que vous souhaitez en intercédant pour elle ? Il est absurde de prétendre que vous me croyez aussi transi d'amour pour Linda qu'elle l'est pour moi, et qu'en nous mariant vous lui enlevez les épines du chemin et l'installez dans le bonheur pour la vie. Vous me voyez comme un sensuel, égoïste et froidement calculateur, et, pour me punir de ce que je suis, tout ce que vous trouvez, c'est de remettre le bonheur de Linda entièrement entre mes mains !

« Évidemment, je vous parle ainsi en sachant que, quels que soient vos sentiments, vous réagirez comme une dame. Toute autre femme se contenterait de considérer l'aspect matériel de la question, et l'avantage pour votre sœur de devenir maîtresse de Chênegarde. *Cela*, je le sais, n'entre pas un instant en ligne de compte, ni pour vous ni pour elle. Ne croyez pas que j'ironise ou que je veuille être insultant. Je dis simplement la vérité.

« Pardonnez-moi, Miss Herrick ! Avoir simplement mentionné cela est indigne aussi bien de vous que de moi. Je suis, comme vous pouvez le comprendre — et probablement plus que vous ne le pouvez —, ce que le monde appelle un "homme sans scrupule". Mais personne ne m'a jamais accusé de m'aplatir devant l'opinion publique ou de tenir compte de ma position sociale. Tout cela m'est aussi indifférent que ce l'est pour vous ou pour Linda. Si j'en tenais compte, je l'épouserais demain. Ma mère, vous le savez sûrement, espère que je l'épouserai… elle le souhaite et fait des prières pour cela. Ma mère n'a jamais accordé la moindre pensée, et n'en accordera jamais la moindre, à l'opinion du monde. Ce n'est pas dans sa nature, comme vous le comprenez sûrement. Nous, les Renshaw, nous avons toujours suivi notre chemin et fait ce qui nous plaisait. C'est ce que mon père a fait… ce que Philippa fait, et ce que je fais.

« Allons, Miss Herrick ! Essayez un instant d'oublier votre colère contre moi. Supposez que vous me convainquiez d'épouser Linda, et Linda de m'épouser ; cela changerait-il quelque chose à ma nature ? Nous, les Renshaw, ne changeons jamais, et *moi* pas plus que les autres, vous pouvez en être sûre ! Je ne le *pourrais* pas, même si je le voulais. Mon sang, ma race, les instincts de mon père sont trop profondément enracinés en moi. Nous sommes un clan diabolique, Nance Herrick, un clan diabolique, particulièrement dans nos relations avec les femmes. Il y a des familles comme cela, vous savez ! C'est une sorte de tradition chez elles. Et c'est ainsi chez nous. C'est peut-être un vieil héritage de sang viking, le sang de la race qui a brûlé les monastères au temps d'Aethelred l'Irrésolu ! Ou peut-être un inexplicable dérèglement de notre cerveau dû… comme Fingal le dit… à… oh, à Dieu sait quoi !

« Passons ! Peu importe ce que c'est. Je suis sûr que vous devez penser que je suis un bel hypocrite d'avoir mis cela en avant. Bon ! Passons ! Il n'y a vraiment pas besoin de se cacher derrière Aethelred l'Irrésolu ! Ce que nous devons faire vous et moi, Miss Herrick, c'est discuter sérieusement, calmement, sans passion ni violence, pour savoir ce qui est le mieux pour le bonheur de votre sœur. Oubliez pour l'instant l'idée de me punir — cela viendra plus tard. Votre ami M. Sorio ne sera que trop heureux de s'en occuper ! Le point qu'il *nous* faut considérer, nous qui aimons tous les deux votre sœur, est ce qui lui assurera l'avenir le plus heureux… et je peux vous assurer qu'une femme pieds et poings liés à un Renshaw n'a jamais été heureuse longtemps.

« Regardez ma mère ! Fait-elle penser à une personne ayant mené une vie heureuse ? Je vous assure qu'elle donnerait toutes les joies qu'elle a jamais ressenties ici… tous les bois morts et toutes les pierres de Chênegarde… pour ne jamais avoir posé les yeux sur mon père… pour ne jamais avoir fait naître ni Philippa ni moi. Nous, les Renshaw, nous avons peut-être des qualités… Dieu sait ce qu'elles sont, mais nous les avons. Cependant, une chose est sûre : nous sommes pires que le démon lui-même pour les femmes qui essaient de vivre avec nous ! Nous avons ça dans le sang, je vous le dis. C'est plus fort que nous. Nous sommes faits pour rendre les femmes folles… et pour les pousser dans la tombe ! »

Il s'arrêta brusquement, avec un impuissant et amer haussement d'épaules. Nance avait écouté ce long discours, les sourcils froncés par une extrême attention. Quand il eut terminé, elle le regarda fixement sans dire un mot, presque comme si elle souhaitait le voir poursuivre. Comme si, en dépit d'elle-même, quelque chose dans sa personnalité la fascinait et forçait sa sympathie.

Sorio, qui n'avait cessé de tripoter sa lourde canne, se leva avec une lente délibération. Nance vit sur son visage une expression qu'elle avait l'habitude de considérer avec un mélange de tendresse et d'inquiétude. C'était l'expression que ses traits prenaient lorsqu'il se précipitait au secours d'un animal blessé ou d'un enfant maltraité.

Sans dire un mot, il écarta Nance de la main gauche, et de l'autre balança comme un sourd un coup de canne meurtrier au visage de Brand.

Brand eut à peine le temps de lever la main. Le coup lui tomba sur le poignet et son bras se mit à pendre, inerte, le long du corps.

Nance, poussant un cri pour demander du secours, s'accrocha frénétiquement au cou de Sorio pour essayer de le retenir. Mais, apparemment tout à fait inconscient de ce qu'il faisait, Sorio la repoussa avec brutalité et, acculant son ennemi dans un coin de la pièce, le frappa sauvagement à coups redoublés. L'autre bras de Brand subit le même sort que le premier et, incapable de se protéger la tête, il s'affaissa sous une grêle de coups.

Nance, qui avait ouvert la porte et poussé des cris de panique pour demander de l'aide, se rua de nouveau dans la pièce et garrotta dans ses jeunes bras pleins de force le flagellateur épuisé. Voyant sur le visage de son ennemi immobile, réduit à l'impuissance, couler un filet de sang, Adrian ne lutta pas contre l'étau qui l'enserrait.

C'est dans cette position qu'ils furent découverts par les deux serviteurs qui arrivèrent du couloir en courant, alertés par les cris de Nance. Mme Renshaw, qui s'habillait dans sa chambre à l'autre bout de la maison, n'avait rien entendu. La pluie torrentielle qui tombait couvrait tous les autres bruits. Philippa n'était pas encore rentrée.

Sous les directives de Nance, qui s'accrochait toujours désespérément à Sorio, les deux hommes sortirent leur maître de l'« atelier ». Il y avait, pour l'imagination de la jeune fille, quelque chose de hideux et de terrifiant dans les coups sourds… sourds… sourds… qu'avait portés son amant. Surtout lorsque les bras étaient devenus inertes et que la victime d'Adrian avait été réduite à l'impuissance.

Accrochée à lui, il lui semblait entendre le bruit de ces coups… chacun frappant, lui semblait-il, quelque chose de démuni et de prostré au fond d'elle-même. Et de nouveau, avec une répétition grotesque, les chiffres sur l'almanach de Linda tictaquèrent comme une pendule en écho à ce bruit. « Vingt-huit octobre… Vingt-huit octobre », répétait l'almanach d'église au cadran de lettres rouges.

Tandis que son esprit recommençait à fonctionner normalement, elle prit conscience d'une chose extraordinaire : tout le temps qu'avait duré cette scène de cauchemar, et même à l'instant où elle avait hurlé pour demander de l'aide, elle avait éprouvé une sorte d'exultation sauvage. Elle se rappela cette émotion avec une grande netteté et un curieux sentiment de honte.

Elle se souvint également que, lorsqu'elle avait jeté un coup d'œil sur le pâle visage inconscient de Brand, au moment où on l'avait transporté hors de la pièce, elle avait soudain éprouvé un indescriptible attendrissement, un sentiment pour lui qu'elle aurait à peine osé traduire par des mots. Retraçant en un éclair chacun des terrifiants épisodes qu'elle venait de vivre, elle se vit, dans son cœur, en train d'en changer le dénouement : elle s'agenouillait près de leur ennemi, essuyait le sang qui lui coulait sur le front et lui faisait reprendre conscience.

Seule avec Sorio, Nance le relâcha et lui posa les mains de façon suppliante sur l'épaule. Mais les yeux dans lesquels elle plongea son regard ne voyaient pas, et le visage de son bien-aimé était à peine reconnaissable. Il se mit à parler de manière incohérente, mais avec une sorte d'assurance terriblement délibérée :

— Qu'est-ce que tu dis ? Seulement la pluie ? Ils disent que ce n'est que la pluie quand ils veulent me tromper et me calmer. Mais je ne suis pas dupe ! Ils ne me tromperont pas comme ça. C'est du sang, bien sûr. C'est le sang de Nance. Nance, *toi* ? Oh, non, non, non ! Je ne suis pas aussi facile à tromper. Nance est au fond de ce trou dans le bois, où je l'ai frappée… *un… deux… trois…* ! Il m'a fallu trois coups pour le faire… et elle n'a pas dit un mot, pas un seul, et n'a pas poussé le moindre petit cri. C'est drôle que j'ai dû la frapper trois fois ! Elle est si douce, si douce et si facile à blesser. Non, non, non, non ! Je ne suis pas facile à tromper. Ma Nance a de grands yeux gris rieurs. Les vôtres sont horribles, horribles. J'y vois de la terreur. *Elle* n'avait peur de rien.

Son expression changea, un regard traqué apparut sur son visage nostalgique. La jeune fille essaya de le pousser vers une chaise, mais il résista… lui étreignant la main de manière suppliante.

— Dis-moi, Phil, murmura-t-il d'une voix basse et frappée de crainte, dis-moi pourquoi tu m'as fait faire ça ? Tu pensais que ce serait mieux, mieux pour nous tous, qu'elle soit là, dans ce trou, immobile et froide ? Non, non, non ! Tu n'as pas besoin de me regarder avec ces yeux terribles. Tu sais, Phil, depuis que tu m'as convaincu de la tuer, il me semble que tes yeux sont devenus semblables aux siens, et ton visage aussi… et tout ton corps.

— Je suis là ! Je suis là ! Je suis là ! s'écria Nance avec désespoir. Adrian, mon Adrian, mon amour… ne me reconnais-tu pas ? Je suis ta Nance !

Il se dirigea en titubant vers l'une des chaises, posant un pied devant l'autre avec une horrible délibération, comme s'il ne pouvait plus rien faire de façon naturelle ou sans un effort de volonté. Il s'assit sur la chaise et, attirant Nance sur ses genoux, se mit à lui passer les doigts sur le visage.

— Pourquoi m'as-tu fait faire ça, Phil ? gémit-il en la berçant d'avant en arrière comme si elle était une enfant. Pourquoi m'as-tu fait faire ça ? Si seulement tu l'avais laissée tranquille, elle m'aurait procuré le sommeil, un frais et doux et délicieux sommeil ! Elle aurait apaisé tous mes troubles. Elle aurait détruit le vieil Adrian et en aurait façonné un nouveau… un homme clair, limpide, baigné dans de grands flots de glorieuse lumière blanche !

Sa voix se troubla, devint un filet de crainte murmurant.

— Phil, ma chère, Phil, écoute-moi. Il y a quelque chose dont je n'arrive pas à me souvenir ! Quelque chose... oh, pieu, non !... c'est *quelqu'un*... quelqu'un qui m'est très précieux... et que j'ai oublié. Quelque chose s'est passé dans mon cerveau... et j'ai oublié. C'était juste après avoir frappé ces coups, ces coups qui lui ont tordu la bouche d'une manière si drôle... exactement comme la tienne, maintenant, Phil ! Comment se fait-il que les morts aient la bouche tordue de cette façon ? Phil, dis-moi... dis-moi ce que j'ai oublié. Ne sois pas cruelle, je ne peux pas le supporter. Il *faut* que je me le rappelle. Il me semble que je suis toujours sur le point d'y arriver, mais quelque chose se ferme dans mon cerveau comme une porte de fer. Oh, Phil, mon amour... mon amour, dis-moi ce que c'est.

Tout en parlant, il s'accrochait convulsivement à la jeune fille, la serrant dans ses bras jusqu'à l'étouffer. Être appelée par le nom de sa rivale était si douloureux pour Nance qu'elle était à peine consciente de la violence physique qu'il lui causait. Ce fut encore pire lorsque, relâchant son étreinte, il se mit à la cajoler et à la caresser en lui embrassant les joues et en lui effleurant des doigts le visage.

— Phil, ma chérie, mon amour ! ne cessait-il de répéter, s'il te plaît, dis-moi, s'il te plaît, dis-moi ce que j'ai oublié !

Nance souffrit à cet instant jusqu'à l'extrême limite de ce qu'elle était capable d'endurer. À chaque instant, elle craignait l'arrivée de Philippa. Elle craignait le retour des serviteurs, en plus grand nombre peut-être, prêts à les séparer et à emmener Adrian loin d'elle. Sentir ses caresses et savoir que, dans ses pensées démentes, elles ne lui étaient pas adressées... c'était trop, c'était plus que ce que Dieu aurait pu exiger qu'elle endurât.

Elle eut une soudaine inspiration.

— C'est Baptiste que tu as oublié ?

Le nom eut sur lui l'effet d'une décharge électrique. La repoussant brutalement, il fut debout d'un bond.

— Oui, cria-t-il en tonnant d'une voix démente, le cours de ses pensées complètement changé. Vous m'empêchez tous de le voir ! Voilà le fin mot ! Vous avez caché Nance et mis à la place cette femme qui lui ressemble, pour me tromper et me leurrer, mais qui n'a ni le sourire ni le rire de ma Nance ! Je te connais toi, la poupée aux yeux fixes et à la tremblante face de craie ! *Tu* ne me tromperas pas ! *Tu* ne leurreras pas Adrian. Je te connais. *Tu* n'es pas ma Nance.

Il l'avait envoyée valser à quelques pas de lui et à présent, avec un effort à fendre le cœur, elle tentait de se recomposer un visage et de lui sourire le plus naturellement possible. Mais l'effort était une sinistre parodie. Aussi ne fut-il guère étonnant qu'à la vue de ce pauvre sourire il s'écriât avec furie :

— Ce n'est pas le sourire de ma Nance ! C'est le sourire d'un masque diabolique ! Vous me l'avez cachée. Soyez tous maudits... vous me l'avez cachée... et vous avez caché Baptiste ! Où est mon Baptiste... espèce de poupée blanche au regard fixe ? Où est mon Baptiste, femme à la bouche tordue ?

Il se rua sauvagement sur elle et lui saisit la gorge.

— Dis-moi ce que tu as fait de lui, cria-t-il en la secouant comme un prunier et en serrant de plus en plus fort. Dis-le-moi, démon ! Dis-le-moi ou je t'étrangle.

Le cerveau de Nance se troubla et s'obscurcit. Ses sens devinrent confus et s'engourdirent. « Il est en train de m'étrangler, pensa-t-elle, et peu m'importe ! La douleur ne durera pas longtemps, et je mourrai de *sa* main. »

En même temps, cependant, en un éclair d'aveuglante clarté, elle comprit ce que cela signifiait. Si elle se laissait tuer passivement, sans résister, qu'adviendrait-il de lui quand elle serait morte ? En même temps que cette pensée, des profondeurs de son être monta quelque chose de fort et de libre, quelque chose de puissant et d'intrépide, prêt à lutter jusqu'au bout contre le destin.

« Il ne me tuera pas ! pensa-t-elle. Je vivrai pour nous sauver tous les deux. » Se débattant comme une folle entre ses mains, elle lutta pour gagner la porte ouverte et l'entraîna. Sa folie sanguinaire le rendait horriblement et mortellement fort. Mais le nouvel élan vital, surgi de quelque profondeur surnaturelle dans l'être de la jeune fille, l'emporta. D'une furieuse torsion, elle s'arracha aux poignets de Sorio et le repoussa loin d'elle avec une telle violence qu'il glissa et s'effondra sur le sol.

En un instant, elle avait franchi le seuil et refermé à clé la lourde porte derrière elle. À la seconde même où, après avoir donné le dernier tour de clé, elle s'appuyait en chancelant contre le mur, il lui sembla, tandis que ses sens s'embrumaient rapidement, que l'entourait une foule de gens bruyants portant des lumières vacillantes. Elle s'effondra quand ils arrivèrent près d'elle, et la dernière image qu'elle retint fut celle des grands yeux sombres de Philippa Renshaw, illuminés par une émotion qu'il était au-delà de ses forces de déchiffrer, une émotion que son esprit voulut interpréter, mais dans laquelle il se perdit comme dans un brouillard impénétrable et qui se mua en noir complet quand elle s'évanouit.

XXV

BALTAZAR STORK

Le matin gris du vingt-neuf octobre rampa lentement par les fenêtres de la chambre des deux sœurs. Linda s'était efforcée d'oublier ses ennuis pour offrir, autant qu'elle le pouvait, espoir et consolation à Nance. La malheureuse ne réussit à trouver l'oubli dans le sommeil que vers trois heures du matin, et à présent, au premier rayon de lumière, elle était de nouveau éveillée.

Ce qu'elle pouvait craindre de pire était arrivé. Sans reconnaître personne, Adrian avait été emmené à l'asile de Mundham devant lequel ils étaient passés avec de si mauvais pressentiments. Elle-même avait été obligée — qu'aurait-elle pu faire d'autre ? — de signer le document officiel qui, avant que minuit sonnât à Chênegarde, rendait légal son internement.

Elle avait signé — elle frissonnait en pensant aux sentiments qu'elle avait alors éprouvés — sous le nom de Brand qui, en tant que magistrat, était officiellement dans l'obligation de prendre l'initiative de cette tâche peu ragoûtante. Le docteur Raughty et M. Traherne, qui avaient été appelés à la maison, avaient également signé l'effroyable document. La première chose que Nance avait vue en reprenant conscience, c'était la silhouette du docteur anxieusement penché sur elle. Elle se rappelait l'étrangeté de son visage à la lueur vacillante des bougies, la douceur avec laquelle il lui avait caressé le dos de la main quand elle avait ouvert les yeux, et l'expression soulagée qu'il avait eue quand elle avait murmuré son nom.

C'était le docteur qui l'avait ramenée chez elle après l'épouvantable conclusion, quand les gens étaient venus en voiture de Mundham pour emmener Adrian. Il lui avait appris que les blessures de Brand n'étaient pas graves et ne laisseraient sans doute pas de séquelles, à part une cicatrice profonde sur le front. Il avait, lui dit Fingal, les bras couverts de bleus, mais ni l'un ni l'autre n'étaient fracturés.

Hamish Traherne avait accompagné les gens de Mundham à l'asile et y passerait la nuit. Il avait promis à Nance d'aller la voir avant midi et de lui donner toutes les nouvelles.

Fingal lui avait également appris que Philippa, faisant preuve d'une promptitude et d'un tact inhabituels, avait réussi à éloigner Mme Renshaw tant de la porte de la chapelle que du chevet de Brand jusqu'à ce qu'il eût repris conscience.

En voyant et revoyant tous les détails de cette hideuse soirée, Nance ne put s'empêcher de remercier Dieu d'avoir au moins épargné à Adrian la charge tragique d'un crime de sang. Aux yeux de la loi du comté, il lui faudrait simplement retrouver ses esprits en même temps que son bon sens, pour être libéré le plus naturellement du monde. Dans le papier qu'elle avait signé — et elle avait particulièrement pris garde à cela — il n'y avait aucune mention de *folie criminelle*.

Elle s'assit dans son lit et regarda sa sœur. Linda dormait aussi paisiblement qu'une enfant. Dans la lumière froide du matin, son visage avait une curieuse pâleur. Ses longs cils bruns reposaient immobiles sur ses joues, et le souffle qui s'échappait de ses lèvres entrouvertes était calme et régulier.

Nance se remémora l'étrange entretien qu'elle avait eu avec Brand avant la violente intervention d'Adrian. C'était bizarre ! Elle avait beau faire, elle était incapable d'éprouver envers cet homme autre chose qu'une profonde et indicible pitié. L'avait-il hypnotisée elle aussi, se demanda-t-elle, avec cette force mystérieuse qu'il avait en lui, cette force à la fois terrible et tendre qui avait été fatale à tant de femmes ? Non… non ! C'était ridicule. C'était impensable. Elle avait donné son cœur à Adrian, et à Adrian seul. Mais alors comment expliquer qu'elle lui pardonnait non seulement ce qu'il avait fait, mais que, de manière encore plus inexplicable encore, elle lui trouvait des excuses et le comprenait ? Était-elle aussi en train de perdre les pédales ? Était-elle aussi, sous l'influence de ce lieu désastreux, en train de perdre tout sens moral ?

L'homme avait séduit sa sœur et avait refusé — *cela* demeurait très nettement l'impression dominante de cet entretien fou — carrément et obstinément de l'épouser, et voilà qu'elle, seule protectrice au monde de cette enfant, était en train de s'adoucir et de penser à lui avec une sorte de pitié sentimentale ! Vraiment, l'esprit des mortels contient des mystères qui passent l'entendement !

Se reposant une fois de plus sur ses oreillers, elle laissa les heures du matin couler au-dessus de sa tête comme de douces vagues murmurantes. Il y a souvent, surtout dans un bourg de campagne, quelque chose d'inexprimablement apaisant et de rafraîchissant à l'orée d'un jour d'automne. En hiver, la lumière n'arrive pas avant que le mouvement et les bruits et le trafic des rues se soient, pour ainsi dire, installés. En été, les premières heures sont si longues et si brillantes que, lorsque l'humanité commence à s'agiter, le jour a déjà été dépouillé de sa première fraîcheur et devient blasé de lumière. Tous les matins de printemps vibrent d'un charme magique, mais, dans la joyeuse exubérance de la vie, aussi bien les cris bruyants des oiseaux et des animaux que l'impatience et la fiévreuse inquiétude des enfants font qu'il est difficile d'être parfaitement réceptif, de boire tous les sons et de se laisser bercer jusqu'à l'endormissement sur le flot languide d'une rêverie à demi consciente.

En dépit de tout, c'est sur un tel flot que Nance se laissait porter, bercée par la répétition des vagues murmures et des bruits familiers. Qu'elle pût reposer ainsi, prêtant l'oreille au bruit métallique des bidons du laitier, aux cris des goélands, aux voix des mariniers qui venaient de se réveiller plus haut sur le fleuve, aux meuglements du bétail dans les marais et aux pépiements des moineaux sur le toit pendant que son amant gémissait, horriblement inconscient, entre ces murs inqualifiables, était en soi, lorsqu'elle y réfléchit de sang-froid, un tour atroce de la Nature qui pervertit tout !

Elle regarda le doux et brumeux rayon de soleil couleur de miel qui commençait à envahir la chambre et, avec une sorte d'égarement un peu honteux, s'étonna d'être *aussi peu réceptive* en un tel moment de crise. Les expériences qu'elle avait vécues la veille lui avaient-elles déchiré l'âme au point qu'elle n'avait plus aucun pouvoir de réaction ? Ou les grandes forces de récupération — et ce fut sur cette idée qu'elle s'arrêta — étaient-elles déjà souterrainement mais puissamment à l'œuvre pour le compte d'Adrian, pour le sien et celui de sa sœur ?

Elle prononça mentalement les paroles « forces de récupération », et glissa sa pensée dans le moule de cette définition. Mais elle n'eut pas plus tôt prononcé ces paroles qu'un esprit moqueur pointa le doigt sur elles pour les tourner en dérision. Des forces de récupération ? Y avait-il de telles forces dans le monde ? N'était-il pas plus vraisemblable que ce qu'elle ressentait ne fût rien d'autre que ce calme désespéré qui, telle une engourdissante inertie, s'abat sur les êtres poussés à bout, jusqu'à la limite de l'endurance ? N'était-ce pas plutôt un signe d'impuissance, le signe qu'elle avait brûlé toutes ses cartouches, et n'avait plus rien d'autre à faire qu'étendre les bras et se laisser porter par les eaux sombres qui la mèneraient là où elles voudraient… n'était-ce pas ce signe-là, plutôt que celui d'une aide quelconque à l'horizon ?

À cet instant lui parvint, parmi les divers bruits de la rue, le sifflement joyeux d'un apprenti en train d'ouvrir les volets d'une boutique. Le garçon sifflait avec maladresse et un peu au hasard, mais avec une belle conviction, quelques couplets de *La Marseillaise*. Le grand chant révolutionnaire résonnait fièrement sur les pavés endormis, entre les patientes et étroites façades, et plus loin en direction du port silencieux.

L'effet de ce hasard sur l'esprit de la jeune fille fut foudroyant. En un instant, elle envoya promener toute idée de se soumettre au destin, ou de se « laisser porter » sur les eaux sombres. Elle cessa de rêver vaguement à des « forces de récupération » agissant quelque part, d'une manière ou d'une autre, en sa faveur. En vraie fille de son père, elle retrouva la vieille flamme pleine de bravoure, de jeunesse et de défi qui, en lui embrasant le cœur et l'esprit, lui rendit force et vigueur. Non… non ! Jamais elle ne céderait. Jamais elle ne se soumettrait. *Allons, enfants !* Elle se battrait jusqu'à la fin.

Alors, en un éclair, elle se remémora Baptiste. Évidemment ! Voilà ce qu'il fallait faire. Elle avait été stupide de ne pas y penser plus tôt ! Elle devait envoyer un télégramme au fils d'Adrian. C'était vers Baptiste que l'esprit de Sorio se tournait continuellement. Ce serait Baptiste qui lui rendrait la santé !

Il était à peine plus de six heures du matin lorsqu'elle entendit le garçon siffler, mais entre cet instant et celui de l'ouverture du bureau de poste ses pensées ne furent qu'un tourbillon d'espoir.

Tout en attendant l'ouverture de la petite porte en stuc et en observant, avec une pointe d'humour, le garçon le plus abattu, le plus pâle, le plus maladif et le plus boutonneux qu'elle eût jamais vu, qui attendait nerveusement en sa compagnie, elle se sentit pleine de force et de courage. Adrian avait déjà été malade et s'était remis. Il se remettrait de nouveau ! Elle lui apporterait elle-même les nouvelles de la venue de Baptiste. Cette simple annonce l'aiderait.

À côté de la poste, on apercevait un petit jardin à travers un grillage, et, juste au-dessus du grillage, un tournesol en train de se faner inclinait la tête dans leur direction au point de presque reposer sur les pointes. La fleur était dans un état si pitoyable que Nance n'eut aucun scrupule à tendre la main pour essayer de la cueillir. Revigorée d'espoir, elle le fit machinalement, comme un enfant en route pour attraper des vairons dans un ruisseau nouvellement découvert arrache une pleine poignée de trèfle.

Observant ses efforts, le boutonneux — Nance, qui se voyait en train de lui couvrir le visage de pommade à l'oxyde de zinc, se demanda pourquoi on rencontrait *toujours* des gens au teint affreux dans les bureaux de poste de campagne — tendit également la main, et ils tirèrent ensemble sur la radieuse épave jusqu'à ce que la tige se brisât. Lorsque Nance tint la fleur dans ses mains, elle se sentit envahie de honte et de regret car, de la haute tige mutilée, raide et nue, s'échappaient les gouttes d'une sève blanche et mousseuse. Elle ne put s'empêcher de se rappeler qu'Adrian répugnait à cueillir les fleurs, et que c'était là l'une de ses innocentes superstitions. Cependant, le mal était fait. Mais qu'allait-elle faire de ce grand orbe globuleux, bourré de graines brunes et entouré de quelques languettes jaunes semblables à des flammes de cierge mourantes ?

Le grand flandrin la regardait, et lui sourit timidement. Observant l'embarras du garçon, auquel se mêlait une admiration non déguisée, Nance le gratifia en retour d'un sourire amical, teinté de camaraderie et d'humour.

C'était apparemment la première fois de sa vie qu'une fille vraiment belle lui souriait, car son visage vira au pourpre sombre.

— Il me semble, ma'ame, bégaya-t-il nerveusement, que je sais qui vous êtes. Je vous ai vue avec M. Stork.

Le visage de Nance se rembrunit. Elle tint pour un mauvais présage d'avoir entendu prononcer ce nom. La vieille terreur mystérieuse qu'elle éprouvait pour l'ami de Sorio l'envahit. Elle avait conscience, de quelque vague et obscure manière, qu'il était intimement lié à toutes les forces du monde qui leur étaient le plus hostiles.

Un peu sidéré par ce changement d'expression, le jeune homme s'empêtra sans espoir.

— M. Stork a été un très bon ami pour moi, murmura-t-il. Il m'a trouvé un travail chez M. Walpole… Walpole, le bourrelier, Miss. J'aurais dû quitter ma mère s'il ne m'avait pas aidé.

Avec une malice féminine et soudaine, Nance plaça dans la main du garçon la grande fleur fanée qu'elle avait cueillie.

— Mets-la à ta boutonnière, dit-elle.

À cet instant, la porte s'ouvrit et, oubliant le dadais, le tournesol et l'ambigu M. Stork, l'esprit débordant d'entreprise, elle se hâta de pénétrer à l'intérieur du bâtiment.

Le geste de Nance parut faire complètement oublier au garçon le motif de son attente devant le bureau de poste. Peut-être que cette apparition semblable à une déesse avait rendu absurde et banale quelque étrange missive illustrée, tachée et salie, qui restait sans timbre au fond de la poche de son manteau. Quoi qu'il en fût, il s'en alla en rasant les murs, à longues enjambées traînantes et furtives, portant la fleur qu'elle lui avait donnée avec autant de dévotion qu'un pieux acolyte aurait porté le saint sacrement.

Pendant ce temps, Nance envoya son message, posant sur le comptoir un demi-souverain qui remplit d'importance et de crainte respectueuse la jeune femme qui officiait.

Baptiste Sorio, Quinzième District Ouest, Onzième Rue, New York City, disait le message, *venez immédiatement, votre père atteint de graves troubles mentaux.* Elle signa le télégramme, indiqua son adresse, et paya cinq shillings de plus pour s'assurer d'une réponse immédiate.

Puis, quittant le bureau de poste, elle retourna lentement et pensivement à son logis. Les bruits et les mouvements familiers du début de chaque journée de travail emplissaient la petite rue aux abords de sa chambre. Nance ne put s'empêcher de penser combien il était curieux que le flux de la vie pût ainsi continuer d'aller son train, répétant éternellement les mêmes petites manies familières, sans se soucier du désespoir de l'un, ni du drame personnel cruel qui frappait l'autre.

Adrian pouvait bien gémir à l'asile de Mundham en appelant son fils ; Linda craindre et redouter les effets de son obsession ; Philippa lancer au vent son rire d'elfe au milieu des chênes ; elle-même se « laisser porter sur les eaux sombres » ou se battre pour lutter contre le destin. Quelle importance ces choses avaient-elles pour les gens qui vendaient et achetaient, riaient et se querellaient, travaillaient et faisaient l'amour à l'instant où les puissances faisaient naître un nouveau jour, et où les pantins animés d'une ville humaine entamaient leur danse journalière ?

Tard dans l'après-midi, Nance reçut une réponse à son message. Elle était seule lorsqu'elle ouvrit le télégramme, Linda s'étant laissé persuader, comme d'habitude, d'aller jouer de l'orgue à l'église. Le texte était bref et positif : *Embarque demain sur l'Altruina. Atteindrai Liverpool dans six jours. Baptiste.*

Ainsi, il serait là… là, à Rodmoor… dans sept ou huit jours. S'il avait encore la possibilité de la comprendre, c'était une grande nouvelle pour Adrian ! Elle plia soigneusement le télégramme et le glissa dans sa bourse.

M. Traherne, qui était passé la voir vers midi, lui avait apporté des nouvelles dans l'ensemble rassurantes. Depuis son internement, Sorio n'avait apparemment rien fait d'autre que dormir — ce qui, aux dires des deux médecins de l'endroit, était le meilleur signe possible.

Hamish lui expliqua qu'il y avait trois formes de folie — manie, mélancolie, démence — et que, d'après ce qu'il avait pu apprendre en conversant avec les médecins, le grand accès de somnolence qui s'était emparé d'Adrian éliminait les deux dernières possibilités, dont le pronostic était plus sombre. Ce que l'on appelait « manie », lui expliqua-t-il, était quelque chose de tout à fait curable, et les chances de guérison étaient très élevées. Ce n'était en fait — il lui dit que c'étaient les propres paroles des docteurs — qu'une « question de temps ».

Le prêtre avait pris soin de demander si Nance serait autorisée à faire une visite à son fiancé. Mais les deux médecins avaient jugé que c'était, du moins pour l'instant, tout à fait inopportun. Il la félicita, cependant, d'avoir averti le fils de Sorio.

— Quoi qu'il arrive, dit-il, il est normal et naturel qu'*il* soit là avec vous.

Pendant que Nance était ainsi engagée dans sa lutte contre le destin, un drame très différent se déroulait derrière les fenêtres closes du cottage de Baltazar.

M. Stork n'avait même pas eu le temps de dormir avant d'apprendre par la rumeur qu'un événement effrayant s'était produit à Chênegarde. Longtemps avant minuit, en allant tout simplement boire un verre à la Tête de l'Amiral, il en avait suffisamment entendu pour décider de ne voir personne cette nuit-là. On avait emmené Sorio et M. Renshaw, qui s'était longtemps battu avec le dément et s'en était tiré avec quelques bleus. Ainsi, sans tenir compte des diverses variations imaginaires qu'il écartait à mesure qu'il les entendait,

Baltazar apprit des commères de la taverne l'essentiel de ce qui s'était passé.

L'événement avait créé une telle effervescence à Rodmoor que, pour la première fois dans le souvenir des plus vieux habitants, la Tête de l'Amiral resta ouverte deux heures entières après l'heure légale de fermeture — ce qui fut partiellement expliqué par le fait que les deux représentants de la loi de la petite ville se trouvaient à Chênegarde, prêts à intervenir en cas d'urgence.

Il était à présent environ quatre heures de l'après-midi. Baltazar n'avait guère eu davantage d'appétit pour la collation du matin que pour le déjeuner, et en cet instant, tandis qu'il regardait fixement un âtre empli de cendres froides, il avait sous les yeux des cernes si sombres qu'il était facile de deviner que le sommeil avait pour lui perdu sa saveur — comme la nourriture — dans les douze heures écoulées. Il n'avait pas touché au verre de cognac posé près de lui sur une petite table, et d'innombrables cigarettes, pour la plupart à moitié fumées, jonchaient l'âtre à ses pieds.

Il avait l'impression d'être l'un des deux seuls rescapés d'une catastrophe qui avait détruit le monde. Il éprouvait la sensation qu'il n'avait qu'à sortir dans la rue pour buter sur des monceaux de cadavres, éparpillés sans fin dans des attitudes fantastiques et horribles, à divers stades de la décomposition. Seul son Adriano était vivant. Mais il lui avait fait quelque chose... qui ne lui permettait pas de le voir, mais seulement d'entendre sa voix.

« Je dois mettre fin à ceci », dit-il tout haut. Puis, de nouveau, comme s'il s'adressait à quelqu'un d'autre : « Nous devons mettre fin à ceci, n'est-ce pas, Tassar ? »

Il se leva et s'examina dans l'un des nombreux miroirs superbement encadrés. Il passa ses doigts fins dans ses belles boucles puis, tirant sur les paupières, examina le blanc de ses yeux et plissa le front. Alors il sourit à son image... un long sourire, étrange, lascif... et se retourna en haussant les épaules.

Il se dirigea droit vers le tableau du secrétaire vénitien et fit claquer ses doigts. « Attends un peu, petit démon pommadé, "diablotin de la gloire", attends un peu ! Nous te prouverons que tu n'es pas si profond ni si subtil que tu en as l'air. Attends, Flambard, mon garçon, attends un peu, et nous te montrerons des ruses et des contre-ruses ! »

Puis, sans un mot, il grimpa l'escalier jusqu'à la salle de bains. « Par Jupiter ! murmura-t-il, je commence à penser que Fingal a raison. Le seul endroit de la chrétienté où l'on peut avoir l'âme en paix, c'est une salle de bains carrelée... seulement les carreaux doivent être parfaitement blancs », ajouta-t-il après une pause.

Il fit une toilette aussi soigneuse qu'élaborée, se brossa consciencieusement les cheveux, puis se parfuma le visage et les mains. Il prit pour s'habiller du linge immaculé et choisit un costume qu'il n'avait jamais porté. Même les chaussures étaient élégantes et neuves. Il mit plusieurs minutes à décider quelle cravate il porterait et en choisit finalement une mauve pâle. Puis, après lui avoir jeté un long regard songeur, il lança du bout des doigts un baiser à son image dans le miroir et descendit légèrement l'escalier.

Il s'arrêta un moment dans le vestibule pour choisir une canne dans le râtelier. Il se décida pour une canne d'ébène au pommeau d'argent gravé à ses initiales. Il y avait quelque chose d'effroyable dans la circonspection avec laquelle il accomplit tous ces gestes, mais ce fut de l'épouvante en pure perte, pour les mouches mortes et les meubles cirés — à moins que toute maison humaine ne recèle d'invisibles guetteurs. Il hésita entre un panama et un chapeau de toile claire, puis se décida pour le premier, en maniant avec soin le bord flexible avant de le poser sur sa tête, où il lui donna une touche finale.

La solitude absolue de la petite maison, seulement rompue de temps à autre par un éclat de voix venant de la porte de la taverne, devint dans les derniers instants qu'il y passa le complice passif de quelque innommable rituel. Ouvrant enfin la porte, Baltazar sortit.

Il se dirigea pensivement vers les grilles du parc, les franchit et s'engagea sans hâte dans l'allée jonchée de feuilles mortes. Arrivé à la maison, il salua d'un amical signe de tête le serviteur qui lui ouvrit la porte, et le pria de le guider jusqu'à la chambre de Mme Renshaw. L'homme lui obéit avec respect et le précéda dans l'escalier, puis dans le long couloir résonnant d'échos. Il trouva Mme Renshaw en train de coudre devant la fenêtre à demi ouverte. Elle posa son ouvrage quand il entra, et l'accueillit avec l'un de ces sourires *illuminés* dont Fingal Raughty avait coutume de dire qu'ils lui faisaient croire au surnaturel.

— Merci d'être venu me voir, dit-elle tandis qu'il s'asseyait près d'elle, répandant autour de lui une atmosphère d'odeurs délicates. Merci, Baltazar, merci beaucoup d'être venu.

— Pourquoi dites-vous toujours cela, Tante Helen ? murmura-t-il avec une feinte mauvaise humeur.

C'était l'une des petites conventions, depuis longtemps établies entre eux, qui voulait qu'il s'adressât ainsi à la femme de son père.

Parut de nouveau cette indescriptible lumière spirituelle dans les yeux éteints de la femme.

— Eh bien, n'est-il pas gentil qu'un jeune homme, qui a tant de choses intéressantes à faire, vienne donner de son temps à une vieille femme comme moi ?

— Absurde, absurde, Tante Helen ! s'écria-t-il avec une riche intonation caressante et en posant tendrement l'une de ses mains fines sur la sienne. Je suis en colère contre vous lorsque vous parlez de la sorte !

— Mais n'est-ce pas vrai, Tassar ? répondit-elle. Ce monde n'est-il pas fait pour ceux qui sont jeunes et heureux ?

— Comme si je me souciais de ce *pour quoi* le monde est fait ! s'exclama-t-il. Il est fait pour rien, j'imagine. Et plus tôt il s'effondrera en atteignant ce pour quoi il a été fait, mieux ce sera pour tout le monde !

Un air de tristesse, douloureux à observer, envahit le visage de Mme Renshaw. Elle lui pressa la main et se pencha vers lui.

— Tassar, cher Tassar, dit-elle très gravement, quand vous parlez ainsi, je me sens à cause de vous absolument seule au monde.

— Que voulez-vous dire, Tante Helen ? murmura le jeune homme à voix basse.

— Vous me faites penser que j'ai tort de tant vous aimer, poursuivit-elle en baissant la tête et en regardant ses pieds.

Telle qu'il la voyait à présent, dans la lumière déclinante de l'après-midi qui tombait sur son grand front pâle et sur ses cheveux séparés par une raie, toujours beaux et ondulants malgré leurs ombres grises, il comprit de nouveau qu'il était le seul peut-être, parmi tous ceux qui l'avaient connue, à avoir deviné le pouvoir exceptionnel et presque terrifiant de sa personnalité. Elle le forçait à penser à l'un de ces portraits du seizième siècle, révélant avec une passion et un sens profond de la vue intérieure, depuis longtemps perdus pour l'art, les ressorts tragiques de l'âme humaine.

Il rit avec indulgence.

— Chère, chère Tante Helen ! s'écria-t-il, oubliez mes bêtises. Je ne faisais que plaisanter. Mes opinions sur la question ne valent pas un clou, elles sont bonnes à jeter aux orties ! Rassurez-vous, je connais mon catéchisme depuis "Quel est ton nom ?" jusqu'à "sont sans l'ombre d'un doute perdues pour l'éternité" !

Elle leva les yeux et fit un gros effort pour ne pas sourire. Sa bouche extraordinairement sensible — la bouche, comme l'avait toujours affirmé Baltazar, d'une grande actrice tragique — trembla aux commissures.

— Si c'était *moi* qui vous avais enseigné le catéchisme, vous vous en souviendriez beaucoup mieux que cela !

Tout en l'observant, les yeux de Baltazar s'adoucirent. Un étrange regard, empli d'une pitié aussi impersonnelle que la mer, affleura à leur surface, et il lui baisa la main.

— Ne faites pas cela ! Il ne faut pas ! murmura-t-elle.

Puis un autre sourire éclaira faiblement son visage.

— Vous devez garder vos belles manières, Tassar, pour toutes les jeunes femmes qui vous admirent !

— Au diable les jeunes femmes ! s'écria le jeune homme. Vous êtes beaucoup plus belle, Tante Helen, que toutes les jeunes femmes réunies !

— Vous me faites penser à ce passage de *Hamlet*, répondit-elle en s'adossant à son fauteuil et en reprenant son ouvrage : "Comment cela va-t-il ? — *L'homme pas plus que la femme ne m'enchante* — bien que votre sourire semble dire le contraire !"

— Tante Helen, s'écria-t-il avec passion, j'ai quelque chose d'important à vous dire. Je veux que vous compreniez ceci. Il est très délicat de votre part de ne pas parler d'Adrian. Toute autre personne m'aurait déjà présenté d'affreuses condoléances !

Elle leva les yeux de sa couture.

— Nous devons prier pour lui, dit-elle. J'ai prié pour lui toute la journée… et la nuit dernière aussi, ajouta-t-elle avec un faible sourire. J'ai laissé Philippa croire que je ne savais pas ce qui était arrivé. Mais je le sais. (Elle frissonna un peu.) Je le sais. Je l'ai entendu dans l'"atelier".

— Ce que je voulais vous dire, Tante Helen, poursuivit-il, c'était ceci : je veux que vous vous souveniez — quoi qu'il arrive à l'un de nous — que vous êtes l'être que j'aime le plus au monde. Oui, oui, continua-t-il sans lui permettre de l'interrompre, davantage même qu'Adriano !

Le visage de Mme Renshaw prit une expression qui ressemblait à celle de la douleur physique.

— Il ne faut pas dire cela, mon cher, murmura-t-elle. Il vous faut garder votre amour pour votre femme quand vous vous marierez. Je n'aime pas vous entendre parler de la sorte… à une vieille femme. (Elle hésita un instant.) Cela ressemble à de la flatterie, Tassar, ajouta-t-elle.

— Mais c'est vrai, Tante Helen, répéta-t-il avec une emphase presque passionnée. Vous êtes de loin la femme la plus belle et la plus intéressante que j'aie jamais rencontrée.

Mme Renshaw se mit la main devant le visage, puis rit gaiement comme une jeune fille.

— Que dirait Philippa si elle vous entendait ?

Le visage de Baltazar se rembrunit. Il la regarda longtemps et avec attention.

— Philippa est intéressante et a de la profondeur, mais elle ne me comprend pas. *Vous* me comprenez, quoique vous pensiez qu'il soit mieux de vous le cacher à vous-même.

Le visage de Mme Renshaw changea en un instant. Il devint hagard et obstiné.

— Ne parlons plus de compréhension ni d'amour, dit-elle. La volonté de Dieu est que nous n'aimions et ne comprenions totalement que la personne que, dans sa sagesse, Il nous incite à épouser.

Baltazar éclata d'un rire païen.

— Je pensais que vous alliez conclure différemment, Tante Helen, dit-il. Je pensais que la seule personne que nous devrions

aimer allait être Dieu. Mais il semble que ce soit l'homme…
ou la femme, ajouta-t-il amèrement.

Mme Renshaw se pencha sur son ouvrage, le visage de
plus en plus rembruni. Voyant qu'il l'avait réellement blessée,
Baltazar changea de ton.

— Chère Tante Helen, murmura-t-il avec douceur, combien,
combien, combien d'heures heureuses avons-nous passées
ensemble à lire dans cette chambre !

Elle leva rapidement les yeux, où le vieil éclat avait reparu.

— Oui, cela a été une chose heureuse pour moi, Tassar,
de vous avoir si près de nous. Vous rappelez-vous que, l'hiver
dernier, nous avons lu tout un Walter Scott ? *Il* est sans égal,
aujourd'hui… n'est-ce pas ? Bien que Philippa me dise que
M. Hardy est un grand écrivain.

— M. Hardy ! s'exclama bizarrement son interlocuteur.
Il me semblait que vous y viendriez enfin… Vous y viendrez
peut-être, très chère, un jour. Espérons-le ! Mais je ne serai
plus là, j'en ai bien peur.

— Ne parlez pas ainsi, Baltazar, dit-elle sans lever les yeux
de son ouvrage. Ce ne sera pas *vous* qui *me* quitterez.

Il y eut un silence pendant lequel les yeux de Baltazar errèrent
dans le jardin silencieux enveloppé de brume.

— M. Hardy ne croit pas en Dieu, remarqua-t-il.

— Tassar ! s'écria-t-elle sur un ton de reproche. Vous
savez ce que vous venez de me promettre. Il ne faut pas me
taquiner. Personne, au fond du cœur, ne refuse de croire en
Dieu. Comment cela serait-il possible ? Il nous fait chaque
jour sentir Sa puissance.

Il y eut un autre long silence, seulement rompu par le croasse-
ment mélancolique des freux, qui commençaient à se rassembler
sur leurs perchoirs d'automne.

Puis Mme Renshaw leva les yeux.

— Vous rappelez-vous, dit-elle d'un ton très solennel, que vous m'avez un jour promis de ne jamais laisser Brand ou Philippa se gausser de notre livre de cantiques ? Vous m'avez dit que vous pensiez que le génie de quelques-uns de nos meilleurs poètes s'exprimait mieux dans leurs cantiques que dans leurs poèmes. J'ai souvent pensé à cela.

Une très curieuse expression passa sur le visage de Baltazar. Il se pencha soudain en avant.

— Tante Helen, dit-il. La maladie d'Adrian me fait sentir, comme vous l'avez souvent répété, combien fragiles sont nos vies. Je voudrais que vous me récitiez ces vers particulièrement tristes — vous voyez ce que je veux dire ? —, ceux qui vous faisaient sourire quand je disais, dans un accès de mauvaise humeur, qu'ils me faisaient toujours penser à des vieilles femmes dans un asile de pauvres ! Vous y êtes, n'est-ce pas ?

Toute la subtilité complexe du caractère de Mme Renshaw apparut sur son visage. Elle sourit presque gaiement, mais au même instant ses yeux s'illuminèrent d'une lumière surnaturelle.

— J'y suis, dit-elle.

Et sans la moindre hésitation, ni le moindre signe d'embarras, elle se mit à chanter, d'une voix basse, plaintive et mélodieuse, la célèbre stance, tout en battant la mesure de la main. Et tandis qu'elle chantait vint à son auditeur l'obscure vision d'une vieille religion, sauvage et primordiale, aussi différente du paganisme qu'elle l'était du christianisme, et dont sa mystérieuse amie était l'adoratrice et la prêtresse. Par la fenêtre ouverte, les mots s'envolèrent dans la brume et les feuilles tombantes.

Le repos vient, quelque longue et fastidieuse que soit la vie,
Le jour pointe, la nuit sombre est passée ;
Le voyage de la foi accueille les âmes lassées
Et, vrai foyer du cœur, s'ouvre le Paradis.

À la fin de la stance, un étrange silence envahit la pièce, puis Baltazar se leva. Son visage était pâle. S'approchant de Mme Renshaw, pour la première et dernière fois dans leurs curieuses relations, il l'embrassa… lui déposa un long baiser sur le front.

De la couleur aux joues et un sourire déprécatoire aux lèvres, elle l'accompagna jusqu'à la porte.

— Écoutez, cher, dit-elle en lui prenant la main, je veux que vous pensiez à ce poème que Cowper a écrit quand il touchait le fond du désespoir, celui qui commence par "Les voies de Dieu sont mystérieuses". Je veux que vous vous souveniez que, quoique le fardeau qu'il nous fait porter soit *écrasant*, il y a toujours quelque chose derrière — une pitié infinie, derrière un mystère infini.

Baltazar la regarda dans les yeux.

— Je me demande, dit-il, qui, de vous ou de moi, est la personne la plus malheureuse de Rodmoor !

Elle laissa retomber la main de Baltazar.

— Ce que nous endurons, dit-elle, m'apparaît comme le poids d'un grand instrument au tranchant acéré… comme un bélier dont les coups nous poussent contre une sombre montagne. Il va et vient, et nous force sans cesse, toujours plus loin, plus loin, plus loin.

— Et pourtant vous croyez en Dieu, murmura-t-il.

Elle eut un faible sourire.

— Ne suis-je pas vivante en train de vous parler ? S'il n'y avait pas Sa volonté derrière tout cela, qui pourrait supporter de vivre un seul instant de plus ?

Ils se regardèrent en silence. Il tenta de lui dire quelque chose d'autre, mais sa langue refusa de prononcer ce que lui suggérait son cœur.

— Au revoir, Tante Helen, dit-il.

— Au revoir, Tassar, et merci d'être venu me voir.

Il quitta la maison sans rencontrer personne et, d'un pas rapide, se dirigea délibérément vers le fleuve. Le crépuscule était déjà tombé et la brume blanche qui venait des dunes envahissait lentement les marécages. La marée venait de changer et le plein courant du fleuve filait avec force entre les hautes rives de boue.

La Drôle, en ce moment, revendiquait son identité et la faisait valoir avec une joie exultante. Elle semblait presque *ronronner*, avec une sorte de satisfaction féline, tandis que le sombre volume d'eau saumâtre se précipitait vers la mer. Le courant rapide tirait de tous les objets qu'il touchait une sorte de bruit à demi humain… soupir ou murmure ou plainte ou protestation maussade.

Les roseaux claquaient. Les racines des saules craquaient. Les promontoires de boue gémissaient. Et, tout le temps, gargouillant et suçant et léchant et riant d'un rire intérieur profondément satisfait de lui-même, le corps fuyant des eaux glissantes s'en allait sous un voile de brume.

Ce soir, entre tous les soirs, la Drôle semblait avoir atteint cet apogée que les choses — animées ou inanimées — atteignent quand leur fonction tourne à plein régime.

Et ce soir-là, enlevant avec soin ses vêtements élégants, posant derrière eux sa canne et son chapeau, Baltazar Stork, sans hâte ni violence, l'esprit surnaturellement clair, se noya dans la Drôle.

XXVI

BRUME DE NOVEMBRE

La mort de Baltazar, en des circonstances qui ne laissaient aucun doute sur l'intention que le malheureux avait eue de se suicider, venant immédiatement après l'internement de Sorio à l'asile, fit courir les rumeurs jusqu'au scandale. Le corps du suicidé — et même les insensibles mariniers boucanés qui le découvrirent charrié par la marée jusqu'au Pont Nouveau furent frappés par sa beauté —, après un service privé improvisé en hâte, fut enterré à la limite contestable où la terre sacrée du cimetière se perdait dans les parterres de fleurs du prêtre. Seule personne de l'endroit à connaître exactement les limites précises de l'enceinte sacrée — qui n'avait jamais été close —, M. Traherne pu suivre les stipulations les plus rigides de sa conscience religieuse sans heurter les sentiments des vivants ni insulter la mémoire des morts. Quand il fallut prendre une décision, il réussit à ne pas donner à son cœur trop scrupuleux la moindre occasion d'éprouver du remords dans l'avenir.

Le fossoyeur de Rodmoor — l'homme qui habituellement creusait les tombes — était à cette occasion dans les affres, ou plus précisément en train de cuver les vapeurs de l'une de ses crises d'ivresse. Ce fut donc le curé de la paroisse qui creusa de ses propres mains la tombe du seul de ses paroissiens à être resté loin de lui, et à ne lui avoir jamais permis la moindre familiarité.

M. Traherne passa la moitié de la nuit dans son bureau à compulser les vieux maîtres scolastiques, comparant les doctrines des uns et des autres sur la question de l'enterrement des suicidés.

Adressant une bizarre prière à la Providence, pour qu'elle lui pardonne, il fit enfin ceci : il *commença* à creuser la fosse juste en dehors de l'enceinte consacrée, puis, arrivé à une distance de quelques mètres, ménagea une légère *excavation* vers le nord de manière que, dans la tombe ainsi creusée, si le corps de Baltazar reposait en terre païenne, sa tête fût bel et bien logée dans les arpents consacrés par la sainte Église.

M. Traherne découvrit que l'un des plus pieux et des plus savants parmi les anciens théologiens soutenait — non comme une spéculation fantastique ou hérétique, mais comme une raisonnable et respectueuse conclusion — l'idée que l'âme ou la « psyché », qui survivait à l'homme, avait comme tabernacle mortel les lobes postérieurs du crâne, et que c'était en quittant la *tête* et non le *corps* que l'ombreuse compagne de nos jours terrestres — l'*anima blandula* de l'empereur païen — se mêlait par degrés à l'air environnant et gagnait sa vraie demeure.

Aucun des Renshaw n'exprima le moindre souhait de contrecarrer les dispositions du prêtre, et Hamish Traherne ne réussit jamais à découvrir si la maîtresse de Chênegarde, la dame aux yeux caves qui, depuis le jour de l'enterrement sans fleurs ni couronnes, venait tous les soirs prier en silence, savait ou ne savait pas que le tertre devant lequel elle venait s'agenouiller était en dehors du cercle de la miséricorde *patentée* de la Puissance qu'elle priait.

Écrites avec le soin le plus exquis, les dernières volontés du défunt, qui revêtaient la forme d'une impudique et provocante confession, étaient si étranges que Brand et le docteur Raughty, exécuteurs testamentaires, s'empressèrent de les cacher. Tous les biens de M. Stork étaient laissés à Mme Renshaw, à l'exception du tableau représentant Eugenio Flambard. Dans un fantastique codicille — si extravagant que, lorsque Brand et Raughty le lurent, ils ne purent que se regarder, interloqués, en silence —, ce tableau était légué, à la fin d'un étonnant panégyrique, *à notre Hippolyte inconnu, M. Baptiste Sorio, de New York City.*

Baltazar avait été enterré le premier novembre et, les jours suivants, dans ce mois sombre aux pluies et aux brumes continuelles, Nance vécut d'heure en heure dans un état de tremblante impatience. Baptiste arriverait-il sain et sauf en Angleterre ? Quand il serait là et découvrirait les rapports qu'elle entretenait avec son père, lui manifesterait-il de la gentillesse et de la sympathie, ou serait-il en colère et blessé ? Elle était incapable de le dire. Incapable de le deviner. Elle ne savait même pas si Adrian avait vraiment fait ce qu'il avait promis : écrire à son fils pour lui parler d'elle.

La présence du garçon — dont le bateau voguait sur l'Atlantique — s'empara de manière fantastique de son imagination dérangée.

À mesure que passaient les jours et que la date de son arrivée se faisait plus proche, il lui était plus difficile de se concentrer, même sur les tâches faciles que lui demandait la modiste. Miss Pontifex la réprimandait gentiment : « Je sais que vous avez des ennuis, Miss Herrick, et une foule de choses en tête, mais il ne sert à rien d'y penser, et les filles se dissipent — vous voyez ce que je veux dire — quand vous ne les surveillez pas de près. » Ainsi réprimandée, Nance souriait avec soumission et détournait les yeux de la fenêtre brumeuse.

Mais, chaque soir avant de s'endormir, elle voyait, sous ses paupières closes, le garçon tant attendu, debout — c'était toujours dans cette attitude qu'elle l'imaginait à la proue du navire, grand et beau comme un jeune dieu, porté sur l'océan illuminé d'étoiles pour leur venir en aide à tous.

Dans ses rêves, nuit après nuit, le garçon venait à elle et elle le trouvait doué d'une beauté de l'autre monde et d'un mystérieux pouvoir surnaturel. Dans ses rêves, l'espoir insensé et impossible que quelque part, d'une façon ou d'une autre, il serait celui qui sauverait Linda de la ruine de sa jeune vie trouvait immédiatement son doux accomplissement.

En ces jours de tension, chaque menu fait prenait pour elle une signification suggestive ou symbolique. Elle tirait des augures des mouvements des nuages et voyait des présages, heureux ou malheureux, chaque fois que le vent changeait, ou que la pluie s'arrêtait, ou recommençait. La moindre rencontre prenait à cette époque une curieuse valeur mystique.

Plus tard, elle se rappela avec une clarté triste et misérable comment les choses et les êtres faisaient impression sur elle, comment ils se prêtaient à l'attente de son esprit surtendu au hasard de leurs gestes et de leurs réunions.

Par exemple, elle ne put jamais oublier le soir du trois novembre, où, en compagnie de Linda et du docteur Raughty, elle attendit l'arrivée du dernier train de Mundham, ramenant M. Traherne, qui avait été faire une visite à l'asile, avec des nouvelles d'Adrian.

De manière inattendue, les nouvelles qu'apportait le prêtre étaient extrêmement favorables. Il semblait que l'état d'Adrian s'améliorait très rapidement, et les médecins avaient déclaré que, d'un jour à l'autre maintenant, Nance pourrait lui rendre visite.

Tandis qu'ils parlaient sur le quai presque désert, avec une intensité passionnée, Nance vit le moment où elle emmènerait Baptiste voir son père, et où — pourquoi pas ? — ils le ramèneraient peut-être tous les deux en triomphe à Rodmoor.

Son heureuse rêverie fut interrompue par un incident fantastique qui, très amusant en lui-même, laissa derrière lui une étrange et significative impression. Ce ne fut rien de moins que la fuite soudaine de Ricoletto, qui s'échappa de la poche de M. Traherne.

Profitant de l'excitation causée par ces heureuses nouvelles, le rat se glissa hors des replis de la poche du manteau de son maître, sauta sur le quai et, vif comme l'éclair, bondit sur les rails. Avec un cri de désespoir M. Traherne descendit sur la voie ferrée et, se débarrassant du manteau qui gênait ses mouvements, se lança désespérément à sa poursuite. Séparée du reste des wagons et désertée par le conducteur, la loco-motive du train que le clergyman avait pris était à présent immobile. Le rat en cavale fila droit sous les roues de ce monstre inerte. Poussant de petits cris d'une voix rauque, le prêtre, dans tous ses états, allait et venait en courant le long de l'engin, se baissait de temps à autre et tentait frénétique-ment de regarder par en dessous.

Le spectacle de cette silhouette disgracieuse, vêtue comme toujours d'une soutane, courant éperdument autour de la forme sombre de la locomotive et tombant à genoux pour regarder sous les roues, était si étrange que Linda ne put réprimer un éclat de rire presque hystérique.

Le docteur Raughty regarda Nance d'un air bizarre.

— C'est peut-être un prêtre de la Science adorant le dieu des machines, remarqua-t-il en mimant le geste de s'asseoir pour mieux glisser lui-même du quai sur les rails.

Le chef de gare s'approcha, impatient de fermer le bureau pour la nuit et de rentrer chez lui. Le porteur, personnage parti-culièrement antipathique, ne tint pas le moindre compte de l'événement, et commença froidement à éteindre les lumières les unes après les autres.

Le valet d'écurie de la Tête de l'Amiral, venu attendre un voyageur qui n'était pas arrivé, se pencha d'un air ensommeillé sur le siège de son fiacre pour observer la scène avec un sombre détachement, se promettant d'être le soir suivant, à la table qu'il occupait d'habitude à l'auberge, le point de mire de la salle en racontant cette histoire extraordinaire pour satisfaire la curiosité légitime des habitués.

Nance ne put s'empêcher de sourire en voyant l'excellent Fingal, avec son long manteau lui battant les jambes, se pencher entre les tampons de la machine et sonder du regard le ventre métallique. Elle remarqua qu'il tapotait du bout des doigts contre la brillante cuirasse du monstre et poussait des gloussements comme s'il appelait un enfant récalcitrant.

Plus désespéré à mesure que l'oublieux porteur approchait du dernier lampadaire, M. Traherne ne fut pas long à se mettre à plat ventre pour ramper sous la machine.

Le spectacle de cette longue silhouette en soutane disparaissant lentement en se tortillant comme un ver arracha un éclat de rire à Nance et Linda battit des mains comme une enfant.

À leur grand soulagement, le prêtre reparut bientôt, tenant son favori dans la main, et à l'instant où il grimpa de nouveau sur le quai le dernier lampadaire s'éteignit, plongeant la gare dans l'obscurité.

Nance, une fois son éclat de rire passé, éprouva au moment où ils s'en allèrent la sensation étrange que la scène grotesque dont elle venait d'être le témoin faisait partie d'un rêve fantastique, et qu'elle était elle-même un rêve, que la tragédie de sa vie était peut-être le rêve d'une locomotive cosmique filant sans conducteur, le songe de quelque lointaine Compagnie des chemins de fer de l'Univers !

L'aube du quatre novembre parut sous des auspices beaucoup plus favorables que Rodmoor n'en avait connus depuis des semaines. C'était l'un de ces jours patients, indescriptibles et secrets… calmes et tendres, et pleins de suggestions chuchotées qui rassuraient en cachette… l'un de ces jours que l'on ne voit qu'en Angleterre, et nulle part ailleurs qu'en East Anglia. Les grandes puissances de la mer, du ciel et de l'air semblaient plus proches les unes des autres ainsi que de l'humanité. Comme si, en un ample et gracieux geste de bénédiction, elles étaient heureuses d'accorder le repos au corps de la saison qui venait de mourir, avec un requiem solennel joué sur le clavier des éléments.

Nance s'échappa avant midi de l'atelier de Miss Pontifex. Linda et elle avaient été invitées par le docteur Raughty à déjeuner en compagnie de Hamish au salon de thé de la Grand-Rue. Cette petite fête était une sorte de célébration en l'honneur des bonnes nouvelles apportées la veille par M. Traherne — corroborées par une lettre du médecin-chef qui confirmait à Nance l'étonnante amélioration de la santé mentale d'Adrian.

Nance se sentit possédée par une profonde et tumultueuse agitation. Baptiste devait être tout près de l'Angleterre à présent. D'un jour à l'autre — presque d'une heure à l'autre — on pouvait lui annoncer qu'il était arrivé. Elle traversa à grands pas le pont sur la Drôle pour aller chercher Linda qui, ce matin-là, s'exerçait à l'orgue, car le lendemain était un dimanche.

Comme elle traversait les marais qui s'étendaient entre le pont et l'église, elle rencontra Mme Renshaw qui revenait d'une visite sur la tombe de Baltazar. La maîtresse de Chênegarde s'arrêta quelques instants pour bavarder et lui exprimer sa sympathie pour le rétablissement d'Adrian. Elle le fit à sa manière si particulière, de sorte que cela déprima la jeune fille au lieu de l'encourager. Toute son attitude disait qu'il était mieux, plus sage, plus respectueux de ne pas entretenir allégrement l'espoir, et de tenir pour certain qu'il ne fallait attendre et espérer — avec une humble soumission — que ce que les mains de Dieu nous enverraient de pire.

De manière étrange, elle paraissait *être froissée* chaque fois que se soulevaient les plis du lourd suaire du destin, et s'accrocher avec une sorte de lassitude obstinée aux aspects les plus sombres et les plus noirs de chaque possibilité.

Mme Renshaw portait un bouquet de fleurs fanées, prises sur la tombe qu'elle venait de visiter ; elle semblait hésiter à les jeter, et Nance n'oublia jamais cette apparition en robe noire, ce visage blanc et cette silhouette voûtée, debout au bord des marais brumeux illuminés par le soleil, tenant dans les mains ces tiges mortes et ces feuillages flétris.

Quand elles se séparèrent, Nance lui murmura quelques mots hésitants à propos de Baltazar. Nance s'attendait plus ou moins à ce que la vieille femme lui répondît d'une voix coupée de larmes, mais à la place des larmes ses yeux parurent briller d'une joie mystérieuse et intense.

— Quand vous serez aussi vieille que moi, ma chère, dit-elle, et que vous connaîtrez la vie comme je la connais, vous ne serez pas triste de perdre ce que vous aimez le plus. Plus les êtres nous sont chers, plus nous devons être heureux quand ils sont libérés des maux du monde.

Elle regarda le sol, puis leva de nouveau la tête, et ses yeux s'emplirent d'une lumière surnaturelle.

— Je suis plus proche de lui maintenant, dit-elle, plus proche que je ne l'ai jamais été. Et je ne mettrai pas longtemps à le rejoindre.

Elle s'éloigna lentement, déplaçant ses membres avec difficulté.

Tout le long du chemin, Nance ne cessa de voir devant elle l'étrange regard surnaturel de la vieille femme. Il lui laissait l'impression que Mme Renshaw avait vraiment passé un pacte monstrueux avec les morts, ce qui lui donnait une attitude froide et détachée envers les vivants.

Peut-être qu'il en avait toujours été ainsi, pensa la jeune fille. Peut-être était-ce ce commerce journalier avec l'Invisible qui en faisait une impénitente adoratrice du clair de lune et des ombres, qui la rendait si indifférente aux rayons du soleil et à tout ce que l'humanité exprimait de simple et de naturel ?

Lorsqu'enfin Nance revint rêveusement au village en compagnie de Linda, elle éprouva la sensation d'avoir rencontré une créature d'un autre monde, un monde de vapeurs grises et de lisières obscures où les esprits de ceux qui n'étaient pas encore nés rencontraient les fantômes des morts, un monde où ceux qui auraient pu être et ceux qui ne seraient jamais plus pleuraient ensemble sur les rives du Léthé.

Les convives réunis devant la vitrine, dans la confiserie de Rodmoor, formaient une joyeuse tablée. Comme c'était un samedi, la rue était pleine du tranquille remue-ménage des gens qui se préparaient à fermer boutique comme chaque semaine. Flottait dans l'air une vague impression de délicate tristesse, plus imprégnée de rêve que de chagrin, comme si l'année elle-même s'arrêtait un instant avant les froids de l'hiver et rassemblait pour la dernière fois tous ses enfants, toutes les feuilles pâlissantes, tous les fruits empilés, toutes les fleurs qui baissaient la tête, en une calme étreinte maternelle, une étreinte de silence et d'éternel adieu.

Le soleil brillait doucement et avec tendresse dans un ciel d'un bleu lointain, pâle et triste, celui dont les premiers peintres florentins — qui étaient les plus austères — se servaient pour peindre la robe de la Madone montant au ciel d'une tombe de lis.

La mer était calme et immobile, avec des vagues qui bougeaient à peine, plus claires et plus transparentes dans leurs profondeurs vertes que lorsqu'elles étaient soulevées par des vents impatients ou touchées par une éblouissante et impudique lumière.

Une légère brume opalescente enveloppait les maisons, transformant les pignons, les cheminées, les porches et les toits en un mystère incertain de formes vagues aux reflets illusoires, qu'on aurait dit sorties de la « périlleuse mer » elle-même pour venir s'échouer sur une plage tissée dans l'étoffe des rêves.

L'étrange décor démodé de la pièce où les quatre amis festoyaient semblait avoir pour eux, à mesure que Nance le faisait entrer avec une émotion rêveuse dans le cercle de ses pensées, un singulier pouvoir symbolique. Ces objets dépareillés semblaient suggérer tout ce monde de souvenirs et de petites choses accumulées au hasard, ces petits riens qui jonchent le chemin de notre turbulente et inquiète humanité et remplissent les lieux de son séjour passionné. Coquillages nacrés, têtières fanées, chiens en porcelaine de Chine, fruits sous verre, vieilles photographies jaunies de gens morts depuis longtemps, textes aux enluminures brodées dans de la laine aux couleurs vives, timbales ternies données comme cadeaux de baptême à des enfants qui étaient à présent des vieilles femmes, portraits de célébrités du temps où Victoria elle-même était encore au berceau, tout le doux bric-à-brac impossible d'un salon de thé villageois les entourait, faisant vibrer le cœur d'au moins deux des convives — car l'esprit de Linda était aussi réceptif et aussi sensible que celui de Nance — et le remplissant de l'indescriptible sensation du tragique de la vie humaine.

C'était de la « vie » en général que parlait le docteur Raughty, tandis que les deux jeunes filles, s'abandonnant aux influences de l'heure, touchaient à peine à leur plat.

— C'est complètement absurde, s'écria le docteur, ce pessimisme perpétuel est un absurde malheur ! Pourquoi ces gens ne lisent-ils pas Rabelais et Montaigne pour boire un noble vin tiré de grandes futailles ? Pourquoi ne choisissent-ils pas, parmi leurs amis, des filles gaies et honnêtes pour se divertir avec elles sous d'agréables frondaisons ? Pourquoi ne se marient-ils pas avec de fraîches et accortes filles pour se régaler dans des cuisines bien installées ?

Tout en parlant, il se servit une autre tranche de saumon et saupoudra de sel une pleine assiette de tomates et de laitue.

— De quel pessimisme parlez-vous, Fingal ? demanda Nance en prenant son humour au mot.

— N'allez pas en chercher spécialement pour moi, dit M. Traherne en s'adressant à la servante, qui avait un petit air de sainte-nitouche et le visage couvert de taches de rousseur. Je suis en train de demander un verre de bière, Docteur. On peut aller en chercher. Mais je n'en boirai que si…

Les yeux du docteur s'allumèrent en le regardant comme de douces lampes de solide sagesse antique.

— De la Burton ! s'écria-t-il avec emphase. Pas du breuvage de l'ami Renshaw ! De la Burton ! De cette vieille et sombre liqueur couleur d'acajou que nous avons bue une fois sous les ormes à Ashbourne.

La servante sourit avec coquetterie en le regardant. Elle était perpétuellement victime de l'illusion que tous les mots que le docteur prononçait étaient une façon aussi élaborée que mystérieuse de lui adresser un compliment.

La conversation continua sur un rythme animé, spasmo-dique et fantasque. La bière apparut bientôt, ayant le même corps et la même couleur que dans les souvenirs du docteur. Nance refusa d'y toucher.

— Prenez une boisson au gingembre alors, murmura Fingal en versant la bière brune dans une cruche décorée de margue-rites peintes. Linda voudra y goûter, je le sais.

Le prêtre tendit son verre en direction de la cruche.

— Que les mille démons des grands fonds — pardon-nez-moi, chère Nance — emportent les pessimistes, poursuivit le docteur en remplissant le verre du prêtre et le sien avec une solennité rituelle, tandis que la petite servante, victime d'un irrépressible fou rire, se retirait pour aller chercher des boissons au gingembre. À la santé de Voltaire, et au diable ces gribouilleurs névrosés qui n'ont même pas de fiel sur la langue !

Il porta son verre à ses lèvres, les yeux pétillants d'humour.

— De quels gribouilleurs parlez-vous ? demanda Nance en pelant une pomme dorée et en jetant un coup d'œil par la fenêtre sur les toits brumeux.

— Tous ces modernes qui ne valent pas un clou, s'écria le docteur, qui n'ont pas assez de tripes pour attraper le monde par la peau du cou et ruer dans les brancards. Qu'ils aillent au diable ! Quand il sera guéri, notre pauvre cher Adrian écrira quelque chose — notez ce que je vous dis — qui les fera se mettre au garde-à-vous !

— Mais Adrian est un pessimiste, lui aussi, n'est-ce pas ? dit Nance en regardant d'un air désabusé par la fenêtre.

— Absurde ! s'écria le docteur. Adrian a en lui plus de sel attique que vous, les femmes, ne le devinez. Je crois, moi, que son livre sera digne d'être mis à côté des *Pensées* de Pascal. Avez-vous jamais vu le visage de Pascal ? Il n'est pas aussi beau qu'Adrian, mais il a la même furie intellectuelle.

— Quelle est votre opinion, Fingal, dit M. Traherne en jetant un regard d'envie sur la cruche pansue, sur l'art de rendre la vie supportable ?

Le docteur Raughty le regarda avec un égal sourire placide.

— Le courage et la gaieté, dit-il, sont les seules recettes, et je ne dédaigne pas, en dépit de nos philosophes modernes, de les saupoudrer d'un zeste de tendresse humaine.

Le prêtre opina de la tête au-dessus de sa bière presque vide.

— *De fructu operum tuorum, Domine, satiabitur terra : ut educas panem de terra, et vinum laetificet cor hominis ; ut exhilaret faciem in oleo, et panis cor hominis confirmet,* marmonna-t-il en étendant ses longues jambes sous la table et en inclinant la chaise en arrière.

— Que diable tout cela signifie-t-il ? demanda le docteur d'un air un peu maussade. Ne pouvez-vous pas louer Dieu en anglais ? Nance et moi n'avons pas compris un traître mot, sauf "vin", "pain" et "huile".

M. Traherne eut l'air inqualifiablement honteux.

— Je suis confus, Nance, murmura-t-il en s'asseyant très droit pour se reprendre. C'était déplacé. C'était brutal. C'était peut-être même profane. Je suis désolé, Fingal !

— C'est un bel après-midi, dit Nance, les yeux fixés sur la petite rue dont les pavés reflétaient la douce lumière opalescente qui s'étendait sur Rodmoor.

— Ah ! s'écria le docteur Raughty, nous avons oublié *cela* dans notre sommaire des compensations de la vie ! *Vous*, Hamish, vous l'avez omis de votre *fructu*, *panem*, *vinum* et le reste. Mais, après tout, c'est à cela que nous revenons à la fin. Le ciel, la terre, la mer — les grands espaces frais de la nuit —, le soleil, comme un immense dieu splendide, la lune, comme une douce nonne passionnée, et les étoiles admirables, comme des gemmes ocellant la queue d'un paon : le monde. Oui mes chers, nous revenons à tout cela au bout du compte !

Il se leva de son siège et, les yeux brillants, dévisagea ses invités.

— Par le corps de Maîtresse Bacbuc, s'écria-t-il d'une voix forte, nous avons tort de rester assis plus longtemps ! Allons à la plage nous rafraîchir la tête. Maggie ! Madge ! Marjorie ! Où cette fille est-elle passée ? Ah, la voilà ! Donnez-moi la note, s'il vous plaît, et apportez-moi un rince-doigts.

M. Traherne posa gentiment la main sur le bras du docteur.

— J'ai bien peur que nous ne nous soyons mal conduits, Fingal, chuchota-t-il. Nous avons bu de la bière et oublié nos bonnes manières. Est-ce que j'ai l'air bien ? Je veux dire : est-ce que j'ai l'air de quelqu'un qui a bu de la Burton couleur d'acajou ? Ou est-ce que j'ai le même air que d'habitude ?

Le docteur le dévisagea avec une grave intensité.

— Vous avez l'air, dit-il enfin, de quelque chose d'intermédiaire entre frère John et l'évêque Berkeley. (Il lui donna une petite bourrade.) Allez tenir compagnie aux jeunes filles pendant que je leur achète des chocolats.

Après avoir payé la note, il choisit avec délicatesse une petite boîte de sucreries pour chacune de ses amies : pour Nance, une boîte avec l'image de Léda et du Cygne, et pour Linda une boîte décorée du portrait de l'impératrice Joséphine.

Tandis qu'il se penchait au-dessus du comptoir, ses yeux brillaient d'une douce et bienveillante extase, et il railla la propriétaire de la boutique à propos de certaines créations en forme de cœur et ornées de rubans bleus.

Avant que M. Traherne les eût rejointes, Nance eut le temps de dire un mot à Linda.

— Ils sont tous les deux un peu excités, chérie, chuchota-t-elle, mais il ne faut pas y faire attention. Ils seront eux-mêmes dans un moment. Les hommes sont de tels enfants.

Linda acquiesça d'un faible sourire. Elle avait l'air un peu triste et un peu pâle.

Le docteur Raughty apparut bientôt.

— Venez, dit-il, allons au bord de la mer.

Puis, d'une voix basse et rêveuse, il murmura ce refrain :

Un bateau… un bateau… pour traverser le ferry !
Soyons gais et malins, mais sans tricherie,
Et rions et buvons et lampons du sherry !

Linda attrapa Nance par la manche.

— Je crois que je vais te laisser aller sans moi, murmura-t-elle. Je me sens un peu fatiguée.

Nance la dévisagea avec inquiétude :

— Je t'accompagnerais bien, mais j'ai peur de les heurter. Tu ferais bien de t'allonger un peu. Je serai bientôt de retour.

Puis, baissant encore d'un ton :

— Ils font ça pour nous changer les idées. Ce sont des gens adorablement absurdes. Prends bien soin de toi, chérie.

Après leur avoir dit au revoir, Linda les regarda un instant s'éloigner dans la rue.

Il y avait, sous le soleil brumeux, quelque chose de très charmant et de très émouvant dans la jeune silhouette de Nance, qui marchait entre les deux hommes. Ils semblaient tous les deux lui parler en même temps et, tout en parlant, ils la regardaient avec une tendre et affectueuse admiration. « Elle les traite comme des enfants, se dit Linda. C'est pour cela qu'ils sont tous fous d'elle. »

Elle remonta lentement la rue mais, au lieu de rentrer, traversa languissamment le pré et se dirigea vers les grilles du parc.

Elle se sentit très solitaire… très seule, et le cœur déchiré de nostalgie. Si seulement elle pouvait entrevoir, rien qu'entrevoir, l'homme qui lui était si cher et qui était le père de son enfant.

Elle pensa au rétablissement d'Adrian et, de façon plus vague et plus désabusée, à l'arrivée de Baptiste. « J'espère qu'il nous aimera, se dit-elle. J'espère qu'il nous aimera toutes les deux. »

Sachant à peine ce qu'elle faisait, elle passa les grilles et s'engagea dans l'allée. Toutes les émotions tragiques et passionnées qui étaient associées à ces lieux déferlèrent sur elle comme une vague. Alors, avec un pitoyable effort pour se contrôler, elle fit demi-tour et commença à revenir sur ses pas.

Soudain, elle s'arrêta, le cœur battant à tout rompre. Oui, il y avait des pas qui s'approchaient d'elle, venant de Chênegarde.

Elle se retourna. Brand Renshaw était derrière elle, à un tournant de l'allée, tête nue, sous un énorme pin. Le rayon de soleil horizontal, qui perçait le feuillage devant lui, rougeoyait sur le tronc du grand arbre et sur ses cheveux couleur de sang.

Elle se dirigea vers lui avec un petit cri haletant, comme un animal qui aperçoit enfin son gîte après une longue errance.

L'homme s'était arrêté parce qu'il l'avait vue et, lorsqu'il comprit qu'elle s'approchait de lui, un frisson convulsif parcourut son corps puissant. L'espace d'une seconde, il fit le mouvement d'aller à sa rencontre. Mais, levant soudain ses longs bras dans un geste qui était à la fois une étreinte et un adieu, il plongea dans les ombres des arbres et fut hors de vue.

Comme changée en pierre, la jeune fille demeura de longues minutes à l'endroit où il l'avait quittée, pendant qu'au-dessus de sa tête le ciel brumeux regardait à travers les branches et que, dans les espaces libres du parc, parvenait le cri rauque des goélands qui volaient en direction de la côte.

Puis, la tête penchée et les yeux complètement vides, elle reprit lentement le chemin par où elle était venue.

XXVII

THRÈNE

Après avoir rencontré Nance, Mme Renshaw, de retour à Chênegarde, informa Brand et Philippa de l'amélioration de l'état d'Adrian Sorio.

Consciente que son frère avait les yeux sur elle, Philippa accueillit ces nouvelles avec un grand calme, mais dès qu'elle put s'échapper — un peu avant la fin de l'après-midi — elle partit à la dérobée et, empruntant un raccourci à travers le parc, se dirigea en hâte vers la gare de Rodmoor. Elle n'avait qu'une idée en tête : voir Adrian et lui parler avant que les autres ne pussent le faire.

Étant la sœur du plus gros propriétaire terrien de l'endroit, elle savait que son nom et son prestige joueraient, et que toutes ses demandes seraient au moins respectueusement prises en considération. Pour le reste, elle se remettait à corps perdu entre les mains du destin.

La mort de Baltazar l'avait plus affectée qu'elle ne l'aurait cru possible. Elle avait, ces jours derniers, éprouvé une sorte de jalousie maligne envers sa mère, qui réagissait de manière si étrange et si anormale à la perte de son ami.

Philippa, avec ses lèvres écarlates, sa chair classique, sa fièvre circéenne, souffrait d'être associée de si près à cette exultante pleureuse, comme un garçon païen privé de son compagnon aurait pu souffrir au contact d'un visionnaire chrétien pour qui la mort était « le remède ».

À cet instant, cependant, tandis qu'elle se hâtait vers la gare, ce n'était pas à Baltazar mais à Adrian — et à Adrian seulement — qu'elle pensait.

Elle écarta l'idée de l'arrivée imminente de Baptiste avec un mépris amer. Qu'il aille trouver Nance si ça lui chantait ! Après tout, c'était à elle — de façon beaucoup plus intime qu'à Nance — qu'Adrian avait confié combien il avait passionnément idéalisé son fils et combien il avait sauvagement besoin de lui.

Oui, c'était à elle qu'il avait confié cela, et toujours à elle, jamais à Nance, qu'il parlait de son livre et de ses pensées secrètes. C'était de son *esprit* à elle, de son esprit, de son âme, de son imagination qu'Adrian avait besoin. C'étaient là des choses que Nance, avec toute sa féminité, ne pourrait jamais lui donner.

Pourquoi ne pourrait-elle pas l'arracher à Nance et à tous les autres ? Que les autres continuent d'avoir peur de sa folie ! Il n'était pas fou pour elle. S'il l'était, alors elle aussi était folle, qui l'aimait et le comprenait !

Tandis qu'elle se hâtait, elle apercevait à intervalles, entre les arbres baignés par le soleil brumeux sur les longues pentes du parc, l'embouchure du port, avec les mâts et les navires et, plus loin, la mer elle-même.

Ah ! la mer était le lieu où leurs âmes s'étaient mêlées ! La mer était la complice de leur amour !

Oui, il lui appartenait — il était à elle, dans les hauteurs comme dans les grands fonds — et aucun d'eux ne le lui arracherait !

Tout ce troupeau pleurnichard à la piété mesquine et à la prudence vulgaire, comme elle aimerait l'abattre et le piétiner — piétiner ces visages aux yeux fixes — jusqu'à ce qu'elle et lui soient réunis !

Dans l'air léger comme un rêve, où flottaient des fils de la Vierge et une faible odeur de feuilles mortes, tandis qu'elle courait sur le sol inégal entre les terriers de lapins, les fougères et les touffes d'ajoncs lui parvenait le bruit lointain de la mer sur la plage. Oui ! La mer était ce qui les avait réunis et, tant qu'elle entendrait ce bruit dans ses oreilles, aucun pouvoir sur terre ne pourrait les séparer !

Elle atteignit la gare juste à temps. Il était cinq heures moins cinq et le train partait à cinq heures. Philippa prit un billet de première classe et s'effondra, épuisée, sur la banquette du compartiment vide.

Que ces cinq minutes lui parurent longues !

Elle avait une peur panique jalouse que l'un des amis de Nance eût également l'idée d'aller rendre visite au malade.

Elle écouta la conversation de deux gars sur le quai, près de la fenêtre de son compartiment. Ils parlaient du grand feu de joie que l'on préparait, sur la rive sud du port, et qui serait allumé le lendemain soir, en commémoration du cinq novembre. Les nerfs hypertendus, Philippa se surprit à répéter les vers étranges du vieux refrain associés à tant de souvenirs d'enfance :

Souvenez-vous, souvenez-vous,
Du cinq novembre le rendez-vous,
Le complot de la poudre et la trahison.
Il n'y a aucune raison
Pour oublier la trahison
Qui mit le feu aux poudres, souvenez-vous !

En un éclair, elle se demanda ce qui arriverait quand l'immense flèche de fumée et de flammes — elle s'en rappelait si bien l'image ! — s'élèverait et commencerait à dériver sur l'eau. Serait-elle pour Baptiste un signal de bienvenue ? Le signal qui le mènerait à Rodmoor et à Adrian ?

Encore deux minutes ! Elle regarda l'aiguille sur le cadran de l'horloge de la gare. Elle grignotait doucement la bande blanche qui la séparait du chiffre de l'heure. Oh, ces signaux cruels, avec leurs doigts meurtriers et mouvants ! Pourquoi l'amour et l'espoir et le désespoir devaient-ils dépendre d'une trotteuse grignotant des blancs entre des marques noires ?

Enfin partie ! Elle fit un bruit de gorge, comme si elle venait d'avaler le dernier blanc.

Une heure plus tard, tandis que tombait la nuit de novembre, elle franchit les grilles de l'asile. En chemin, elle aperçut un petit groupe de pensionnaires accompagnés d'une infirmière qui surgit au détour d'une allée. Il régnait une sombre obscurité sous ces grands arbres mais, poussés par l'enfantine curiosité des déments, ces malheureux, au lieu d'obéir aux ordres de leur gardienne, s'avancèrent vers elle à la débandade.

Un mouvement parcourut la troupe, comme celui que Dante décrit dans *L'Enfer*, quand une âme, dans une procession de damnés, reconnaît dans l'incertain crépuscule une silhouette vivante venue d'en haut.

Un instant Philippa se demanda si Adrian était parmi eux, mais, si tel était le cas, il n'eut pas le loisir de s'approcher d'elle, car la gardienne, sur le qui-vive, tel un Cerbère virgilien des ombres spectrales le long du fleuve infernal, éloigna le troupeau et lui fit traverser la pelouse assombrie en direction de l'angle du bâtiment.

Lorsqu'elle atteignit la bâtisse, le nom des Renshaw opéra comme un « Sésame ». Oui, M. Sorio allait beaucoup mieux. Il était presque redevenu lui-même, et il n'y avait aucune raison pour que Miss Renshaw ne pût bavarder un moment avec lui. Cet après-midi même, on avait envoyé une lettre à Miss Herrick pour lui demander de venir le lendemain.

Philippa demanda s'il lui serait possible de faire une petite promenade avec le malade avant l'heure du dîner. Cette demande fit hésiter le médecin auquel elle était adressée, mais finalement — après tout, Miss Renshaw était la sœur du magistrat qui avait fait interner le malheureux — cela aussi fut accepté, à condition que la promenade ne durât pas plus d'une demi-heure, et qu'elle n'eût pas lieu dans les rues de la ville. Après avoir donné son accord, le médecin de l'asile laissa la jeune fille dans la salle d'attente et alla chercher Adrian.

Philippa se laissa tomber sur une chaise couverte de peluche et regarda autour d'elle. Quelle horrible pièce c'était ! Le mobilier minable, recouvert d'un tissu lugubre, avait un air de sombre complicité avec toutes les tragédies qui assombrissaient la vie humaine. C'était comme une pièce où l'on entrait seulement lorsque quelqu'un était mort ou mourant. C'était comme l'antichambre d'un cimetière. Tout ce qu'il y avait dans la pièce penchait la tête et semblait désireux de s'effacer, honteux — aurait-on dit — de l'impudique étalage du délabrement des pensées humaines.

On amena enfin Sorio, dont les yeux brillèrent d'un indescriptible plaisir lorsque sa main rencontra celle de Philippa et la serra avec une ardeur passionnée.

Ils sortirent ensemble de la pièce et parcoururent le long couloir qui menait à l'entrée de la bâtisse. En marchant près de lui, Philippa eut la sensation étrange de l'avoir pour partenaire dans une diabolique *danse macabre*, exécutée aux sons d'un pot-pourri de tous les furieux « chants de la folie » jamais écrits depuis le commencement du monde.

Elle ne put s'empêcher de remarquer que les groupes de gens qu'ils croisaient avaient un air très différent de ceux qui hantent un hôpital ou même une prison. Ces miséreux lui faisaient penser à quelque horrible école pour adultes, le genre d'école que ceux qui ont été maltraités durant l'enfance voient parfois en rêve.

Ils semblaient traîner et se rassembler et jeter des coups d'œil furtifs et marmonner, comme si, « dans un souffle et avec une humilité murmurante », ils écoutaient quelque chose qui se passait derrière des portes closes. Philippa eut l'impression qu'une horrible atmosphère de *culpabilité* pesait sur l'endroit, comme si un châtiment effroyable pour des crimes commis contre les instincts naturels de l'humanité était à l'œuvre.

Une vieille femme maigre au visage émacié les croisa en traînant les pieds, le cou en avant, les bras tendus. « Je suis un chameau ! Je suis un chameau ! Je suis un chameau ! », l'entendit marmonner Philippa.

Soudain, Adrian lui posa la main sur le bras.

— On m'a permis d'avoir ma chouette ici, Phil, dit-il. N'allons pas trop loin, car elle va avoir faim. Elle mange dans mon assiette. Je ne t'ai jamais dit comment je l'ai trouvée, n'est-ce pas ? Elle lui picorait les yeux, tu sais. Oui, les yeux ! Mais ce n'est rien, non ? Elle était morte depuis des semaines, les chouettes sont nécrophages, et les cadavres sont des charognes !

Ils traversèrent le jardin d'un pas rapide.

— Que l'air est bon cette nuit ! s'écria le compagnon de Philippa en rejetant la tête en arrière et en respirant l'odeur de feuilles de l'obscurité.

On les laissa franchir les grilles de fer et, tournant instinctivement vers le sud, ils descendirent lentement jusqu'au fleuve — la main de la jeune fille posée sur le bras de l'homme.

En chemin, ils passèrent devant le mur noirci d'une usine désaffectée. Un lampadaire projetait une faible lumière voilée qui vacillait sur le mur.

Une affiche publicitaire en couleurs vantant une compagnie d'assurances représentait un phénix entouré de flammes.

Philippa pensa immédiatement au feu de joie que l'on préparait pour le lendemain soir. Le fils d'Adrian serait-il vraiment là si vite ? Et Adrian lui-même, comme cet oiseau grotesque, imperturbable au milieu des flammes de son bûcher, renaîtrait-il à la vie après tous ces malheurs ? Que ce soit elle — oh, puissants dieux du ciel ! —, que ce soit elle et pas Nance, ni Baptiste, ni personne d'autre, qui le sauve et le guérisse !

Les yeux toujours fixés sur l'affiche, elle lui récita des strophes qu'elle connaissait depuis l'enfance et qui comptaient parmi les préférées de Mme Renshaw :

> Du phénix la mort est le nid
> De la colombe le cœur ami
> Du vrai à l'éternel s'unit.
> Ils ne laissent nulle postérité,
> Ce n'est pas une infirmité
> Leurs noces sont de chasteté.

La riche musique funèbre de ces rimes shakespea-riennes — bizarrement rejetées, sous le titre étrange de « Thrène », à la fin du volume familier — eut à cet instant une influence apaisante sur eux.

Philippa eut l'impression qu'en les prononçant elle lui faisait partager un deuil triste et doux, et qu'ils se penchaient tous les deux sur le corps de quelque chose qui n'était ni humain ni inhumain, quelque chose de lointain, d'étrange, d'ineffable qui reposait entre eux, qui était à la fois issu et non issu d'eux, comme le cadavre fantôme d'un enfant à naître.

Ils atteignirent la rive du fleuve. Les eaux de la Drôle étaient hautes et, à travers l'obscurité, montait de la surface sombre un murmure où se mêlaient les vagues chuchotis d'une centaine de voix.

Ils descendirent au bord de l'eau. Une barque à fond plat, avec une longue gaffe posée en travers, était amarrée à la rive. Sans une hésitation, comme si la chose avait été prévue, Adrian sauta dans la barque et empoigna la gaffe.

— Viens ! dit-il d'une voix calme.

Elle était trop insouciante et trop indifférente à tout pour prêter vraiment attention à ce qu'ils faisaient. Sans la moindre protestation ni la moindre tentative pour le détourner de son but, elle sauta dans la barque et, s'installant à la poupe, saisit le lourd gouvernail de bois.

Forte et rapide, la marée descendait vers la mer. D'un vigoureux coup de gaffe, Adrian éloigna la barque de la rive qui disparut dans l'obscurité. Toujours debout, il continua à maintenir le cap, sa haute et impérieuse silhouette apparaissant indistinctement dans la pénombre.

La marée les porta bientôt au-delà des dernières maisons de la ville, dans l'étendue des marécages. La nuit était calme et silencieuse, sans un souffle de vent, mais un fin voile de brume cachait les étoiles.

Laissant tomber la gaffe à l'avant de la barque, Adrian s'approcha de Philippa, qui tenait le gouvernail, et s'étendit à ses pieds.

— Vont-ils nous poursuivre ? murmura-t-il d'une voix rêveusement indifférente.

— Non, non ! répondit la jeune fille. Ils ne penseront jamais au fleuve. Ils vont d'abord nous attendre, et lorsqu'ils verront que nous ne revenons pas ils nous chercheront en ville et sur les routes. Continuons, mon très cher. Quelle importance ? Y a-t-il rien qui ait de l'importance ?

Se renversant en arrière, elle lui passa doucement et distraitement les doigts sur le front.

Rapide et silencieuse, la barque continuait de descendre le fleuve, les saules, les peupliers, les bras morts, les écluses, les hautes tiges des roseaux et les toits de chaume de hangars en ruine défilaient comme des motifs tissés dans des ombres irréelles.

L'eau gargouillait contre les flancs de la barque, chuchotait funèbrement contre les berges, et plus ils avançaient plus le mystère de la nuit et le noir silence des marais leur tendaient les bras pour une mystique étreinte.

Un étrange et profond bonheur envahit peu à peu le cœur de Philippa. Elle était avec l'homme qu'elle aimait, avec la pénombre qu'elle aimait et avec le fleuve qu'elle aimait. La Drôle les portait, la Drôle amicale et miséricordieuse, la Drôle qui, depuis la nuit des temps, avait arrosé les habitations de sa race, la Drôle qui avait donné à Baltazar la paix tant désirée.

Seule ombre au tableau, la troublait un peu la pensée que c'était vers Nance — vers sa rivale — que la marée les portait. Mais, qu'arrive ce qui arrivera, cette heure au moins lui appartenait ! Le monde entier ne pourrait pas la lui enlever… et l'avenir ? En quoi l'avenir importait-il ?

Quant à l'homme au cerveau dérangé qui était aux pieds de la jeune fille, il était la proie d'étranges visions, presque impossibles à dire. Il prit la main de Philippa et la baisa tendrement, mais, si elle avait pu lire dans ses pensées, elle aurait vu qu'elles n'étaient pas dirigées vers elle ; ni vers son fils, le fils qu'il avait si passionnément attendu. Elles n'étaient dirigées vers aucun être humain. Elles tournaient constamment autour d'une étrange et vague image irisée de brumes blanches, de vapeurs blanches et du reflet des étoiles blanches dans l'eau sombre.

Cette image, incertaine de forme, vaste et primordiale, semblait monter des terres et de la mer, et s'étendre comme une vague dans un espace infini. C'était l'image de quelque chose qui était au-delà de l'expression humaine, au-delà des amours et des haines terrestres, au-delà de la vie et au-delà de la mort. C'était l'image du Néant. Et pourtant, dans ce Néant, il y avait un réconfort, une évasion, un refuge, un au-delà de l'espoir, qui rendait indifférentes toutes les tentatives humaines, enfantins tous les dieux enfantins, et vains tous les rêves, et qui offrait pourtant une généreuse et fraîche gorgée de « repas liquide et profond », dont le goût libérait l'âme jusqu'au tréfonds.

Bien des heures s'écoulèrent ainsi au-dessus de leurs têtes, tandis que la marée les portait vers Rodmoor, épousant les grands méandres de la Drôle, à travers chaumes et marais.

Le choc du flanc de la barque contre l'une des arches du Pont Nouveau tira enfin l'homme prostré de la transe dans laquelle il était plongé.

Dès qu'ils furent sortis de l'autre côté de l'arche, il bondit sur ses pieds et, se penchant vers Philippa, pointa le doigt vers les sombres maisons de Rodmoor que l'on discernait dans les ténèbres aux faibles lumières qui, çà et là, éclairaient une fenêtre.

— Je sens la mer ! s'écria-t-il. Je sens la mer ! Continue, Phil, ma toute petite, continue jusqu'au port. Je dois te quitter. Nous nous retrouverons près de la mer — près de la mer comme avant — mais je ne peux plus attendre. Il faut que je sois seul, seul, seul !

Agitant furieusement la main dans un geste d'adieu, il s'agrippa à une touffe de roseaux et sauta sur la berge. Philippa, abandonnant la barque à la dérive, le suivit aussi vite qu'elle le put.

Il s'était cependant assuré d'une avance considérable sur elle, et elle put seulement ne pas le perdre de vue dans l'obscurité.

Il courut d'abord vers l'église puis, lorsqu'il atteignit le sentier qui déviait vers les dunes, obliqua brusquement vers l'est. Il courait avec l'énergie du désespoir sans aucune autre pensée que celle d'atteindre la mer et d'être seul.

Il avait, à cet instant, l'impression que l'humanité tout entière — la répugnante, cancéreuse et suffocante humanité — était à ses trousses.

À mi-chemin, entre le sentier de l'église et les dunes, il se retourna une fois et, apercevant la silhouette de Philippa qui le suivait, plongea en avant avec une furieuse panique.

Comme il traversait les dunes à cette allure folle, quelque chose parut se rompre dans son cerveau ou dans son cœur. Il cracha une pleine gorgée de sang douceâtre et, tombant sur les genoux, tâtonna dans le sable meuble comme s'il cherchait un objet perdu.

Il se releva en titubant et, voyant que sa poursuivante approchait, dégringola comme un fou la pente des dunes et traversa la plage en chancelant jusqu'au bord de l'eau.

Il y était enfin : sauvé de tout, sauvé de l'amour et de la haine, et de la folie et de la pitié, sauvé de lui-même et de ses indicibles fantasmes !

La longue ligne sombre des vagues se brisait à ses pieds avec un calme indifférent, et au loin — au loin dans la nuit éternelle — s'étendait la mer immense, incertaine, vague, infiniment et inexprimablement rassurante.

Il leva les deux bras en l'air. L'espace d'un bref et miraculeux instant, son esprit redevint clair et il se sentit inondé par un extatique sentiment de triomphe et par une joie irrésistible.

— Baptiste ! cria-t-il d'une voix formidablement vibrante. Baptiste !

Le cri se répercuta sur l'eau. Il se retourna et tenta péniblement de reculer. Un nouveau flux de sang jaillit de sa bouche, et il fut pris de vertige.

— Dis à Nance que je… que je…

Les mots devinrent un murmure étranglé dans sa gorge, et il tomba lourdement, le visage dans le sable.

Il était mort quand elle arriva. Elle le retourna doucement sur le dos et, lui pressant la main sur le cœur, sut que c'était la fin.

RODMOOR

Elle se laissa tomber près de lui, inclinant le front et s'accrochant à son cou jusqu'à ce qu'il touchât le sol.

Elle était « seule avec son mort », et rien n'avait plus d'importance.

Elle demeura immobile un long moment, pendant qu'audessus d'elle passait quelque chose qui ressemblait à l'éternité, une chose aux ailes battantes, terribles et magnifiques.

Puis elle se leva.

— Elle ne l'aura jamais, murmura-t-elle. Elle ne l'aura jamais !

Elle arracha à la ceinture de sa robe un long cordon brodé dont les glands solidement tissés pendaient sur le côté. Elle tira l'homme mort jusqu'à la frange de l'eau et, au prix d'un effort incroyable, le mit debout, jusqu'à ce qu'il s'appuyât, lourdement et mollement, contre son propre corps.

Puis, le soutenant avec difficulté et résistant de toutes ses forces pour ne pas sombrer sous son poids, elle enroula la corde autour de leurs deux corps et fit un nœud solide. Le tenant ainsi devant elle, le menton lui reposant sur l'épaule, elle avança en chancelant dans les flots.

Il n'était pas facile d'avancer, et son cœur faillit se rompre sous l'effort.

Mais la pensée sauvage qu'elle l'enlevait à Nance — à Nance et à quiconque — pour le posséder à jamais lui donnait une force surnaturelle.

Il semblait que le démon de la folie ne s'était enfin décidé à quitter Adrian et à le laisser libre que pour entrer en elle.

Si tel était le cas, il est plus que probable qu'elle ne lutta pas désespérément pour échapper au destin qu'elle avait choisi, lorsqu'elle tomba enfin sous les vagues — écrasée par le poids de l'homme —, mais qu'elle but l'eau étouffante avec une folle extase d'abandon.

Étroitement liés, tant par les bras de la fille que par la corde qu'elle avait nouée autour d'eux, la mer du Nord, dans le reflux de la marée, emporta leurs corps dans l'obscurité.

Elle les emporta loin de la terre, sous l'aveugle ciel de brume, loin du malheur et de la folie, et quand l'aube tremblante pointa enfin sur l'immense étendue sans repos elle ne vit que les blancs hippocampes et les blancs oiseaux de mer.

Eux deux avaient disparu ensemble, hors d'atteinte de l'humanité, hors d'atteinte de Rodmoor.

TABLE

DU MÊME AUTEUR

[Sauf dans le cas des romans, ne sont mentionnées que les œuvres dont il existe une traduction, même partielle, en français. Les nombreuses parutions en revue ne sont pas indiquées.]

POÈMES

1916   *Wolf's Bane*, New York, G. Arnold Shaw.
       L'Aconit, trad. de Patrick Reumaux, in *Scènes de chasse en famille*, Rouen, Librairie Élisabeth Brunet, 2005.

ROMANS

1915   *Wood and Stone : a Romance*, New York, G. Arnold Shaw.
       Wood and Stone, trad. de Patrick Reumaux, Phébus, 1991.
       Nouvelle édition, *Bois et Pierre*, trad. de Patrick Reumaux, Le Bruit du temps, à paraître.
1916   *Rodmoor : a Romance*.
       Rodmoor, trad. de Patrick Reumaux, Le Seuil, 1992 ; Le Bruit du temps, 2021.
1925   *Ducdame*, New York, Doubleday Page and Company.
       Givre et Sang, trad. de Diane de Margerie et François-Xavier Jaujard, Le Seuil, 1973 ; « Points/roman », 1982 ; « Points/signature », 2008.
1929   *Wolf Solent*, New York, Simon and Shuster ; Londres, Jonathan Cape.
       Wolf Solent, trad. de Serge Kaznakoff, Payot, 1931 ; trad de Suzanne Nétillard, Gallimard, 1967.
1932   *A Glastonbury Romance*, New York, Simon & Shuster. Londres, John Lane, The Bodley Head, 1933.
       Les Enchantements de Glastonbury, trad. de Jean Queval, Gallimard, 1976.
1934   *Weymouth Sands*, New York, Simon & Shuster. Sous le titre *Jobber Skal*d, Londres, John Lane, The Bodley Head, 1935.

Les Sables de la mer, trad. de Marie Canavaggia, Plon, 1958 ; Christian Bourgois, 1994.

1936   *Maiden Castle*. New York, Simon & Shuster. Londres, Cassell, 1937
Camp retranché, trad. de Marie Canavaggia, Grasset, 1967 ; « Les Cahiers rouges », 1988.

1937   *Morwyn or the Vengeance of God*, Londres, Cassell, 1937 ; *Morwyn ou la vengeance de Dieu*, trad. de Claire Malroux, Henri Veyrier, 1978 ; Christian Bourgois, 1992.

1940   *Owen Glendower : an historical novel*. New York, Simon & Shuster. Londres, John Lane, the Bodley Head, 1942.
Owen Glendower [2 vol. : *Les Forêts de Tywyn* et *Les Tours de Mathrafal*], trad. de Patrick Reumaux, Paris, Phébus, 1996 ; « Libretto », 2017.

1951   *Porius : a Romance of the Dark Ages*. Londres, Macdonald, 1951.

1952   *The Inmates*. Londres, Macdonald.
La Fosse aux chiens, trad. de Daniel Mauroc, Le Seuil, 1976 ; « Points/roman », 1985.

1954   *Atlantis*. Londres, Macdonald.

1956   *The Brazen Head*. Londres, Macdonald, 1956.
La tête qui parle, trad. de Bernard Géniès, Flammarion, 1987.

1957   *Up and Out*. Londres, Macdonald.
Les Montagnes de la lune, trad. de Michelle Tran Van Khai, Minerve, 1991.

1960   *All or Nothing*. Londres, Macdonald.
Tout ou rien, trad. de François-Xavier Jaujard et Guillaume Villeneuve, Minerve, 1988.

ŒUVRES AUTOBIOGRAPHIQUES

1916   *Confession of two Brothers*, (écrit avec Llewellyn Powys). New York, The Manas Press.
Confession de deux frères, trad. de Christiane Poussier, Granit, 1992.

1934   *Autobiography*. New York, Simon & Shuster. Londres, John Lane, The Bodley Head.
Autobiographie, trad. de Marie Canavaggia, Gallimard, 1987.

ESSAIS

1915   *Visions and revisions : A Book of Literary Devotions*, New York, G. Arnold Shaw. Londres, William Rider.
Nietzsche, trad. de Bernard Noël, Fata Morgana, 2019.

1916   *Suspended Judgments : Essays on Books and Sensations*, New York, G. Arnold Shaw.
Jugements réservés, trad. de Jacqueline Peltier, Lannion, Penn Maen, 201

1923   *Psychoanalysis and Morality.* San Francisco, Jessica Colbert.
Psychanalyse et moralité, trad. de Judith Coppel, Presses Universitaires de France, 2009

1923   *James Joyce's Ulysses, an Appreciation*, dans le numéro d'octobre de *Life and Letters*, publiée par l'éditeur Haldeman-Julius à Girard, Kansas.
Ulysse de James Joyce. Une appréciation, trad. de Phlippe Blanchon, Ollioules, La Nerthe, 2013

1925   *The Religion of a Sceptic* (1925).
La Religion d'un sceptique, (suivi de *Anatole France*, tiré de *Jugements réservés*), trad. de Judith Coppel, Paris, José Corti, 2004.

1928   *The Art of Forgetting the Unpleasant.* Girard, Kansas, Haldeman-Julius.
L'Art d'oublier le déplaisir, trad. de Marie-Odile Fortier-Masek, Lausanne, L'Âge d'homme, 1981 ; Corti, 2007.

1930   *In Defence of Sensuality.* New york, Simon & Shuster. Londres, Gollancz.
Apologie des sens, trad. de Michelle Tran Van Khai, Pauvert, 1975.

1931   *Dorothy M. Richardson.* Londres, Joiner & Steele.
Trad. de Marcelle Sibon, en préface à Dorothy Richardson, *Toits pointus*, Mercure de France, 1966.

1933   *A Philosophy of Solitude.* New York, Simon & Shuster. Londres, Jonathan Cape.
Une philosophie de la solitude, trad. de ?, La Différence, 1984 ; Allia, 2020.

1935   *The Art of Happiness.*
L'Art du bonheur, trad. de Marie-Odile Fortier-Masek, Lausanne, L'Âge d'Homme, 1995.

1938   *The Enjoyment of Literature*, New York, Simon & Shuster. *The Pleasures of Literature*, Londres, Cassell. *Les Plaisirs de la littérature*, trad. de Gérard Joulié, Lausanne, L'Âge d'homme, 1995.

1944   *The Art of Growing Old*, Londres, Jonathan Cape. *L'Art de vieillir*, traduit par Marie-Odile Fortier-Masek, Paris, José Corti, 1999.

1947   *Dostoievsky*, Londres, John Lane. *Dostoïevski*, traduit par Guillaume Villeneuve, Paris, Bartillat, 2000.

1948   *Rabelais*, Londres, John Lane, The Bodley Head. *Rabelais*, trad. de Catherine Lieutenant, Verviers, La Thalamège, 1990.

CORRESPONDANCES, JOURNAUX

1975   *Letters of John Cowper Powys to His Brother Llewelyn*, éd. Malcolm Elwin. 2 vols. Londres, Village Press. *Esprits-frères*, lettres choisies, trad. de Christiane Poussier et Anne Bruneau, Paris, José Corti, 2001.

1975   *Letters to Henry Miller from John Cowper Powys.* Londres, Village Press. Publié en français sous le titre *Correspondance privée*, traduit, annoté et présenté par Nordine Haddad, Paris, Critérion, 1994.

1995   *Petrushka and the Dancer: The Diaries of John Cowper Powys 1929–1939.* Londres, Carcanet Press. *Petrouchka et la danseuse : journal, 1929-1939*, trad. de Christiane Poussier et Anne Bruneau, Paris, José Corti, 1998.

1996   *Powys to Sea Eagle: Letters of John Cowper Powys to Philippa Powys*, Londres, Cecil Woolf. Trad. partielle en français, avec d'autres textes de la famille Powys, sous le titre *Scènes de chasse en famille*, trad. de Patrick Reumaux, Rouen, Librairie Élisabeth Brunet, 2003.

Cet ouvrage a été composé en Caslon
et achevé d'imprimer en février 2021
sur les presses de l'imprimerie Smilkov.
Dépôt légal : février 2021
ISBN 978-2-35873-158-4
Imprimé dans l'Union européenne.